Scott Foresman·Addison Wesley

# enVisionMATH™
## en español
## Texas

Scott Foresman·Addison Wesley

# enVisionMATH™
## en español
### Texas

## Autores

### Randall I. Charles
Professor Emeritus
Department of Mathematics
San Jose University
San Jose, California

### Janet H. Caldwell
Professor of Mathematics
Rowan University
Glassboro, New Jersey

### Mary Cavanagh
Mathematics Consultant
San Diego County Office of Education
San Diego, California

### Dinah Chancellor
Mathematics Consultant with Carroll ISD
Southlake, Texas
Mathematics Specialist with Venus ISD
Venus, Texas

### Juanita V. Copley
Professor
College of Education
University of Houston
Houston, Texas

### Warren D. Crown
Professor of Mathematics Education
Graduate School of Education
Rutgers University
New Brunswick, New Jersey

### Francis (Skip) Fennell
Professor of Education
McDaniel College
Westminster, Maryland

### Kay B. Sammons
Coordinator of Elementary Mathematics
Howard County Public Schools
Ellicott City, Maryland

### Jane F. Schielack
Professor of Mathematics
Associate Dean for Assessment and
Pre K-12 Education, College of Science
Texas A&M University
College Station, Texas

### William Tate
Edward Mallinckrodt Distinguished
University Professor in Arts & Sciences
Washington University
St. Louis, Missouri

### John A. Van de Walle
Professor Emeritus, Mathematics Education
Virginia Commonwealth University
Richmond, Virginia

## Matemáticos asesores

### Edward J. Barbeau
Professor of Mathematics
University of Toronto
Toronto, Canada

### Sybilla Beckmann
Professor of Mathematics
Department of Mathematics
University of Georgia
Athens, Georgia

### David Bressoud
DeWitt Wallace Professor of Mathematics
Macalester College
Saint Paul, Minnesota

### Gary Lippman
Professor of Mathematics and Computer Science
California State University East Bay
Hayward, California

**PEARSON**
Scott Foresman

**Oficinas editoriales:** Glenview, Illinois • Parsippany, Nueva Jersey • Nueva York, Nueva York
**Oficinas de ventas:** Boston, Massachusetts • Duluth, Georgia • Glenview, Illinois
Coppell, Texas • Sacramento, California • Mesa, Arizona

## Asesores

**Stuart J. Murphy**
Visual Learning Specialist
Boston, Massachusetts

**Jeanne Ramos**
Secondary Mathematics Coordinator
Los Angeles Unified School District
Los Angeles, California

**Verónica Galván Carlan**
Private Consultant Mathematics
Harlingen, Texas

## Asesores/Revisores de ELL

**Jim Cummins**
Professor
The University of Toronto
Toronto, Canada

**Alma B. Ramirez**
Sr. Research Associate
Math Pathways and Pitfalls WestEd
Oakland, California

## Revisores de Texas

**Virginia Beltrán**
Teacher
Ysleta ISD

**Dr. Francisco García**
Bilingual Teacher
Worsham Elementary
Aldine ISD

**Irene G. García**
Math Specialist
Northside ISD

**Veronica Gomez**
Teacher
Dallas ISD

**Ana Y. Muñoz**
Bilingual Teacher
Dallas ISD

**Dolores J. Pérez**
5th Grade Teacher
Brownsville ISD

**Maritza Quiñones**
Math Lead Teacher
Houston ISD

**Monica Ramirez**
Kindergarten Bilingual Teacher
Houston ISD

**Maria Samudio**
Teacher
Arlington ISD

**Vidalina Vásquez**
Reading First Coach
Fort Worth ISD

**Mariana Vilorio**
Math Coach
El Paso ISD

Scott Foresman·Addison Wesley

enVisionMATH™ en español Texas

ISBN-13: 978-0-328-29103-8
ISBN-10: 0-328-29103-X

# Contenido

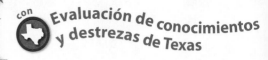
## COLORES DE LOS OBJETIVOS DE TAKS

TAKS: Objetivo 1 **Números y operaciones**

TAKS: Objetivo 2 **Razonamiento algebraico**

TAKS: Objetivo 3 **Geometría**

TAKS: Objetivo 4 **Medición**

TAKS: Objetivo 5 **Probabilidad y estadística**

TAKS: Objetivo 6 **Resolución de problemas**

Todas las lecciones incorporan procesos implícitos e instrumentos matemáticos, entre ellos, la resolución de problemas.

Tema
11

# Conceptos de fracciones
(TEKS 3.2A, 3.2B, 3.2C, 3.2D)

Tema
12

# Patrones y relaciones
(TEKS 3.6A, 3.7A, 3.7B)

Tema
13

# Números enteros y fracciones en la recta numérica (TEKS 3.2B, 3.10)

# Manual de resolución de problemas

Usa este Manual de resolución de problemas a lo largo del año como ayuda para resolver problemas.

¡No te rindas!

¡Todos podemos tener un buen dominio de la resolución de problemas!

¡Casi siempre hay más de una manera de resolver un problema!

¡No confíes en las palabras clave!

¡Las ilustraciones me ayudan a entender!

¡Explicar algo me ayuda a entenderlo!

# Proceso de resolución de problemas

## Lee y comprende

**❓ ¿Qué trato de hallar?**
- Decir qué información pide la pregunta.

**❓ ¿Qué sé?**
- Decir el problema en mis propias palabras.
- Identificar hechos y detalles clave.

## Planea y resuelve

**❓ ¿Qué estrategia o estrategias debo probar?**

**❓ ¿Puedo representar el problema?**
- Tratar de hacer un dibujo.
- Tratar de hacer una lista, una tabla o una gráfica.
- Tratar de representarlo o usar objetos.

**❓ ¿Cómo resolveré el problema?**

**❓ ¿Cuál es la respuesta?**
- Decir la respuesta en una oración completa.

### Estrategias
- Mostrar lo que sabes
  - Hacer un dibujo
  - Hacer una lista organizada
  - Hacer una tabla
  - Hacer una gráfica
  - Representarlo/Usar objetos
- Buscar un patrón
- Intentar, revisar y corregir
- Escribir una ecuación
- Razonar
- Empezar por el final
- Resolver un problema más sencillo

## Vuelve atrás y comprueba

**❓ ¿Revisé mi trabajo?**
- Comparar mi trabajo con la información del problema.
- Estar seguro de que todos los cálculos son correctos.

**❓ ¿Es razonable mi respuesta?**
- Hacer una estimación para ver si mi respuesta tiene sentido.
- Estar seguro de que se respondió a la pregunta.

# Usar diagramas de barras

Usa un diagrama de barras para mostrar cómo se relaciona lo que sabes con lo que quieres hallar. Luego, escoge una operación para resolver el problema.

## Problema 1

Carrie ayuda en la florería de su familia durante el verano. Lleva un registro de cuántas horas trabaja. ¿Cuántas horas trabajó el lunes y el miércoles?

**Horas que trabajó Carrie**

| Días | Horas |
|------|-------|
| Lunes | 5 |
| Martes | 3 |
| Miércoles | 6 |
| Jueves | 5 |
| Viernes | 5 |

Datos

### Diagrama de barras

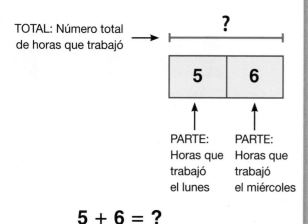

TOTAL: Número total de horas que trabajó → ?

| 5 | 6 |

PARTE: Horas que trabajó el lunes

PARTE: Horas que trabajó el miércoles

$$5 + 6 = ?$$

**Piénsalo** Puedo sumar para hallar el total.

## Problema 2

Kim está ahorrando para comprar una sudadera del colegio universitario al que va su hermano. Tiene $9. ¿Cuánto dinero más necesita para comprar la sudadera?

### Diagrama de barras

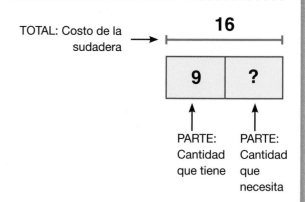

TOTAL: Costo de la sudadera → 16

| 9 | ? |

PARTE: Cantidad que tiene

PARTE: Cantidad que necesita

$$16 - 9 = ?$$

**Piénsalo** Puedo restar para hallar la parte que falta.

# ¡Las ilustraciones me ayudan a entender!

¡No confíes en las palabras clave!

## Problema 3

Los sábados, las entradas para una película cuestan sólo $5 cada una, sin importar la edad. ¿Cuál es el costo de las entradas para una familia de cuatro miembros?

### Diagrama de barras

TOTAL: Costo total de las entradas → ?

| 5 | 5 | 5 | 5 |

PARTE: Costo de cada entrada

$$4 \times 5 = ?$$

 Puedo multiplicar porque las partes son iguales.

## Problema 4

Doce estudiantes viajaron en 3 microbuses al zoológico. En cada microbús había el mismo número de estudiantes. ¿Cuántos estudiantes había en cada microbús?

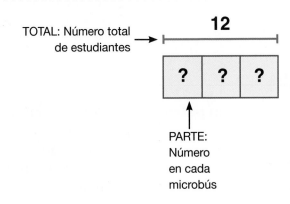

### Diagrama de barras

TOTAL: Número total de estudiantes → 12

| ? | ? | ? |

PARTE: Número en cada microbús

$$12 \div 3 = ?$$

 Puedo dividir para hallar cuántos hay en cada parte.

# Estrategias de resolución de problemas

| Estrategia | Ejemplo | Cuándo usarla |
|---|---|---|
| **Hacer un dibujo** | La carrera era de 5 kilómetros. Había marcadores en la salida y en la meta. Los marcadores indicaban cada kilómetro de la carrera. Halla el número de marcadores que se usaron. | Trata de hacer un dibujo cuando te ayude a visualizar el problema o cuando se incluyan relaciones como unir o separar. |

Salida                             Meta

Salida   1 km   2 km   3 km   4 km   Meta

| Estrategia | Ejemplo | Cuándo usarla |
|---|---|---|
| **Hacer una tabla** | Phil y Marcy pasaron todo el sábado en la feria. Phil dio 3 vueltas en los juegos mecánicos cada media hora y Marcy dio 2 vueltas cada media hora. ¿Cuántas vueltas había dado Marcy cuando Phil había dado 24 vueltas? | Trata de hacer una tabla cuando:<br>• haya 2 o más cantidades,<br>• las cantidades cambien según un patrón. |

| Vueltas de Phil | 3 | 6 | 9 | 12 | 15 | 18 | 21 | 24 |
|---|---|---|---|---|---|---|---|---|
| Vueltas de Marcy | 2 | 4 | 6 | 8 | 10 | 12 | 14 | 16 |

| Estrategia | Ejemplo | Cuándo usarla |
|---|---|---|
| **Buscar un patrón** | Los números de las casas de la calle Forest cambian de manera planificada. Describe el patrón. Di cuáles deben ser los dos siguientes números de las casas. | Busca un patrón cuando algo se repita de manera predecible. |

3     6     10     15     ?     ?

| Estrategia | Ejemplo | Cuándo usarla |
|---|---|---|
| **Hacer una lista organizada** | ¿De cuántas maneras diferentes puedes calcular el cambio para una moneda de 25¢ usando monedas de 10¢ y de 5¢? | Haz una lista organizada cuando se te pida que halles combinaciones de dos o más elementos. |

1 moneda de 25¢ =

1 moneda de 10¢ + 1 moneda de 10¢ + 1 moneda de 5¢

1 moneda de 10¢ + 1 moneda de 5¢ + 1 moneda de 5¢ + 1 moneda de 5¢

1 moneda de 5¢ + 1 moneda de 5¢ + 1 moneda de 5¢ + 1 moneda de 5¢ + 1 moneda de 5¢

| Estrategia | Ejemplo | Cuándo usarla |
|---|---|---|
| **Intentar, revisar y corregir** | Suzanne gastó $27, sin incluir impuestos, en artículos para perros. Compró dos unidades de un artículo y una unidad de otro artículo. ¿Qué compró? $8 + $8 + $15 = $31 $7 + $7 + $12 = $26 $6 + $6 + $15 = $27 | Usa Intentar, revisar y corregir cuando se combinen cantidades para hallar un total, pero no sepas qué cantidades. |

¡Gran venta de artículos para perros!
Correa .................... $8
Collar ..................... $6
Plato ...................... $7
Camita .................... $15
Juguetes ................. $12

| Estrategia | Ejemplo | Cuándo usarla |
|---|---|---|
| **Escribir una ecuación** | El nuevo tocadiscos CD de María puede contener 6 discos a la vez. Si ella tiene 54 CD, ¿cuántas veces se puede llenar el tocadiscos sin repetir ningún CD? Halla $54 \div 6 = n$. | Escribe una ecuación cuando el cuento describa una situación que use una o varias operaciones. |

# Más estrategias

| Estrategia | Ejemplo | Cuándo usarla |
|---|---|---|
| **Representarlo** | ¿De cuántas maneras pueden darse la mano 3 estudiantes? | Piensa en representar un problema cuando los números sean pequeños y, en el problema, haya una acción que puedas hacer. |
| **Razonar** | Beth recogió algunas conchas marinas, rocas y vidrios gastados por el mar. <br><br> **Colección de Beth** <br> 2 rocas  ●● <br> 3 veces más conchas marinas que rocas  ●● ●● ●● <br> 12 objetos en total <br><br> ¿Cuántos objetos de cada tipo hay en la colección? | Razona cuando puedas usar la información conocida para hacer un razonamiento sobre la información desconocida. |
| **Empezar por el final** | Tracy tiene práctica de banda a las 10:15 A.M. Tarda 20 minutos en ir desde su casa a la práctica y 5 minutos en hacer sus ejercicios de calentamiento. ¿A qué hora debe salir de su casa para llegar a tiempo a la práctica? | Trata de empezar por el final cuando: <br> • conozcas el resultado final de una serie de pasos, <br> • quieras saber lo que sucedió al principio. |

**20 minutos** → Hora a la que Tracy sale de su casa: **?**

**5 minutos** → Hora a la que empieza el calentamiento:

Hora a la que empieza la práctica: **10:15**

| Estrategia | Ejemplo | Cuándo usarla |
|---|---|---|

**Resolver un problema más sencillo**

Cada lado de cada triángulo de la figura de la izquierda mide un centímetro. Si hay 12 triángulos uno junto al otro, ¿cuál es el perímetro de la figura?

Miro 1 triángulo, luego 2 triángulos, luego 3 triángulos.

 perímetro = 3 cm

 perímetro = 4 cm

 perímetro = 5 cm

Trata de resolver un problema más sencillo cuando puedas crear un caso más sencillo que sea más fácil resolver.

---

**Hacer una gráfica**

Mary fue a una competencia de saltar cuerda. ¿Cómo cambió su número de saltos a lo largo de los cinco días de la competencia?

Haz una gráfica cuando:
- se den los datos de un evento,
- la pregunta se pueda responder leyendo la gráfica.

# Escribir para explicar

Ésta es una buena explicación matemática.

**Escribir para explicar** ¿Qué sucede con el área del rectángulo si la longitud de sus lados se duplica?

▨ = 1/4 de todo el rectángulo

El área del rectángulo nuevo es 4 veces mayor que el área del rectángulo original.

### Consejos para escribir buenas explicaciones matemáticas...

Una buena explicación debe ser:

- correcta
- sencilla
- completa
- fácil de entender

Las explicaciones matemáticas pueden usar:

- palabras
- dibujos
- números
- símbolos

Ésta es otra buena explicación matemática.

¡Explicar algo me ayuda a entenderlo!

**Escribir para explicar** Usa bloques para mostrar $3 \times 24$.
Haz un dibujo de lo que hiciste con los bloques.

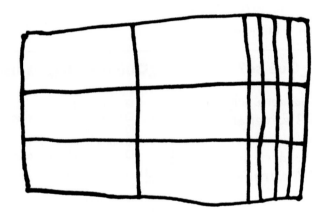

Primero hicimos una fila de 24 con 2 decenas y 4 unidades.

Luego, hicimos 2 filas más. Luego, dijimos que 3 filas de 2

decenas equivalen a $3 \times 2$ decenas = 6 decenas o 60. Luego,

dijimos que 3 filas de 4 unidades equivalen a $3 \times 4 = 12$.

Luego, sumamos las partes: $60 + 12 = 72$.

Por tanto, $3 \times 24 = 72$.

# Resolución de problemas:
# Hoja de anotaciones

Nombre **Jane**

## Resolución de problemas: Hoja de anotaciones

**Problema:**

El 14 de junio de 1777, el Congreso Continental aprobó el diseño de una bandera nacional. La bandera de 1777 tenía 13 estrellas, una por cada colonia. La bandera de hoy tiene 50 estrellas, una por cada estado. ¿Cuántas estrellas se agregaron a la bandera desde 1777?

### ¿Qué debo hallar?

Número de estrellas agregadas a la bandera

### ¿Qué sé?

Bandera original
13 estrellas

Bandera de hoy
50 estrellas

### ¿Qué estrategias uso?

Representar el problema
☑ Hacer un dibujo
☐ Hacer una lista organizada
☐ Hacer una tabla
☐ Hacer una gráfica
☐ Representarlo/Usar objetos

☐ Buscar un patrón
☐ Intentar, revisar y corregir
☑ Escribir una ecuación
☐ Razonar
☐ Empezar por el final
☐ Resolver un problema más sencillo

### ¿Cómo represento el problema?

| 50 | |
|----|----|
| 13 | ? |

### ¿Cómo lo soluciono?

Puedo comparar las dos cantidades. Puedo sumar desde el 13 hasta el 50. También puedo restar 13 de 50. Voy a restar.

$$\begin{array}{r} 50 \\ -\ 13 \\ \hline 37 \end{array}$$

### ¿Cuál es la respuesta?

Desde 1777 hasta hoy, se agregaron a la bandera 37 estrellas.

### ¿Se comprueba? ¿Es razonable?

37 + 13 = 50; por tanto, resté correctamente.

50 – 13 es aproximadamente 50 – 10 = 40. 40 se aproxima a 37. 37 es razonable.

Nombre **Benton**

# Resolución de problemas: Hoja de anotaciones

**Problema:**

Supón que tu maestro te dice que abras tu libro de matemáticas en las páginas opuestas cuyos números sumen 85. ¿En qué dos páginas abrirías tu libro?

### ¿Qué debo hallar?

Los números de dos páginas opuestas

### ¿Qué sé?

Dos páginas.
Opuesta una a la otra.
La suma es 85.

### ¿Qué estrategias uso?

Representar el problema
- ☑ Hacer un dibujo
- ☐ Hacer una lista organizada
- ☐ Hacer una tabla
- ☐ Hacer una gráfica
- ☐ Representarlo/Usar objetos

- ☐ Buscar un patrón
- ☑ Intentar, revisar y corregir
- ☑ Escribir una ecuación
- ☐ Razonar
- ☐ Empezar por el final
- ☐ Resolver un problema más sencillo

### ¿Cómo represento el problema?

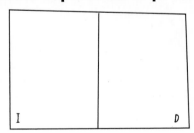

I + D = 85
I es I menos que D

### ¿Cómo lo soluciono?

Voy a probar con algunos números del medio.
40 + 41 = 81, muy bajo
¿Y qué pasa con 46 y 47?
46 + 47 = 93, muy alto
Bien, ahora trato con 42 y 43.
42 + 43 = 85.

### ¿Cuál es la respuesta?

Los números de página son 42 y 43.

### ¿Se comprueba? ¿Es razonable?

Sumé correctamente.
42 + 43 es aproximadamente
40 + 40 = 80
80 se aproxima a 85.
42 y 43 es razonable.

# Numeración

**1**

¿Qué altura tiene el Monumento a San Jacinto, de La Porte, Texas? Lo averiguarás en la Lección 1-4.

**2**

¿Cuántas fichas de dominó se usaron para batir el récord de caída de dominó? Lo averiguarás en la Lección 1-3.

**3** ¿Cuánto pesaba la calabaza más grande del mundo? Lo averiguarás en la Lección 1-2.

**4** En un minuto, ¿qué produce más la Tesorería de los Estados Unidos: monedas o billetes? Lo averiguarás en la Lección 1-6.

# Repasa lo que sabes

## Vocabulario

Escoge el mejor término del recuadro.

> • centenas        • unidades
> • números        • decenas

1. El número 49 tiene 4 __?__.

2. El número 490 tiene 4 __?__.

3. El número 54 tiene 4 __?__.

## Valor de posición

Escribe los números.

4. 3 decenas 5 unidades     5. 9 decenas

6. cuarenta y seis     7. noventa y ocho

## Dinero

Escribe el valor de las monedas.

8.      9.      10.

## Comparar números

11. **Escribir para explicar** ¿Qué número es mayor, 95 ó 59? ¿Cómo lo sabes?

12. Escribe estos números en orden de menor a mayor.

    14        54        41

**TEKS 3.1A:** Utilizar el valor de posición para leer, escribir (con símbolos y palabras) y describir el valor de números enteros hasta el 999,999.

# Centenas

**¿Cómo lees y escribes un número en el lugar de las centenas?**

Todos los números se forman con los dígitos 0, 1, 2, 3, 4, 5, 6, 7, 8 y 9.

Valor de posición es el valor del lugar que un dígito tiene en un número.

Las bicicletas con cadena se usan desde hace más de 125 años.

## Otro ejemplo

¿Cómo mostrarías 850 en una tabla de valor de posición?

| centenas | decenas | unidades |
|:---:|:---:|:---:|
| 8 | 5 | 0 |

El valor del 8 es 8 centenas, o sea, 800.

El valor del 5 es 5 decenas, o sea, 50.

El valor del 0 es 0 unidades, o sea, 0.

## Práctica guiada*

### ¿CÓMO hacerlo?

En los Ejercicios **1** a **3**, escribe los números en forma estándar.

1.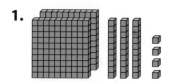

2. 600 + 50 + 3

3. ochocientos setenta y nueve

4. Escribe 156 en forma desarrollada.

### ¿Lo ENTIENDES?

5. ¿Cómo muestra una tabla de valor de posición el valor de un número?

6. Cuando se escribe 850 en forma desarrollada, ¿por qué hay sólo dos sumandos?

7. ¿Cómo sabes que 37 y 307 no representan el mismo número?

*Puedes encontrar otro ejemplo en el Grupo A, página 24.

Puedes mostrar 125 de distintas maneras.

**bloques de valor de posición:**

Un número que se escribe de una manera que muestra sólo los dígitos está en forma estándar: **125**

Un número escrito como la suma de los valores de los dígitos está en forma desarrollada: **100 + 20 + 5**

Un número escrito con palabras está en palabras: **ciento veinticinco**

## Práctica independiente

Escribe los números en forma estándar.

**8.**
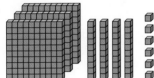

**9.**
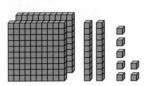

**10.**

**11.** 900 + 80 + 5

**12.** 400 + 70 + 8

**13.** trescientos cuatro

Escribe los números en forma desarrollada y en palabras.

**14.** 707

**15.** 683

**16.** 894

**17.** 520

**18.** 251

**19.** 402

### TAKS Resolución de problemas

**20. Razonamiento** La suma de los dígitos de un número de tres dígitos es 4. El dígito de las unidades es 3. ¿Cuál es el número?

**21. Álgebra** Halla el valor del número que falta.
389 = ▨ + 80 + 9

**22. Escribir para explicar** ¿Qué dígito tiene el mayor valor en 589?

**23.** ¿Cuál es la forma estándar de 700 + 50?

A 570

C 750

B 1,200

D 705

**TEKS 3.1A:** Utilizar el valor de posición para leer, escribir (con símbolos y palabras) y describir el valor de números enteros hasta el 999,999.

# Millares

## ¿Cómo lees y escribes números de 4 dígitos?

Diez centenas es igual a un millar.

¿Sabías que un camello pesa entre 1,000 y 1,450 libras?

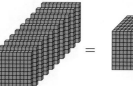

Este camello pesa 1,350 libras.

---

### Otro ejemplo

También puedes mostrar 1,350 en una tabla de valor de posición.

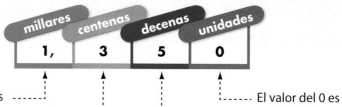

| millares | centenas | decenas | unidades |
|----------|----------|---------|----------|
| 1, | 3 | 5 | 0 |

El valor del 1 es 1 millar, o sea, 1,000.

El valor del 3 es 3 centenas, o sea, 300.

El valor del 5 es 5 decenas, o sea, 50.

El valor del 0 es 0 unidades, o sea, 0.

---

## Práctica guiada*

### ¿CÓMO hacerlo?

Escribe los números en forma estándar.

**1.**

**2.** 8,000 + 500 + 30 + 9

**3.** dos mil cuatrocientos sesenta y uno

### ¿Lo ENTIENDES?

**4.** Explica el valor de cada dígito en 6,802.

**5.** Escribe un número de 4 dígitos que tenga un 5 como dígito de las decenas, un 2 como dígito de las centenas y un 6 como dígito de cada uno de los lugares restantes.

**6.** Supón que otro animal pesa trescientas libras más que el camello de la foto. ¿Cómo escribirías el peso en forma desarrollada?

**7.** ¿Cómo mostrarías 1,350 con bloques de valor de posición si no tuvieras un bloque de un millar?

eTools
**www.pearsonsuccessnet.com**

*Puedes encontrar otro ejemplo en el Grupo B, página 24.

Puedes mostrar 1,350 de distintas maneras.

**bloques de valor de posición:**

1 millar      3 centenas      5 decenas  0 unidades

**forma desarrollada:** 1,000 + 300 + 50

**forma estándar:** 1,350

Escribe una coma entre los millares y las centenas.

**en palabras:** mil trescientos cincuenta

## Práctica independiente

En los Ejercicios **8** a **10,** escribe los números en forma estándar.

**8.**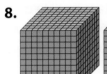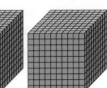

**9.** 4,000 + 600 + 50 + 8

**10.** 7,000 + 200 + 1

En los Ejercicios **11** y **12,** escribe los números en forma desarrollada.

**11.** seis mil doscientos cuatro

**12.** 5,033

En los Ejercicios **13** a **17,** escribe qué lugar ocupa el dígito subrayado. Luego, escribe su valor.

**13.** 4,865      **14.** 3,245      **15.** 9,716      **16.** 5,309      **17.** 7,240

### TAKS Resolución de problemas

**18. Escribir para explicar** ¿Es mil cuatrocientos lo mismo que catorce centenas? Explica por qué o por qué no.

**19.** El peso de la calabaza más grande del mundo en el año 2005 fue de 1,469 libras. Escribe ese número en palabras.

**20.** ¿Cuál es la forma en palabras de 2,406?

　**A** veinticuatro mil seis

　**B** dos mil cuatrocientos seis

　**C** dos mil cuarenta y seis

　**D** doscientos cuarenta y seis

**21. Sentido numérico** Escribe el número más grande posible y el número más pequeño posible usando estos cuatro dígitos: 5, 2, 8 y 1.

Lección

# 1-3

**TEKS 3.1A:** Utilizar el valor de posición para leer, escribir (con símbolos y palabras) y describir el valor de números enteros hasta el 999,999.

# Números más grandes

### ¿Cómo lees y escribes números más grandes?

El Parque Nacional Capitol Reef, en Utah, ocupa unos 241,904 acres de tierra.

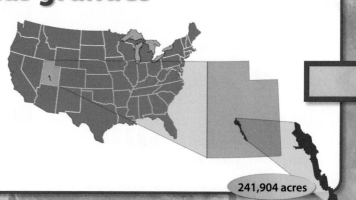

241,904 acres

## Práctica guiada*

### ¿CÓMO hacerlo?

Escribe los números en forma estándar.

1. trescientos cuarenta y dos mil seiscientos siete

2. noventa y ocho mil trescientos veinte

3. $500,000 + 40,000 + 600 + 90 + 3$

4. ¿Cuál es el valor del 9 en el número 379,050?

### ¿Lo ENTIENDES?

5. **Sentido numérico** Ramón dice que el valor del dígito 7 en 765,450 es 70,000. ¿Estás de acuerdo? ¿Por qué o por qué no?

6. **Escribir para explicar** Describe en qué se parecen y en qué se diferencian 130,434 y 434,130.

## Práctica independiente

Escribe los números en forma estándar.

7. veintisiete mil quinientos cincuenta

8. $800,000 + 20,000 + 6,000 + 300 + 50$

Escribe los números en forma desarrollada.

9. 46,354

10. 395,980

Escribe cuál es el lugar del dígito subrayado. Luego escribe su valor.

11. 404,705
12. 163,254
13. 45,391
14. 983,971
15. 657,240

Glosario animado
www.pearsonsuccessnet.com

DIGITAL

*Puedes encontrar otro ejemplo en el Grupo C, página 24.

¿Cómo puedes mostrar 241,904 de distintas maneras?

**tabla de valor de posición:**

período de los millares

período de las unidades

centenas de millar
decenas de millar
millares
centenas
decenas
unidades

| 2 | 4 | 1, | 9 | 0 | 4 |

Un período es un grupo de 3 dígitos en un número, contados desde la derecha. Dos períodos se separan con una coma.

**forma estándar:**
241, 904

**forma desarrollada:**
200,000 + 40,000 + 1,000 + 900 + 4

**en palabras:** doscientos cuarenta y un mil novecientos cuatro

**Álgebra**  Halla los números que faltan.

**16.** $26,305 = 20,000 + \quad + 300 + 5$

**17.** $801,960 = 800,000 + 1,000 + \quad + 60$

**18.** $400,000 + \quad + 30 + 2 = 470,032$

**19.** $618,005 = \quad + 10,000 + 8,000 + 5$

**20.** $300,000 + \quad + 600 + 3 = 304,603$

**21.** $200,000 + 4,000 + 60 + 3 = \quad$

**TAKS Resolución de problemas**

En los Ejercicios **22** a **24**, usa la tabla de la derecha.

**22.** Escribe la población de cada ciudad de la tabla en forma desarrollada.

**23.** Escribe en palabras la población de Columbus, OH.

**24.** ¿Qué ciudades de la tabla tienen más de setecientos mil habitantes?

| Población urbana | |
|---|---|
| **Ciudad** | **Número de habitantes** |
| Austin, TX | 681,804 |
| Jacksonville, FL | 777,704 |
| Columbus, OH | 730,008 |

Datos

**25.** Con la caída de 303,628 fichas de dominó se batió un nuevo récord mundial. Escribe 303,628 en forma desarrollada.

**26.** ¿Cómo se escribe en palabras 805,920?

    **A** ochenta y cinco mil noventa y dos

    **B** ochocientos cinco mil noventa y dos

    **C** ocho mil quinientos noventa y dos

    **D** ochocientos cinco mil novecientos veinte

Lección

1-4

TEKS 3.1B: Utilizar el valor de posición para comparar y ordenar números enteros hasta el 9,999.

# Comparar números

## ¿Cómo comparas números?

Cuando comparas dos números averiguas qué número es mayor y qué número es menor.

¿Cuál es más alta, la Estatua de la Libertad o su base?

Estatua 151 pies

Base 154 pies

**Otro ejemplo** ¿Cómo usas el valor de posición para comparar números?

Compara 3,456 y 3,482 usando una tabla de valor de posición.

Alinea los dígitos según su valor de posición.
Compara los dígitos empezando por la izquierda.

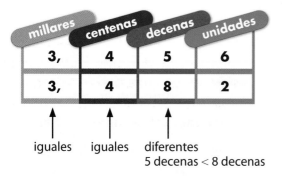

| millares | centenas | decenas | unidades |
|----------|----------|---------|----------|
| 3, | 4 | 5 | 6 |
| 3, | 4 | 8 | 2 |

iguales    iguales    diferentes
5 decenas < 8 decenas

Por tanto, 3,456 **es menor que** 3,482.

3,456 < 3,482

## Explícalo

1. En este ejemplo, ¿por qué no es necesario comparar el dígito del lugar de las unidades?

2. ¿Por qué no se puede saber qué número es mayor comparando sólo el primer dígito de cada número?

Glosario animado
www.pearsonsuccessnet.com

Puedes usar símbolos.

Datos

| Símbolo | Significado |
|---------|-------------|
| < | es menor que |
| > | es mayor que |
| = | es igual a |

Puedes comparar 151 y 154 usando el valor de posición.

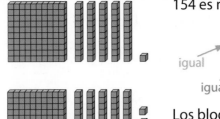

154 es mayor que 151.

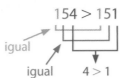

$$154 > 151$$

igual

igual    $4 > 1$

Por tanto, la base es más alta que la estatua.

Los bloques de valor de posición también muestran que 151 es menor que 154.

$$151 < 154$$

## Práctica guiada*

### ¿CÓMO hacerlo?

Compara los números. Usa <, > o =.

1.
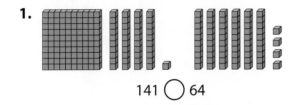

141 $\bigcirc$ 64

2.
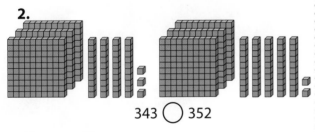

343 $\bigcirc$ 352

3. 2,561 $\bigcirc$ 2,261

4. 6,807 $\bigcirc$ 6,807

### ¿Lo ENTIENDES?

5. **Sentido numérico** Carla dice que como 4 es mayor que 1, el número 496 es mayor que 1,230. ¿Estás de acuerdo? Explica.

6. **Escribir para explicar** La altura total de la Estatua de la Libertad es de 305 pies. La altura del Monumento a Washington es de 555 pies. ¿Cuál es más alto? Explica cómo lo sabes.

## Práctica independiente

Compara los números. Usa <, > o =.

7.
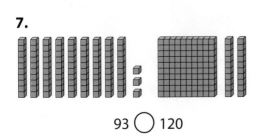

93 $\bigcirc$ 120

8.
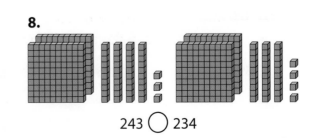

243 $\bigcirc$ 234

Compara los números. Usa <, > o =.

**9.** 679 ◯ 4,985

**10.** 9,642 ◯ 9,642

**11.** 5,136 ◯ 5,163

**12.** 8,204 ◯ 8,402

**13.** 3,823 ◯ 3,853

**14.** 2,424 ◯ 2,242

**Sentido numérico** Escribe los dígitos que faltan para hacer verdadera cada oración numérica.

**15.** ▢24 > 896

**16.** 6▢7 < 617

**17.** 29▢ = 2▢0

**18.** ▢,000 < 1,542

**19.** 3,▢12 > 3,812

**20.** 2,185 > 2,▢85

En los Ejercicios **21** y **22,** usa los dibujos.

**21. Escribir para explicar** ¿Cuál es más alto: el Monumento a Washington o el Monumento a la batalla de San Jacinto? ¿Cómo lo sabes?

**22.** ¿Cuál es más alto: el Arco de San Luis o la Aguja espacial?

**23. Razonamiento** Mark está pensando en un número de 3 dígitos. Rory está pensando en un número de 4 dígitos. ¿Cuál de los dos está pensando en el número mayor? ¿Cómo lo sabes?

**24. Sentido numérico** Supón que estás comparando 1,272 y 1,269. ¿Será necesario que compares los dígitos de las unidades? Explica.

**25.** ¿Qué oración numérica es verdadera si se reemplaza cada recuadro por el número 537?

**A** 456 > ▢

**B** ▢ = 256

**C** 598 < ▢

**D** ▢ > 357

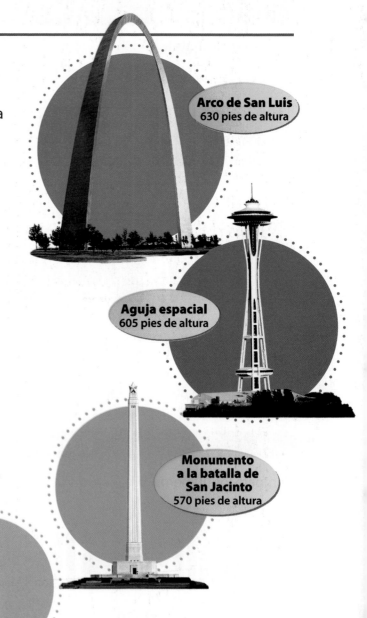

**Arco de San Luis**
630 pies de altura

**Aguja espacial**
605 pies de altura

**Monumento a la batalla de San Jacinto**
570 pies de altura

**Monumento a Washington**
555 pies de altura

# Enlaces con el Álgebra

## Patrones numéricos

Recuerda que se puede contar salteado para hacer un patrón numérico. El contar salteado también se puede usar para hallar los números que faltan en un determinado patrón.

Copia y completa. Escribe el número que complete los patrones.

**Ejemplos:** 2, 4, 6, 8, , 12

**Piénsalo** ¿Puedes contar salteado por un número determinado para obtener todos los números del patrón?

Cuenta salteado de dos en dos para este patrón.

2, 4, 6, 8, 10, 12

**1.** 5, 10, 15, 20, ▢ , 30

**2.** 14, ▢ , 18, 20, 22, 24

**3.** 20, 30, ▢ , 50, 60, 70

**4.** 25, 50, 75, 100, 125, ▢

**5.** 3, 8, 13, 18, 23, ▢

**6.** 9, 19, 29, ▢ , 49, 59

**7.** 7, 9, 11, ▢ , 15, 17

**8.** 12, ▢ , 20, 24, 28

**9.** 90, 80, 70, ▢ , 50, 40

**10.** 22, 20, 18, 16, ▢ , 12

**11.** 86, 81, ▢ , 71, 66, 61

**12.** 150, ▢ , 100, 75, 50, 25

- - - - - - - - - - - - - - - - - - - - - - - - - - - - - - - - - - - - - - - - - - - - - - - - - - - - - - - - - -

En los Ejercicios **13** y **14,** copia y completa cada patrón. Luego, usa los patrones como ayuda para resolver los problemas.

**13.** Rusty vio que los números de las casas en una calle seguían un patrón. Primero Rusty vio el número 101. Después vio los números 103, 105 y 107. Luego faltaba el número de una casa y después venía el número 111. ¿Cuál era el número que faltaba?

101, 103, 105, 107, ▢ , 111

**14.** Alani estaba contando salteado los fideos que iba haciendo. Los números que dijo eran: 90, 95, 100, 105, 110, 115. Alani tenía que decir un número más para terminar de contar todos los fideos que había hecho. ¿Cuántos fideos había hecho Alani?

90, 95, 100, 105, 110, 115, ▢

**15. Escribe un problema** Copia y completa el siguiente patrón numérico. Escribe un problema de la vida diaria que siga ese patrón numérico.

2, 4, 6, 8, 10, 12, ▢

**TEKS 3.1B:** Utilizar el valor de posición para comparar y ordenar números enteros hasta el 9,999.

# Ordenar números

## ¿Cómo ordenas números?

Cuando <mark>ordenas</mark> números, los escribes de mayor a menor o de menor a mayor.

En el mapa aparecen tres ríos. Escribe sus longitudes en orden, de mayor a menor.

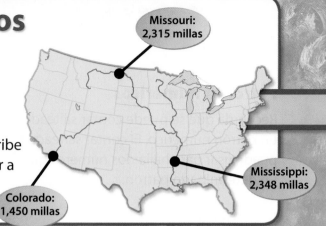

Missouri: 2,315 millas

Mississippi: 2,348 millas

Colorado: 1,450 millas

---

## Práctica guiada*

### ¿CÓMO hacerlo?

En los Ejercicios **1** y **2,** ordena los números, de menor a mayor.

**1.** 769    679    697

**2.** 359    368    45

En los Ejercicios **3** y **4,** ordena los números, de mayor a menor.

**3.** 4,334    809    4,350

**4.** 1,137    1,573    1,457

### ¿Lo ENTIENDES?

**5. Escribir para explicar** La longitud de otro río tiene un 2 en el lugar de las centenas. ¿Puede ser este río más largo que el río Colorado? Explica.

**6.** Dibuja una tabla de valor de posición que muestre centenas, decenas y unidades. Escribe los números 315, 305 y 319 en la tabla de valor de posición. Usa la tabla para escribir los números en orden, de mayor a menor.

---

## Práctica independiente

Ordena los números, de menor a mayor.

**7.** 6,743   6,930   6,395       **8.** 995   1,293   1,932       **9.** 8,754   8,700   8,792

Ordena los números, de mayor a menor.

**10.** 2,601   967   2,365       **11.** 3,554   3,454   3,459       **12.** 5,304   5,430   5,403

---

Glosario animado
www.pearsonsuccessnet.com

*Puedes encontrar otro ejemplo en el Grupo D, página 25.*

Puedes usar una tabla de valor de posición como ayuda.

| millares | centenas | decenas | unidades |
|---|---|---|---|
| 1, | 4 | 5 | 0 |
| 2, | 3 | 4 | 8 |
| 2, | 3 | 1 | 5 |

↑ 1 < 2
Por tanto,
1,450 es el
número menor.

↑ 3 = 3

↑ 4 > 1
Por tanto,
2,348 es el
número mayor.

Las longitudes de los ríos en orden, de mayor a menor, son:

Mississippi: 2,348 millas;
Missouri: 2,315 millas;
Colorado: 1,450 millas.

## TAKS Resolución de problemas

En los Ejercicios **13** a **16,** usa los dibujos.

**13.** ¿Qué animal pesa 100 libras más que el alce?

El **dromedario** pesa 1,521 libras.

La **jirafa** pesa 4,255 libras.

El **oso pardo** pesa 550 libras.

El **alce** pesa 1,421 libras.

**14. Sentido numérico** Una tonelada es igual a 2,000 libras. ¿Qué animales pesan menos de 1 tonelada?

**15.** Escribe el nombre de los animales en el orden de su peso, de menor a mayor.

**16. ¿Es razonable?** Margo dice que el dromedario pesa unas quince centenas de libras. ¿Estás de acuerdo?

**17. Escribir para explicar** Describe cómo escribirías los siguientes números de menor a mayor.

3,456    3,654    2,375

**18.** La tabla muestra la población de cuatro ciudades. ¿Qué ciudad tiene una población mayor que 2,550 pero menor que 2,570?

**A** Hopeville   **C** Mudville

**B** Smithville   **D** Pleasantville

| Ciudad | Población |
|---|---|
| Hopeville | 2,542 |
| Smithville | 2,586 |
| Mudville | 2,356 |
| Pleasantville | 2,568 |

**19.** ¿Qué número está entre 5,695 y 6,725?

**F** 5,659   **G** 6,735   **H** 6,632   **J** 6,728

| 5,695 | | 6,725 |
|---|---|---|

Lección

1-6

TEKS 3.1C: Determinar
el valor de un grupo de
billetes y monedas.

# Contar dinero

Manos a la obra
dinero de juguete

## ¿Cómo cuentas dinero?

Aquí se muestran algunos billetes
y monedas muy comunes.

**5 dólares**
$5 ó $5.00

**1 dólar**
$1 ó $1.00

**moneda de 50¢**
50¢ ó $0.50

**moneda de 25¢**
25¢ ó $0.25

**moneda de 10¢**
10¢ ó $0.10

**moneda de 5¢**
5¢ ó $0.05

**moneda de 1¢**
1¢ ó $0.01

---

**Otro ejemplo**  ¿Cómo muestras cantidades de dinero?

Puedes mostrar cantidades de dinero de distintas maneras.
Éstas son dos maneras de mostrar $2.56.

**Una manera**

$1.00        $2.00        $2.25    $2.50    $2.55    **$2.56**

**Otra manera**

$1.00        $1.50        $2.00        $2.25    $2.35    $2.45    $2.55    **$2.56**

**Explícalo**

1. ¿Podrías mostrar $2.56 sin usar monedas de 1¢? Explica.

2. ¿Cómo podrías mostrar $2.56 usando el menor número posible de
   billetes y monedas?

3. ¿Cómo puedes contar salteado para contar dinero?

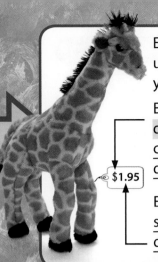

Este juguete cuesta un dólar y noventa y cinco centavos.

El símbolo de **dólar** indica la cantidad de dinero.

$1.95

El **punto decimal** separa los dólares de los centavos.

Greg tiene la cantidad de dinero que sigue. ¿Puede comprar el juguete?

Para contar dinero, empieza contando los billetes o las monedas de mayor valor. Luego sigue contando hasta hallar el valor total.

$1.00 → $1.50 → $1.75 → $1.85 → **$1.90**

**Escribe:** $1.90

**Di:** un dólar y noventa centavos

No. Greg no tiene suficiente dinero para comprar el juguete.

## Práctica guiada*

### ¿CÓMO hacerlo?

Escribe el valor total en dólares y centavos.

**1.**

**2.**

**3.**

### ¿Lo ENTIENDES?

**4.** ¿Cómo podrías mostrar $7.95 usando el menor número posible de billetes y monedas?

**5.** ¿Qué monedas y billetes podrías usar para mostrar $2.65 de otras dos maneras?

**6.** **Sentido numérico** Si tienes 195 monedas de 1¢, ¿tienes suficiente dinero para comprar el juguete que se muestra arriba?

## Práctica independiente

Escribe el valor total en dólares y centavos.

**7.**

**8.**

**DIGITAL** Glosario animado, eTools
www.pearsonsuccessnet.com

Escribe el valor total en dólares y centavos.

**9.**

**10.**

**11.** 1 billete de un dólar, 1 moneda de 50¢, 3 monedas de 5¢

**12.** 1 billete de un dólar, 2 monedas de 50¢, 1 moneda de 25¢, 4 monedas de 10¢, 4 monedas de 5¢

**13.** 1 billete de cinco dólares, 1 billete de un dólar, 2 monedas de 25¢, 3 monedas de 10¢, 4 monedas de 1¢

**14.** 1 billete de cinco dólares, 3 monedas de 25¢, 2 monedas de 10¢, 2 monedas de 5¢

Compara las cantidades. Escribe <, > o =.

**15.** $1.01 ◯ 1 billete de un dólar

**16.** $0.83 ◯ 3 monedas de 25¢, 1 moneda de 10¢

**17.** 9 monedas de 10¢, 2 monedas de 5¢ ◯ $0.95

**18.** $1.60 ◯ 2 monedas de 50¢, 3 monedas de 25¢

**19.** 10 monedas de 25¢ ◯ $2.50

**20.** $3.15 ◯ 4 monedas de 50¢, 4 monedas de 25¢

### TAKS Resolución de problemas

**21.** Mira la parte superior de la página 17. Keisha dice que Greg necesita 5 monedas más para tener suficiente dinero para comprar el juguete. Reni dice que Greg necesita sólo 1 moneda más. Explica cuál de los dos tiene razón.

**22. Razonamiento** Bob tiene 3 monedas de 25¢, 1 moneda de 10¢ y 1 moneda de 5¢. ¿Qué otra moneda necesita para obtener $1.00?

**23.** Muestra $3.62 de dos maneras. Dibuja rectángulos para representar los billetes. Dibuja círculos con letras para representar las monedas.

**24.** Tyler tiene 5 monedas que suman un valor de $0.65. Sólo tiene monedas de 25¢ y monedas de 10¢. ¿Cuántas tiene de cada moneda?

**25.** Cada minuto, el Departamento del Tesoro de los Estados Unidos produce 30,000 monedas. ¿Qué se produce más en un minuto: billetes o monedas?

Cada minuto se imprimen unos 24,300 billetes.

En los Ejercicios **26** a **28,** usa la tabla.

**Datos**

| Precios de los boletos para el Arco de San Luis | | | |
|---|---|---|---|
| **Atracción** | **Adultos (mayores de 17)** | **Jóvenes (13-16)** | **Niños (3-12)** |
| Vuelta en tranvía | $10.00 | $7.00 | $3.00 |
| Película | $7.00 | $4.00 | $2.50 |

**26.** Supón que sólo tienes monedas de 50¢ y de 25¢. ¿Cuántas monedas de 50¢ necesitarías para comprar un boleto de niño para la vuelta en tranvía? ¿Cuántas monedas de 25¢ necesitarías?

**27.** Supón que sólo tienes monedas de 25¢ y de 10¢. ¿Cuántas monedas de 25¢ necesitarías para comprar un boleto de niño para ver la película? ¿Cuántas monedas de 10¢ necesitarías?

**28. Razonamiento** El costo total de 2 boletos de adulto y 1 boleto de niño para la vuelta en tranvía cuando se inauguró el Arco de San Luis en julio de 1967 era de $2.50. ¿Qué puedes comprar ahora por esa cantidad?

**29.** ¿Cuál es el valor total de las 6 monedas?

**A** $0.81

**B** $0.96

**C** $1.21

**D** $1.06

**30.** ¿Cuál es el valor total de las 8 monedas?

**F** $1.02

**G** $1.20

**H** $1.07

**J** $0.92

Lección

1-7

TEKS 3.14B:
Resolver problemas que incorporen la comprensión del problema, hacer un plan, llevarlo a cabo y evaluar lo razonable de la solución.

Resolución de problemas

# Hacer una lista organizada

Randy está jugando a un juego llamado *Adivina el número*. ¿Cuáles son todos los números posibles que corresponden a las pistas que ves a la derecha?

Puedes hacer una lista organizada para hallar todos los números posibles.

## Pistas

- Es un número par de tres dígitos.
- El dígito en el lugar de las centenas es mayor que 8.
- El dígito en el lugar de las decenas es menor que 2.

## Práctica guiada*

### ¿CÓMO hacerlo?

Haz una lista organizada para resolver.

1. Rachel tiene una moneda de 25¢, una moneda de 10¢, una moneda de 5¢ y una moneda de 1¢. Le dio a su hermano dos monedas. Haz una lista de todos los pares de monedas que le pudo haber dado a su hermano.

### ¿Lo ENTIENDES?

2. **Escribir para explicar** ¿Cómo te ayudó el hacer una lista organizada para resolver el Problema 1?

3. **Escribe un problema** Escribe un problema de la vida diaria y resuélvelo haciendo una lista organizada.

## Práctica independiente

En los Ejercicios **4** y **5,** haz una lista organizada para resolver.

4. Escribe todos los números de 4 dígitos que corresponden a estas pistas.
   - El dígito en el lugar de los millares es menor que 2.
   - El dígito en el lugar de las centenas es mayor que 5.
   - Los dígitos en el lugar de las decenas y en el lugar de las unidades son iguales a $10 - 5$.

5. Jen, Meg y Emily están haciendo fila para entrar al cine. ¿De cuántas maneras pueden hacer la fila? Haz una lista.

**¿En aprietos? Intenta esto...**

- ¿Qué sé?
- ¿Qué se me pide que halle?
- ¿Qué diagrama puedo usar como ayuda para entender el problema?
- ¿Puedo usar la suma, la resta, la multiplicación o la división?
- ¿Es correcto todo mi trabajo?
- ¿Respondí la pregunta que correspondía?
- ¿Es razonable mi respuesta?

*Puedes encontrar otro ejemplo en el Grupo F, página 25.*

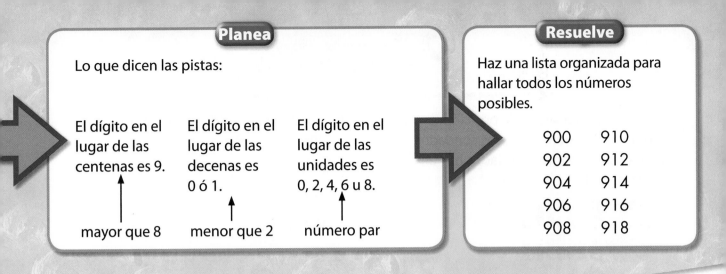

Lo que dicen las pistas:

| El dígito en el lugar de las centenas es 9. | El dígito en el lugar de las decenas es 0 ó 1. | El dígito en el lugar de las unidades es 0, 2, 4, 6 u 8. |
|---|---|---|
| mayor que 8 | menor que 2 | número par |

Haz una lista organizada para hallar todos los números posibles.

| | |
|---|---|
| 900 | 910 |
| 902 | 912 |
| 904 | 914 |
| 906 | 916 |
| 908 | 918 |

En los Ejercicios **6** a **8,** usa la tabla.

**6.** ¿Cuántos tipos de sándwiches puedes escoger si deseas pan blanco?

**7.** ¿Cuántos tipos de sándwiches puedes escoger si no deseas pavo?

**8.** Supón que el pan integral es otra opción de pan. ¿Cuántos tipos de sándwiches podrías escoger?

**Opciones para sándwiches**

| Opciones de pan | Opciones de relleno |
|---|---|
| Blanco | Jamón |
| Centeno | Atún |
| | Pavo |

**9.** Jeremy tiene pantalones de color beige y pantalones negros. También tiene tres camisas: azul, verde y roja. Haz una lista de las diferentes combinaciones que Jeremy puede usar.

**10.** Dennis compró 3 libras de manzanas por $3. También compró unas uvas por $4. ¿Cuánto gastó Dennis?

**11.** ¿De cuántas maneras puedes formar 15 centavos usando monedas de 10¢, de 5¢ o de 1¢?

    **A** 15 maneras    **C** 6 maneras

    **B** 9 maneras     **D** 3 maneras

**12.** Carla compró 4 hojas de cartulina gruesa. Cada hoja costó $2. Pagó con un billete de $10. Carla cortó cada hoja en 2 pedazos. ¿Cuántos pedazos tiene?

**13. Razonamiento** ¿Cuál es este número de 3 dígitos?

- El dígito en el lugar de las centenas es 3 menos que 5.
- El dígito en el lugar de las decenas es mayor que 8.
- El dígito en el lugar de las unidades es 1 menos que el dígito en el lugar de las decenas.

**1.** Los bloques de valor de posición muestran el número de los condados de Texas. ¿Cuántos condados hay en Texas? (1-1)

**A** 2,054

**B** 254

**C** 250

**D** 245

**2.** El viernes, 1,593 personas asistieron a la representación de *La Cenicienta*. El sábado, asistieron 1,595 personas y, el domingo, asistieron 1,586. ¿Qué opción muestra estos números ordenados de menor a mayor? (1-5)

**F** 1,586   1,593   1,595

**G** 1,586   1,595   1,593

**H** 1,593   1,595   1,586

**J** 1,595   1,593   1,586

**3.** El cajero le dio a Héctor el dinero que se muestra abajo como cambio. ¿Cuánto cambio recibió Héctor? (1-6)

**A** $3.82

**B** $7.67

**C** $7.82

**D** $7.87

**4.** ¿Cuál es el valor del 9 en el número 295,863? (1-3)

**F** 90

**G** 9,000

**H** 90,000

**J** 900,000

**5.** La tabla de valor de posición muestra la altura, en pies, del punto más alto de Texas. ¿De qué otra manera se puede escribir ese número? (1-2)

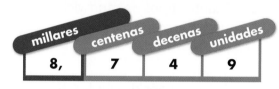

| millares | centenas | decenas | unidades |
|---|---|---|---|
| 8, | 7 | 4 | 9 |

**A** 800 + 700 + 40 + 9

**B** 8,000 + 70 + 40 + 9

**C** 8,000 + 700 + 40

**D** 8,000 + 700 + 40 + 9

**6.** ¿Cómo se escribe en palabras el número 530,450? (1-3)

**F** Quinientos treinta mil cuarenta y cinco

**G** Quinientos treinta mil cuatrocientos cincuenta

**H** Quinientos treinta, cuatrocientos cincuenta

**J** Cincuenta y tres mil cuatrocientos cincuenta

**7.** ¿Cuál de los siguientes números es mayor que 4,324? (1-4)

**A** 4,342

**B** 4,322

**C** 4,314

**D** 3,424

**8.** ¿De qué otra forma puedes escribir el número 34,003? (1-3)

**F** 30,000 + 400 + 3

**G** 30,000 + 4,000 + 30

**H** Treinta y cuatro mil tres

**J** Treinta y cuatro y tres

**9.** ¿Cuál de los siguientes números está entre 3,674 y 5,628? (1-5)

| 3,674 | | 5,628 |
|-------|--|-------|

**A** 5,629

**B** 3,673

**C** 3,629

**D** 5,575

**10.** ¿Cuál de los siguientes números tiene un 7 en el lugar de los millares? (1-2)

**F** 7,403

**G** 6,937

**H** 5,743

**J** 5,271

**11.** ¿Cuál es la forma estándar de 700 + 8? (1-1)

**A** 78

**B** 708

**C** 780

**D** 7,008

**12.** ¿Cuál de los siguientes grupos de monedas muestra 67¢? (1-6)

**F**

**G**

**H**

**J**

**13.** La tabla muestra el número de personas que asistieron a la feria.

| Noche | Personas |
|-------|----------|
| Miércoles | 346 |
| Jueves | 326 |
| Viernes | 354 |
| Sábado | 349 |

¿Qué noche asistieron a la feria más de 347 personas pero menos de 352? (1-4)

**A** el miércoles

**B** el jueves

**C** el viernes

**D** el sábado

**14.** **Respuesta en plantilla** Alex, Eric, Josh y Tony están jugando al tenis. ¿Cuántas parejas distintas pueden formar? (1-7)

**Grupo A,** páginas 4 y 5

Escribe el número en forma desarrollada, en forma estándar y en palabras.

**Forma estándar:** 236

**Forma desarrollada:** 200 + 30 + 6

**En palabras:** doscientos treinta y seis

**Recuerda** que en algunos números se necesita el dígito 0 para mantener otro número en su lugar.

Escribe los números en forma estándar.

**1.**    **2.** 300 + 20 + 7

Escribe los números en forma desarrollada y en palabras.

**3.** 456      **4.** 620

**Grupo B,** páginas 6 y 7

Escribe cuatro mil dieciséis en forma estándar y en forma desarrollada.

| millares | centenas | decenas | unidades |
|----------|----------|---------|----------|
| 4,       | 0        | 1       | 6        |

**Forma estándar:** 4,016

**Forma desarrollada:** 4,000 + 10 + 6

**Recuerda** que debes usar una coma para separar los millares de las centenas.

Escribe los números en forma estándar y en forma desarrollada.

**1.** Dos mil ciento cuatro

**2.** Seis mil setecientos veintidós

**Grupo C,** páginas 8 y 9

Halla el valor del 4 en 847,193.

El 4 está en el lugar de las decenas de millar.

El valor es 40,000.

**Recuerda** que 10 millares es igual a 1 decena de millar.

Escribe qué lugar ocupa cada dígito subrayado. Luego escribe su valor.

**1.** 341,791      **2.** 829,526

**3.** 570,890      **4.** 215,003

**Grupo D,** páginas 10 a 15

Compara 7,982 y 7,682.
Alinea los dígitos según su valor de posición.
Compara los dígitos comenzando por la izquierda.

| 7, | 9 | 8 | 2 |
|---|---|---|---|
| 7, | 6 | 8 | 2 |

iguales    diferentes: 9 centenas > 6 centenas

7,982 > 7,682

**Recuerda,** al ordenar números, que debes comparar un lugar a la vez.

Compara los números.
Usa <, > o =.

**1.** 479 $\bigcirc$ 912

**2.** 1,156 $\bigcirc$ 156

Escribe los números en orden, de mayor a menor.

**3.** 393    182    229

**4.** 1,289    2,983    1,760

**Grupo E,** páginas 16 a 19

Escribe el valor total en dólares y centavos.

$5.00,        $5.25,  $5.35,  $5.40,  $5.45,  $5.46

El total es $5.46.

**Recuerda** que debes contar primero los billetes o monedas de mayor valor.

Escribe el valor total en dólares y centavos.

**1.**

**2.**

**Grupo F,** páginas 20 y 21

Cuando hagas una lista organizada para resolver problemas, sigue estos pasos.

**Paso 1**

Lee con cuidado las pistas o la información que te da el problema.

**Paso 2**

Escoge una pista o dato y úsala para empezar tu lista.

**Paso 3**

Repite el paso 2 tantas veces como sea necesario, hasta que hayas usado todas las pistas o la información para hacer la lista organizada.

**Recuerda** que debes comprobar que todos los elementos de tu lista organizada correspondan a todas las pistas que te da el problema.

**1.** Pedro tiene una canica roja, una azul, una amarilla y una verde. Pedro le dijo a Frank que escogiera dos canicas. ¿Cuántos pares diferentes de canicas puede escoger Frank? Haz una lista de los pares.

# Tema 2

# Suma: Sentido numérico

**1** El lagarto con cuernos es el reptil estatal de Texas. ¿Cuántos huevos pone en un mismo lugar? Lo averiguarás en la Lección 2-2.

**2** ¿Cuántas espinas tiene el pez león? Lo averiguarás en la Lección 2-1.

**3** ¿Cuántos días al año asisten a la escuela los estudiantes en Japón? Lo averiguarás en la Lección 2-5.

**4**

¿Cuántos escalones hay que subir para llegar al piso más alto de la Torre Inclinada de Pisa? Lo averiguarás en la Lección 2-4.

## Vocabulario

Escoge el mejor término del recuadro.

> • centenas      • suma
>
> • unidades      • decenas

1. En el número 259, el 2 está en el lugar de las __?__.

2. En el número 259, el 9 está en el lugar de las __?__.

3. La respuesta a un problema de suma se llama __?__.

## Valor de posición

Copia y completa.

4. 35 = ▨ decenas ▨ unidades

5. 264 = ▨ centenas ▨ decenas ▨ unidades

6. 302 = ▨ centenas ▨ decenas ▨ unidades

## Operaciones de suma

Escribe las sumas.

| | | |
|---|---|---|
| 7. $3 + 5$ | 8. $1 + 8$ | 9. $6 + 4$ |
| 10. $4 + 3$ | 11. $8 + 2$ | 12. $6 + 6$ |
| 13. $7 + 6$ | 14. $8 + 6$ | 15. $9 + 9$ |

16. Janika compró 3 libros el lunes y 6 libros el martes. ¿Cuántos libros compró en total?

17. **Escribir para explicar** Derrick tiene 4 globos rojos, 2 azules, 2 verdes, 2 amarillos, y 2 anaranjados. Explica cómo puedes contar salteado para hallar cuántos globos tiene en total.

**Lección**

# 2-1

**TEKS 3.3A:** Dar ejemplos de la suma y la resta utilizando dibujos, palabras y números.

# Significado y propiedades de la suma

**¿De qué maneras puedes pensar en la suma?**

Puedes usar la suma para juntar grupos.

? en total

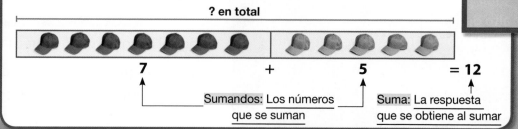

7      +      5      = 12

Sumandos: Los números que se suman

Suma: La respuesta que se obtiene al sumar

---

**Otro ejemplo**   ¿De qué otra manera puedes pensar en la suma?

Martha tiene dos pedazos de cinta. Uno mide 4 pulgadas de longitud y el otro mide 3 pulgadas. ¿Cuántas pulgadas de cinta tiene Martha en total?

3 pulgadas

Puedes usar una recta numérica para pensar en la suma.

4 pulgadas

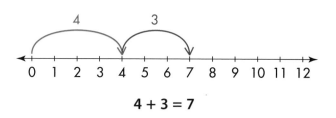

$$4 + 3 = 7$$

En total, Martha tiene 7 pulgadas de cinta.

---

## Práctica guiada*

### ¿CÓMO hacerlo?

Escribe los números que faltan.

**1.** ☐ $+ 9 = 9$

**2.** $4 + 6 = 6 +$ ☐

**3.** $(2 +$ ☐$) + 6 = 2 + (3 + 6)$

### ¿Lo ENTIENDES?

**4.** ¿Por qué tiene sentido que la propiedad conmutativa también se llame propiedad de orden?

**5.** **Escribir para explicar** Ralph dice que se puede volver a escribir $(4 + 5) + 2$ como $9 + 2$. ¿Estás de acuerdo? ¿Por qué o por qué no?

Glosario animado
www.pearsonsuccessnet.com

| Propiedad conmutativa (o propiedad de orden) de la suma: Puedes sumar números en cualquier orden y la suma será la misma. | Propiedad asociativa (o propiedad de agrupación) de la suma: Puedes agrupar sumandos de cualquier manera y la suma será la misma. |
|---|---|

Propiedad conmutativa (o propiedad de orden) de la suma: Puedes sumar números en cualquier orden y la suma será la misma.

$$7 + 5 = 5 + 7$$

Propiedad de identidad (o propiedad del cero) de la suma: La suma de cero y cualquier otro número es ese mismo número.

$$5 + 0 = 5$$

Propiedad asociativa (o propiedad de agrupación) de la suma: Puedes agrupar sumandos de cualquier manera y la suma será la misma.

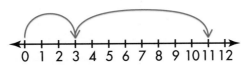

$(3 + 4)$     +     5     $= 12$

3     +     $(4 + 5)$     $= 12$

$$(3 + 4) + 5 = 3 + (4 + 5)$$

Los paréntesis,(), indican qué se debe sumar primero.

## Práctica independiente

Escribe los números que faltan.

**6.** ☐ $+ 8 = 8 + 2$

**7.** $19 +$ ☐ $= 19$

**8.** $(3 +$ ☐ $) + 2 = 2 + 8$

**9.** $4 + (2 + 3) = 4 +$ ☐

**10.** $7 + 3 =$ ☐ $+ 7$

**11.** ☐ $+ 25 = 25$

**12.** $(3 +$ ☐ $) + 6 = 3 + (4 + 6)$

**13.** $(6 + 2) +$ ☐ $= 8 + 7$

**TAKS Resolución de problemas**

**14. Razonamiento** ¿Qué propiedad de la suma se muestra en la oración numérica $3 + (6 + 5) = (6 + 5) + 3$? Explica.

**15. Hacer un dibujo** Dibuja objetos de 2 colores diferentes para mostrar que $4 + 3 = 3 + 4$.

**16.** Un pez león tiene 13 espinas en la espalda, 2 en el medio de la parte inferior y 3 en la parte inferior, cerca de la cola. Escribe dos oraciones numéricas diferentes para hallar cuántas espinas tiene el pez león en total. ¿Qué propiedad usaste?

**17.** ¿Qué oración numérica representa el dibujo?

**A** $3 + 8 = 11$

**B** $11 + 0 = 11$

**C** $11 - 8 = 3$

**D** $11 - 3 = 8$

0 1 2 3 4 5 6 7 8 9 10 11 12

TEKS 3.3A: Dar ejemplos de la suma y la resta utilizando dibujos, palabras y números.

# Sumar en una tabla de 100

## ¿Cómo sumas en una tabla de 100?

Sigue los siguientes pasos para sumar 17 + 30.

- Empieza en el 17.
- Baja tres filas para sumar 30.
- Terminas en el 47.

Por tanto, 17 + 30 = 47.

| 1 | 2 | 3 | 4 | 5 | 6 | 7 | 8 | 9 | 10 |
|---|---|---|---|---|---|---|---|---|---|
| 11 | 12 | 13 | 14 | 15 | 16 | 17 | 18 | 19 | 20 |
| 21 | 22 | 23 | 24 | 25 | 26 | 27 | 28 | 29 | 30 |
| 31 | 32 | 33 | 34 | 35 | 36 | 37 | 38 | 39 | 40 |
| 41 | 42 | 43 | 44 | 45 | 46 | 47 | 48 | 49 | 50 |

## Otro ejemplo  ¿Cómo sumas en una tabla de 100 contando hacia atrás?

Sigue los siguientes pasos para sumar 44 + 29:

- Empieza en el 44.
- Baja tres filas para sumar 30. Has sumado 30 a 44. Pero lo que necesitas es sumar sólo 29; por tanto, debes restar 1.
- Muévete 1 espacio a la izquierda.
- Terminas en el 73.

Por tanto, 44 + 29 = 73.

| 1 | 2 | 3 | 4 | 5 | 6 | 7 | 8 | 9 | 10 |
|---|---|---|---|---|---|---|---|---|---|
| 11 | 12 | 13 | 14 | 15 | 16 | 17 | 18 | 19 | 20 |
| 21 | 22 | 23 | 24 | 25 | 26 | 27 | 28 | 29 | 30 |
| 31 | 32 | 33 | 34 | 35 | 36 | 37 | 38 | 39 | 40 |
| 41 | 42 | 43 | 44 | 45 | 46 | 47 | 48 | 49 | 50 |
| 51 | 52 | 53 | 54 | 55 | 56 | 57 | 58 | 59 | 60 |
| 61 | 62 | 63 | 64 | 65 | 66 | 67 | 68 | 69 | 70 |
| 71 | 72 | 73 | 74 | 75 | 76 | 77 | 78 | 79 | 80 |
| 81 | 82 | 83 | 84 | 85 | 86 | 87 | 88 | 89 | 90 |
| 91 | 92 | 93 | 94 | 95 | 96 | 97 | 98 | 99 | 100 |

## Práctica guiada*

### ¿CÓMO hacerlo?

Usa una tabla de 100 para sumar.

1. 34 + 20
2. 78 + 19
3. 53 + 26
4. 68 + 18
5. 37 + 16
6. 44 + 29
7. 26 + 38
8. 57 + 35

### ¿Lo ENTIENDES?

9. **Razonamiento** Vuelve a mirar los ejemplos de la parte de arriba de las páginas 30 y 31. Compara los pasos que se siguieron para hallar cada suma. ¿En qué se parecen? ¿En qué se diferencian?

10. La mamá de Allie compró 21 manzanas rojas y 18 manzanas verdes. ¿Cuántas manzanas compró en total?

Sigue los siguientes pasos para sumar 56 + 35.

- Empieza en 56.
- Baja 3 filas para sumar 30.
- Muévete 4 espacios a la derecha para sumar 4 más. Hasta ahora, has sumado 30 + 4.
- Baja a la fila siguiente y muévete 1 espacio a la derecha para sumar 1 más.

| 57 | 52 | 53 | 54 | 55 | 56 | 57 | 58 | 59 | 60 |
| 61 | 62 | 63 | 64 | 65 | 66 | 67 | 68 | 69 | 70 |
| 71 | 72 | 73 | 74 | 75 | 76 | 77 | 78 | 79 | 80 |
| 81 | 82 | 83 | 84 | 85 | 86 | 87 | 88 | 89 | 90 |
| 91 | 92 | 93 | 94 | 95 | 96 | 97 | 98 | 99 | 100 |

Terminas en 91.

$56 + 35 = 91$

## Práctica independiente

Usa una tabla de 100 para sumar.

**11.** 48 + 50

**12.** 75 + 15

**13.** 73 + 20

**14.** 55 + 34

**15.** 38 + 15

**16.** 22 + 17

**17.** 68 + 16

**18.** 55 + 29

**Sentido numérico** Compara. Usa $<, >$ o $=$.

**19.** 23 + 50 ◯ 23 + 65

**20.** 37 + 40 ◯ 47 + 30

**21.** 65 + 34 ◯ 65 + 43

**22.** 25 + 35 ◯ 35 + 45

**23.** 71 + 20 ◯ 61 + 20

**24.** 82 + 16 ◯ 72 + 26

**TAKS** Resolución de problemas

**25.** Un lagarto cornudo de Texas puso 37 huevos en un mismo lugar. A la decena más cercana, ¿aproximadamente cuántos huevos puso el lagarto?

El lagarto cornudo de Texas puede poner entre 13 y 45 huevos por vez.

**26. Razonamiento** Has aprendido a sumar 9 a un número sumando primero 10 y luego restándole 1. ¿Cómo sumarías 99 a un número usando cálculo mental? Trata de usar tu método para hallar 24 + 99.

**27.** ¿Qué número falta en este patrón?

0, 50, 100, ▢, 200

**A** 190

**C** 175

**B** 180

**D** 150

**TEKS 3.3:** Sumar y restar para resolver problemas relevantes en los que se usan números enteros.

# Usar el cálculo mental para sumar

## ¿Cómo sumas usando cálculo mental?

La Dra. Gómez anotó cuántas ballenas, cuántos delfines y cuántas focas vio. ¿Cuántas ballenas vio la Dra. Gómez en dos semanas?

Halla 25 + 14.

**Animales marinos vistos**

| Animal | Semana 1 | Semana 2 |
|--------|----------|----------|
| Ballenas | 25 | 14 |
| Delfines | 28 | 17 |
| Focas | 34 | 18 |

Datos

---

**Otro ejemplo** ¿Cómo formas una decena para sumar mentalmente?

¿Cuántos delfines vio la Dra. Gómez en las dos semanas?

Puedes formar una decena para ayudarte a hallar 28 + 17.

- Descompón el 17.
  17 = 2 + 15

- Suma 2 a 28.
  2 + 28 = 30

- Suma 15 a 30.
  30 + 15 = 45

? delfines en total

| 28 | 17 |
|----|----|

Por tanto, 28 + 17 = 45.

La Dra. Gómez vio cuarenta y cinco delfines.

**Explícalo**

1. ¿Cómo te ayuda saber que 17 = 2 + 15 para hallar mentalmente 28 + 17?

2. ¿Puedes hallar otra manera de formar 10 para sumar 28 + 17?

3. ¿Cuántas ballenas y focas vio la Dra. Gómez en la segunda semana?

## Una manera

Descompón uno de los sumandos.

Piénsalo • Descompón 14.
$14 = 10 + 4$

• Suma 10 a 25.
$25 + 10 = 35$

• Suma 4 a 35.
$35 + 4 = 39$

Por tanto, $25 + 14 = 39$.

La Dra. Gómez vio 39 ballenas.

## Otra manera

Descompón los dos sumandos.

Piénsalo • Descompón los dos sumandos.
$25 = 20 + 5$     $14 = 10 + 4$

• Suma las decenas. Luego suma las unidades.
$20 + 10 = 30$     $5 + 4 = 9$

• Suma las decenas y las unidades.
$30 + 9 = 39$

Por tanto, $25 + 14 = 39$.

La Dra. Gómez vio 39 ballenas.

## Práctica guiada*

### ¿CÓMO hacerlo?

**1.** Forma una decena para sumar $38 + 26$.

$38 + 26$
$26 = 2 + 24$
$38 + \boxed{\phantom{x}} = 40$
$40 + \boxed{\phantom{x}} = 64$
Por tanto, $38 + 26 = \boxed{\phantom{x}}$.

**2.** Descompón los números para sumar $25 + 12$.

$25 + 12$
$12 = 10 + 2$
$25 + 10 = \boxed{\phantom{x}}$
$\boxed{\phantom{x}} + 2 = 37$
Por tanto, $25 + 12 = \boxed{\phantom{x}}$.

### ¿Lo ENTIENDES?

**3. Razonamiento** Compara los dos ejemplos de la parte de arriba de la página. ¿En qué se parecen? ¿En qué se diferencian?

**4. Sentido numérico** Para hallar $37 + 28$, podrías sumar $37 + 30 = 67$. ¿Qué deberías hacer después?

**5.** Descompón los números o forma decenas para hallar cuántas focas vio la Dra. Gómez en esas dos semanas. Explica qué método usaste.

## Práctica independiente

**Práctica al nivel** Forma una decena para sumar mentalmente.

**6.** $72 + 18$
$18 = 10 + \boxed{\phantom{x}}$
$72 + \boxed{\phantom{x}} = 82$
$82 + \boxed{\phantom{x}} = 90$
Por tanto, $72 + 18 = \boxed{\phantom{x}}$.

**7.** $34 + 25$
$25 = 20 + \boxed{\phantom{x}}$
$34 + \boxed{\phantom{x}} = 54$
$\boxed{\phantom{x}} + 5 = 59$
Por tanto, $34 + 25 = \boxed{\phantom{x}}$.

**8.** $53 + 36$
$36 = \boxed{\phantom{x}} + 6$
$53 + \boxed{\phantom{x}} = 83$
$\boxed{\phantom{x}} + 6 = 89$
Por tanto, $53 + 36 = \boxed{\phantom{x}}$.

# Práctica independiente

**Práctica al nivel** Descompón los números para sumar mentalmente.

**9.** 47 + 9

9 = ☐ + 6

47 + ☐ = 50

☐ + 6 = 56

Por tanto, 47 + 9 = ☐.

**10.** 55 + 37

37 = 5 + ☐

☐ + 5 = 60

60 + ☐ = 92

Por tanto, 55 + 37 = ☐.

**11.** 49 + 29

29 = ☐ + 28

49 + ☐ = 50

50 + ☐ = 78

Por tanto, 49 + 29 = ☐.

Halla las sumas usando cálculo mental.

**12.** 35 + 26

**13.** 50 + 42

**14.** 43 + 4

**15.** 71 + 13

**16.** 52 + 44

**17.** 7 + 54

**18.** 63 + 12

**19.** 62 + 34

**20.** 37 + 9

**21.** 5 + 38

**22.** 65 + 15

**23.** 33 + 23

## TAKS Resolución de problemas

**24.** ¿Qué longitud puede tener una serpiente pitón?

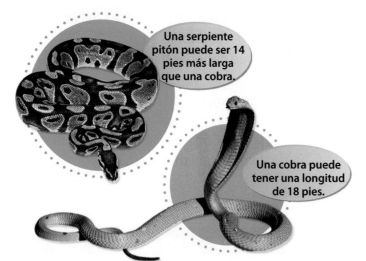

Una serpiente pitón puede ser 14 pies más larga que una cobra.

Una cobra puede tener una longitud de 18 pies.

**25.** ¿Cuál es la longitud total de la iguana?

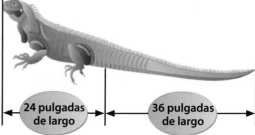

24 pulgadas de largo

36 pulgadas de largo

**26. Escribir para explicar** ¿Es correcto el cálculo de Bill? Si no lo es, di por qué y escribe la respuesta correcta.

Hallo 38 + 7.

Pienso en 7 como 2 + 5.

38 + 2 = 40

40 + 7 = 47

Por tanto, 38 + 7 es 47.

**27.** ¿Cuál es la forma en palabras del número 4,038?

**A** cuatrocientos treinta y ocho

**B** cuatro mil trescientos ocho

**C** cuatro mil treinta y ocho

**D** cuarenta mil treinta y ocho

34

## Calcula mentalmente para sumar

Usa :e: tools

### Bloques de valor de posición

Muestra dos maneras de hacer una decena para sumar 27 + 38.

**Paso 1** ⬜ Ve a la herramienta de bloques de valor de posición. Haz clic en Área de trabajo doble. En la parte superior del área de trabajo, muestra 27 con bloques de valor de posición. Muestra 38 en la parte inferior.

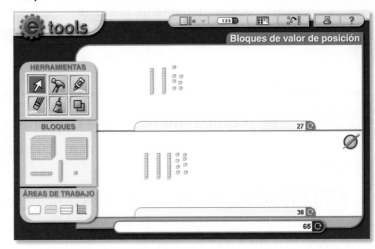

**Paso 2** 🔼 Usa la herramienta de flecha para seleccionar las unidades de la parte inferior del área de trabajo y arrástralas a la parte superior. Continúa hasta que hagas una decena en la parte superior. Los odómetros muestran que tienes 30 + 35 = 65. Por tanto, 27 + 38 = 65, y 30 + 35 = 65.

**Paso 3** Usa la herramienta de flecha para devolver los bloques y mostrar 27 + 38. Luego, selecciona unidades de la parte superior del área de trabajo y arrástralas a la parte inferior hasta que hagas una decena en la parte inferior. Los odómetros muestran que tienes 25 + 40 = 65. Por tanto 27 + 38 = 65, y 25 + 40 = 65.

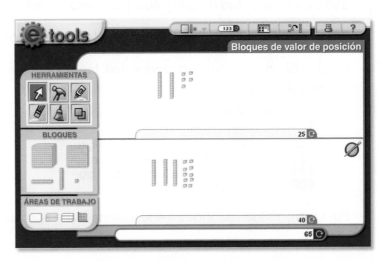

## Práctica

Usa la herramienta de bloques de valor de posición para hallar dos maneras de hacer una decena para sumar.

**1.** 47 + 29 = ▢ + ▢ = 76

47 + 29 = ▢ + ▢ = 76

**2.** 58 + 36 = ▢ + ▢ = 94

58 + 36 = ▢ + ▢ = 94

TEKS 3.5A: Redondear números enteros a la decena o centena más cercana para aproximar resultados razonables de problemas.

# Redondear

## ¿Cómo redondeas números?

A la decena más cercana, ¿aproximadamente cuántas piedras tiene Tito?

Redondea 394 a la decena más cercana. Para redondear, reemplaza el número por un número que indique aproximadamente cuántos.

Donna
350 piedras

Carl
345 piedras

Tito
394 piedras

---

**Otro ejemplo** ¿Cómo redondeas a la centena más cercana?

A la centena más cercana, ¿aproximadamente cuántas piedras tiene Donna?
Redondea 350 a la centena más cercana.

**Una manera** Puedes usar una recta numérica.

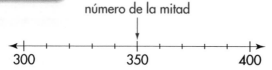

número de la mitad

300       350       400

Si un número está en la mitad, redondea al número más grande.

350 está en la mitad de 300 y 400, por tanto se redondea a 400.

**Otra manera** Puedes usar el valor de posición.

Halla el dígito en el lugar de redondeo. Luego, mira el siguiente dígito a la derecha.

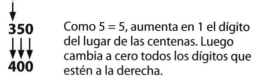

lugar de las centenas

**350**
**400**

Como 5 = 5, aumenta en 1 el dígito del lugar de las centenas. Luego cambia a cero todos los dígitos que estén a la derecha.

Por tanto, 350 se redondea a 400. Donna tiene aproximadamente 400 piedras.

## Explícalo

1. Si redondearas 350 a la decena más cercana, ¿todavía podrías decir que Donna tiene aproximadamente 400 piedras? Explica.

2. Explica por qué 350 es el número más pequeño que se puede redondear a 400.

## Una manera

Puedes usar una recta numérica.

número de la mitad

394 ↓

390      395      400

394 está más cerca de 390 que de 400; por tanto, 394 se redondea a 390.

Tito tiene aproximadamente 390 piedras.

## Otra manera

Puedes usar el valor de posición.

• Halla el dígito en el lugar de redondeo.

• Mira qué dígito sigue hacia la derecha. Si es 5 o más grande, súmale 1 al dígito en el lugar de redondeo. Si es menor que 5, deja el dígito en el lugar de redondeo tal como está.

• Cambia a 0 todos los dígitos que estén a la derecha del lugar de redondeo.

lugar de las decenas
↓
394    Como 4 < 5,
↓↓     deja el lugar
↓↓     de las decenas
390    tal como está.

Por tanto, 394 se redondea a 390.

Tito tiene aproximadamente 390 piedras.

## Práctica guiada*

### ¿CÓMO hacerlo?

Redondea a la decena más cercana.

**1.** 37        **2.** 63        **3.** 85

**4.** 654       **5.** 305       **6.** 752

Redondea a la centena más cercana.

**7.** 557       **8.** 149       **9.** 552

**10.** 207      **11.** 888      **12.** 835

### ¿Lo ENTIENDES?

**13. Sentido numérico** ¿Qué número está en la mitad de 250 y 260?

**14. Razonamiento** Tito agrega una piedra más a su colección. ¿Cuántas piedras tiene ahora, si redondeas a la decena más cercana? ¿A la centena más cercana ? Explica tu respuesta.

**15. Escribir para explicar** Di qué harías para redondear 46 a la decena más cercana.

## Práctica independiente

Redondea a la decena más cercana.

**16.** 45        **17.** 68        **18.** 98        **19.** 24        **20.** 55

**21.** 249       **22.** 732       **23.** 235       **24.** 805       **25.** 703

**26. Razonamiento** Redondea 996 a la decena más cercana. Explica tu respuesta.

Glosario animado
www.pearsonsuccessnet.com

# Práctica independiente

Redondea a la centena más cercana.

**27.** 354      **28.** 504      **29.** 470      **30.** 439      **31.** 682

**32.** 945      **33.** 585      **34.** 850      **35.** 702      **36.** 870

**37. Razonamiento** Redondea 954 a la centena más cercana. Explica tu respuesta.

## TAKS Resolución de problemas

**38. Sentido numérico** Escribe un número que, redondeado a la centena más cercana, sea 200.

**39. Escribir para explicar** Describe los pasos que seguirías para redondear 439 a la decena más cercana.

**40. Sentido numérico** Si estás redondeando a la centena más cercana, ¿cuál es el número más grande que se redondea a 600? ¿Cuál es el número más pequeño?

**41. Sentido numérico** Un número de 3 dígitos tiene los dígitos 2, 5 y 7. A la centena más cercana, se redondea a 800. ¿Cuál es el número?

**42.** Redondeado a la centena de dólares más cercana, un juego de computadora cuesta $100. ¿Cuál de los siguientes **NO** podría ser el precio real del juego?

  **A** $89      **C** $95

  **B** $91      **D** $150

**43.** ¿Cuál es la forma estándar de 700 + 40?

  **F** 740      **H** 470

  **G** 704      **J** 407

**44.** Hay 293 escalones hasta la parte más alta de la Torre Inclinada de Pisa, en Italia. Redondeado a la centena más cercana, ¿aproximadamente cuántos escalones hay?

293 escalones

# Enlaces con el Álgebra

## Mayor, menor o igual

Recuerda que los dos lados de una oración numérica pueden ser iguales o desiguales. Los símbolos >, < o = indican si los dos lados son iguales, o cuál es mayor o menor que el otro. La estimación o el razonamiento pueden ayudarte a determinar si un lado es mayor.

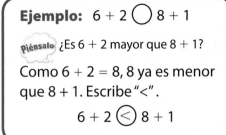

**Ejemplo:** $6 + 2 \bigcirc 8 + 1$

**Piénsalo** ¿Es 6 + 2 mayor que 8 + 1?

Como 6 + 2 = 8, 8 ya es menor que 8 + 1. Escribe "<".

$6 + 2 \enspace \textcircled{<} \enspace 8 + 1$

>     <     =
es mayor que   es menor que   es igual a

Copia y completa. Reemplaza el círculo con <, > o =.
Comprueba tus respuestas.

**1.** $3 + 4 \bigcirc 2 + 7$      **2.** $9 + 1 \bigcirc 5 + 4$      **3.** $5 + 3 \bigcirc 6 + 3$

**4.** $2 + 9 \bigcirc 1 + 8$      **5.** $4 + 6 \bigcirc 4 + 7$      **6.** $8 + 6 \bigcirc 9 + 5$

**7.** $18 + 2 \bigcirc 16 + 4$      **8.** $15 + 5 \bigcirc 10 + 8$      **9.** $14 + 4 \bigcirc 12 + 4$

**10.** $17 + 3 \bigcirc 20 + 1$      **11.** $21 + 2 \bigcirc 19 + 2$      **12.** $27 + 3 \bigcirc 26 + 4$

· · · · · · · · · · · · · · · · · · · · · · · · · · · · · · · · · · · · · · · · · · · · · · · · · · · · · · · · · · ·

En los Ejercicios **13** y **14,** copia y completa cada oración numérica.
Luego úsala para resolver el problema.

**13.** Aldo y Taro tienen algunos animales de juguete. Aldo tiene 8 lagartos y 3 ranas. Taro tiene 11 lagartos y 2 ranas. ¿Quién tiene más animales de juguete?

Juguetes     Juguetes
de Aldo       de Taro

☐ + ☐ ◯ ☐ + ☐

**15. Escribe un problema** Escribe un problema de la vida diaria usando esta oración numérica.
$9 + 2 > 4 + 5.$

**14.** Mira el número de bloques que vienen en el siguiente conjunto. Val usó todos los cilindros grandes y pequeños. Ben usó todos los cubos grandes y pequeños. ¿Quién usó más bloques?

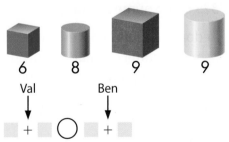

6     8     9     9

Val         Ben

☐ + ☐ ◯ ☐ + ☐

Lección

2-5

TEKS 3.5B: Utilizar estrategias que incluyen el redondeo y los números compatibles para estimar soluciones a problemas de suma y resta.

# Estimar sumas

## ¿Cómo estimas una suma?

¿Pesan más de 500 libras los dos pandas juntos?

Puedes <mark>estimar</mark> para hallar aproximadamente cuánto pesan los dos pandas.

Estima 255 + 322.

Panda hembra, 255 libras

Panda macho, 322 libras

---

**Otro ejemplo** ¿De qué otra manera se puede estimar una suma?

Puedes usar <mark>números compatibles</mark> para estimar.

Los números compatibles son números cercanos a los sumandos, con los que es fácil sumar mentalmente.

Usa números compatibles para determinar si los dos pandas juntos pesan más de 500 libras.

$$
\begin{array}{r}
255 \longrightarrow 250 \\
+\ 322 \longrightarrow +\ 325 \\
\hline
575
\end{array}
$$

250 + 325 es aproximadamente 575.
575 > 500

Los dos pandas juntos pesan más de 500 libras.

### Explícalo

1. **Sentido numérico** ¿Por qué se escogieron los números 250 y 325 como números compatibles en el ejemplo de arriba?

2. Redondeando a la decena más cercana, todo el mundo llega a la misma suma estimada. ¿Sucede lo mismo si se usan números compatibles para estimar la suma? Explícalo.

Redondea a la centena más cercana.

$$255 \longrightarrow 300$$
$$+ \ 322 \longrightarrow + \ 300$$
$$\overline{\phantom{+ \ 322} \quad 600}$$

255 + 322 es aproximadamente 600.
600 > 500

Los dos pandas juntos pesan más de 500 libras.

Redondea a la decena más cercana.

$$255 \longrightarrow 260$$
$$+ \ 322 \longrightarrow + \ 320$$
$$\overline{\phantom{+ \ 322} \quad 580}$$

255 + 322 es aproximadamente 580.
580 > 500

Los dos pandas juntos pesan más de 500 libras.

## Práctica guiada*

### ¿CÓMO hacerlo?

Redondea a la decena más cercana para estimar.

**1.** 28 + 46          **2.** 75 + 17

Redondea a la centena más cercana para estimar.

**3.** 114 + 58          **4.** 198 + 426

Usa números compatibles para estimar.

**5.** 136 + 437          **6.** 654 + 253

### ¿Lo ENTIENDES?

**7. Escribir para explicar** ¿Qué estimación, en el ejemplo de arriba, está más cerca de la suma exacta? Explica tu razonamiento.

**8.** ¿Cómo usarías el redondeo para estimar 487 + 354?

**9. Sentido numérico** Si se redondean los dos sumandos, ¿la suma estimada será mayor o menor que la suma exacta?

## Práctica independiente

En los Ejercicios **10** a **13**, redondea a la decena más cercana para estimar.

**10.** 18 + 43          **11.** 75 + 72          **12.** 39 + 102          **13.** 376 + 295

En los Ejercicios **14** a **17**, redondea a la centena más cercana para estimar.

**14.** 403 + 179          **15.** 462 + 251          **16.** 64 + 403          **17.** 539 + 399

En los Ejercicios **18** a **21**, usa números compatibles para estimar.

**18.** 75 + 26          **19.** 167 + 27          **20.** 108 + 379          **21.** 145 + 394

DIGITAL

Glosario animado
www.pearsonsuccessnet.com

*Puedes encontrar otro ejemplo en el Grupo E, página 49.*

## Práctica independiente

**¿Es razonable?**  Estima para determinar si las  respuestas son razonables. Escribe *sí* o *no*. Luego, explica tu razonamiento.

**22.** 32 + 58 = 70

**23.** 83 + 46 = 129

**24.** 55 + 64 = 99

**25.** 105 + 23 = 308

**26.** 713 + 118 = 830

**27.** 328 + 365 = 693

**TAKS Resolución de problemas**

En los Ejercicios **28** a **30,** usa la tabla de la derecha.

**28.** ¿Qué ciudad está más lejos de Austin?

**29.** El Sr. Tyson viajó desde Austin hasta Houston, ida y vuelta. A la decena de millas más cercana, ¿aproximadamente cuántas millas recorrió?

| Distancia desde Austin, Texas | |
| --- | --- |
| **Ciudad** | **Millas de distancia** |
| Houston | 162 millas |
| Dallas | 192 millas |
| Fort Worth | 187 millas |
| San Antonio | 79 millas |

**30.** El Sr. Tyson viajó desde San Antonio hasta Austin y de allí a Fort Worth.  A la decena de millas más cercana, ¿aproximadamente cuántas millas recorrió en total?

**31.** En los Estados Unidos, los estudiantes van a la escuela aproximadamente 180 días por año. En Japón, los estudiantes van a la escuela aproximadamente 60 días por año más que los estudiantes estadounidenses. ¿Aproximadamente cuántos días por año van a la escuela los estudiantes en Japón?

**32.** ¿Cómo usarías el redondeo para estimar 268 + 354?

**33.** **Sentido numérico**  Para estimar una suma, ¿por qué redondearías a la decena más cercana en vez de a la centena más cercana?

**34.** ¿Cómo usarías números compatibles para estimar 229 + 672?

**35.** Piensa en el proceso Jared tiene 138 canicas. Manny tiene 132 canicas. ¿Qué oración numérica es mejor para estimar cuántas canicas tienen los dos en total?

   **A** 38 + 32 = 70

   **B** 100 + 100 = 200

   **C** 108 + 102 = 210

   **D** 140 + 130 = 270

# Resolución de problemas variados

Lee el cuento y luego responde las preguntas.

## ¡No vemos la hora!

Jamie y sus hermanas estaban mirando por la ventana de su casa. Estaban hablando de todos los cuentos magníficos que su abuela siempre les cuenta cuando las visita. Hacía apenas unos 10 minutos, su papá había llamado a casa desde el aeropuerto. Había dicho que estaba exactamente a 26 cuadras de distancia. Tenía que hacer una parada más, 12 cuadras más lejos. Luego iría directamente a casa.

Cuando Papá por fin llegó a la esquina, las hermanas saltaron del sofá y corrieron a recibirlo. Papá llegó a la puerta con algunas bolsas del mercado, una maleta y una visitante muy especial. Muy pronto la familia estaría escuchando muchos cuentos magníficos.

1. ¿Qué conclusión puedes sacar del relato?

2. Cuando las hermanas estaban mirando por la ventana, el papá había llamado hacía unos 10 minutos. Escribe un número de minutos que pueda redondearse a 10 minutos.

3. Redondeadas a la decena de cuadras más cercana, ¿aproximadamente a cuántas cuadras de distancia estaba el papá de las niñas cuando llamó?

4. Redondeadas a la decena de cuadras más cercana, ¿aproximadamente cuántas cuadras recorrió el papá de las niñas desde su última parada hasta la casa?

5. Mira la siguiente tabla.

   Escribe las distancias, en orden de menor a mayor.

   | Lugar | Distancia de la casa |
   |---|---|
   | Panadería | 38 cuadras |
   | Banco | 12 cuadras |
   | Mercado | 21 cuadras |
   | Juguetería | 26 cuadras |

6. **Enfoque en la estrategia** Resuelve el problema. Usa la estrategia Hacer una lista organizada.

   Jamie ganó dinero haciendo mandados. Ahora quiere poner 70 centavos en su alcancía. ¿De qué dos maneras distintas puede usar monedas para formar 70 centavos?

**TEKS 3.14C:** Seleccionar o desarrollar un plan o una estrategia de resolución de problemas apropiado en el que haga un dibujo, busque un patrón, adivine y compruebe sistemáticamente, haga una dramatización, elabore una tabla, resuelva un problema más sencillo o trabaje desde el final hasta el principio para resolver un problema.

**Resolución de problemas**

# Hacer un dibujo

David desea comprar unos recuerdos. ¿Cuánto dinero necesita para comprar unos pantalones cortos y una camiseta?

Banderín $12

Cartel $10

Pantalones cortos $15

Camiseta $19

---

## Práctica guiada*

### ¿CÓMO hacerlo?

1. Supón que el hermano de David compró un cartel y un banderín como recuerdos. Copia y completa el diagrama para hallar cuánto dinero gastó.

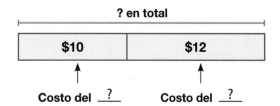

? en total

| $10 | $12 |
|-----|-----|

Costo del ___?___    Costo del ___?___

### ¿Lo ENTIENDES?

2. Mira el diagrama del Problema 1.

   **a** ¿Qué muestra cada recuadro?

   **b** ¿Qué muestra la recta que está sobre el rectángulo?

3. **Escribe un problema** Escribe y resuelve un problema que se pueda resolver haciendo un dibujo.

---

## Práctica independiente

4. El padre de David gastó $27 en boletos para el partido de beisbol. También gastó $24 en comida. ¿**Aproximadamente** cuánto gastó?

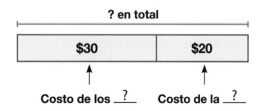

? en total

| $30 | $20 |
|-----|-----|

Costo de los ___?___    Costo de la ___?___

5. **Escribir para explicar** Vuelve a mirar el diagrama del Problema 4. ¿Por qué los números en el diagrama son $30 y $20 en vez de $27 y $24?

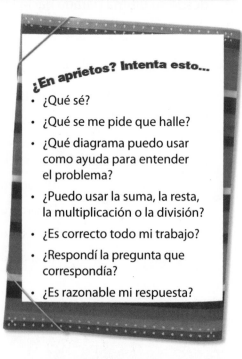

¿En aprietos? Intenta esto...

• ¿Qué sé?

• ¿Qué se me pide que halle?

• ¿Qué diagrama puedo usar como ayuda para entender el problema?

• ¿Puedo usar la suma, la resta, la multiplicación o la división?

• ¿Es correcto todo mi trabajo?

• ¿Respondí la pregunta que correspondía?

• ¿Es razonable mi respuesta?

*Puedes encontrar otro ejemplo en el Grupo F, página 49.

Usa un diagrama para mostrar lo que sabes.

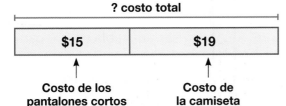

? costo total

| $15 | $19 |

↑ | ↑
Costo de los pantalones cortos | Costo de la camiseta

Conoces las partes. Por tanto, suma para hallar el total.

$15 + $19 = ☐

$15 + $19 = $34

Piénsalo $15 + $20 = $35
$20 es $1 más que $19.

David necesita $34 para comprar pantalones cortos y una camiseta.

Asegúrate de que la respuesta sea razonable.

Haz una estimación.

$15 + $19 es aproximadamente $20 + $20, o sea $40.

La respuesta es razonable porque $34 está cerca de $40.

La tabla de la derecha muestra las mascotas que pertenecen a estudiantes del Grado 3 de la Escuela Smith. Usa la tabla en los Ejercicios **6** a **8**. En los Ejercicios **6** y **7**, copia y completa el diagrama. Contesta las preguntas.

Datos

**Mascotas de los estudiantes**

| Mascotas | Número de estudiantes |
|---|---|
| Gatos | 18 |
| Perros | 22 |
| Peces | 9 |
| Hámsters | 7 |
| Serpientes | 2 |

**6.** ¿Cuántos estudiantes tienen peces o hámsters?

? estudiantes en total

| ? | ? |

↑ | ↑
estudiantes con ? | estudiantes con ?

**7.** ¿Cuántos estudiantes tienen gatos, perros o serpientes?

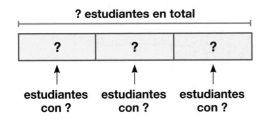

? estudiantes en total

| ? | ? | ? |

↑ | ↑ | ↑
estudiantes con ? | estudiantes con ? | estudiantes con ?

**8.** Haz un diagrama para hallar aproximadamente cuántos estudiantes tienen gatos o perros.

**9. Estimación** En el acuario, Janika contó 12 tiburones toro, 9 tiburones cebra y 11 tiburones nodriza. ¿Aproximadamente cuántos tiburones contó Janika?

**A** 50 tiburones     **B** 30 tiburones     **C** 20 tiburones     **D** 15 tiburones

**1.** Redondeando a las diez libras más cercanas, Riley pesa 90 libras, ¿cuál podría ser su peso? (2-4)

**A** 84 libras

**B** 86 libras

**C** 95 libras

**D** 98 libras

**2.** Juan sacó 48 fotos en el Álamo y 22 en el Paseo del Río. ¿Cuántas fotos sacó en total? Usa el cálculo mental para resolver. (2-3)

**F** 80

**G** 70

**H** 68

**J** 26

**3.** Rex tiene 252 tarjetas de futbol americano y 596 tarjetas de beisbol. ¿Qué oración numérica muestra la mejor estimación de cuántas tarjetas tiene Rex en total, usando números compatibles? (2-5)

**A** $300 + 550 = 850$

**B** $300 + 500 = 800$

**C** $250 + 550 = 800$

**D** $250 + 600 = 850$

**4.** ¿Qué número hace verdadera la oración numérica? (2-1)

    $+ 6 = 6 + 3$

**F** 9

**G** 4

**H** 3

**J** 0

**5.** Cuando usas una tabla de 100 para hallar $43 + 20$, empiezas en 43 y luego, ¿cuál de los siguientes pasos sigues? (2-2)

| 21 | 22 | 23 | 24 | 25 | 26 | 27 | 28 | 29 | 30 |
|----|----|----|----|----|----|----|----|----|----|
| 31 | 32 | 33 | 34 | 35 | 36 | 37 | 38 | 39 | 40 |
| 41 | 42 | 43 | 44 | 45 | 46 | 47 | 48 | 49 | 50 |
| 51 | 52 | 53 | 54 | 55 | 56 | 57 | 58 | 59 | 60 |
| 61 | 62 | 63 | 64 | 65 | 66 | 67 | 68 | 69 | 70 |

**A** Cuento 2 filas hacia abajo.

**B** Cuento 2 cuadrados a la derecha.

**C** Cuento 2 cuadrados a la izquierda.

**D** Cuento 2 filas hacia arriba.

**6.** Zoe vio un avestruz de 268 libras en el zoológico. ¿Cuánto es 268 redondeado a la decena más cercana? (2-4)

**F** 200

**G** 260

**H** 270

**J** 300

**7.** ¿Qué oración numérica se puede usar para hallar cuántos borradores hay en total? (2-1)

**A** $8 + 6 = 14$

**B** $9 + 6 = 15$

**C** $9 + 5 = 14$

**D** $3 + 6 = 9$

**8.** La clase del Sr. Kippler recaudó $453 para el albergue para animales del área. ¿Cuánto es $453 redondeado a la centena más cercana?  (2-4)

    **F** $500

    **G** $460

    **H** $450

    **J** $400

**9.** Ava nadó 39 minutos el sábado y 49 minutos el domingo. Para hallar 39 + 49, Ava formó una decena, como se muestra abajo. ¿Cuál es el número que falta?  (2-3)

$$39 + 49 = 40 + \boxed{\phantom{00}} = 88$$

    **A** 29

    **B** 30

    **C** 47

    **D** 48

**10.** Frank tenía 5 yardas de cuerda. Compró 3 yardas más. ¿Qué recta numérica muestra cuántas yardas de cuerda tiene Frank ahora?  (2-1)

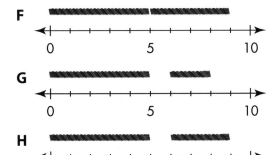

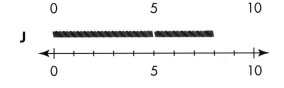

**11.** Walker hizo un pase de 19 yardas y luego otro pase de 22 yardas. ¿Cuál es la mejor estimación del número total de yardas de los dos pases?  (2-5)

    **A** 20

    **B** 30

    **C** 40

    **D** 50

**12.** Cindy dibujó 1 rosa y luego 3 margaritas. Repitió el patrón de las 4 flores hasta que dibujó un total de 18 margaritas. ¿Cuántas rosas dibujó?  (2-6)

    **F** 5

    **G** 6

    **H** 7

    **J** 54

**13.** Kaitlyn leyó un libro de 48 páginas. Su hermana leyó un libro de 104 páginas. ¿Cuál es la mejor estimación del número total de páginas que leyeron las dos hermanas?  (2-5)

    **A** 150

    **B** 140

    **C** 120

    **D** 100

**14.** **Respuesta en plantilla** Mary llevó 23 plátanos y 13 naranjas al picnic del Grado 3. ¿Cuántas frutas llevó en total? Usa cálculo mental para resolver.  (2-3)

**Grupo A,** páginas 28 y 29

Escribe el número que falta.

$(2 + \boxed{\phantom{x}}) + 1 = 2 + (5 + 1)$

La propiedad asociativa de la suma dice que se pueden agrupar los sumandos de cualquier manera y la suma seguirá siendo la misma.

$(2 + 5) + 1 = 2 + (5 + 1)$

$7 + \boxed{\phantom{x}} = 6 + 7$

La propiedad conmutativa de la suma dice que se pueden sumar números en cualquier orden y la suma seguirá siendo la misma.

$7 + 6 = 6 + 7$

**Recuerda** que la propiedad de identidad de la suma dice que la suma de cualquier número y cero es ese mismo número.

Escribe los números que faltan.

1. $8 + 4 = 4 + \boxed{\phantom{x}}$

2. $(2 + 3) + 5 = 2 + (3 + \boxed{\phantom{x}})$

3. $\boxed{\phantom{x}} + 0 = 6$

4. $(1 + \boxed{\phantom{x}}) + 6 = 1 + (4 + 6)$

**Grupo B,** páginas 30 y 31

Usa una tabla de 100 para sumar $14 + 19$.

| 1 | 2 | 3 | 4 | 5 | 6 | 7 | 8 | 9 | 10 |
|---|---|---|---|---|---|---|---|---|----|
| 11 | 12 | 13 | 14 | 15 | 16 | 17 | 18 | 19 | 20 |
| 21 | 22 | 23 | 24 | 25 | 26 | 27 | 28 | 29 | 30 |
| 31 | 32 | 33 | 34 | 35 | 36 | 37 | 38 | 39 | 40 |

Empieza en 14. Baja dos filas para sumar 20. Necesitas sumar sólo 19, así que muévete 1 espacio a la izquierda.

$14 + 19 = 33$

**Recuerda** que para sumar en una tabla de 100 primero debes sumar las decenas. Luego, muévete a la derecha o a la izquierda si es necesario, para sumar o restar las unidades.

Usa una tabla de 100 para sumar.

1. $37 + 20$        2. $52 + 17$

3. $18 + 45$        4. $52 + 30$

5. $24 + 32$        6. $36 + 39$

**Grupo C,** páginas 32 a 34

Usa cálculo mental para hallar $38 + 21$.

Descompón ambos números en decenas y unidades.

$38 = 30 + 8$            $21 = 20 + 1$

Suma las decenas.        Suma las unidades.

$30 + 20 = 50$           $8 + 1 = 9$

Suma las decenas y las unidades.

$50 + 9 = 59$

Por tanto, $38 + 21 = 59$.

**Recuerda** que debes usar el valor de posición cuando descompones números.

Halla las sumas usando cálculo mental.

1. $30 + 56$        2. $45 + 19$

3. $83 + 11$        4. $39 + 31$

5. $25 + 16$        6. $66 + 33$

**Grupo D,** páginas 36 a 38

Redondea 867 a la centena más cercana.

lugar de las centenas

867

900

Como 6 > 5, aumenta en uno el dígito que está en el lugar de las centenas. Luego cambia a cero todos los dígitos que estén a la derecha.

867 se redondea a 900.

**Recuerda** que debes pensar en el número de la mitad.

Redondea a la decena más cercana.

**1.** 65 **2.** 813 **3.** 489

Redondea a la centena más cercana.

**4.** 229 **5.** 349 **6.** 651

**Grupo E,** páginas 40 a 42

Estima 478 + 134.

### Una manera

Redondea los números a la decena más cercana.

```
  478  ───→    480
+ 134  ───→  + 130
              610
```

### Otra manera

Usa números compatibles.

```
  478  ───→    470
+ 134  ───→  + 130
              600
```

**Recuerda** que debes comprobar el valor de posición cuando redondeas.

En los Ejercicios **1** a **6,** haz una estimación. Usa el método descrito.

Redondea a la centena más cercana.

**1.** 367 + 319 **2.** 732 + 110

Redondea a la decena más cercana.

**3.** 98 + 42 **4.** 459 + 213

Usa números compatibles.

**5.** 372 + 123 **6.** 211 + 164

**Grupo F,** páginas 44 y 45

El papá de Sara gastó $26 en boletos para un partido de beisbol y $18 en comidas y bebidas. ¿Cuánto gastó en total?

? gastó en total

| $26 | $18 |
|-----|-----|

costo de los boletos

costo de comidas y bebidas

$26 + $18 = ⬜
$26 + $18 = $44

**Recuerda** que debes hacer dibujos para mostrar la información que sabes.

Haz un dibujo y luego resuelve.

**1.** Jason tenía 35 tarjetas para intercambiar. Luego compró 27 más. ¿Cuántas tiene ahora en total?

## Números y operaciones

**1.** ¿Qué número significa lo mismo que 4,000 + 300 + 5?

   **A** 435

   **B** 4,035

   **C** 4,305

   **D** 4,350

**2.** Sara necesita $2.35 para comprar el almuerzo. ¿Qué grupo de monedas y billetes tiene ese valor?

   **F**

   **G**

   **H**

   **J**

**3.** Redondea 2,583 a la decena más cercana.

**4.** Escribe los números en orden, de menor a mayor.

   3,465    3,546    3,245

**5.** ¿Qué número falta?

   5 + (6 + 9) = (5 + ▢) + 9

**6.** **Escribir para explicar** Explica cómo puedes usar cálculo mental para hallar la suma de 68 + 33.

## Geometría y medición

**7.** Julie jugó al básquetbol con sus amigos. ¿Qué figura representa mejor una pelota de básquetbol?

   **A** un cilindro

   **B** un cono

   **C** una pirámide

   **D** una esfera

**8.** Nombra una figura que tenga menos de 4 lados.

**9.** Nombra dos objetos que podrías usar para trazar un rectángulo.

**10.** ¿Cuál de los siguientes objetos mide más de 1 metro de longitud?

   **F** un auto

   **G** un lápiz

   **H** un saltamontes

   **J** un cuaderno

**11.** ¿Qué hora muestra el reloj?

   **A** 5:30

   **B** 6:00

   **C** 6:30

   **D** 7:30

**12.** **Escribir para explicar** Si la temperatura exterior es 28 °F, ¿irías a nadar o a andar en trineo? Explica tu respuesta.

## Probabilidad y estadística

**13.** ¿Qué color de canica sería más probable que sacaras del frasco, sin mirar?

   **F** amarilla

   **G** azul

   **H** roja

   **J** verde

**14.** En un grupo de globos hay 2 globos rojos, 3 verdes, 1 morado y 5 anaranjados. Si sacaras un globo sin mirar, ¿qué color de globo sería menos probable que sacaras?

   **A** verde

   **B** morado

   **C** rojo

   **D** anaranjado

En los Ejercicios **15** y **16,** usa la pictografía.

**Proyectos en la feria de ciencias**

| Clima | |
| Animales | |
| Viajes espaciales | |

Clave: Cada = 5 proyectos

**15.** ¿Cuántos proyectos en la feria de ciencias eran sobre el clima?

**16.** ¿Cuántos proyectos hubo en la feria de ciencias en total?

**17. Escribir para explicar** Explica cómo hallaste la respuesta al Ejercicio 15.

## Razonamiento algebraico

**18.** ¿Qué número completa la oración numérica?

$5 + \blacksquare = 8$

   **F** 3       **H** 5

   **G** 4       **J** 11

**19.** Karen compró una lata de jugo. Pagó con un billete de $1. Recibió el cambio que se muestra abajo. ¿Cuánto le costó el jugo?

   **A** $0.15       **C** $0.85

   **B** $0.55       **D** $1.15

**20.** ¿Qué oración numérica pertenece a la misma familia de operaciones que $7 + 3 = 10$?

   **F** $3 + 4 = 7$

   **G** $10 + 3 = 13$

   **H** $7 - 3 = 4$

   **J** $10 - 7 = 3$

**21.** ¿Qué número falta en el siguiente patrón?

3, 6, 9, ■, 15

**22.** Julie hizo un puntaje de 76 jugando al golf el sábado. El domingo hizo un puntaje de 63. ¿Cuánto menos puntaje hizo el domingo que el sábado? Escribe una oración numérica para resolverlo.

**23. Escribir para explicar** Continúa el patrón. Explica cómo hallaste tu respuesta.

100, 90, 80, 70, ■, ■, ■

# Suma de números enteros para resolver problemas

**1** Esta estatua de Abraham Lincoln mide 19 pies de altura. ¿Qué altura tendría la estatua si el presidente Lincoln estuviera de pie? Lo averiguarás en la Lección 3-1.

**2** ¿Cuántas pacanas hay en cada libra de nueces producida por un árbol de pacanas? Lo averiguarás en la Lección 3-2.

**3**

La Kingda Ka es la montaña rusa más alta del mundo. ¿Qué altura tiene la montaña rusa Kingda Ka? Lo averiguarás en la Lección 3-3.

# Repasa lo que sabes

## Vocabulario

Escoge el mejor término del recuadro.

- sumandos
- centenas
- estimar
- suma

**1.** En el problema 56 + 42, al 56 y al 42 se les llama ___?___.

**2.** La respuesta que obtenemos al sumar es la ___?___.

**3.** Si no necesitas obtener una respuesta exacta, puedes ___?___.

## Comparar

Compara. Escribe >, < o =.

**4.** 24 ◯ 26     **5.** 81 ◯ 80

**6.** 156 ◯ 156     **7.** 654 ◯ 546

**8.** 478 ◯ 478     **9.** 639 ◯ 693

## Estimar

Redondea a la decena más cercana para estimar.

**10.** 13 + 25     **11.** 253 + 47

**12.** 129 + 482

Redondea a la centena más cercana para estimar.

**13.** 613 + 325     **14.** 253 + 347

**15.** 629 + 252

## Propiedades de la suma

**16. Escribir para explicar** ¿Es 24 + 16 lo mismo que 16 + 24? ¿Cómo lo sabes?

**TEKS 3.3:** Sumar y restar para resolver problemas relevantes en los que se usan números enteros. **TEKS 3.5B:** Utilizar estrategias que incluyen el redondeo y los números compatibles para estimar soluciones a los problemas de suma y resta.

# Sumar números de 2 dígitos

**Manos a la obra**
bloques de valor de posición

## ¿Cómo usas la suma para resolver problemas?

¿Cuántas mazorcas hay en total?

• Suma para hallar el total.  $58 + 47 =$ ▢

• Primero haz una estimación.  $60 + 50 = 110$
  $58 + 47$ es aproximadamente 110.

47 mazorcas
58 mazorcas
29 libras
39 libras

---

## Práctica guiada*

### ¿CÓMO hacerlo?

Haz una estimación. Luego, halla las sumas. Los bloques de valor de posición pueden ayudarte.

1.  $\begin{array}{r} 42 \\ + 59 \\ \hline \end{array}$

2.  $\begin{array}{r} 64 \\ + 22 \\ \hline \end{array}$

3.  $\begin{array}{r} 93 \\ + 28 \\ \hline \end{array}$

4.  $\begin{array}{r} 57 \\ + 52 \\ \hline \end{array}$

5.  $47 + 9$

6.  $84 + 28$

### ¿Lo ENTIENDES?

7. Mira el problema sobre las mazorcas en el ejemplo de arriba. ¿Por qué hay un 1 sobre el 5 en el lugar de las decenas?

8. Mira las calabazas de arriba.

   **a** Haz una estimación del peso total de las calabazas.

   **b** Escribe y resuelve una oración numérica para hallar el verdadero peso total de las calabazas.

---

## Práctica independiente

Haz una estimación. Luego, halla las sumas.

9.  $\begin{array}{r} 77 \\ + 52 \\ \hline \end{array}$

10.  $\begin{array}{r} 19 \\ + 24 \\ \hline \end{array}$

11.  $\begin{array}{r} 57 \\ + 8 \\ \hline \end{array}$

12.  $\begin{array}{r} 72 \\ + 26 \\ \hline \end{array}$

13.  $\begin{array}{r} 75 \\ + 39 \\ \hline \end{array}$

14.  $33 + 45$

15.  $88 + 16$

16.  $24 + 54$

17.  $17 + 37$

18.  $59 + 13$

19.  $83 + 9$

20.  $71 + 19$

21.  $45 + 34$

DIGITAL

eTools
www.pearsonsuccessnet.com

*Puedes encontrar otro ejemplo en el Grupo A, página 68.*

$58 + 47 = \square$

• **Suma las unidades.**
8 unidades + 7 unidades =
15 unidades y 15 unidades
= 1 decena, 5 unidades.

• **Suma las decenas.**
1 decena + 5 decenas +
4 decenas = 10 decenas
y 10 decenas = 1 centena.

$$
\begin{array}{r}
\overset{1}{\phantom{0}} \\
5\,8 \\
+\ \ 4\,7 \\
\hline
1\,0\,5
\end{array}
$$

105 está cerca de 110;
por tanto, 105 es razonable.

Hay 105 mazorcas
en total.

---

**TAKS Resolución de problemas**

En los Ejercicios **22** y **23,** usa la tabla de la derecha.

**22.** Sigue los pasos siguientes para hallar cuántos puntos anotaron los Encestadores en los partidos 1 y 2.

  **a** Escribe una oración numérica para mostrar cómo resolver el problema.

  **b** Haz una estimación de la respuesta.

  **c** Resuelve el problema.

  **d** ¿Es razonable tu respuesta? Explícalo.

**Los Encestadores**

| Partidos | Puntos anotados |
|----------|-----------------|
| Partido 1 | 66 |
| Partido 2 | 57 |
| Partido 3 | 64 |

**23.** Escribe los puntos anotados por los Encestadores en orden desde menos puntos hasta más puntos.

**24.** **¿Es razonable?** Stan sumó 36 + 29 y obtuvo 515. Explica por qué su respuesta no es razonable.

**25.** Una estatua del presidente Lincoln de pie mediría 9 pies más de altura que la estatua de la ilustración. ¿Cuánto mediría esa estatua?

**26.** **Sentido numérico** ¿Cuál es la suma más grande posible de dos números de 2 dígitos? Explícalo.

**27.** Colleen corrió 18 millas la semana pasada. Esta semana corrió 26 millas y planea correr 28 millas la semana próxima. ¿Qué oración numérica muestra cuántas millas ha corrido hasta ahora?

  **A** $18 + 28 = \square$    **C** $18 + 26 + 28 = \square$

  **B** $18 + 26 = \square$    **D** $28 - 18 = \square$

La estatua de Abraham Lincoln sentado mide 19 pies de altura.

**TEKS 3.3A:** Dar ejemplos de la suma y la resta utilizando dibujos, palabras y números.

# Modelos para sumar números de 3 dígitos

Manos a la obra
bloques de valor de posición

## ¿Cómo sumas números de 3 dígitos con bloques de valor de posición?

Puedes sumar números enteros usando el valor de posición para descomponerlos.

Calcula 143 + 285.

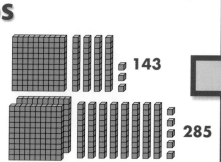
143
285

---

**Otro ejemplo** ¿Cómo sumas con dos reagrupamientos?

Halla 148 + 276.

**Paso 1**
Suma las unidades
8 unidades + 6 unidades = 14 unidades

Reagrupa.
14 unidades = 1 decena 4 unidades

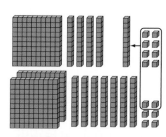

**Paso 2**
Suma las decenas.
1 decena + 4 decenas + 7 decenas = 12 decenas

Reagrupa.
12 decenas = 1 centena 2 decenas

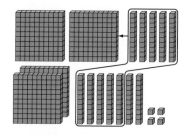

**Paso 3**
Suma las centenas.
1 centena + 1 centena + 2 centenas = 4 centenas

Por tanto, 148 + 276 = 424.

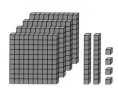

## Explícalo

1. ¿Por qué tuviste que reagrupar dos veces?

2. **Sentido numérico** ¿Por qué no reagrupaste las centenas?

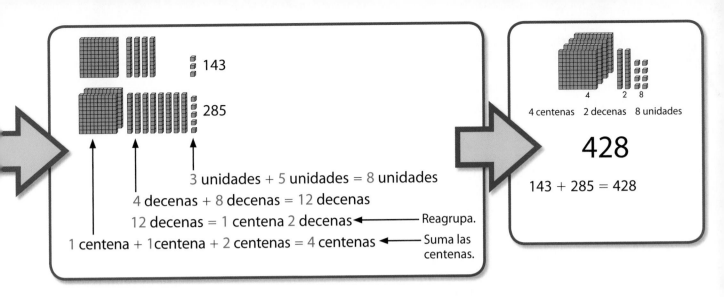

143

285

3 unidades + 5 unidades = 8 unidades
4 decenas + 8 decenas = 12 decenas
12 decenas = 1 centena 2 decenas ← Reagrupa.
1 centena + 1centena + 2 centenas = 4 centenas ← Suma las centenas.

4 centenas   2 decenas   8 unidades

428

143 + 285 = 428

## Práctica guiada*

### ¿CÓMO hacerlo?

**1.** Escribe el problema y halla la suma.

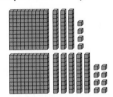

Usa bloques de valor de posición o haz dibujos para hallar cada suma.

**2.** 256 + 162

**3.** 138 + 29

### ¿Lo ENTIENDES?

**4.** ¿Cómo sabes cuándo necesitas reagrupar?

**5.** El Sr. Wu manejó su carro 224 millas ayer. Manejó 175 millas hoy. Usa bloques de valor de posición o haz dibujos para hallar cuántas millas manejó en total.

## Práctica independiente

Escribe los problemas y halla las sumas.

**6.**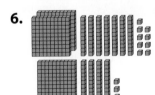

**7.**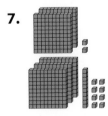

Halla las sumas. Usa bloques de valor de posición o haz dibujos como ayuda.

**8.** 635 + 222

**9.** 337 + 152

**10.** 359 + 211

**11.** 358 + 243

eTools
www.pearsonsuccessnet.com

*Puedes encontrar otro ejemplo en el Grupo B, página 68.*

En los Ejercicios **12** a **15**, usa la tabla de la derecha. Usa bloques de valor de posición o haz un dibujo como ayuda.

**Ojo** *Puedes dibujar cuadrados para mostrar las centenas, líneas para mostrar las decenas y "×" para mostrar las unidades.*

**12.** Haz una estimación de cuántos boletos aproximadamente se vendieron en total el sábado para las tres atracciones.

| Número de boletos vendidos | | |
|---|---|---|
| **Atracción** | **Sábado** | **Domingo** |
| Rueda de Chicago | 368 | 406 |
| Montaña rusa | 486 | 456 |
| Columpios | 138 | 251 |

**13.** **Escribir para explicar** Sin sumar, ¿cómo puedes saber si se vendieron más boletos en los dos días para la rueda de Chicago o para los columpios?

**14.** ¿Cuántos boletos se vendieron para la rueda de Chicago en los dos días?

**15.** ¿Cuántos boletos se vendieron para la montaña rusa en los dos días?

**16.** **Sentido numérico** Mike quiere usar bloques de valor de posición para mostrar $237 + 153$. Tiene 8 bloques de decenas. ¿Son suficientes para mostrar la suma? Explícalo.

**17.** Un tipo de árbol de pacanas produce aproximadamente 45 pacanas por cada libra de nueces. Si tienes una libra de estas pacanas y una libra de las pacanas que se muestran abajo, ¿cuántas pacanas tienes?

Hay aproximadamente 60 pacanas en una libra de este tipo de nuez.

**18.** **Escribir para explicar** ¿La suma de dos números de 3 dígitos es siempre un número de 3 dígitos? Explica cómo lo sabes.

**19.** ¿Qué oración numérica se muestra con estos bloques de valor de posición?

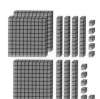

**A** $254 + 163 = 417$

**B** $245 + 136 = 381$

**C** $245 + 163 = 408$

**D** $254 + 136 = 390$

**20.** En un aeropuerto muy concurrido, aterrizaron 228 aviones entre el mediodía y las 3:00 P.M. El mismo día aterrizaron 243 aviones entre las 3 P.M. y las 6 P.M. ¿Cuántos aviones aterrizaron en total entre el mediodía y las 6 P.M.?

? aviones en total

| 228 | 243 |
|---|---|

# Hacia el mundo digital

## Sumar con reagrupación

Usa **e tools**

## Bloques de valor de posición

Usa los bloques de valor de posición de eTools para sumar 367 + 175 reagrupando.

**Paso 1** Ve a la herramienta de bloques de valor de posición. Haz clic en Área de trabajo doble. En la parte superior del área de trabajo, muestra 367 con bloques de valor de posición. Muestra 175 en la parte inferior.

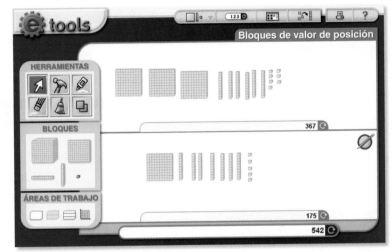

**Paso 2** Usa la herramienta de flecha para mover las unidades de 175 a la parte superior del área de trabajo. Luego, usa la herramienta de pegar para seleccionar 10 unidades. Haz clic en un grupo de diez unidades para formar una decena.

**Paso 3** Usa la herramienta de flecha para mover las decenas de 175 a la parte superior del área de trabajo. Usa la herramienta de pegar para seleccionar 10 decenas. Haz clic en el grupo de 10 decenas para formar una centena.

**Paso 4** Usa la herramienta de flecha para mover la centena de 175 a la parte superior del área de trabajo. Mira los bloques para hallar la suma, 367 + 175 = 542.

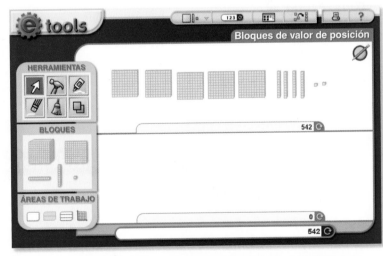

## Práctica

Usa los bloques de valor de posición de eTools para hallar las sumas reagrupando.

**1.** 248 + 374    **2.** 459 + 178    **3.** 566 + 293    **4.** 675 + 189

Lección

3-3

TEKS 3.3: Sumar y restar para resolver problemas relevantes en los que se usan números enteros.
TEKS 3.5A: Redondear números enteros a la decena o centena más cercana para aproximar resultados razonables de problemas.

# Sumar números de 3 dígitos

## ¿Cómo usas la suma para resolver problemas?

La familia de Jason viajó en carro desde Albany a las cataratas del Niágara. ¿Qué distancia viajaron en total?

$119 + 187 = \boxed{\phantom{000}}$

Haz una estimación redondeando:
$100 + 200 = 300$.
Por tanto, $119 + 187$ es aproximadamente 300.

**187 millas**

**Cataratas del Niágara**

**Albany**

**Nueva York**

**119 millas**

---

## Otros ejemplos

### Sumas de 4 dígitos

Puedes reagrupar 10 centenas en 1 millar 0 centenas.

$$\begin{array}{r} 472 \\ + \ 625 \\ \hline 1{,}097 \end{array}$$

Puedes reagrupar unidades, decenas y centenas.

$$\begin{array}{r} \overset{1\ 1}{568} \\ + \ 864 \\ \hline 1{,}432 \end{array}$$

---

## Práctica guiada*

### ¿CÓMO hacerlo?

Haz una estimación. Luego, halla las sumas. Usa bloques de valor de posición o dibujos como ayuda.

**1.** $\begin{array}{r} 126 \\ + \ 171 \\ \hline \end{array}$

**2.** $\begin{array}{r} 415 \\ + \ 168 \\ \hline \end{array}$

**3.** $645 + 524$

**4.** $394 + 97$

### ¿Lo ENTIENDES?

**5. ¿Es razonable?** En el ejemplo de la familia de Jason, ¿es razonable la respuesta 306 millas? Explícalo.

**6.** La Sra. Lane viajó en carro 278 millas el martes y 342 millas el miércoles. Escribe y resuelve una oración numérica para hallar la distancia total que manejó.

---

## Práctica independiente

En los Ejercicios **7** a **15,** haz una estimación. Luego, halla las sumas.

**7.** $\begin{array}{r} 347 \\ + \ 325 \\ \hline \end{array}$

**8.** $\begin{array}{r} 136 \\ + \ 252 \\ \hline \end{array}$

**9.** $\begin{array}{r} 564 \\ + \ 283 \\ \hline \end{array}$

**10.** $\begin{array}{r} 731 \\ + \ 344 \\ \hline \end{array}$

**11.** $\begin{array}{r} 324 \\ + \ 589 \\ \hline \end{array}$

**12.** $324 + 68$

**13.** $709 + 94$

**14.** $496 + 874$

**15.** $526 + 307$

| **Paso 1** | **Paso 2** | **Paso 3** |
|---|---|---|

**Paso 1**

Suma las unidades.
9 unidades +
7 unidades =
16 unidades

Reagrupa.
16 unidades =
1 decena 6 unidades

$$
\begin{array}{r}
1\phantom{00} \\
119 \\
+\ 187 \\
\hline
6
\end{array}
$$

**Paso 2**

Suma las decenas.
1 decena + 1 decena
+ 8 decenas =
10 decenas

Reagrupa.
10 decenas =
1 centena 0 decenas

$$
\begin{array}{r}
11\phantom{0} \\
119 \\
+\ 187 \\
\hline
06
\end{array}
$$

**Paso 3**

Suma las centenas.
1 centena + 1 centena +
1 centena = 3 centenas

$$
\begin{array}{r}
11\phantom{0} \\
119 \\
+\ 187 \\
\hline
306
\end{array}
$$

Viajaron 306 millas en total.

**TAKS Resolución de problemas**

En los Ejercicios **16** a **19**, usa la tabla de la derecha.

**16. a** Escribe una oración numérica para hallar cuántas etiquetas reunieron en total los Grados 1 y 2.

  **b** Haz una estimación de la respuesta.

  **c** Resuelve el problema.

  **d** ¿Es razonable tu respuesta? Explícalo.

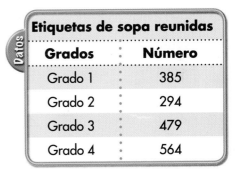

**Etiquetas de sopa reunidas**

Datos

| Grados | Número |
|---|---|
| Grado 1 | 385 |
| Grado 2 | 294 |
| Grado 3 | 479 |
| Grado 4 | 564 |

**17. Sentido numérico** Sin hallar la suma exacta, ¿cómo sabes que los Grados 2 y 3 juntos reunieron más etiquetas que el Grado 4?

**18.** Escribe el número de etiquetas reunidas de menor a mayor.

**19.** ¿Qué oración numérica muestra cuántas etiquetas reunieron en total los Grados 1 y 4?

  **A** $385 + 479 = $ ▢

  **B** $385 + 564 = $ ▢

  **C** $294 + 479 + 564 = $ ▢

  **D** $385 + 294 + 479 + 564 = $ ▢

**20.** La montaña rusa más alta del mundo se llama Kingda Ka. Es 192 pies más alta que la primera rueda de Chicago. ¿Cuál es la altura de Kingda Ka?

La primera rueda de Chicago fue construida en 1893 por George Ferris. ¡Tenía 264 pies de altura!

# 3-4

**TEKS 3.3:** Sumar y restar para resolver problemas relevantes en los que se usan números enteros.

# Sumar 3 números o más

## ¿Cómo usas la suma para resolver problemas?

Una tienda de mascotas vende diferentes tipos de pájaros. ¿Cuántos pájaros hay en total en la tienda?

- Halla 137 + 155 + 18.

- Haz una estimación: 140 + 160 + 20 = 320.

Canarios 137

Loros 18

Periquitos 155

---

## Práctica guiada*

### ¿CÓMO hacerlo?

Halla las sumas.

1.
```
    36
    47
 +  35
```

2.
```
   247
   362
 +  49
```

3.
```
   273
    82
 + 124
```

4.
```
    59
   506
   302
 +  24
```

5. 9 + 46 + 24

6. 385 + 97 + 34

### ¿Lo ENTIENDES?

En los Ejercicios **7** a **9,** mira el ejemplo de arriba.

7. ¿Por qué hay un 2 sobre el lugar de las decenas en el Paso 2?

8. **¿Es razonable?** ¿Cómo puedes saber que "310 pájaros" es una respuesta razonable?

9. Supón que la tienda recibe 46 cotorras para vender. Escribe y resuelve una oración numérica para mostrar cuántos pájaros tiene para vender ahora.

---

## Práctica independiente

Calcula las sumas.

10.
```
    64
    42
 +  88
```

11.
```
   307
    37
 + 234
```

12.
```
   602
   125
 + 231
```

13.
```
   246
    54
   233
 + 205
```

14.
```
   303
   128
    63
 + 149
```

15. 164 + 68 + 35

16. 32 + 9 + 46 + 8

17. 125 + 36 + 124 + 239

*Puedes encontrar otro ejemplo en el Grupo D, página 69.*

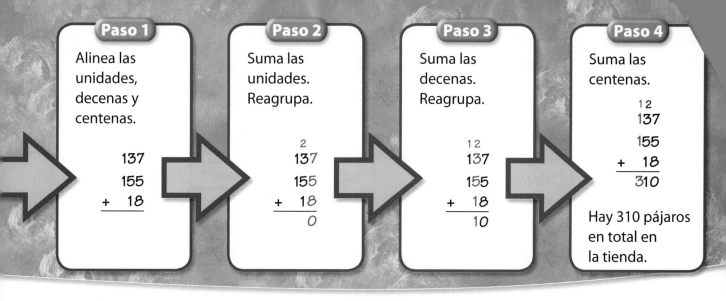

| Paso 1 | Paso 2 | Paso 3 | Paso 4 |
|---|---|---|---|
| Alinea las unidades, decenas y centenas. | Suma las unidades. Reagrupa. | Suma las decenas. Reagrupa. | Suma las centenas. |

**Paso 1**

Alinea las unidades, decenas y centenas.

$$\begin{array}{r} 137 \\ 155 \\ +\ 18 \\ \hline \end{array}$$

**Paso 2**

Suma las unidades. Reagrupa.

$$\begin{array}{r} {\scriptstyle 2} \\ 137 \\ 155 \\ +\ 18 \\ \hline 0 \end{array}$$

**Paso 3**

Suma las decenas. Reagrupa.

$$\begin{array}{r} {\scriptstyle 12} \\ 137 \\ 155 \\ +\ 18 \\ \hline 10 \end{array}$$

**Paso 4**

Suma las centenas.

$$\begin{array}{r} {\scriptstyle 1\ 2} \\ 137 \\ 155 \\ +\ 18 \\ \hline 310 \end{array}$$

Hay 310 pájaros en total en la tienda.

## ★ TAKS Resolución de problemas

Las calorías se usan para medir la energía de los alimentos. Usa los dibujos para los Ejercicios **18** a **20**.

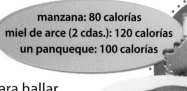

manzana: 80 calorías
miel de arce (2 cdas.): 120 calorías
un panqueque: 100 calorías

**18.** Karin se desayunó con cereal, un vaso de leche y un plátano. Sigue los pasos para hallar cuántas calorías había en el desayuno que comió.

   **a** Escribe una oración numérica para mostrar cómo resolver el problema.

   **b** Haz una estimación de la respuesta.

   **c** Resuelve el problema.

   **d** Usa la estimación para explicar por qué tu respuesta es razonable.

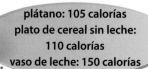

plátano: 105 calorías
plato de cereal sin leche: 110 calorías
vaso de leche: 150 calorías

**19.** Esteban puso 2 cucharadas de miel de arce en los dos panqueques que comió en el desayuno. Luego, comió una manzana. ¿Cuántas calorías había en lo que comió?

**20.** Compara el número de calorías de una manzana con el número de calorías de un plátano. Usa $>$, $<$, o $=$.

**21. ¿Es razonable?** Meg dijo que $95 + 76 + 86$ es mayor que 300. Explica por qué su respuesta no es razonable.

**22.** Ramón tiene 225 monedas de 1¢, 105 monedas de 5¢ y 65 monedas de 10¢. ¿Cuántas monedas tiene?

   **A** 385 monedas     **C** 980 monedas

   **B** 395 monedas     **D** 3,815 monedas

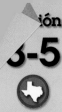
**TEKS 3.14C:** Seleccionar o desarrollar un plan o una estrategia de resolución de problemas apropiado en el que haga un dibujo, busque un patrón, adivine y compruebe sistemáticamente, haga una dramatización, elabore una tabla, resuelva un problema más sencillo o trabaje desde el final hasta el principio para resolver un problema.

# Intentar, revisar y corregir

Tad, Holly y Shana hicieron 36 carteles en total. Shana hizo 3 carteles más que Holly.

Tad y Holly hicieron el mismo número de carteles. ¿Cuántos carteles hizo Shana?

---

## Práctica guiada*

### ¿CÓMO hacerlo?

1. Peg y Pat comparten 64 crayones. Pat tiene 10 crayones más que Peg. ¿Cuántos crayones tiene cada una?

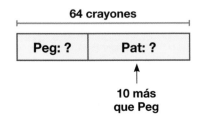

### ¿Lo ENTIENDES?

2. Mira el diagrama del Problema 1. ¿Por qué no son iguales las dos partes del rectángulo?

3. **Escribe un problema** Escribe un problema de la vida diaria que se pueda resolver usando el razonamiento para hacer intentos razonables.

---

## Práctica independiente

4. En total, Rod tiene 38 crayones, marcadores y lápices. Tiene 5 crayones más que marcadores. Tiene el mismo número de marcadores que de lápices. ¿Cuántos marcadores tiene?

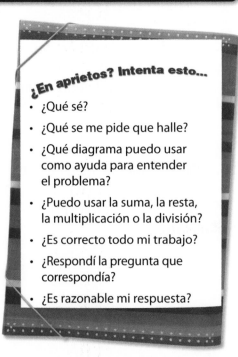

¿En aprietos? Intenta esto...

- ¿Qué sé?
- ¿Qué se me pide que halle?
- ¿Qué diagrama puedo usar como ayuda para entender el problema?
- ¿Puedo usar la suma, la resta, la multiplicación o la división?
- ¿Es correcto todo mi trabajo?
- ¿Respondí la pregunta que correspondía?
- ¿Es razonable mi respuesta?

Usa el razonamiento para hacer intentos razonables. Luego, comprueba.

**Intenta:** 10 + 10 + 13 = 33

**Comprueba:** 33 < 36
　　　　　Muy bajo; necesito 3 más.

**Intenta:** 12 + 12 + 15 = 39

**Comprueba:** 39 > 36
　　　　　Muy alto; necesito 3 menos.

Corrige usando lo que sabes.

**Intenta:** 11 + 11 + 14 = 36

**Comprueba:** 36 = 36
　　　　　Éste es correcto.

Shana hizo 14 carteles.

En los Ejercicios **5** y **6,** usa los dibujos de la derecha.

5. El dependiente de la florería coloca todas las rosas en dos floreros. Un florero tiene 2 rosas más que el otro. ¿Cuántas rosas hay en cada florero?

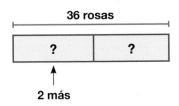

36 rosas

| ? | ? |
|---|---|

↑
2 más

26 claveles

36 rosas

42 iris

6. Edna, Jay y Bob compraron todos los claveles de la florería. Edna compró 2 más que Jay. Bob y Jay compraron el mismo número. ¿Cuántos claveles compró Edna?

7. El Sr. Tyler compró un iris por $1.25 y 3 rosas por $3 cada una. ¿Cuánto pagó el Sr. Tyler por las rosas?

8. Camilo compró un iris por $1.25. Pagó con 6 monedas. ¿Qué monedas usó?

9. Jared está pensando en dos números. La suma de ambos es 12 y la diferencia es 6. ¿Cuáles son los dos números?

　A 11 y 1

　B 10 y 2

　C 9 y 3

　D 8 y 4

10. Hanna tiene 6 monedas con un valor de 50¢ en total. Algunas de las monedas son de 5¢ y otras son de 10¢. ¿Qué monedas tiene Hanna?

　F 5 monedas de 10¢ y 1 moneda de 5¢

　G 4 monedas de 10¢ y 2 monedas de 5¢

　H 3 monedas de 10¢ y 3 monedas de 5¢

　J 2 monedas de 10¢ y 4 monedas de 5¢

1. La tabla muestra el número de votos electorales para el presidente de los Estados Unidos en 1789.

**Datos**

| Primera elección | |
|---|---|
| Votos por | Número de votos |
| George Washington | 69 |
| John Adams | 34 |
| Otros | 35 |
| Votos no emitidos | 12 |

¿Qué oración numérica muestra cuántos votos recibieron George Washington y John Adams juntos? (3-1)

A 69 + 34 + 12 =

B 34 + 35 =

C 69 + 35 =

D 69 + 34 =

2. Entre 6 A.M. y 10 A.M., 389 camiones y 599 carros cruzaron un puente. ¿Cuántos vehículos cruzaron el puente en total? (3-3)

F 878

G 888

H 978

J 988

3. Tricia pagó $35 por una cama de juguete, $48 por una cómoda de juguete y $24 por una mesa. ¿Cuánto gastó en total? (3-4)

A $107

B $97

C $83

D $72

4. Dallas mide 343 millas cuadradas y Fort Worth mide 293 millas cuadradas. ¿Cuántas millas cuadradas son en total? (3-3)

F 636

G 626

H 536

J 50

5. ¿Qué suma se muestra aquí? (3-2)

A 143 + 157 =

B 143 + 158 =

C 143 + 147 =

D 8 + 14 =

6. Kent tiene 28 mariposas, 16 escarabajos y 12 saltamontes en su colección. ¿Cuántas mariposas y escarabajos tiene? (3-1)

F 28

G 40

H 44

J 56

7. Dos estados tienen 64 condados cada uno. Otro estado tiene 88 condados. ¿Qué oración numérica muestra cuántos condados tienen en total estos tres estados? (3-4)

A 64 + 88 =

B 64 + 88 + 3 =

C 64 + 64 + 88 =

D 64 + 88 + 88 =

**8.** Cada uno de los 26 estudiantes en la clase de Carrie escogió tambores o cornetas para tocar en la clase de música. Si los estudiantes que escogieron tambores eran 4 más que los estudiantes que escogieron trompetas, ¿cuántos escogieron cada instrumento? (3-5)

**F** 16 escogieron tambores, 10 escogieron cornetas

**G** 15 escogieron tambores, 11 escogieron cornetas

**H** 14 escogieron tambores, 12 escogieron cornetas

**J** 14 escogieron tambores, 10 escogieron cornetas

**9.** Júpiter tiene 63 lunas, Saturno tiene 47 lunas y Urano tiene 27 lunas. ¿Cuántas lunas tienen en conjunto estos 3 planetas? (3-4)

**A** 110    **B** 127    **C** 137    **D** 140

**10.** Las Ruinas Aztecas en Nuevo México cubren aproximadamente 318 acres. El volcán Capulín cubre aproximadamente 793 acres. ¿Cuál es un tamaño total razonable para estos dos monumentos nacionales combinados? (3-3)

**F** 1,211 acres, porque 318 + 793 es aproximadamente 400 + 800 = 1,200

**G** 1,111 acres, porque 318 + 793 es aproximadamente 300 + 800 = 1,100

**H** 1,011 acres, porque 318 + 793 es aproximadamente 300 + 700 = 1,000

**J** 911 acres, porque 318 + 793 es aproximadamente 300 + 600 = 900

**11.** En una encuesta, 468 personas dijeron que una mascota sí podía hacerlas felices, 293 dijeron que no y 39 personas no sabían. ¿Qué oración numérica muestra cuántas personas dijeron que sí o que no? (3-3)

**A** 468 + 293 + 39 = ▢

**B** 468 + 39 = ▢

**C** 293 + 39 = ▢

**D** 468 + 293 = ▢

**12.** El Paso tiene 145 parques municipales y San Antonio tiene 193 parques municipales. ¿Cuántos parques municipales tienen las dos ciudades en total? (3-2)

**F** 48

**G** 238

**H** 328

**J** 338

**13.** Las sorpresas para fiestas de cumpleaños vienen en paquetes de 10, 20 ó 25. Cristina compró 50 sorpresas en 3 paquetes. ¿Qué tamaños de paquete pudo haber comprado? (3-5)

**A** 20, 10 y 10

**B** 20, 20 y 10

**C** 25 y 25

**D** 25 y 20

**14. Respuesta en plantilla** La Juguetería Marty tiene 36 ositos de peluche y 28 caballitos de felpa. ¿Cuántos ositos de peluche y caballitos de felpa tiene en total? (3-1)

**Grupo A,** páginas 54 y 55

Halla 96 + 68.

Primero haz una estimación: 96 + 68 = ▢

$$100 + 70 = 170$$

Luego, suma.

```
    1
    9 6    6 + 8 = 14 unidades
 +  6 8    Reagrupa en 1 decena 4 unidades.
  1 6 4    1 decena + 9 decenas + 6 decenas =
           16 decenas
```

164 está cerca de 170; por tanto, 164 es razonable.

**Recuerda** que debes sumar primero las unidades. Reagrupa si es necesario. Luego, suma las decenas.

Primero haz una estimación. Luego, halla las sumas. Comprueba que las sumas sean razonables.

| | | | |
|---|---|---|---|
| **1.** | 38 <br> + 47 | **2.** | 77 <br> + 56 |
| **3.** | 62 <br> + 9 | **4.** | 24 <br> + 81 |

**5.** 55 + 89

**6.** 58 + 33

**Grupo B,** páginas 56 a 58

Halla 125 + 168.

Muestra 125 y 168 con bloques de valor de posición.

5 unidades + 8 unidades = 13 unidades
Reagrupa.
13 unidades = 1 decena 3 unidades

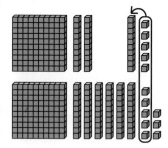

1 decena + 2 decenas + 6 decenas = 9 decenas

Suma las centenas.
1 centena + 1 centena = 2 centenas

Por tanto, 125 + 168 = 293.

**Recuerda** que debes sumar las unidades, luego las decenas y por último las centenas.

Halla las sumas. Usa bloques de valor de posición o haz un dibujo como ayuda.

**1.** 265 + 116

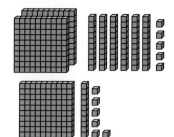

**2.** 113 + 37

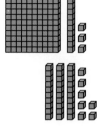

**3.** 318 + 188    **4.** 272 + 162

**Grupo C,** páginas 60 y 61

Halla 276 + 189.

Primero haz una estimación: 300 + 200 = 500

Luego, suma.

```
  1 1      6 + 9 = 15 unidades
  2 7 6    Reagrupa en 1 decena 5 unidades.
+ 1 8 9    1 decena + 7 decenas + 8 decenas = 16 decenas
-------     Reagrupa en 1 centena 6 decenas.
  4 6 5
           1 centena + 2 centenas +
           1 centena = 4 centenas
```

465 está cerca de 500; por tanto, 465 es razonable.

**Recuerda** que puedes reagrupar 10 unidades en 1 decena y 10 decenas en 1 centena.

Primero haz una estimación. Luego, halla las sumas.

**1.**   718
      + 156

**2.**   213
      + 538

**3.**   652
      + 184

**4.**   386
      + 766

**5.** 311 + 289   **6.** 371 + 283

**Grupo D,** páginas 62 y 63

Halla 43 + 187 + 238.

Haz una estimación: 40 + 190 + 240 = 470

```
  1 1      Alinea las unidades, decenas
    4 3    y centenas. Luego suma cada columna.
  1 8 7    Reagrupa si es necesario.
+ 2 3 8
-------
  4 6 8
```

468 está cerca de 470; por tanto, 468 es razonable.

**Recuerda** que puedes hacer una estimación para comprobar si tu respuesta es razonable.

Halla las sumas.

**1.** 25 + 67 + 132

**2.** 139 + 209 + 55

**3.** 328 + 381 + 42

**4.** 56 + 167 + 35

**Grupo E,** páginas 64 y 65

Resuelve los problemas usando los pasos siguientes: Intentar, revisar y corregir.

**Paso 1** Piensa para poder hacer un primer intento razonable.

**Paso 2** Compruébalo usando la información del problema.

**Paso 3** Corrige. Usa tu primer intento para hacer un segundo intento que sea razonable. Comprueba.

**Paso 4** Continúa intentando y comprobando hasta que halles la respuesta correcta.

**Recuerda** que debes comprobar cada intento.

Usa "Intentar, revisar y corregir" para resolver.

**1.** Ray y Tony tienen 32 marcadores. Ray tiene 2 marcadores más que Tony. ¿Cuántos marcadores tiene cada niño?

**2.** El club de futbol tiene 28 miembros. Hay 4 niñas más que niños. ¿Cuántos niños hay en el club de futbol?

# Resta: Sentido numérico

**1** Los astronautas del *Apolo* se comunicaban entre sí y con los Controles de la misión localizados en el Centro Espacial en Houston, Texas. ¿Cuántas misiones espaciales *Apolo* aterrizaron en la Luna? Lo averiguarás en la Lección 4-1.

**2** ¿Cuántos pies más largo era un braquiosaurio que un tiranosaurio? Lo averiguarás en la Lección 4-4.

**3**

¿Qué velocidad alcanza un guepardo? Lo averiguarás en la Lección 4-2.

**4**

La rafflesia es una planta que tiene la flor más grande del mundo. ¿Cuánto mide? Lo averiguarás en la Lección 4-3.

# Repasa lo que sabes

## Vocabulario

Escoge el mejor término del recuadro.

> • sumar    • contar salteado
> • redondear  • restar

1. Para quitarle una parte a un todo, puedes ___?___.

2. Puedes ___?___ para hallar un número que sea cercano al número real.

3. Para unir partes, puedes ___?___.

## Operaciones de resta

Halla las diferencias.

**4.** $9 - 5$    **5.** $11 - 3$    **6.** $16 - 7$

## Operaciones de suma

Halla las sumas.

**7.** $4 + 8$    **8.** $9 + 8$    **9.** $6 + 7$

## Redondear

**Escribir para explicar**

10. ¿A qué dos números puedes redondear 78? Explica por qué hay más de una manera de redondear 78.

11. ¿Es la suma de $5 + 8$ igual o diferente de la suma de $8 + 5$? Explica.

Lección

4-1

TEKS 3.3A: Dar ejemplos de la suma y la resta utilizando dibujos, palabras y números.

# Significados de la resta

fichas

## ¿Cuándo restas?

La clase de la Sra. Aydin está haciendo banderas de la escuela para venderlas en la feria escolar.

La tabla muestra cuántas banderas han hecho varios estudiantes hasta ahora.

### Banderas para la feria escolar

| Estudiante | Número de banderas |
|---|---|
| Brent | 12 |
| Devon | 9 |
| Keisha | 11 |
| Ling | 14 |
| Pedro | 7 |
| Rick | 8 |

**Datos**

## Otro ejemplo    Restas para hallar un sumando que falta.

Rick piensa hacer 13 banderas. ¿Cuántas banderas más necesita?

Las partes y el todo muestran cómo están relacionadas la suma y la resta.

13 banderas en total

| 8 | ? |
|---|---|

Una familia de operaciones es un grupo de operaciones relacionadas que usan los mismos números.

$8 + \blacksquare = 13$

Puedes escribir una familia de operaciones cuando conoces las partes y el todo.

$5 + 8 = 13$          $13 - 8 = 5$

$8 + 5 = 13$          $13 - 5 = 8$

La parte que falta es 5. Esto significa que Rick tiene que hacer 5 banderas más.

## Práctica guiada*

### ¿CÓMO hacerlo?

Usa la tabla para escribir y resolver una oración numérica.

1. ¿Cuántas banderas más ha hecho Ling que Devon?

2. ¿Cuántas banderas más tiene que hacer Pedro para tener 15 en total? ¿Para tener el mismo número que Ling?

### ¿Lo ENTIENDES?

3. Ling vendió 8 de las banderas que había hecho. Escribe una oración numérica para hallar cuántas banderas le quedaron. Luego resuelve el problema.

4. **Escribe un problema** Escribe y resuelve un problema verbal que se pueda resolver restando.

DIGITAL    eTools, Glosario animado
www.pearsonsuccessnet.com

## Resta para quitar y hallar cuántos quedan.

Brent vendió 5 de las banderas que hizo. ¿Cuántas banderas le quedan?

**12 banderas en total**

| 5 | ? |
|---|---|

$12 - 5 = 7$

A Brent le quedan 7 banderas.

## Resta para comparar cantidades.

¿Cuántas banderas más hizo Keisha que Pedro?

| Keisha | 11 | |
|---|---|---|
| Pedro | ? | 7 |

$11 - 7 = 4$

Keisha hizo 4 banderas más que Pedro.

## Práctica independiente

Escribe una oración numérica para cada situación. Resuelve.

**5.** Pat tiene 15 insignias. Chris tiene 9. ¿Cuántas insignias más tiene Pat que Chris?

| Pat | 15 | |
|---|---|---|
| Chris | 9 | ? |

**6.** ¿Cuántas banderas anaranjadas más hay que banderas verdes?

**7.** Carla tenía 12 pasteles para venderlos. Después de vender algunos de ellos, le quedaron 4. ¿Cuántos pasteles había vendido Carla?

**8.** El asta de una bandera tiene 10 pies de altura. La altura de la bandera es de 4 pies. ¿Cuántos pies más de altura tiene el asta que la bandera?

**9.** El programa espacial *Apolo* realizó 12 misiones tripuladas. ¿Cuántas de estas misiones no aterrizaron en la Luna?

**10.** Rob tenía 17 bolígrafos. Después de dar algunos a su amigo, le quedaron 8. ¿Qué oración numérica muestra una forma de hallar cuántos bolígrafos le dio Rob a su amigo?

**A** $17 + 8 = $ 

**B** $8 - 1 = $ 

**C** $17 - 1 = $ 

**D** $17 - \ = 8$

6 naves *Apolo* aterrizaron en la Luna.

**TEKS 3.3A:** Dar ejemplos de la suma y la resta utilizando dibujos, palabras y números.

# Restar con la tabla de 100

## ¿Cómo restas con la tabla de 100?

Halla 38 – 20 en la tabla de 100.

Empieza en 38. Para contar hacia atrás 2 decenas, sube dos filas.

$38 - 20 = 18$

| 1 | 2 | 3 | 4 | 5 | 6 | 7 | 8 | 9 | 10 |
|---|---|---|---|---|---|---|---|---|---|
| 11 | 12 | 13 | 14 | 15 | 16 | 17 | (18) | 19 | 20 |
| 21 | 22 | 23 | 24 | 25 | 26 | 27 | 28 | 29 | 30 |
| 31 | 32 | 33 | 34 | 35 | 36 | 37 | (38) | 39 | 40 |
| 41 | 42 | 43 | 44 | 45 | 46 | 47 | 48 | 49 | 50 |

**Otro ejemplo** ¿Cómo usas el conteo hacia adelante para hallar diferencias?

La diferencia es <u>el resultado que obtienes cuando restas dos números.</u>

Halla 43 – 19.

**Piénsalo** $19 + \square = 43$.

Empieza en 19.
Muévete un cuadrado a la derecha para contar hacia adelante hasta la siguiente decena.

   20

Cuenta hacia adelante de diez en diez moviéndote dos filas hacia abajo.

   30, 40

Luego cuenta de uno en uno hasta llegar a 43.    41, 42, 43

Contaste hacia adelante: $1 + 20 + 3 = 24$.

Por tanto, $43 - 19 = 24$.

| 1 | 2 | 3 | 4 | 5 | 6 | 7 | 8 | 9 | 10 |
|---|---|---|---|---|---|---|---|---|---|
| 11 | 12 | 13 | 14 | 15 | 16 | 17 | 18 | (19) | 20 |
| 21 | 22 | 23 | 24 | 25 | 26 | 27 | 28 | 29 | 30 |
| 31 | 32 | 33 | 34 | 35 | 36 | 37 | 38 | 39 | 40 |
| 41 | 42 | (43) | 44 | 45 | 46 | 47 | 48 | 49 | 50 |
| 51 | 52 | 53 | 54 | 55 | 56 | 57 | 58 | 59 | 60 |
| 61 | 62 | 63 | 64 | 65 | 66 | 67 | 68 | 69 | 70 |
| 71 | 72 | 73 | 74 | 75 | 76 | 77 | 78 | 79 | 80 |
| 81 | 82 | 83 | 84 | 85 | 86 | 87 | 88 | 89 | 90 |
| 91 | 92 | 93 | 94 | 95 | 96 | 97 | 98 | 99 | 100 |

**Explícalo**

1. ¿Por qué paras en 20 cuando empiezas a contar hacia adelante desde 19?

2. ¿Por qué sumas $1 + 20 + 3$?

Halla 85 − 19.

**Piénsalo** 85 − 20 = ▢

Empieza en 85 en la tabla de 100.

Cuenta hacia atrás 2 decenas para restar 20. Para hacer esto, sube dos filas.
   75, 65

Como restaste 1 más que 19, suma 1 moviéndote un cuadrado a la derecha.
65 + 1 = 66

Por tanto, 85 − 19 = 66.

| 51 | 52 | 53 | 54 | 55 | 56 | 57 | 58 | 59 | 60 |
|----|----|----|----|----|----|----|----|----|----|
| 61 | 62 | 63 | 64 | 65 | 66 | 67 | 68 | 69 | 70 |
| 71 | 72 | 73 | 74 | 75 | 76 | 77 | 78 | 79 | 80 |
| 81 | 82 | 83 | 84 | 85 | 86 | 87 | 88 | 89 | 90 |
| 91 | 92 | 93 | 94 | 95 | 96 | 97 | 98 | 99 | 100 |

## Práctica guiada*

### ¿CÓMO hacerlo?

Usa una tabla de 100 para restar.

**1.** 72 − 40

**2.** 86 − 30

**3.** 54 − 29

**4.** 95 − 39

**5.** 37 − 18

### ¿Lo ENTIENDES?

**6. Escribir para explicar** Cuando subes dos filas en una tabla de 100, ¿cuánto estás restando? Explícalo.

**7.** ¿ Cuál es la diferencia entre restar 10 y sumar 10 en una tabla de 100?

**8.** Juana tiene 75 centavos. Quiere comprar una calcomanía que cuesta 39 centavos. ¿Cuánto dinero le quedaría? Explica cómo usar una tabla de 100 para hallar la respuesta.

## Práctica independiente

Usa una tabla de 100 para restar.

**9.** 75 − 30      **10.** 53 − 20      **11.** 68 − 40      **12.** 27 − 10

**13.** 84 − 50      **14.** 96 − 60      **15.** 47 − 19      **16.** 53 − 28

**17.** 65 − 39      **18.** 81 − 58      **19.** 76 − 29      **20.** 94 − 38

**21.** 96 − 17      **22.** 79 − 15      **23.** 81 − 26      **24.** 77 − 48

DIGITAL
Glosario animado
www.pearsonsuccessnet.com

En los Ejercicios **25** a **27,** usa la tabla.

**25.** Un álamo en el patio de Max mide 30 pies de altura menos que un álamo de tamaño mediano. ¿Cuánto mide el árbol de su patio?

**26.** Escribe los promedios de altura de los árboles desde el más bajo hasta el más alto.

**Árboles estatales**

| Estado | Tipo de árbol | Promedio de altura |
|--------|---------------|---------------------|
| Kansas | Álamo | 75 pies |
| Michigan | Pino blanco | 70 pies |
| Nueva York | Arce de azúcar | 80 pies |

**27.** Un arce de azúcar en el parque mide 92 pies de altura. ¿Cuántos pies más mide el árbol del parque que un arce de azúcar de tamaño mediano?

**28. Escribir para explicar** Un pino blanco mide 52 pies de altura. Si crece 10 pies en 7 años, ¿qué altura tendrá en 7 años? Explica cómo hallaste tu respuesta.

**29. ¿Es razonable?** Liam usó una tabla de 100 para hallar 92– 62. Dijo que la diferencia es 40. ¿Es razonable su respuesta? Explícalo.

**Ojo** *¿Qué suma puede ayudarte?*

**30.** Los empleados del comedor hicieron 234 sándwiches de jamón y 165 sándwiches de atún. También hicieron 150 pizzas de queso y 125 pizzas de verduras. ¿Cuántos sándwiches hicieron en total?

**31.** En distancias cortas, un elefante puede correr hasta 15 millas por hora. ¿Cuánto más rápido puede correr un guepardo que un elefante?

**32.** John mide 56 pulgadas de altura. Su padre mide 72 pulgadas de altura. ¿Cuánto más alto es el padre de John que John? Explica cómo hallaste tu respuesta.

**33.** María tenía 15 piedras pequeñas y 9 piedras grandes. ¿Cuál de las oraciones numéricas muestra una manera de hallar cuántas piedras pequeñas más que piedras grandes tenía María?

**A** $15 - 9 =$ 

**B** $15 + 6 =$ 

**C** $15 + 9 =$ 

**D** $24 - 15 =$ 

Un guepardo puede correr hasta 70 millas por hora en distancias cortas.

# Enlaces con el Álgebra

## Oraciones numéricas de suma y resta

El símbolo = significa "es igual a".
En una oración numérica, el símbolo = te dice que el valor a la izquierda es igual al valor a la derecha.

**Ejemplos**  $29 = 20 + 9$

$6 = 11 - 5$

$9 + 4 = 13$

 **Piénsalo** El valor a la izquierda de la oración numérica es igual al valor a la derecha.

. . . . . . . . . . . . . . . . . . . . . . . . . . . . . . . . . . . . . . . . . . . . . . . . . . . . . . . . . . .

Copia y completa. Escribe el número que hace verdadera la oración numérica.

**1.** $9 + \boxed{\phantom{0}} = 11$

**2.** $10 = 3 + \boxed{\phantom{0}}$

**3.** $17 - \boxed{\phantom{0}} = 9$

**4.** $5 + \boxed{\phantom{0}} = 13$

**5.** $8 = 12 - \boxed{\phantom{0}}$

**6.** $14 = 5 + \boxed{\phantom{0}}$

**7.** $10 = 10 + \boxed{\phantom{0}}$

**8.** $6 + \boxed{\phantom{0}} = 26$

**9.** $19 + \boxed{\phantom{0}} = 29$

**10.** $50 + \boxed{\phantom{0}} = 60$

**11.** $30 = 40 - \boxed{\phantom{0}}$

**12.** $25 = 5 + \boxed{\phantom{0}}$

**13.** $10 + \boxed{\phantom{0}} = 17$

**14.** $42 = 45 - \boxed{\phantom{0}}$

**15.** $13 - \boxed{\phantom{0}} = 0$

En los Ejercicios **16** y **17,** copia y completa la oración numérica debajo de cada problema. Úsala para resolver el problema.

**16.** Nito tenía 10 piedras. Chen tenía 26 piedras. ¿Cuántas piedras más tenía Chen que Nito?

$10 + \boxed{\phantom{0}} = 26$

**17.** Tania recogió 10 hojas más que Gwen. Tania recogió 37 hojas. ¿Cuántas hojas recogió Gwen?

$\boxed{\phantom{0}} + 10 = 37$

**18.** **Escribe un problema** Escribe y resuelve un problema de la vida diaria que corresponda a la oración numérica de la derecha.

$48 = 20 + \boxed{\phantom{0}}$

Lección

4-3

TEKS 3.3B: Seleccionar la suma o la resta y utilizar la operación para resolver problemas en los que se usan números enteros hasta el 999.

# Usar el cálculo mental para restar

## ¿Cómo restas usando el cálculo mental?

La tienda está vendiendo chaquetas a precios rebajados. Una chaqueta está en oferta por $17 menos que el precio regular. ¿Cuál es el precio rebajado?

Puedes usar el cálculo mental para restar y resolver este problema.

$52
¡$17 menos!

---

## Práctica guiada*

### ¿CÓMO hacerlo?

En los Ejercicios **1** a **8**, halla las diferencias usando el cálculo mental.

**1.** 26 − 18

**2.** 34 − 19

**3.** 73 − 16

**4.** 45 − 27

**5.** 67 − 28

**6.** 83 − 39

**7.** 46 − 18

**8.** 49 − 19

### ¿Lo ENTIENDES?

**9. Escribir para explicar** En el ejemplo de "Una manera", arriba, ¿por qué le sumas 3 a 32 en vez de restar 3 de 32?

**10.** Supón que un abrigo tiene un precio regular de $74 y que está en rebaja a $18 menos que el precio regular. ¿Cuál es el precio rebajado del abrigo? ¿Cómo puedes usar el cálculo mental para resolver el problema?

---

## Práctica independiente

En los Ejercicios **11** a **30,** halla las diferencias usando el cálculo mental.

**11.** 28 − 19

**12.** 46 − 18

**13.** 39 − 17

**14.** 68 − 11

**15.** 52 − 9

**16.** 75 − 12

**17.** 29 − 18

**18.** 49 − 18

**19.** 64 − 15

**20.** 43 − 16

**21.** 97 − 14

**22.** 86 − 13

**23.** 31 − 14

**24.** 98 − 17

**25.** 57 − 18

**26.** 72 − 19

**27.** 53 − 39

**28.** 27 − 19

**29.** 82 − 27

**30.** 73 − 39

*Puedes encontrar otro ejemplo en el Grupo C, página 89.*

$52 - 17 =$ ▢

Es más fácil restar 20.

$52 - 20 = 32$

Si restas 20, estás restando 3 más que 17. Tienes que sumarle 3 a la respuesta.

$32 + 3 = 35$

$52 - 17 = 35$

El precio rebajado es $35.

$52 - 17 =$ ▢

Haz un problema más sencillo cambiando cada número de la misma manera.

Puedes cambiar 17 a 20 porque es fácil restar 20. Por tanto, suma 3 tanto a 17 como a 52.

$$52 \quad - \quad 17 \quad = \quad ▢$$
$$\downarrow +3 \qquad \downarrow +3$$
$$55 \quad - \quad 20 \quad = \quad 35$$

$52 - 17 = 35$

---

## TAKS Resolución de problemas

**31. Sentido numérico** La flor gigante de la rafflesia puede llegar a ser tan ancha como se muestra en el dibujo de la derecha. Un solo pétalo puede medir 18 pulgadas de ancho. ¿Cómo puedes usar el cálculo mental para averiguar cuánto más ancha es la flor entera que un pétalo?

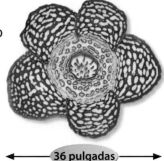

**32. Escribir para explicar** Para restar 57 – 16, Tom sumó 4 a cada número, mientras que Saúl sumó 3 a cada número. ¿Servirán los dos métodos para hallar la respuesta correcta? Explícalo.

36 pulgadas

En los Ejercicios **33** y **34,** usa la foto de abajo.

**33. a** ¿Cuál es el precio rebajado de los *jeans*? Describe una manera de usar el cálculo mental para hallar la respuesta.

**b** María compró dos pares de *jeans*. ¿Cuál fue el precio rebajado total de los *jeans* que compró María?

$46

¡Rebaja!

$18 menos del precio original

**34.** ¿Qué oración numérica muestra el precio regular de dos pares de *jeans*?

**A** $46 + 46 =$ ▢

**B** $46 + 18 =$ ▢

**C** $18 + 18 =$ ▢

**D** $46 - 18 =$ ▢

**35.** Eva ahorró $38. Compró un libro por $17. ¿Qué oración numérica muestra una manera de hallar cuánto dinero le queda a Eva?

**F** $38 + 17 =$ ▢

**G** $38 - 17 =$ ▢

**H** ▢ $- 38 = 17$

**J** ▢ $- 17 = 38$

**TEKS 3.5A:** Redondear números enteros a la decena o centena más cercana para aproximar resultados razonables de problemas.
**TEKS 3.5B:** Utilizar estrategias que incluyen el redondeo y los números compatibles para estimar soluciones a problemas de suma y resta.

# Estimar diferencias

## ¿Cómo puedes estimar diferencias?

Se vendieron todos los boletos para un concierto. Hasta ahora, han llegado 126 personas al concierto. ¿Aproximadamente cuántas personas que tienen boletos no han llegado?

Como necesitas averiguar *aproximadamente* cuántas personas no han llegado, puedes hacer una estimación.

Haz una estimación de 493 − 126 redondeando.

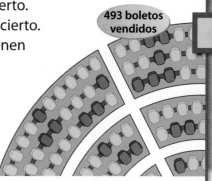

493 boletos vendidos

---

**Otro ejemplo** ¿Cómo usas números compatibles para estimar diferencias?

La familia Perry hace un viaje en carro. El viaje es de 372 millas. Hasta ahora, la familia ha viajado 149 millas. ¿Aproximadamente cuántas millas quedan por viajar?

Usa números compatibles para estimar 372 − 149.

Recuerda: Los números compatibles son números que son cercanos, y con los que es fácil trabajar.

$$
\begin{array}{rcr}
372 & \longrightarrow & 375 \\
-\ 149 & \longrightarrow & -\ 150 \\
\hline
& & 225
\end{array}
$$

La familia Perry todavía tiene que viajar aproximadamente 225 millas.

### Explícalo

1. ¿Por qué es fácil trabajar con los números 375 y 150?

2. Usa otro par de números compatibles para estimar 372 −149.

3. ¿Es suficiente una estimación para resolver este problema? ¿Por qué o por qué no?

## Una manera

Puedes redondear cada número a la centena más cercana.

$$493 \longrightarrow 500$$
$$- 126 \longrightarrow - 100$$
$$\overline{\phantom{-126} 400}$$

Aproximadamente 400 personas no han llegado aún.

## Otra manera

Puedes redondear cada número a la decena más cercana.

$$493 \longrightarrow 490$$
$$- 126 \longrightarrow - 130$$
$$\overline{\phantom{-126} 360}$$

Aproximadamente 360 personas no han llegado aún.

# Práctica guiada*

## ¿CÓMO hacerlo?

En los Ejercicios **1** y **2,** redondea a la centena más cercana para estimar las diferencias.

**1.** $321 - 112$    **2.** $255 - 189$

En los Ejercicios **3** y **4,** redondea a la decena más cercana para estimar las diferencias.

**3.** $579 - 214$    **4.** $216 - 97$

En los Ejercicios **5** y **6,** usa números compatibles para estimar las diferencias.

**5.** $328 - 207$    **6.** $472 - 148$

## ¿Lo ENTIENDES?

**7. Escribir para explicar** En el problema de arriba, ¿qué manera de redondear da una estimación que se acerca más a la diferencia real? Explica tu respuesta.

**8.** El teatro vendió 415 boletos para la comedia. Hasta ahora, 273 personas han llegado a ver la comedia. ¿Aproximadamente cuántas personas más deben llegar? Di qué método de estimación usaste y cómo hallaste tu respuesta.

# Práctica independiente

En los Ejercicios **9** a **11,** redondea a la centena más cercana para estimar las diferencias.

**9.** $186 - 75$    **10.** $704 - 369$    **11.** $291 - 93$

En los Ejercicios **12** a **17,** redondea a la decena más cercana para estimar las diferencias.

**12.** $88 - 32$    **13.** $149 - 95$    **14.** $361 - 117$

**15.** $75 - 41$    **16.** $86 - 38$    **17.** $227 - 121$

*Puedes encontrar otro ejemplo en el Grupo D, página 89.*

Lección 4-4    81

En los Ejercicios **18** a **23,** usa números compatibles para estimar las diferencias.

**18.** $77 - 28$

**19.** $202 - 144$

**20.** $611 - 168$

**21.** $512 - 205$

**22.** $342 - 153$

**23.** $904 - 31$

**TAKS** Resolución de problemas

En los Ejercicios **24** a **27,** usa la tabla.

**24.** La sala de conciertos vendió 28 boletos menos para el concierto del domingo que para el concierto del viernes. ¿Aproximadamente cuántos boletos se vendieron para el concierto del domingo?

**25.** ¿Aproximadamente cuántos boletos se vendieron en total para el concierto del jueves y para el concierto del viernes?

| Gran sala de conciertos | |
|---|---|
| Día del concierto | Número de boletos vendidos |
| Miércoles | 506 |
| Jueves | 323 |
| Viernes | 251 |
| Sábado | 427 |
| Domingo | |

**26.** Piensa en el proceso ¿Aproximadamente cuántos boletos más se vendieron para el concierto del miércoles que para el concierto del viernes? Escribe una oración numérica que use números redondeados a la decena más cercana para estimar cuántos más. Explica tu respuesta.

**27.** ¿Qué oración numérica muestra la mejor manera de estimar cuántos boletos menos se vendieron para el concierto del viernes que para el concierto del jueves?

**A** $400 - 200 = 200$

**B** $300 - 300 = 0$

**C** $325 - 200 = 125$

**D** $325 - 250 = 75$

**28. Escribir para explicar** ¿Aproximadamente cuántos pies más largo era un braquiosaurio que un tiranosaurio? Usa números compatibles para estimar. Explica por qué escogiste los números que usaste.

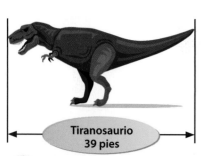

Tiranosaurio
39 pies

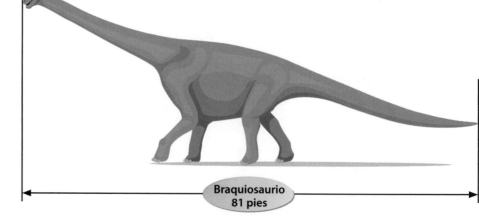

Braquiosaurio
81 pies

La duración de un año en un planeta es el tiempo total que tarda el planeta en dar una vuelta completa alrededor del Sol.

| Duración del año | |
| --- | --- |
| **Planeta** | **Duración del año** (en días terrestres) |
| Mercurio | 88 |
| Venus | 225 |
| Tierra | 365 |
| Marte | 687 |
| Júpiter | 4,330 |
| Saturno | 10,756 |
| Urano | 30,687 |
| Neptuno | 60,190 |

Datos

**1.** ¿Aproximadamente cuántos días terrestres menos dura un año en Mercurio que un año en la Tierra?

**2.** ¿Aproximadamente cuántos días terrestres más dura un año en Marte que un año en la Tierra?

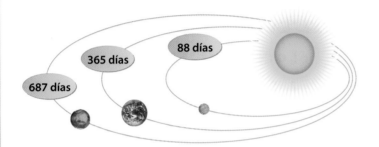

**3.** ¿Qué planeta tiene un dígito 6 con valor de sesenta mil en la duración de su año?

**4.** ¿Qué planeta tiene un año que dura aproximadamente seis mil días terrestres más que el de Júpiter?

**5.** ¿Qué cuerpo celeste de la tabla de la derecha tiene el promedio de temperatura más cercano al de Mercurio?

| Cuerpo celeste | Promedio de la temperatura en la superficie |
| --- | --- |
| Mercurio | 332 °F |
| Tierra | 59 °F |
| Luna | 225 °F |
| Venus | 854 °F |

Datos

**6.** Escribe el promedio de las temperaturas en la superficie en orden de menor a mayor.

**7. Enfoque en la estrategia** Resuelve. Usa la estrategia Hacer una lista organizada.

El planeta favorito de Meg tiene por lo menos 5 letras en su nombre. La duración de su año es menor que 10,000 días terrestres. Haz una lista de todos los planetas que concuerden con estas pistas.

**TEKS 3.16B:** Justificar por qué una respuesta es razonable y explicar el proceso de solución.

### Resolución de problemas

# ¿Es razonable?

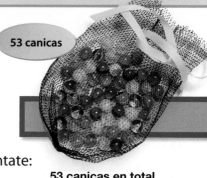

**53 canicas**

Alejo tenía las canicas que se muestran a la derecha. Le dio 18 canicas a su hermano. ¿Cuántas canicas le quedan a Alejo?

Después de resolver un problema, pregúntate:

- ¿Es razonable la respuesta?
- ¿Respondí la pregunta correcta?

**53 canicas en total**

| 18 canicas | ? |
|---|---|

---

## Práctica guiada*

### ¿CÓMO hacerlo?

**1.** Rosita está leyendo un libro que tiene 65 páginas. Le quedan 27 páginas por leer. ¿Cuántas páginas ha leído ya?

**65 páginas en total**

| ? | 27 |
|---|---|

### ¿Lo ENTIENDES?

**2. Escribir para explicar** Explica cómo puedes comprobar que tu respuesta es razonable y que has respondido la pregunta correcta.

**3. Escribe un problema** Escribe y resuelve un problema de la vida diaria. Comprueba que tu respuesta sea razonable.

---

## Práctica independiente

Resuelve. Luego, comprueba que tu respuesta sea razonable.

**4.** James está leyendo un libro que tiene 85 páginas. Leyó 35 páginas ayer y 24 páginas hoy. ¿Cuántas páginas leyó James en los dos días?

**? páginas en total**

| 35 | 24 |
|---|---|

**5.** Kyle tenía 56 carritos diferentes. Le dio 36 a su hermano. ¿Cuántos carritos tiene Kyle ahora?

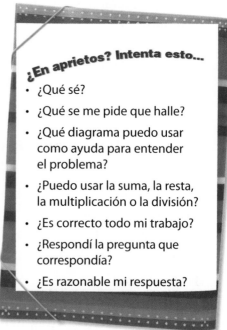

**¿En aprietos? Intenta esto...**

- ¿Qué sé?
- ¿Qué se me pide que halle?
- ¿Qué diagrama puedo usar como ayuda para entender el problema?
- ¿Puedo usar la suma, la resta, la multiplicación o la división?
- ¿Es correcto todo mi trabajo?
- ¿Respondí la pregunta que correspondía?
- ¿Es razonable mi respuesta?

*Puedes encontrar otro ejemplo en el Grupo E, página 89.*

| Respuesta de Jim | Respuesta de Sally | Respuesta de Pablo |
|---|---|---|
| $53 - 18 = 35$ | $53 - 18 = 45$ | $53 - 18 = 35$ |
| El hermano de Alejo tiene 35 canicas. | A Alejo le quedan 45 canicas. | A Alejo le quedan 35 canicas. |
| $53 - 18$ es aproximadamente $50 - 20$, o sea 30. | $53 - 18$ es aproximadamente $50 - 20$, o sea 30. | $53 - 18$ es aproximadamente $50 - 20$, o sea 30. |
| 35 está cerca de 30; por tanto, 35 es razonable. | 45 no está cerca de 30; por tanto, 45 no es razonable. | 35 está cerca de 30; por tanto, 35 es razonable. |
| El número 35 es razonable, pero Jim no respondió la pregunta correcta. | Sally respondió la pregunta correcta pero el número 45 no es razonable. | El número 35 es razonable y Pablo respondió la pregunta correcta. |

## Práctica independiente

En los Ejercicios **6** a **8,** usa la tabla para resolver. Primero haz una estimación, luego comprueba que tu respuesta sea razonable.

**6.** ¿Cuántos puntos se anotaron en total en los Partidos 1 y 2?

? puntos en total

| 68 | 74 |
|---|---|

**Puntos anotados en total**

| Partidos | Puntos |
|---|---|
| Partido 1 | 68 |
| Partido 2 | 74 |
| Partido 3 | 89 |

**7.** En la primera mitad del Partido 1 se anotaron 39 puntos. ¿Cuántos puntos se anotaron en la segunda mitad?

68 puntos en total

| 39 | ? |
|---|---|

**8. Estimación** ¿Aproximadamente cuántos puntos se anotaron en total en los tres partidos?

? puntos en total

| 70 | 70 | 90 |
|---|---|---|

**9.** Carl practica el piano 45 minutos cada día. Hoy practicó 15 minutos después de la escuela y 10 minutos antes de la cena. ¿Cuánto tiempo más tiene que practicar?

**A** 70 minutos  **C** 35 minutos

**B** 60 minutos  **D** 20 minutos

**10.** Carrie tiene 15 monedas de 1¢. Su hermano tiene 10 monedas de 1¢ más que Carrie. ¿Cuántas monedas de 1¢ tienen en total?

**F** 40 monedas de 1¢

**G** 25 monedas de 1¢

**H** 10 monedas de 1¢

**J** 5 monedas de 1¢

**1.** Mario quiere tener 15 insectos en su colección. Tiene 8 insectos. ¿Qué oración numérica muestra una manera de averiguar cuántos insectos más necesita? (4-1)

**A** 15 − 7 = ☐

**B** 15 − ☐ = 7

**C** 8 + 15 = ☐

**D** 8 + ☐ = 15

**2.** Tom tenía $41. Gastó $17. ¿Cuál es la mejor estimación de la cantidad que le quedó? (4-4)

**F** $60

**G** $30

**H** $20

**J** $10

**3.** Para hallar 67 − 19 en una tabla de 100, Carmen empezó en 67 y luego subió 2 filas. ¿Qué debe hacer ahora? (4-2)

| 31 | 32 | 33 | 34 | 35 | 36 | 37 | 38 | 39 | 40 |
|----|----|----|----|----|----|----|----|----|----|
| 41 | 42 | 43 | 44 | 45 | 46 | 47 | 48 | 49 | 50 |
| 51 | 52 | 53 | 54 | 55 | 56 | 57 | 58 | 59 | 60 |
| 61 | 62 | 63 | 64 | 65 | 66 | 67 | 68 | 69 | 70 |

**A** Moverse 1 cuadrado a la derecha.

**B** Moverse 1 cuadrado a la izquierda.

**C** Moverse 9 cuadrados a la derecha.

**D** Moverse 9 cuadrados a la izquierda.

**4.** ¿Qué oración numérica se muestra aquí? (4-1)

**F** 3 + 7 = 10

**G** 17 − 7 = 10

**H** 10 − 3 = 7

**J** 10 − 7 = 3

**5.** Hay 263 niños y niñas en un campamento de verano. Hay 114 niños. ¿Cuál es la mejor estimación del número de niñas? (4-4)

**A** 250

**B** 150

**C** 120

**D** 100

**6.** Rosa tiene 9 bolígrafos. Kim tiene 4. ¿Qué oración numérica muestra cuántos bolígrafos más tiene Rosa que Kim? (4-1)

**F** 9 + 4 = 13

**G** 13 − 4 = 9

**H** 9 − 5 = 4

**J** 9 − 4 = 5

**7.** ¿Cuál es la mejor estimación de 392 − 84? (4-4)

**A** 500

**B** 400

**C** 300

**D** 200

**8.** La tienda Peces Tropicales tenía 98 peces dorados el lunes. Para el viernes, habían vendido 76 de los peces. ¿Cuántos peces quedaban sin vender? Usa el cálculo mental para resolver. (4-3)

**F** 22

**G** 32

**H** 38

**J** 174

**9.** El Parque Nacional Big Bend tiene 32 tipos de serpientes y 22 tipos de lagartos. ¿Qué oración numérica muestra la mejor manera de estimar cuántos tipos más de serpientes que de lagartos hay? (4-4)

**A** $30 - 20 = 10$

**B** $30 + 20 = 50$

**C** $40 - 20 = 20$

**D** $40 - 30 = 10$

**10.** Stacy tiene 16 palabras para deletrear. Ya sabe cómo se deletrean 9 de las palabras. ¿Cuántas palabras necesita aprender a deletrear todavía? (4-1)

**16 palabras en total**

| 9 | ? |
|---|---|

**F** 25

**G** 9

**H** 7

**J** 6

**11.** Lisa manejó 348 millas el lunes y 135 millas el martes. ¿Cuál es la respuesta más razonable para decir cuánto más manejó el lunes que el martes? (4-5)

**A** 113 millas

**B** 213 millas

**C** 313 millas

**D** 483 millas

**12.** Para restar $62 - 17$ mentalmente, Talía restó primero $62 - 20 = 42$. ¿Qué debe hacer ahora? (4-3)

**F** Sumar $42 + 2$.

**G** Sumar $42 + 3$.

**H** Restar $42 - 2$.

**J** Restar $42 - 3$.

**13. Respuesta en plantilla** María tenía $83. Gastó $49. Para averiguar cuánto dinero le queda, María contó hacia adelante.

$49 + 1 = 50$

$50 + 30 = 80$

$80 + 3 = 83$

¿Cuántos dólares le quedan a María? (4-2)

**14. Respuesta en plantilla** Jorge y su abuelo cumplen años el mismo día. Jorge cumplirá 8 años en su próximo cumpleaños. Su abuelo cumplirá 62. ¿Cuántos años más tiene el abuelo que Jorge? Usa el cálculo mental para resolver. (4-3)

**Grupo A,** páginas 72 y 73

Escribe una oración numérica para la siguiente situación. Resuélvela.

Antonio tiene 10 banderas. Les da 7 banderas a sus amigos para que las lleven al desfile del Cuatro de Julio. ¿Cuántas banderas le quedan a Antonio?

**10 banderas en total**

| 7 | ? |
|---|---|

$10 - 7 = 3$

A Antonio le quedan 3 banderas.

**Recuerda** que puedes restar para saber cuántos quedan, para comparar o para hallar un sumando que falte.

Escribe una oración numérica para cada situación. Resuélvela.

1. Hay 8 miembros en una banda. 5 de los miembros cantan. ¿Cuántos no cantan?

2. Juanita tenía 13 flores. Le dio una flor a cada una de sus amigas. Le quedaron 4 flores. ¿Cuántas flores les dio a sus amigas?

3. El techo de un cuarto mide 12 pies de altura. Una escalera mide 8 pies de altura. ¿Cuánto más alto es el techo que la escalera?

**Grupo B,** páginas 74 a 76

Usa una tabla de 100 para hallar $76 - 18$.

| 51 | 52 | 53 | 54 | 55 | 56 | 57 | 58 | 59 | 60 |
|----|----|----|----|----|----|----|----|----|-----|
| 61 | 62 | 63 | 64 | 65 | 66 | 67 | 68 | 69 | 70 |
| 71 | 72 | 73 | 74 | 75 | 76 | 77 | 78 | 79 | 80 |
| 81 | 82 | 83 | 84 | 85 | 86 | 87 | 88 | 89 | 90 |
| 91 | 92 | 93 | 94 | 95 | 96 | 97 | 98 | 99 | 100 |

Empieza en 76.

Cuenta 2 filas hacia arriba para restar 20.

Muévete 2 espacios a la derecha porque solamente tienes que restar 18.

$76 - 18 = 58$

**Recuerda** que primero debes restar las decenas. Luego muévete a la derecha o a la izquierda, si es necesario, para ajustar las unidades.

Usa una tabla de 100 para restar.

1. $88 - 20$

2. $53 - 30$

3. $52 - 14$

4. $36 - 19$

5. $66 - 43$

6. $72 - 16$

**Grupo C,** páginas 78 y 79

Usa cálculo mental para hallar $83 - 16$.

Cambia los dos números de la misma manera para hacer un problema más sencillo.

20 es más fácil de restar que 16.
Por tanto, suma 4 a cada número y luego resta.

$$83 + 4 = 87 \text{ y } 16 + 4 = 20$$

$$87 - 20 = 67; \text{ por tanto, } 83 - 16 = 67$$

**Recuerda** que debes cambiar los dos números de la misma manera.

Halla las diferencias usando cálculo mental.

**1.** $56 - 14$        **2.** $31 - 5$

**3.** $74 - 12$        **4.** $97 - 34$

**Grupo D,** páginas 80 a 82

Haz una estimación de $486 - 177$.

**Una manera**

$$
\begin{array}{r}
486 \longrightarrow 500 \\
- 177 \longrightarrow - 200 \\
\hline
300
\end{array}
$$

Redondea cada número a la centena más cercana.

**Otra manera**

$$
\begin{array}{r}
486 \longrightarrow 500 \\
- 177 \longrightarrow - 175 \\
\hline
325
\end{array}
$$

Usa números compatibles.

**Recuerda** que debes comprobar el valor de posición cuando redondeas.

En los Ejercicios **1** a **6**, haz una estimación de las diferencias.

Redondea a la centena más cercana.

**1.** $367 - 319$        **2.** $872 - 110$

Redondea a la decena más cercana.

**3.** $78 - 54$        **4.** $952 - 227$

Usa números compatibles.

**5.** $472 - 228$        **6.** $911 - 347$

**Grupo E,** páginas 84 y 85

Carla está leyendo un libro que tiene 87 páginas. Ha leído 49 páginas. ¿Cuántas páginas le quedan por leer?

Haz una estimación: $87 - 49$ es aproximadamente $90 - 50$, o sea 40.
$87 - 49 = 38$.

A Carla le quedan 38 páginas por leer. La respuesta es razonable porque 38 está cerca de la estimación de 40.

**Recuerda** que puedes usar una estimación para comprobar si tu respuesta es razonable.

**1.** Lucy tiene 45 tulipanes. 27 son tulipanes rojos. Los demás son amarillos. ¿Cuántos tulipanes amarillos tiene Lucy?

**2.** Cody tenía 43 juguetes. Le dio 27 a Tito. ¿Cuántos juguetes tiene Cody ahora?

## Números y operaciones

**1.** ¿Cuál es el valor del dígito subrayado en 50<u>7</u>,892?

   **A** 7

   **B** 70

   **C** 7,000

   **D** 70,000

**2.** Usa los modelos para hallar 382 + 509.

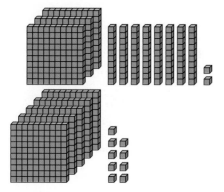

   **F** 871

   **G** 881

   **H** 891

   **J** 901

**3.** Haz una estimación de 88 + 73. Luego, halla la suma real.

**4.** Redondea a la centena más cercana para hacer una estimación de 576 − 392.

**5.** Escribe y resuelve una oración numérica para esta situación: Héctor tiene 15 marcadores en una caja. Saca 9 marcadores de la caja para colorear un dibujo. ¿Cuántos marcadores quedan en la caja?

**6. Escribir para explicar** Explica cómo puedes usar el cálculo mental para hallar la diferencia 83 − 17.

## Geometría y medición

**7.** ¿Cuántas aristas tiene el prisma rectangular?

   **A** 4    **B** 6    **C** 8    **D** 12

**8.** Tito traza una línea alrededor de la superficie plana de un cilindro. ¿Qué forma dibuja?

   **F** Un cuadrado    **H** Un triángulo

   **G** Un círculo    **J** Un rectángulo

**9.** ¿Cuál es el área del cuadrado?

   **A** 3 unidades cuadradas

   **B** 6 unidades cuadradas

   **C** 8 unidades cuadradas

   **D** 9 unidades cuadradas

**10.** ¿Qué actividad probablemente harías si la temperatura exterior fuera 30 °F?

   **F** Patinar sobre hielo    **H** Recoger hojas

   **G** Nadar    **J** Patinar

**11.** Devon salió de su casa a las 6 P.M. Regresó a las 9 P.M. ¿Cuánto tiempo estuvo Devon fuera de su casa?

**12. Escribir para explicar** Supón que quieres llenar un recipiente con agua. ¿Tendrás que usar un mayor número de cuartos de galón o de galones para llenar el recipiente? Explícalo.

## Probabilidad y estadística

En los Ejercicios **13** a **16,** usa la pictografía.

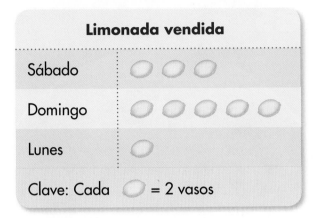

**Limonada vendida**

| | |
|---|---|
| Sábado | ○ ○ ○ |
| Domingo | ○ ○ ○ ○ ○ |
| Lunes | ○ |

Clave: Cada ○ = 2 vasos

**13.** ¿Cuántos vasos de limonada se vendieron el lunes?

   **A** 1       **C** 3

   **B** 2       **D** 4

**14.** ¿Cuántos vasos más se vendieron el domingo que el sábado?

   **F** 2       **H** 4

   **G** 3       **J** 8

**15.** ¿Cuántos vasos se vendieron en total?

   **A** 27      **C** 9

   **B** 18      **D** 5

**16.** En esta gráfica, ¿cuántos símbolos se usarían para representar 16 vasos?

**17. Escribir para explicar** En una bolsa hay 10 cubos rojos, 3 amarillos y 5 azules. ¿Qué color tienes más probabilidad de sacar? Explícalo.

## Razonamiento algebraico

**18.** Continúa el patrón.

3, 6, 9, ▧, ▧, ▧

   **F** 12, 15, 18

   **G** 10, 11, 12

   **H** 11, 13, 15

   **J** 10, 12, 14

**19.** ¿Cuál es la regla para esta tabla?

| Edad de Dan | 6 | 13 | 11 | 19 |
|---|---|---|---|---|
| Edad de Lina | 13 | 20 | 18 | 26 |

   **A** Suma 6.

   **B** Suma 7.

   **C** Resta 7.

   **D** Resta 8.

**20.** Halla el número que falta.

15 = ▧ + (4 + 5)

   **F** 23      **H** 9

   **G** 15      **J** 6

**21.** Bill tiene 7 monedas que valen en total $0.84. Tiene una moneda de 50¢ y cuatro monedas de 1¢. Usa la estrategia Intentar, revisar y corregir para hallar qué otras monedas tiene Bill.

**22. Escribir para explicar** Escribe un número entero que haga verdadera la oración numérica. Explica cómo hallaste tu respuesta.

90 − ▧ < 50

# Resta de números enteros para resolver problemas

**1** ¿Cuánta fruta fresca y cuánta fruta procesada come una persona en un año? Lo averiguarás en la Lección 5-5.

**2** La canasta más grande del mundo es un edificio en Newark, Ohio. ¿Qué tan grande es? Lo averiguarás en la Lección 5-4.

## Vocabulario

Escoge el mejor término del recuadro.

- diferencia
- ordenar
- estimar
- reagrupar

1. Cuando cambias 1 decena por 10 unidades, se llama __?__.

2. En una resta, el resultado es la __?__.

3. Cuando hallas una respuesta que está cerca de la respuesta exacta, se llama __?__.

## Estimación de operaciones

Redondea a la decena más cercana para estimar las diferencias.

4. 255 − 104     5. 97 − 61     6. 302 − 38

Redondea a la centena más cercana para estimar las diferencias.

7. 673 − 250     8. 315 − 96     9. 789 − 713

## Números compatibles

**Escribir para explicar**

10. Usa números compatibles para estimar la diferencia de 478 − 123. Explica por qué los números que escogiste son compatibles.

11. ¿Cuál es la diferencia entre redondear y usar números compatibles para estimar una respuesta?

**3** La cascada Madrid Falls es la segunda más alta de Texas. ¿Cuántos pies menos tiene que la cascada más alta de Texas? Lo averiguarás en la Lección 5-6.

**4** ¿Cuántos músicos hay en las bandas de acordeones y trombones más grandes del mundo? Lo averiguarás en la Lección 5-3.

**TEKS 3.3A:** Dar ejemplos de la suma y la resta utilizando dibujos, palabras y números.

# Modelos para restar números de 2 dígitos

**Manos a la obra**
bloques de valor de posición

## ¿Cómo restas con bloques de valor de posición?

Los números enteros se restan usando el valor de posición. Resta primero las unidades. Luego, resta las decenas. Cuando sea necesario, puedes cambiar una decena por 10 unidades.

Halla 43 − 18.

Muestra 43 con bloques de valor de posición.

## Práctica guiada*

### ¿CÓMO hacerlo?

En los Ejercicios **1** a **6**, usa bloques de valor de posición o haz un dibujo para restar.

1.  42
  − 15

2.  34
  − 18

3.  57
  − 23

4.  25
  − 16

5. 36 − 8

6. 50 − 18

### ¿Lo ENTIENDES?

7. En el ejemplo, ¿por qué hay un 3 pequeño sobre el 4 en el lugar de las decenas? ¿Por qué hay un 13 pequeño sobre el 3 en el lugar de las unidades? ¿Qué restas para obtener 5 unidades en la diferencia?

8. Nelson tenía 52 libros en el estante. Regaló 38 libros al centro comunitario. ¿Cuántos libros le quedan a Nelson en el estante?

## Práctica independiente

En los Ejercicios **9** a **18**, usa bloques de valor de posición o haz un dibujo para restar.

 **Ojo** *Puedes dibujar líneas para mostrar las decenas y X para mostrar las unidades. Este dibujo muestra 27.*

```
─────────  × ×
─────────  × × × × ×
```

9.  21
  − 17

10.  32
  − 19

11.  28
  − 17

12.  38
  − 9

13.  43
  − 24

14.  46
  − 19

15.  54
  − 42

16.  51
  − 39

17.  63
  − 37

18.  76
  − 49

**DIGITAL**
e Tools
www.pearsonsuccessnet.com

*Puedes encontrar otro ejemplo en el Grupo A, página 112.

Resta las unidades.
3 unidades < 8 unidades
Reagrupa 1 decena en
10 unidades.

$$\begin{array}{r} \overset{3}{\cancel{4}}\ \overset{13}{\cancel{3}} \\ -\ 1\ 8 \\ \hline \end{array}$$

1 decena menos    10 unidades más

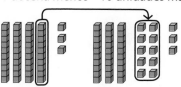

4 decenas 3 unidades = 3 decenas 13 unidades

Resta las unidades.
13 − 8 = 5 unidades

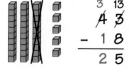

$$\begin{array}{r} \overset{3}{\cancel{4}}\ \overset{13}{\cancel{3}} \\ -\ 1\ 8 \\ \hline 5 \end{array}$$

Resta las decenas.
3 decenas − 1 decena =
2 decenas

43 − 18 = 25

$$\begin{array}{r} \overset{3}{\cancel{4}}\ \overset{13}{\cancel{3}} \\ -\ 1\ 8 \\ \hline 2\ 5 \end{array}$$

---

### ★TAKS Resolución de problemas

En los Ejercicios **19** y **20,** usa el mapa de la derecha.

**19.** Alí quiere recorrer el Sendero Rancherías y el Sendero entre los lagos. Hasta el momento, ha recorrido todo el Sendero Rancherías y 19 millas del Sendero entre los lagos.

 **a** ¿Cuántas millas ha recorrido Alí hasta el momento?

 **b** ¿Cuántas millas le quedan por recorrer a Alí?

**20.** El mes pasado Tamara recorrió el Sendero entre los lagos. Este mes recorrió el Sendero de los cañones Caprock. ¿Cuántas millas recorrió en total?

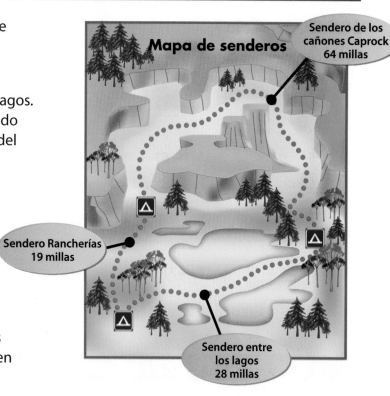

**Mapa de senderos**

Sendero de los cañones Caprock
64 millas

Sendero Rancherías
19 millas

Sendero entre los lagos
28 millas

**21. Escribir para explicar** Para restar 34 − 18, Max dijo que 34 es igual a 2 decenas y 14 unidades. ¿Tiene razón? Explica cómo lo sabes.

**22.** La Srta. Jones tenía 52 lápices de colores en un paquete. Regaló 25 lápices a su primera clase de arte y 18 lápices a su segunda clase de arte. Guardó el resto de lápices en una caja. ¿Cuántos lápices hay en la caja?

 **A** 95          **C** 19

 **B** 27          **D** 9

Lección

5-2

TEKS 3.3B: Seleccionar la suma o la resta y utilizar la operación para resolver problemas en los que se usan números enteros hasta el 999.

# Restar números de 2 dígitos

## ¿Cómo usas la resta?

Los rescatadores de animales liberaron 16 de las águilas que habían rescatado. ¿Cuántas águilas quedan?

Halla 34 − 16. Usa números compatibles para hacer la estimación.

35 − 15 = 20

se liberaron
16 águilas

se rescataron
34 águilas

---

## Práctica guiada*

### ¿CÓMO hacerlo?

En los Ejercicios **1** a **8**, resta.

**1.**  35
    − 19

**2.**  42
    − 17

**3.**  54
    − 26

**4.**  61
    − 38

**5.** 47 − 9

**6.** 73 − 25

**7.** 62 − 34

**8.** 47 − 25

### ¿Lo ENTIENDES?

**9.** En el ejemplo de arriba, ¿por qué tienes que reagrupar? ¿Qué se reagrupó?

**10.** En el parque ecológico los trabajadores han cuidado a 52 halcones. Si aún hay 28 halcones en el parque, ¿cuántos halcones han sido liberados?

**a** Escribe una oración numérica.

**b** Haz una estimación de la respuesta.

**c** Resuelve el problema.

**d** Usa la estimación para explicar por qué tu respuesta es razonable.

---

## Práctica independiente

En los Ejercicios **11** a **20**, resta.

**11.**  26
     − 19

**12.**  45
     − 17

**13.**  37
     − 18

**14.**  56
     − 38

**15.**  83
     − 61

**16.** 75 − 48

**17.** 22 − 13

**18.** 31 − 14

**19.** 53 − 6

**20.** 48 − 29

*Puedes encontrar otro ejemplo en el Grupo B, página 112.*

Resta las unidades.

6 unidades > 4 unidades
Reagrupa 1 decena
4 unidades en
14 unidades.

14 − 6 = 8 unidades

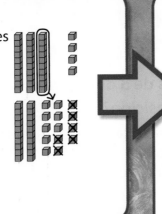

$$\begin{array}{r} \overset{2}{\cancel{3}}\,\overset{14}{\cancel{4}} \\ -\ 1\ 6 \\ \hline 8 \end{array}$$

Resta las decenas.

2 decenas − 1 decena =
1 decena

34 − 16 = 18

$$\begin{array}{r} \overset{2}{\cancel{3}}\,\overset{14}{\cancel{4}} \\ -\ 1\ 6 \\ \hline 1\ 8 \end{array}$$

Quedan 18 águilas.

La respuesta es razonable porque 18 está cerca de la estimación de 20.

---

**TAKS Resolución de problemas**

En los Ejercicios **21** y **22,** usa la tabla de la derecha.

**21.** Sigue los pasos para hallar cuántos búhos quedan en el parque ecológico.

   **a** Escribe una oración numérica para resolver el problema.

   **b** Haz una estimación de la respuesta.

   **c** Resuelve el problema.

   **d** Usa la estimación para explicar por qué la respuesta es razonable.

**23. Escribir para explicar** ¿Necesitas reagrupar para hallar 64 − 37? Explica tu respuesta.

**25.** La familia de Andy compró dos calabazas. Una calabaza pesaba 17 libras y la otra pesaba 26 libras.

   **a** ¿Cuánto pesaban las dos calabazas en total?

   **b** ¿Qué diferencia de peso había entre ellas?

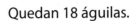

| Parque ecológico | | |
| --- | --- | --- |
| Tipo de pájaro | Cantidad de animales recogidos | Cantidad de animales liberados |
| Halcón | 51 | 34 |
| Milano | 32 | 19 |
| Búho | 43 | 27 |

**22.** ¿Cuántos menos milanos que halcones han sido liberados del parque ecológico?

**24. ¿Es razonable?** Teresa restó 75 − 48 y obtuvo 37. Explica por qué su respuesta no es razonable.

**26.** Un suéter cuesta $29. Una camisa cuesta $18. Meg tiene $36. ¿Qué oración numérica puedes usar para hallar cuánto dinero le queda a Meg si compra el suéter?

   **A** 29 + 36 = ▨    **C** 36 − 29 = ▨

   **B** 29 − 18 = ▨    **D** 36 − 18 = ▨

Lección

5-3

TEKS 3.3A: Dar ejemplos de la suma y la resta utilizando dibujos, palabras y números.

# Modelos para restar números de 3 dígitos

Manos a la obra
bloques de valor de posición

## ¿Cómo restas números de 3 dígitos con bloques de valor de posición?

Usa el valor de posición para restar primero las unidades, luego las decenas y por último las centenas.

Halla 237 − 165.

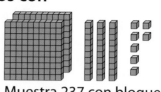

Muestra 237 con bloques de valor de posición.

---

## Práctica guiada*

### ¿CÓMO hacerlo?

En los Ejercicios **1** a **6**, usa bloques de valor de posición o haz un dibujo para restar.

**1.**
$$\begin{array}{r} 249 \\ -\ 187 \\ \hline \end{array}$$

**2.**
$$\begin{array}{r} 261 \\ -\ 134 \\ \hline \end{array}$$

**3.**
$$\begin{array}{r} 158 \\ -\ 76 \\ \hline \end{array}$$

**4.**
$$\begin{array}{r} 384 \\ -\ 182 \\ \hline \end{array}$$

**5.** 173 − 158

**6.** 325 − 213

### ¿Lo ENTIENDES?

**7.** En el ejemplo de arriba, ¿por qué necesitas reagrupar 1 centena en 10 decenas?

**8.** Colby ahorró $256 haciendo tareas en el vecindario. Compró una impresora para la computadora por $173. ¿Cuánto dinero le queda? Haz un dibujo para que te ayude a restar.

---

## Práctica independiente

En los Ejercicios **9** a **18**, usa bloques de valor de posición o haz un dibujo para restar.

**Ojo** Puedes dibujar cuadrados para mostrar las centenas, líneas para mostrar las decenas y X para mostrar las unidades. Este dibujo muestra 127.

**9.**
$$\begin{array}{r} 347 \\ -\ 263 \\ \hline \end{array}$$

**10.**
$$\begin{array}{r} 196 \\ -\ 149 \\ \hline \end{array}$$

**11.**
$$\begin{array}{r} 218 \\ -\ 117 \\ \hline \end{array}$$

**12.**
$$\begin{array}{r} 251 \\ -\ 132 \\ \hline \end{array}$$

**13.**
$$\begin{array}{r} 423 \\ -\ 291 \\ \hline \end{array}$$

**14.**
$$\begin{array}{r} 123 \\ -\ 81 \\ \hline \end{array}$$

**15.**
$$\begin{array}{r} 265 \\ -\ 84 \\ \hline \end{array}$$

**16.**
$$\begin{array}{r} 539 \\ -\ 275 \\ \hline \end{array}$$

**17.**
$$\begin{array}{r} 376 \\ -\ 153 \\ \hline \end{array}$$

**18.**
$$\begin{array}{r} 417 \\ -\ 308 \\ \hline \end{array}$$

eTools
www.pearsonsuccessnet.com

*Puedes encontrar otro ejemplo en el Grupo C, página 112.

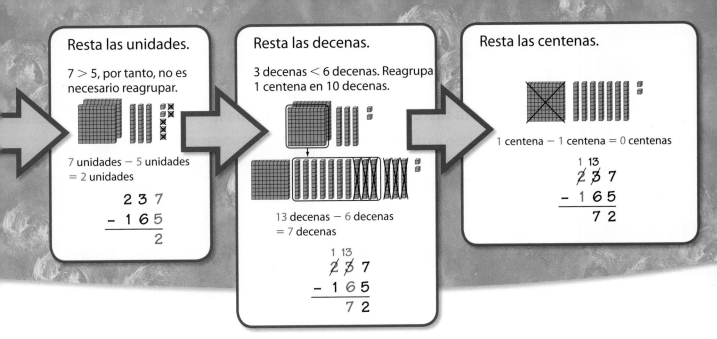

**Resta las unidades.**

$7 > 5$, por tanto, no es necesario reagrupar.

7 unidades − 5 unidades
= 2 unidades

```
  2 3 7
- 1 6 5
-------
      2
```

**Resta las decenas.**

3 decenas $<$ 6 decenas. Reagrupa 1 centena en 10 decenas.

13 decenas − 6 decenas
= 7 decenas

```
  1 13
  2̸ 3̸ 7
- 1 6 5
-------
    7 2
```

**Resta las centenas.**

1 centena − 1 centena = 0 centenas

```
  1 13
  2̸ 3̸ 7
- 1 6 5
-------
    7 2
```

---

**TAKS Resolución de problemas**

En los Ejercicios **19** y **20,** usa la tabla de la derecha.

**19.** La familia Wen viajó de Cincinnati a Cleveland. Luego, la familia viajó hasta Chicago. ¿Cuántas millas viajó la familia en total?

**20.** La familia Miller viajará de Washington, D.C., a Cleveland y luego hasta Cincinnati. Hasta el momento, los Miller han recorrido 127 millas. ¿Cuántas millas les falta recorrer?

**Datos**

| Distancias de viaje | |
|---|---|
| **Viaje** | **Millas** |
| Cleveland a Chicago | 346 |
| Cincinnati a Cleveland | 249 |
| Washington, D.C., a Cleveland | 372 |

**21. Estimación**  Redondea a la centena más cercana para hacer una estimación de cuántos músicos más hay en la banda de acordeones más grande del mundo que en la banda de trombones más grande del mundo.

**Datos**

| Bandas más grandes del mundo | |
|---|---|
| Trombón | 289 Músicos |
| Acordeón | 625 Músicos |

**22.** Un juego mecánico en el parque de diversiones tiene capacidad para 120 personas. Había 116 personas en el juego y 95 personas esperando en la fila. ¿Qué oración numérica puedes usar para hallar cuántas personas en total había en el juego o esperando en la fila?

**A** $116 - 95 = \boxed{\phantom{0}}$

**B** $120 + 116 + 95 = \boxed{\phantom{0}}$

**C** $116 + 95 = \boxed{\phantom{0}}$

**D** $120 - 95 = \boxed{\phantom{0}}$

# Restar números de 3 dígitos

**TEKS 3.3B:** Seleccionar la suma o la resta y utilizar la operación para resolver problemas en los que se usan números enteros hasta el 999. También, **TEKS 3.5A** y **TEKS 3.5B**.

**Manos a la obra**
bloques de valor de posición

## ¿Cómo usas la resta para resolver problemas?

Mike y Linda están jugando un juego. ¿Cuántos puntos más que Linda tiene Mike?

Halla 528 − 341.

Haz una estimación: 530 − 340 = 190

MIKE 528        341 LINDA

---

**Otro ejemplo** ¿Cómo restas con dos reagrupamientos?

Halla 356 − 189.
Haz una estimación : 400 − 200 = 200

**Paso 1**

Resta las unidades.
Reagrupa si es necesario.

6 unidades < 9 unidades. Por tanto, reagrupa 1 decena en 10 unidades.

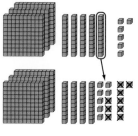

$$
\begin{array}{r}
{\scriptstyle 4\ 16} \\
3\ \not5\ \not6 \\
-\ 1\ 8\ 9 \\
\hline
7
\end{array}
$$

**Paso 2**

Resta las decenas.
Reagrupa si es necesario.

4 decenas < 8 decenas. Por tanto, reagrupa 1 centena en 10 decenas.

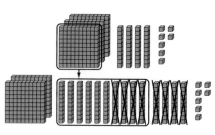

$$
\begin{array}{r}
{\scriptstyle 14} \\
{\scriptstyle 2\ \not4\ 16} \\
\not3\ \not5\ \not6 \\
-\ 1\ 8\ 9 \\
\hline
6\ 7
\end{array}
$$

**Paso 3**

Resta las centenas.

$$
\begin{array}{r}
{\scriptstyle 14} \\
{\scriptstyle 2\ \not4\ 16} \\
\not3\ \not5\ \not6 \\
-\ 1\ 8\ 9 \\
\hline
1\ 6\ 7
\end{array}
$$

La respuesta 167 es razonable porque está cerca de la estimación.

## Explícalo

1. ¿Por qué necesitas reagrupar tanto una decena como una centena?

2. ¿Por qué 3 centenas 5 decenas 6 unidades es lo mismo que 3 centenas 4 decenas y 16 unidades? ¿Por qué 3 centenas 4 decenas 16 unidades es lo mismo que 2 centenas 14 decenas 16 unidades?

**Resta las unidades.**

8 unidades > 1 unidad
No necesitas reagrupar.

8 unidades − 1 unidad
= 7 unidades

```
    5 2 8
  − 3 4 1
        7
```

**Resta las decenas.**

Como 2 decenas < 4 decenas,
reagrupa 1 centena en
10 decenas.

12 decenas − 4 decenas
= 8 decenas

```
    4 12
    5̸ 2̸ 8
  − 3  4 1
       8 7
```

**Resta las centenas.**

4 centenas − 3 centenas = 1 centena

```
    4 12
    5̸ 2̸ 8
  − 3  4 1
    1  8 7
```

Mike tiene 187 puntos más.

187 está cerca de la estimación
de 190. La respuesta es razonable.

## Práctica guiada*

### ¿CÓMO hacerlo?

En los Ejercicios **1** a **6,** resta. Si quieres, usa
bloques de valor de posición.

**1.**
```
   374
 − 176
```

**2.**
```
   431
 − 145
```

**3.**
```
   568
 − 269
```

**4.**
```
   327
 − 238
```

**5.** 574 − 86

**6.** 410 − 257

### ¿Lo ENTIENDES?

**7.** En el ejemplo de arriba, explica cómo
decides si es necesario reagrupar.

**8.** Al terminar el juego, Laura tenía
426 puntos y Lou, 158 puntos. ¿Cuántos
puntos más tenía Laura que Lou?

**a** Escribe una oración numérica.

**b** Haz una estimación de la respuesta.

**c** Resuelve el problema.

**d** Explica por qué tu respuesta es
razonable.

## Práctica independiente

Haz una estimación y luego halla las diferencias. Comprueba las respuestas para saber si son
razonables.

**9.**
```
   385
 − 296
```

**10.**
```
   276
 −  97
```

**11.**
```
   516
 − 238
```

**12.**
```
   629
 − 453
```

**13.**
```
   948
 − 569
```

eTools
www.pearsonsuccessnet.com

Resta. Haz una estimación y comprueba las respuestas para saber si son razonables.

**14.**  392
       − 195

**15.**  754
       − 476

**16.**  819
       − 652

**17.**  123
       −  84

**18.**  435
       − 367

**19.** 236 − 78

**20.** 568 − 362

**21.** 147 − 58

**22.** 952 − 794

**TAKS** Resolución de problemas

En los Ejercicios **23** a **25,** usa la tabla de la derecha.

**23.** Sigue los pasos siguientes para hallar cuántos nadadores más se inscribieron para la primera sesión en la Piscina Oak que para la primera sesión en la Piscina Park.

**a** Escribe una oración numérica para resolver el problema.

**b** Haz una estimación de la respuesta.

**c** Resuelve el problema.

**d** Explica por qué tu respuesta es razonable.

**25. Escribe un problema** Escribe un problema basado en la vida real usando la información que aparece en la tabla. Incluye demasiada información en tu problema.

**Datos**

### Inscripción en la clase de natación

| Piscina | Número de nadadores | |
| --- | --- | --- |
| | 1.ª sesión | 2.ª sesión |
| Oak | 763 | 586 |
| Park | 314 | 179 |
| River | 256 | 63 |

**24. Enfoque en la estrategia** En la piscina River, se inscribieron 29 nadadores adicionales a la segunda sesión. ¿Cuántos menos nadadores se inscribieron en la segunda sesión que en la primera?

**Ojo** *¿Qué suma puede ayudar?*

**26.** La canasta más grande del mundo es el edificio que aparece en esta foto. Mide 186 pies de altura desde la base hasta la parte superior de las asas. ¿Cuál es la altura de las asas?

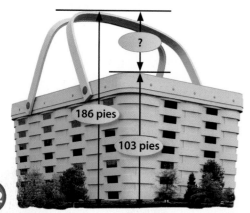

186 pies

103 pies

**27.** Ana hizo 14 sombreros. Después de regalarle algunos sombreros a la familia de Tito y otros a la familia de Luz, le quedan 3 sombreros. Si le regaló 6 sombreros a la familia de Tito, ¿cuál de las siguientes opciones muestra una manera de hallar cuántos sombreros le regaló Ana a la familia de Luz?

**A** $14 + 3 − 6 =$ ▢

**B** $14 − 3 − 6 =$ ▢

**C** $14 − 3 + 6 =$ ▢

**D** $14 + 3 + 6 =$ ▢

# Enlaces con el Álgebra

## Usar propiedades para completar oraciones numéricas

Las propiedades de la suma te pueden ayudar a hallar los números que faltan.

**Propiedad conmutativa (o de orden) de la suma** Puedes sumar los números en cualquier orden y el resultado será el mismo. Ejemplo: $4 + 3 = 3 + 4$

**Propiedad de identidad (o del cero) de la suma** La suma de cualquier número y cero es ese mismo número. Ejemplo: $9 + 0 = 9$

**Propiedad asociativa (o de agrupación) de la suma** Puedes agrupar sumandos de cualquier manera y la suma será la misma. Ejemplo: $(5 + 2) + 3 = 5 + (2 + 3)$

**Ejemplo:** $26 + \boxed{\phantom{0}} = 26$

**Piénsalo** ¿26 más qué número es igual a 26?

Puedes usar la propiedad de identidad.

$26 + 0 = 26$

**Ejemplo:**
$36 + (14 + 12) = (36 + \boxed{\phantom{0}}) + 12$

**Piénsalo** ¿Qué número hace que los dos lados sean iguales?

Usa la propiedad asociativa.

$36 + (14 + 12) = (36 + 14) + 12$

Copia y completa. Escribe el número que falta.

**1.** $19 + \boxed{\phantom{0}} = 19$

**2.** $15 + 32 = 32 + \boxed{\phantom{0}}$

**3.** $28 + (17 + 32) = (28 + \boxed{\phantom{0}}) + 32$

**4.** $\boxed{\phantom{0}} + 27 = 27$

**5.** $\boxed{\phantom{0}} + 8 = 8 + 49$

**6.** $(16 + 14) + \boxed{\phantom{0}} = 16 + (14 + 53)$

**7.** $(\boxed{\phantom{0}} + 9) + 72 = 96 + (9 + 72)$

**8.** $\boxed{\phantom{0}} + 473 = 473$

. . . . . . . . . . . . . . . . . . . . . . . . . . . . . . . . . . . . . . . . . . .

En los Ejercicios **9** y **10,** copia y completa la oración numérica. Úsala como ayuda para resolver el problema.

**9.** Vicente caminó 9 cuadras desde su casa hasta la biblioteca. Caminó 5 cuadras más hasta la tienda. Luego, hizo el mismo camino de regreso a la biblioteca. ¿Cuántas cuadras más debe caminar hasta su casa?

$9 + 5 = 5 + \boxed{\phantom{0}}$
$\boxed{\phantom{0}}$ cuadras

**10.** Durante el juego, Bo anotó 7 puntos en cada uno de sus dos lanzamientos. Luego, hizo un lanzamiento más. Obtuvo el mismo puntaje total que Ed. Ed anotó 8 puntos en un lanzamiento y 7 puntos en cada uno de los otros dos lanzamientos. ¿Cuántos puntos anotó Bo en su último lanzamiento?

$7 + 7 + \boxed{\phantom{0}} = 8 + 7 + 7$
$\boxed{\phantom{0}}$ puntos

Lección

5-5

TEKS 3.3B: Seleccionar la suma o la resta y utilizar la operación para resolver problemas en los que se usan números enteros hasta el 999.

# Restar de cero

**¿Cómo restas de un número con uno o más ceros?**

¿Cuánto más necesita el club?

Halla: $\begin{array}{r} 305 \\ -\ 178 \\ \hline \end{array}$   305:

Escuela Elm
Club de arte
¡Recaudemos fondos!

Meta ———— $305

Hasta ahora $178

---

**Otro ejemplo**   ¿Cómo restas de un número con dos ceros?

Halla 600 − 164.

| Resta las unidades. 0 unidades < 4 unidades. Por tanto, reagrupa. | No puedes reagrupar 0 decenas. Por tanto, reagrupa 1 centena. 6 centenas 0 decenas = 5 centenas 10 decenas | Ahora reagrupa las decenas. 10 decenas 0 unidades = 9 decenas 10 unidades Resta las unidades, las decenas y luego las centenas. |
|---|---|---|

$$\begin{array}{r} {\scriptstyle 5\ \ 10} \\ \not{6}\ \not{0}\ 0 \\ -\ 1\ 6\ 4 \\ \hline \end{array}$$

$$\begin{array}{r} {\scriptstyle\ \ \ 9} \\ {\scriptstyle 5\ \cancel{10}\ 10} \\ \not{6}\ \not{0}\ \not{0} \\ -\ 1\ 6\ 4 \\ \hline \end{array}$$

$$\begin{array}{r} {\scriptstyle\ \ \ 9} \\ {\scriptstyle 5\ \cancel{10}\ 10} \\ \not{6}\ \not{0}\ \not{0} \\ -\ 1\ 6\ 4 \\ \hline 4\ 3\ 6 \end{array}$$

---

## Práctica guiada*

### ¿CÓMO hacerlo?

En los Ejercicios **1** a **6**, halla las diferencias.

**1.** $\begin{array}{r} 402 \\ -\ 139 \\ \hline \end{array}$

**2.** $\begin{array}{r} 300 \\ -\ 157 \\ \hline \end{array}$

**3.** $\begin{array}{r} 607 \\ -\ 439 \\ \hline \end{array}$

**4.** $\begin{array}{r} 820 \\ -\ 167 \\ \hline \end{array}$

**5.** $200 - 74$

**6.** $501 - 186$

### ¿Lo ENTIENDES?

**7.** En el ejemplo de arriba, ¿por qué escribes 10 sobre el 0 en el lugar de las decenas?

**8.** Lía dice que necesita reagrupar cada vez que resta de un número con un cero. ¿Estás de acuerdo? Explica tu respuesta.

Reagrupa para restar las unidades. En 305 no hay decenas para reagrupar. Reagrupa 1 centena.

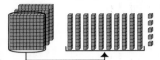

305 es lo mismo que 2 centenas 10 decenas 5 unidades.

$$\begin{array}{r} \overset{2\ \ 10}{\cancel{3}\ \cancel{0}\ 5} \\ -\ 1\ 7\ 8 \end{array}$$

Reagrupa las decenas.

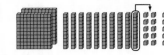

305 es lo mismo que 2 centenas 9 decenas 15 unidades.

$$\begin{array}{r} \overset{2\ \ \overset{9}{\cancel{10}}\ \ 15}{\cancel{3}\ \cancel{0}\ \cancel{5}} \\ -\ 1\ 7\ 8 \end{array}$$

Resta las unidades, las decenas y luego las centenas.

$$\begin{array}{r} \overset{2\ \ \overset{9}{\cancel{10}}\ \ 15}{\cancel{3}\ \cancel{0}\ 5} \\ -\ 1\ 7\ 8 \\ \hline 1\ 2\ 7 \end{array}$$

El club de Arte necesita $127.

## Práctica independiente

En los Ejercicios **9** a **18,** halla las diferencias.

**9.**  $\begin{array}{r} 203 \\ -\ 157 \\ \hline \end{array}$    **10.**  $\begin{array}{r} 400 \\ -\ 371 \\ \hline \end{array}$    **11.**  $\begin{array}{r} 304 \\ -\ \ 95 \\ \hline \end{array}$    **12.**  $\begin{array}{r} 401 \\ -\ 282 \\ \hline \end{array}$    **13.**  $\begin{array}{r} 500 \\ -\ \ 64 \\ \hline \end{array}$

**14.**  $\begin{array}{r} 600 \\ -\ 439 \\ \hline \end{array}$    **15.**  $\begin{array}{r} 306 \\ -\ 248 \\ \hline \end{array}$    **16.**  $\begin{array}{r} 705 \\ -\ 123 \\ \hline \end{array}$    **17.**  $\begin{array}{r} 800 \\ -\ \ 74 \\ \hline \end{array}$    **18.**  $\begin{array}{r} 900 \\ -\ 506 \\ \hline \end{array}$

### TAKS Resolución de problemas

**19.** Una persona come, en promedio, aproximadamente 126 libras de fruta fresca en un año. Escribe una oración numérica como ayuda para hallar cuántas libras de fruta procesada come. Luego, resuelve.

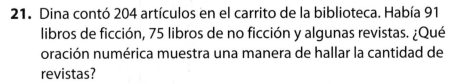

Una persona come, en promedio, un total de aproximadamente 280 libras de fruta fresca y fruta procesada cada año.

**20. Escribir para explicar**  El Club de Arte necesita 605 cuentas. Una bolsa grande de cuentas contiene 285 cuentas. Una bolsa pequeña de cuentas contiene 130 cuentas. ¿Tendrán suficientes cuentas una bolsa grande y una bolsa pequeña de cuentas? Explica tu respuesta.

**21.** Dina contó 204 artículos en el carrito de la biblioteca. Había 91 libros de ficción, 75 libros de no ficción y algunas revistas. ¿Qué oración numérica muestra una manera de hallar la cantidad de revistas?

**A** $204 - 91 - 75 = $ ▨    **C** $204 - 91 + 75 = $ ▨

**B** $204 + 91 + 75 = $ ▨    **D** $204 + 91 - 75 = $ ▨

**TEKS 3.14C:** Seleccionar o desarrollar un plan o una estrategia de resolución de problemas apropiado en el que haga un dibujo, busque un patrón, adivine y compruebe sistemáticamente, haga una dramatización, elabore una tabla, resuelva un problema más sencillo o trabaje desde el final hasta el principio para resolver un problema.

Resolución de problemas

# Hacer un dibujo y Escribir una oración numérica

Hay dos períodos para almorzar en la Escuela Central. Si 221 estudiantes almuerzan en el primer período, ¿cuántos estudiantes almuerzan en el segundo período?

**Escuela Central**
**Grados K-6**
**458 estudiantes**

## Otro ejemplo ¿Hay otros tipos de situaciones de resta?

Hay 85 estudiantes en el Grado 2 de la Escuela Central. Hay 17 estudiantes más que en el Grado 3. ¿Cuántos estudiantes hay en el Grado 3?

### Planea y resuelve

Haz un diagrama para mostrar lo que sabes.

| Gr. 2 | 85 | |
|-------|------|----|
| Gr. 3 | ? | 17 |

Hay 17 estudiantes más en el Grado 2 que en el Grado 3. Resta para hallar el número de estudiantes en el Grado 3. Escribe una oración numérica.

$85 - 17 = \blacksquare$

### Responde

$$\begin{array}{r} 8\,5 \\ -\ 1\,7 \\ \hline 6\,8 \end{array}$$

Hay 68 estudiantes en el Grado 3.

### Comprueba

Asegúrate que la respuesta sea razonable.

$85 - 17$ es aproximadamente $90 - 20$, o sea 70.

68 está cerca de 70; por tanto, 68 es razonable.

El número 68 es razonable y responde a la pregunta del problema.

### Explícalo

1. Harry escribió $17 + \blacksquare = 85$ para el diagrama de arriba. ¿Es correcta su oración numérica? ¿Por qué o por qué no?

2. **Sentido numérico** ¿Por qué no podemos usar el mismo tipo de diagrama para este problema que el que usamos para el problema en la parte de arriba de la página?

Haz un diagrama para mostrar lo que sabes.

**458 estudiantes en total**

| 221 | ? |
|-----|---|

↑ primer almuerzo    ↑ segundo almuerzo

Sabes el total y una parte. Restar para hallar la otra parte. Escribe una oración numérica.

$458 - 221 = $

$$\begin{array}{r} 4\;5\;8 \\ -\;2\;2\;1 \\ \hline 2\;3\;7 \end{array}$$

Hay 237 estudiantes que almuerzan en el segundo período.

Asegúrate que la respuesta sea razonable.

$458 - 221$ es aproximadamente $460 - 220$ ó 240.

237 está cerca de 240; por tanto, 237 es razonable.

El número 237 es razonable y responde a la pregunta correcta.

## Práctica guiada*

### ¿CÓMO hacerlo?

**1.** Un total de 254 personas compiten en una carrera de bicicletas. Hasta ahora, 135 personas han terminado la carrera. ¿Cuántas personas siguen en la carrera?

**254 personas en total**

| 135 | ? |
|-----|---|

### ¿Lo ENTIENDES?

**2. Escribir para explicar** ¿Cómo sabes qué operación debes usar para resolver el Problema 1?

**3. Escribe un problema** Escribe un problema que se pueda resolver sumando o restando. Luego, dale el problema a un compañero para que lo resuelva.

## Práctica independiente

**4.** La altura de la cascada de Capote Falls es 175 pies. La altura de la cascada de Madrid Falls es 120 pies. ¿Cuánto más alta es la cascada de Capote Falls que la de Madrid Falls?

| Capote Falls | 175 | |
|--------------|-----|---|
| Madrid Falls | 120 | ? |

**¿En aprietos? Intenta esto...**

- ¿Qué sé?
- ¿Qué se me pide que halle?
- ¿Qué diagrama puedo usar como ayuda para entender el problema?
- ¿Puedo usar la suma, la resta, la multiplicación o la división?
- ¿Es correcto todo mi trabajo?
- ¿Respondí la pregunta que correspondía?
- ¿Es razonable mi respuesta?

*Puedes encontrar otro ejemplo en el Grupo F, página 113.

En la Cámara de Representantes de los Estados Unidos, el número de representantes que tiene cada estado depende del número de personas que viven en el estado.

En los Ejercicios **5** a **7**, usa la tabla de la derecha.

**5.** Copia y completa el diagrama de abajo. Nueva York tiene 14 representantes más que Michigan. ¿Cuántos representantes tiene Nueva York?

**? representantes en Nueva York**

| 15 | 14 |
|----|----|

| Representantes estadounidenses | |
|---|---|
| **Estado** | **Número** |
| California | 53 |
| Florida | 25 |
| Michigan | 15 |
| Texas | 32 |

Datos

**6.** Haz un diagrama para hallar cuántos representantes más tiene Texas que Florida.

**7.** ¿Cuántos representantes de los cuatro estados que figuran en la tabla hay en total?

**8.** Cuando se creó la Cámara de Representantes en 1789, tenía 65 miembros. Ahora tiene 435 miembros. ¿Cuántos miembros más hay ahora?

**9.** Hay 50 estados en los Estados Unidos. Cada estado tiene 2 senadores. Escribe una oración numérica para hallar el número total de senadores.

**Piensa en el proceso**

**10.** Max hizo ejercicio durante 38 minutos el lunes y 25 minutos el martes. ¿Qué oración numérica muestra cuánto tiempo hizo ejercicio en los dos días?

**A** $40 + 30 = $ ▨

**B** $40 - 30 = $ ▨

**C** $38 - 25 = $ ▨

**D** $38 + 25 = $ ▨

**11.** Nancy tenía $375 en el banco. Sacó $200 para comprar una motoneta que costó $185. ¿Qué oración numérica muestra la cantidad de dinero que queda en el banco?

**F** $\$375 + \$185 = $ ▨

**G** $\$375 - \$185 = $ ▨

**H** $\$375 - \$200 = $ ▨

**J** $\$375 + \$185 + \$200 = $ ▨

## Hacia el mundo digital

### Restar con reagrupación

Usa tools

### Bloques de valor de posición

Usa los bloques de valor de posición de eTools para restar 324 − 168.

**Paso 1** Busca la herramienta de bloques de valor de posición. Haz clic en el área de trabajo doble. En la parte de arriba, muestra 324 con bloques de valor de posición.

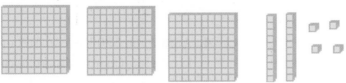

**Paso 2** Usa la herramienta de martillo para romper uno de los bloques de decenas en diez unidades. Luego, usa la herramienta de flecha para quitar 8 unidades y moverlas a la parte de abajo del área de trabajo.

**Paso 3** Usa la herramienta de martillo para romper uno de los bloques de centenas en 10 decenas. Luego, quita las 6 decenas en 168 y muévelas a la parte de abajo del área de trabajo.

**Paso 4** Usa la herramienta de flecha para quitar el bloque de la centena en 168. Para hallar la diferencia, observa todos los bloques que quedan.

$$324 − 168 = 156$$

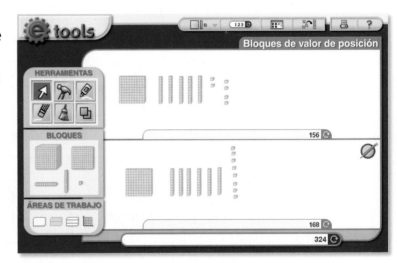

---

## Práctica

Usa los bloques de valor de posición de eTools para restar.

**1.** 445 − 176     **2.** 318 − 142     **3.** 546 − 259     **4.** 600 − 473

**1.** Tracey sabe que para resolver 52 − 18 tendrá que reagrupar. ¿Qué dibujo muestra cómo debe reagrupar 52? (5-1)

**A**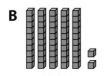

**B**

**C**

**D**

**2.** La tabla muestra las sorpresas que compró Zac para su fiesta.

| Sorpresa | Cantidad |
|---|---|
| Lápiz | 36 |
| Kazoo | 16 |
| Yoyó | 8 |

¿Qué oración numérica se puede usar para hallar cuántos más lápices que yoyós se compraron? (5-2)

**F** $36 - 8 = $ ▢

**G** $36 + 8 = $ ▢

**H** $36 - 16 = $ ▢

**J** $36 + 16 = $ ▢

**3.** Cristina anotó 485 puntos en un juego de video. Olivia anotó 196 puntos. ¿Cuántos puntos más anotó Cristina que Olivia? (5-4)

**A** 681

**B** 389

**C** 299

**D** 289

**4.** Aldo tenía $205. Gastó $67 en una bicicleta. ¿Cuánto dinero le quedó? (5-5)

**F** $162

**G** $148

**H** $138

**J** $38

**5.** El Sr. Chávez necesita comprar trofeos para los miembros de la banda. La tabla muestra cuántas niñas y cuántos niños hay en la banda.

| Miembros de la banda | |
|---|---|
| Niños | 32 |
| Niñas | 28 |

¿Cuál de los siguientes enunciados describe mejor a los miembros de la banda? (5-2)

**A** Hay 4 niños más que niñas en la banda.

**B** Hay 4 niñas más que niños en la banda.

**C** Hay 32 niños más que niñas en la banda.

**D** Hay 28 niñas más que niños en la banda.

**6.** La Sra. Wesley compró 325 bebidas para el picnic. Compró 135 envases de leche, 95 botellas de agua y unas botellas de jugo . ¿Qué oración numérica muestra una manera de hallar cuántas botellas de jugo compró? (5-4)

**F** $325 - 135 + 95 = $ ▢

**G** $325 - 135 - 95 = $ ▢

**H** $325 + 135 - 95 = $ ▢

**J** $325 + 135 + 95 = $ ▢

**7.** ¿Qué reagrupamiento se muestra aquí? (5-3)

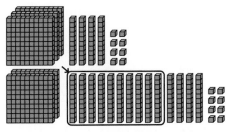

**A** 3 centenas 4 decenas 8 unidades como 2 centenas 3 decenas 18 unidades

**B** 3 centenas 4 decenas 8 unidades como 2 centenas 14 decenas 8 unidades

**C** 2 centenas 4 decenas 8 unidades como 1 centena 14 decenas 8 unidades

**D** 2 centenas 4 decenas 8 unidades como 2 centenas 3 decenas 18 unidades

**8.** Texas tiene 254 condados. Georgia tiene 159 condados. ¿Cuántos más condados tiene Texas que Georgia? (5-4)

**F** 195  **H** 105

**G** 145  **J** 95

**9.** ¿Qué dibujo representa el problema? En el Parque Nacional Guadalupe, Nessie vio 23 venados mula y 17 ardillas-antílope texanas. ¿Cuántos más venados que ardillas vio? (5-6)

**A**

| ? |
|---|

| 23 | 17 |
|----|----|

**B**

| 17 |
|----|

| 23 | ? |
|----|---|

**C**

| 23 |
|----|

| 17 | ? |
|----|---|

**D**

| 23 |
|----|

| 17 |
|----|

**10.** Ray tenía $41. Gastó $14 en gafas de natación y $19 por entrar al parque acuático. ¿Cuánto dinero le quedó para almorzar? (5-2)

**F** $27

**G** $12

**H** $8

**J** $5

**11. Respuesta en plantilla** Para un experimento, Trisha puso 300 mililitros de agua en un vaso de laboratorio. Luego virtió 237 mililitros del agua en un tubo de ensayo. ¿Cuántos mililitros de agua quedaron en el vaso? (5-5)

**Grupo A,** páginas 94 y 95

Halla 45 − 18.

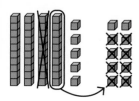

$$\begin{array}{r} \overset{3}{\cancel{4}}\ \overset{15}{\cancel{5}} \\ -\ 1\ 8 \\ \hline 2\ 7 \end{array}$$

**Recuerda** que puedes reagrupar 1 decena en 10 unidades.

Usa bloques de valor de posición o haz dibujos para restar.

**1.** $\begin{array}{r} 52 \\ -\ 17 \\ \hline \end{array}$ **2.** $\begin{array}{r} 38 \\ -\ 25 \\ \hline \end{array}$

**3.** 83 − 34 **4.** 75 − 53

**Grupo B,** páginas 96 y 97

Halla 31 − 17.

Estima: 30 − 20 = 10

**Lo que piensas**

31 = 3 decenas 1 unidad

17 = 1 decena 7 unidades

7 unidades > 1 unidad; por tanto, reagrupa.

3 decenas 1 unidad = 2 decenas 11 unidades

**Lo que escribes**

$$\begin{array}{r} \overset{2}{\cancel{3}}\ \overset{11}{\cancel{1}} \\ -\ 1\ 7 \\ \hline 1\ 4 \end{array}$$

**Recuerda** comprobar tu respuesta comparándola con tu estimación.

Resta.

**1.** $\begin{array}{r} 53 \\ -\ 29 \\ \hline \end{array}$ **2.** $\begin{array}{r} 41 \\ -\ 17 \\ \hline \end{array}$

**3.** $\begin{array}{r} 68 \\ -\ 49 \\ \hline \end{array}$ **4.** $\begin{array}{r} 34 \\ -\ 28 \\ \hline \end{array}$

**5.** 92 − 42 **6.** 70 − 54

31 − 17 = 14

14 está más cerca de 10; por tanto, la respuesta es razonable.

**Grupo C,** páginas 98 y 99

Halla 236 − 127.

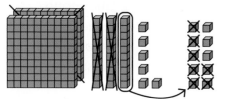

$$\begin{array}{r} \overset{2}{\cancel{3}}\ \overset{16}{\cancel{6}} \\ -\ 1\ 2\ 7 \\ \hline 1\ 0\ 9 \end{array}$$

**Recuerda** restar las unidades, luego las decenas y por último las centenas.

Usa bloques de valor de posición o haz dibujos para restar.

**1.** $\begin{array}{r} 435 \\ -\ 217 \\ \hline \end{array}$ **2.** $\begin{array}{r} 255 \\ -\ 161 \\ \hline \end{array}$

**3.** 521 − 196 **4.** 332 − 108

**Grupo D,** páginas 100 a 102

Halla $312 - 186$.

Haz una estimación: $300 - 200 = 100$

$$
\begin{array}{r}
\overset{0}{\phantom{3}}\ \overset{12}{\phantom{2}} \\
3\ \not{1}\ \not{2} \\
-\ 1\ 8\ 6 \\
\hline
6
\end{array}
$$
Reagrupa las decenas.

$$
\begin{array}{r}
\overset{2}{\phantom{3}}\ \overset{\overset{10}{0}}{\phantom{1}}\ \overset{12}{\phantom{2}} \\
3\ \not{1}\ \not{2} \\
-\ 1\ 8\ 6 \\
\hline
1\ 2\ 6
\end{array}
$$
Reagrupa las centenas.

126 está cerca de 100; por tanto, la respuesta es razonable.

**Recuerda** que a veces tienes que reagrupar dos veces.

Haz una estimación. Resta y comprueba si tus respuestas son razonables.

**1.**
$$
\begin{array}{r}
221 \\
-\ 134 \\
\hline
\end{array}
$$

**2.**
$$
\begin{array}{r}
397 \\
-\ 138 \\
\hline
\end{array}
$$

**3.** $611 - 125$  **4.** $854 - 296$

---

**Grupo E,** páginas 104 y 105

Halla $306 - 129$.

Haz una estimación: $300 - 100 = 200$

$$
\begin{array}{r}
\overset{2}{\phantom{3}}\ \overset{10}{\phantom{0}} \\
\not{3}\ \not{0}\ 6 \\
-\ 1\ 2\ 9 \\
\hline
\end{array}
$$
No hay decenas. Reagrupa las centenas.

$$
\begin{array}{r}
\overset{2}{\phantom{3}}\ \overset{\overset{9}{10}}{\phantom{0}}\ \overset{16}{\phantom{6}} \\
\not{3}\ \not{0}\ \not{6} \\
-\ 1\ 2\ 9 \\
\hline
1\ 7\ 7
\end{array}
$$
Reagrupa las decenas.

177 está cerca de 200; por tanto, la respuesta es razonable.

**Recuerda** que cuando necesitas reagrupar decenas, pero tienes 0 decenas, debes reagrupar las centenas primero.

Halla las diferencias.

**1.**
$$
\begin{array}{r}
308 \\
-\ 125 \\
\hline
\end{array}
$$

**2.**
$$
\begin{array}{r}
105 \\
-\ 47 \\
\hline
\end{array}
$$

**3.** $200 - 136$  **4.** $602 - 384$

---

**Grupo F,** páginas 106 a 108

En el picnic de la escuela, 234 estudiantes participaron en las actividades. De esos estudiantes, 136 participaron en la carrera de costales. Los demás participaron en la carrera a 3 piernas. ¿Cuántos participaron en la carrera a 3 piernas?

| 234 estudiantes en total | |
|:---:|:---:|
| 136 | ? |

Número de estudiantes en la carrera de costales | Número de estudiantes en la carrera a 3 piernas

Sabes cuál es el total y una parte; por tanto, puedes restar para hallar la otra parte: $234 - 136 = \blacksquare$.

$234 - 136 = 98$
98 estudiantes participaron en la carrera de tres piernas.

**Recuerda** que hacer un dibujo del problema te puede ayudar a escribir una oración numérica.

Haz un dibujo. Escribe una oración numérica y resuélvela.

**1.** 293 personas en total comenzaron una carrera de velocidad. Hasta ahora, 127 personas han terminado la carrera. ¿Cuántas personas están corriendo todavía?

# Significados de la multiplicación

**1** Un armadillo necesita más horas de sueño que un caballo. ¿Cuántas más horas de sueño necesita un armadillo? Lo averiguarás en la Lección 6-3.

**2**

Las mariposas monarca son famosas por el color anaranjado brillante de sus alas. ¿Cuántas alas tienen las mariposas monarca? Lo averiguarás en la Lección 6-4.

**3**

En 1999, la Casa de la Moneda de los Estados Unidos comenzó a distribuir nuevas monedas estatales de 25¢. ¿Cuántas monedas de 25¢ estatales se producen cada año? Lo averiguarás en la Lección 6-1.

## Repasa lo que sabes

### Vocabulario

Escoge el mejor término del recuadro.

- sumar
- contar salteado
- grupos iguales
- restar

**1.** Cuando combinas grupos para hallar cuántos hay en total, se llama __?__.

**2.** Los __?__ tienen el mismo número de objetos.

**3.** Cuando dices los números 2, 4, 6, 8, se llama __?__.

### Grupos iguales

¿Son iguales los grupos? Escribe *sí* o *no*.

**4.**

**5.**

### Suma

Halla las sumas.

**6.** $5 + 5 + 5$  **7.** $7 + 7$

**8.** $3 + 3 + 3$  **9.** $2 + 2 + 2 + 2$

**10.** $6 + 6 + 6$  **11.** $9 + 9 + 9$

### Suma repetida

**12. Escribir para explicar** Haz un dibujo para mostrar cómo resolver $8 + 8 + 8 = \boxed{\phantom{0}}$. Luego copia y completa la oración numérica.

**Lección**

# 6-1

TEKS 3.4A: Aprender
y aplicar las tablas de
multiplicación hasta 12
por 12 utilizando modelos
concretos y objetos.

# La multiplicación como suma repetida

## ¿Cómo hallas el número total de objetos en grupos iguales?

Jessie usó 3 bolsitas para llevar a su casa los peces dorados que ganó en la feria. Puso el mismo número de peces dorados en cada bolsita. ¿Cuántos peces dorados ganó?

**Manos a la obra**
fichas

8 peces dorados en cada bolsita

---

## Práctica guiada*

### ¿CÓMO hacerlo?

Copia y completa. Usa fichas.

**1.**

2 grupos de ▢
4 + 4 = ▢
2 × ▢ = ▢

**2.**

▢ grupos de 5
5 + ▢ + ▢ = ▢
3 × ▢ = ▢

### ¿Lo ENTIENDES?

**3.** ¿Puedes escribir 3 + 3 + 3 + 3 como una multiplicación? Explica tu respuesta.

**4.** ¿Puedes escribir 3 + 5 + 6 = 14 como una multiplicación? Explica tu respuesta.

**5.** Escribe una suma y una multiplicación para resolver el siguiente problema:

Jessie compró 4 paquetes de piedritas de colores para poner en la pecera. En cada paquete había 6 piedritas. ¿Cuántas piedritas compró Jessie?

---

## Práctica independiente

Copia y completa. Usa fichas o haz un dibujo para ayudarte.

**6.**

2 grupos de ▢
6 + ▢ = ▢
2 × ▢ = ▢

**7.**

3 grupos de ▢
7 + ▢ + ▢ = ▢
3 × ▢ = ▢

DIGITAL

eTools, Glosario animado
**www.pearsonsuccessnet.com**

*Puedes encontrar otro ejemplo en el Grupo A, página 132.*

**Las fichas muestran 3 grupos de 8 peces dorados.**

Puedes sumar para juntar grupos iguales.
$8 + 8 + 8 = 24$

La **multiplicación** es una operación que da el número total cuando juntas grupos iguales.

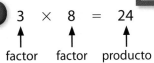
**Lo que dices** 3 veces 8 es igual a 24.

**Lo que escribes**
$$3 \quad \times \quad 8 \quad = \quad 24$$
factor    factor    producto

Los **factores** son los números que se multiplican. El **producto** es la respuesta de un problema de multiplicación.

Suma:
$8 + 8 + 8 = 24$

Multiplicación:
$3 \times 8 = 24$

Por tanto,
$8 + 8 + 8 = 3 \times 8$.

Jessie ganó 24 peces dorados.

Copia y completa cada oración numérica. Usa fichas o haz un dibujo para ayudarte.

**8.** $2 + 2 + 2 + 2 = 4 \times \blacksquare$

**9.** $\blacksquare + \blacksquare + \blacksquare = 3 \times 7$

**10.** $9 + \blacksquare + \blacksquare = \blacksquare \times 9$

**11.** $6 + 6 + 6 + 6 + 6 = \blacksquare \times \blacksquare$

**Álgebra** Escribe $+$, $-$, o $\times$ para cada $\square$.

**12.** $4 \ \square \ 3 = 12$

**13.** $3 \ \square \ 6 = 9$

**14.** $4 \ \square \ 4 = 0$

**15.** $6 \ \square \ 4 = 10$

**16.** $5 \ \square \ 3 = 2$

**17.** $2 \ \square \ 4 = 8$

**TAKS Resolución de problemas**

**18.** ¿Qué oración numérica muestra cómo hallar el número total de borradores?

**A** $5 + 5 = \blacksquare$    **C** $15 + 5 = \blacksquare$

**B** $15 - 5 = \blacksquare$    **D** $3 \times 5 = \blacksquare$

**19.** Escribe una suma y una multiplicación para resolver este problema:

En 1999, la Casa de la Moneda de los Estados Unidos comenzó a producir monedas estatales de 25¢. Todos los años se producen 5 nuevas monedas estatales de 25¢. Después de 10 años, ¿cuántas monedas estatales de 25¢ se habrán emitido?

**20. Escribir para explicar** Luka dice que puedes sumar o multiplicar para juntar grupos. ¿Tiene razón? Explica tu respuesta.

**21.** ¿Qué dibujo muestra 3 grupos de 2?

**F**    **G**    **H**    **J**

Lección

# 6-2

TEKS 3.4A: Aprender y aplicar las tablas de multiplicación hasta 12 por 12 utilizando modelos concretos y objetos.

# Matrices y multiplicación

## ¿De qué manera una matriz representa una multiplicación?

Dana guarda toda su colección de CD en un portadiscos de pared. El portadiscos tiene 4 filas. Cada fila contiene 5 CD. ¿Cuántos CD hay en la colección de Dana? Los CD están en una matriz. Una matriz representa los objetos en filas iguales.

---

**Otro ejemplo** ¿Importa el orden cuando multiplicas?

Tanto Libby como Sidney piensan que su cartel tiene más calcomanías. ¿Quién tiene razón?

$$4 + 4 + 4 = 12$$
$$3 \times 4 = 12$$

$$3 + 3 + 3 + 3 = 12$$
$$4 \times 3 = 12$$

El cartel de Libby tiene 12 calcomanías.       El cartel de Sidney tiene 12 calcomanías.

Ambos carteles tienen el mismo número de calcomanías.

$$3 \times 4 = 12 \text{ y } 4 \times 3 = 12$$

La propiedad conmutativa (o de orden) de la multiplicación dice que puedes multiplicar números en cualquier orden y el producto será el mismo. Por tanto, $3 \times 4 = 4 \times 3$.

## Explícalo

1. Miguel tiene 5 filas de calcomanías. En cada fila hay 3 calcomanías. Escribe una suma y una multiplicación para mostrar cuántas calcomanías tiene.

2. Muestra la propiedad conmutativa de la multiplicación dibujando dos matrices. Cada matriz debe tener por lo menos 2 filas y mostrar un producto de 6.

Las fichas muestran 4 filas de 5 CD.

Cada fila es un grupo. Puedes sumar para hallar el total.

$5 + 5 + 5 + 5 = 20$

También puedes multiplicar para hallar el total en una matriz.

**Lo que dices**   4 por 5 es igual a 20.

**Lo que escribes**

$$4 \times 5 = 20$$

número de filas                    número en cada fila

Hay 20 CD en la colección de Dana.

### ¿CÓMO hacerlo?

En los Ejercicios **1** y **2**, escribe una multiplicación para las matrices.

**1.**

**2.**

En los Ejercicios **3** y **4**, dibuja una matriz para representar las multiplicaciones. Escribe el producto.

**3.** $3 \times 6$        **4.** $5 \times 4$

En los Ejercicios **5** y **6**, copia y completa las multiplicaciones. Usa fichas o dibuja una matriz como ayuda.

**5.** $5 \times \blacksquare = 10$        **6.** $4 \times 3 = \blacksquare$
   $2 \times \blacksquare = 10$          $3 \times \blacksquare = 12$

### ¿Lo ENTIENDES?

**7.** Mira el ejemplo de arriba. ¿Qué te indica el primer factor de la multiplicación sobre la matriz?

**8.** **Escribir para explicar** ¿Por qué la propiedad conmutativa de la multiplicación también se llama a veces la *propiedad del orden*?

**9.** Scott ordenó algunas calcomanías deportivas en filas. Formó 6 filas con 5 calcomanías en cada fila. Si puso la misma cantidad de calcomanías en 5 filas iguales, ¿cuántas calcomanías habrá en cada fila?

## Práctica independiente

En los Ejercicios **10** a **12**, escribe una multiplicación para las matrices.

**10.**

**11.**

**12.**

eTools, Glosario animado
www.pearsonsuccessnet.com

*Puedes encontrar otro ejemplo en el Grupo B, página 132.*

# Práctica independiente

En los Ejercicios **13** a **17,** dibuja una matriz para representar las multiplicaciones. Escribe el producto.

**13.** $3 \times 3$  **14.** $5 \times 6$  **15.** $1 \times 8$  **16.** $4 \times 3$  **17.** $2 \times 9$

En los Ejercicios **18** a **23,** copia y completa las multiplicaciones. Usa fichas o dibuja una matriz como ayuda.

**18.** $4 \times \square = 8$
$2 \times \square = 8$

**19.** $6 \times 4 = \square$
$4 \times \square = 24$

**20.** $5 \times \square = 40$
$\square \times 5 = 40$

**21.** $3 \times 9 = 27$
$9 \times 3 = \square$

**22.** $7 \times 6 = 42$
$6 \times 7 = \square$

**23.** $9 \times 8 = 72$
$8 \times 9 = \square$

 **Resolución de problemas**

**24. Escribir para explicar** ¿Cómo muestran las matrices de la derecha la propiedad conmutativa de la multiplicación?

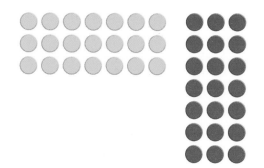

**25. Sentido numérico** ¿Cómo representa una matriz grupos iguales?

**26.** Taylor dice que el producto de $7 \times 2$ es igual al producto de $2 \times 7$. ¿Tiene razón? Explica tu respuesta.

**27. Razonamiento** Margo tiene 23 dibujos. ¿Puede usar todos los dibujos para hacer una matriz con dos filas iguales? ¿Por qué o por qué no?

**28.** Dan compró las estampillas que aparecen a la derecha. ¿Qué oración numérica muestra una manera de hallar cuántas estampillas compró Dan?

**A** $4 + 5 = \square$

**B** $4 \times 5 = \square$

**C** $5 + 4 = \square$

**D** $5 - 4 = \square$

Julia hizo la obra de arte de la derecha usando estrellas y círculos. Responde las preguntas acerca de la obra.

1. Explica el patrón que se muestra en la obra de arte.

2. ¿Cuántas filas hay en cada matriz de estrellas?

3. Observa una matriz de círculos. ¿Cuántos círculos hay en cada fila de la matriz?

4. Observa una matriz de estrellas. Escribe una oración numérica para la matriz.

5. ¿Cuántos círculos usó Julia en su obra de arte?

6. ¿Cuántas más estrellas que círculos hizo Julia?

7. Julia usó la siguiente tabla para planear cuántas figuras de cada tipo necesitaría para diferentes números de filas.

   Copia la tabla y complétala.

   | Figuras necesarias para hacer la obra de arte | | |
   |---|---|---|
   | Número total de filas | Número total de estrellas | Número total de círculos |
   | 2 | 42 | 15 |
   | 4 | 84 | 30 |
   | 6 | 126 | 45 |
   | 8 | | |

8. Mark hizo 56 estrellas. Hizo 18 círculos. ¿Cuántas figuras hizo en total?

9. **Enfoque en la estrategia** Resuelve. Usa la estrategia Escribir una oración numérica.

   Maggie hizo un patrón usando un total de 92 figuras. De las 92 figuras que usó, 44 eran círculos y el resto eran estrellas. ¿Cuántas estrellas usó Maggie?

# Usar la multiplicación para comparar

Manos a la obra
fichas

TEKS 3.4A: Aprender y aplicar las tablas de multiplicación hasta 12 por 12 utilizando modelos concretos y objetos.

### ¿Cómo usas la multiplicación para comparar?

Mike tiene 5 monedas estatales de 25¢. Carl tiene dos veces ese número, o el doble que Mike. ¿Cuántas monedas estatales de 25¢ tiene Carl?

**Escoge una operación** Multiplica para hallar el doble: $2 \times 5 = $ 

Monedas de 25¢ de Mike

---

## Práctica guiada*

### ¿CÓMO hacerlo?

Halla las cantidades. Puedes usar dibujos o fichas como ayuda.

1. 3 veces el número 3

2. 2 veces el número 6

3. El doble del número 3

### ¿Lo ENTIENDES?

4. **Sentido numérico** Barry dice que puedes sumar 5 + 5 para hallar cuántas monedas estatales de 25¢ tiene Carl. ¿Tiene razón? ¿Por qué o por qué no?

5. Carl tiene 4 dólares de plata. Mike tiene el doble que Carl. ¿Cuántos dólares de plata tiene Mike?

---

## Práctica independiente

En los Ejercicios **6** a **11**, halla las cantidades. Puedes usar dibujos o fichas como ayuda.

6. 2 veces el número 7     7. 3 veces el número 8     8. el doble del número 6

9. 4 veces el número 5     10. El doble del número 9     11. 5 veces el número 4

En los Ejercicios **12** a **15**, ¿qué moneda o billete corresponde a cada valor?

12. 2 veces el valor de 1 moneda de 5¢

13. 10 veces el valor de 1 moneda de 10¢

14. 5 veces el valor de 1 moneda de 5¢

15. 10 veces el valor de 1 moneda de 5¢

moneda de 10¢     moneda de 25¢     moneda de 50¢     billete de un dólar

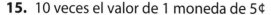

DIGITAL

Glosario animado, eTools
www.pearsonsuccessnet.com

*Puedes encontrar otro ejemplo en el Grupo C, página 132.*

## Lo que piensas

Mike tiene 5 monedas estatales de 25¢.

◯ ◯ ◯ ◯ ◯

Carl tiene 2 veces ese número.

◯ ◯ ◯ ◯ ◯
◯ ◯ ◯ ◯ ◯

2 veces ese número es igual a 10.

## Lo que escribes

$$2 \times 5 = 10$$

factores        producto

o

$$
\begin{array}{r}
2 \leftarrow \text{factor} \\
\times\ 5 \leftarrow \text{factor} \\
\hline
10 \leftarrow \text{producto}
\end{array}
$$

Carl tiene 10 monedas estatales de 25¢.

---

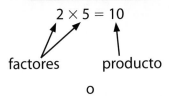 **TAKS** Resolución de problemas

**Sentido numérico** En los Ejercicios **16** y **17,** copia y completa.

**16.** 6 es el doble de ▨.

**17.** 8 es ocho veces el número ▨.

**18. Razonamiento** Carol tiene 4 muñecas. Su hermana tiene el doble. ¿Cuántas muñecas tienen en total?

**19. Escribir para explicar** ¿Cómo podría este dibujo ayudarte a resolver el **Ejercicio 18**?

| hermana de Carol | | el doble |
|---|---|---|
| 4 | 4 | |

| Carol | |
|---|---|
| 4 | |

**20.** ¿Qué oración numérica muestra cómo hallar el doble de canicas?

**A** $8 + 8 + 8 = $ ▨        **C** $2 \times 8 = $ ▨

**B** $1 \times 8 = $ ▨        **D** $3 \times 8 = $ ▨

**21.** Abajo se muestran dos de las monedas de los EE. UU. que valen un dólar. La moneda de Susan B. Anthony se emitió en 1979. La moneda de Sacagawea se emitió 21 años después. ¿Cuándo se emitió la moneda de Sacagawea?

Susan B. Anthony        Sacagawea

1979        21 años

**22.** Un caballo necesita unas 3 horas diarias de sueño. Un armadillo necesita 6 veces más horas de sueño que un caballo. Aproximadamente, ¿cuántas horas diarias de sueño necesita un armadillo?

? horas en total

| armadillo | 3 | 3 | 3 | 3 | 3 | 3 | 6 veces más horas |

| caballo | 3 |

**TEKS 3.4A:** Aprender y aplicar las tablas de multiplicación hasta 12 por 12 utilizando modelos concretos y objetos.

# Escribir cuentos sobre multiplicación

## ¿Cómo puedes describir una multiplicación?

Se pueden escribir cuentos para describir multiplicaciones.

Escribe un cuento sobre multiplicación para $3 \times 6 = $ ▢.

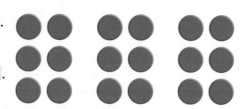

---

## Práctica guiada*

### ¿CÓMO hacerlo?

En los Ejercicios **1** a **4**, escribe un cuento sobre multiplicación para cada problema. Luego, haz un dibujo y halla los productos.

**1.** $2 \times 6$

**2.** $3 \times 5$

**3.** $4 \times 2$

**4.** $3 \times 8$

### ¿Lo ENTIENDES?

**5.** ¿Cómo cambiaría el cuento sobre Randy si la multiplicación fuera $2 \times 6$?

**6.** ¿Cómo cambiaría el cuento sobre Elisa si la multiplicación fuera $3 \times 5$?

**7. Sentido numérico** El cuento sobre las zanahorias, ¿podría ser también un cuento sobre suma? Explica tu respuesta.

---

## Práctica independiente

Escribe un cuento sobre multiplicación para los problemas. Luego haz un dibujo para hallar los productos.

**8.** $7 \times 3$

**9.** $2 \times 9$

**10.** $4 \times 5$

Escribe un cuento sobre multiplicación para los dibujos. Usa el dibujo para hallar el producto.

**11.**

**12.**

*Puedes encontrar otro ejemplo en el Grupo D, página 133.

| Grupos iguales | Una matriz | "Cuántas veces la cantidad" |

**Grupos iguales**

Randy tiene 3 paquetes de 6 botones. ¿Cuántos botones tiene?

$3 \times 6 = 18$

Randy tiene 18 botones.

**Una matriz**

Elisa plantó 6 lirios en cada una de las 3 filas. ¿Cuántos lirios plantó?

$3 \times 6 = 18$

Elisa plantó 18 lirios.

**"Cuántas veces la cantidad"**

Kanisha tiene 6 zanahorias. Jack tiene 3 veces esa cantidad. ¿Cuántas zanahorias tiene Jack?

| ? zanahorias en total | | |
|---|---|---|

| Jack | 6 | 6 | 6 |
|---|---|---|---|
| Kanisha | 6 | | |

$3 \times 6 = 18$

Jack tiene 18 zanahorias.

**TAKS** Resolución de problemas

**Sentido numérico** En los Ejercicios **13** a **15,** di si cada cuento es un cuento sobre suma, un cuento sobre resta o un cuento sobre multiplicación.

**13.** Kay tiene 6 lápices. Regala 4 a su amiga. ¿Cuántos lápices le quedan a Kay?

**14.** Kay tiene 6 lápices. Compra 4 lápices más en la tienda de la escuela. ¿Cuántos lápices tiene Kay ahora?

**15.** Kay tiene 6 bolsas de lápices. En cada bolsa hay 2 lápices. ¿Cuántos lápices tiene Kay?

**16.** Un equipo de futbol viajó a un partido de futbol en 4 microbuses. Los cuatros microbuses iban completos. Cada microbus tenía capacidad para 7 jugadores. ¿Cuántos jugadores fueron al partido?

A 47    C 24

B 28    D 11

**17. Álgebra** Steve tiene algunos paquetes de globos. Hay 8 globos en cada paquete. En total tiene 24 globos. Haz un dibujo para hallar cuántos paquetes tiene Steve.

**18.** Un grupo de 12 mariposas monarca se está preparando para migrar. ¿Cuántas alas se estarán moviendo cuando el grupo salga volando?

Cada mariposa monarca tiene 4 alas de color anaranjado brillante y 6 patas.

**TEKS 3.15A:** Explicar y anotar observaciones utilizando objetos, palabras, dibujos, números y tecnología.

Resolución de problemas

# Escribir para explicar

El padre de Gina le dio 2 monedas de 1¢ el lunes. Le prometió que, en adelante, iba a duplicar ese número de monedas de 1¢ cada día durante una semana.

Explica cómo puedes usar el patrón para completar la tabla.

| Día | Número de monedas de 1¢ |
|---|---|
| Lunes | 2 |
| Martes | 4 |
| Miércoles | 8 |
| Jueves | 16 |
| Viernes | 32 |
| Sábado | |
| Domingo | |

## Otro ejemplo

Jackie se subió al ascensor en el primer piso. Subió 5 pisos. Luego bajó 2 pisos. Después subió 4 pisos y se bajó del ascensor. ¿En qué piso está Jackie?

**Usa *palabras, dibujos, números* o *símbolos* para escribir una explicación matemática.**

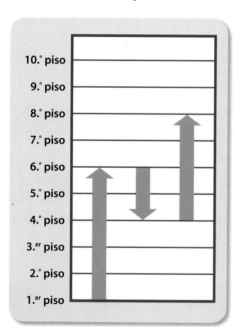

Jackie comenzó en el primer piso. Luego subió 5 pisos.

$1 + 5 = 6$

Luego bajó 2 pisos.

$6 - 2 = 4$

Después subió 4 pisos y se bajó del ascensor.

$4 + 4 = 8$

Jackie está en el octavo piso.

## Explícalo

1. ¿Por qué hacer un dibujo es una buena manera de explicar este problema?

2. ¿De qué manera las oraciones numéricas explican el problema?

**Completa la tabla. Usa *palabras, dibujos, números* o *símbolos* para escribir una explicación matemática.**

El número de monedas de 1¢ se duplica cada día. Esto significa que Gina recibirá 2 veces el número de monedas que recibió el día anterior.

Por tanto, necesito duplicar 32.

32 + 32 = 64 monedas de 1¢

Gina recibirá 64 monedas de 1¢ el sábado.

Luego, necesito duplicar 64.

64 + 64 = 128 monedas de 1¢

Gina recibirá 128 monedas de 1¢ el domingo.

| Día | Número de monedas de 1¢ |
|---|---|
| Lunes | 2 |
| Martes | 4 |
| Miércoles | 8 |
| Jueves | 16 |
| Viernes | 32 |
| Sábado | 64 |
| Domingo | 128 |

*Datos*

## Práctica guiada*

### ¿CÓMO hacerlo?

1. Brian compró 3 paquetes de tarjetas de beisbol. Hay 4 tarjetas en cada paquete. ¿Cuántas tarjetas de beisbol compró? Explica cómo puedes resolver este problema.

### ¿Lo ENTIENDES?

2. Si continúa el patrón de la parte de arriba de la página, ¿cuántas monedas de 1¢ recibirá Gina el próximo lunes?

3. **Escribe un problema** Escribe un problema de la vida diaria. Explica cómo resolverlo usando palabras, dibujos, números o símbolos.

## Práctica independiente

4. Pamela está ordenando mesas y sillas. Coloca 4 sillas en cada mesa.

   a Explica cómo cambia el número de sillas al cambiar el número de mesas.

   b Copia y completa la tabla.

| Número de mesas | 1 | 2 | 3 | 4 | 5 |
|---|---|---|---|---|---|
| Número de sillas | 4 | 8 | 12 | | |

5. Aarón cortó un trozo de madera en 5 pedazos. ¿Cuántos cortes hizo? Explica cómo hallaste la respuesta.

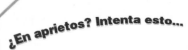

**¿En aprietos? Intenta esto...**

- ¿Qué sé?
- ¿Qué se me pide que halle?
- ¿Qué diagrama puedo usar como ayuda para entender el problema?
- ¿Puedo usar la suma, la resta, la multiplicación o la división?
- ¿Es correcto todo mi trabajo?
- ¿Respondí la pregunta que correspondia?
- ¿Es razonable mi respuesta?

**6.** Copia y completa la tabla de abajo. Luego, describe cómo te ayuda la tabla a explicar el patrón.

| Precio de los boletos para la obra de teatro de la escuela | |
| --- | --- |
| Número de boletos | Precio |
| 1 | $5 |
| 2 | $10 |
| 3 | $15 |
| 4 | ▢ |
| 5 | |

**7.** Si Margot continúa el patrón en la tabla, ¿cuál es el primer día en que hará ejercicio durante 1 hora? Explica cómo lo sabes.

| Horario de ejercicio de Margot | |
| --- | --- |
| Día | Minutos |
| Lunes | 20 minutos |
| Martes | 30 minutos |
| Miércoles | 40 minutos |
| Jueves | ▢ minutos |
| Viernes | ▢ minutos |

**8.** Hank gana $4 por limpiar las hojas del jardín y $6 por cortar el césped. ¿Cuánto ganará si limpia el jardín y corta el césped de 2 casas?

**9. a** Describe el patrón de abajo.

81, 82, 84, 87, 91

**b** Escribe los dos números que siguen en el patrón y explica cómo los hallaste.

**10.** Jake está plantando árboles en una fila que mide 20 pies de longitud. Planta un árbol al comienzo de la fila. Luego, planta un árbol cada 5 pies. ¿Cuántos árboles planta? Haz un dibujo para explicar.

### Piensa en el proceso

**11.** Alexandra compró 5 bolsas de naranjas. Había 6 naranjas en cada bolsa. Luego, regaló 4 naranjas. ¿Qué oración numérica muestra cuántas naranjas compró Alexandra?

**A** $5 + 6 = $ ▢

**B** $5 \times 6 = $ ▢

**C** $(5 \times 6) - 4 = $ ▢

**D** $(5 + 6) - 4 = $ ▢

**12.** Ana corrió 5 millas el lunes y 4 millas el martes. Teresa corrió 3 millas el lunes y 6 millas el martes. ¿Qué oración numérica muestra la distancia que corrió Ana en total?

**F** $3 + 6 = $ ▢

**G** $5 + 4 = $ ▢

**H** $5 - 4 = $ ▢

**J** $5 + 4 + 3 + 6 = $ ▢

## Significados de la multiplicación

Usa  tools

### Fichas

**Paso 1** Ve a las Fichas de eTools. Escoge fichas que tengan la misma forma. Haz 4 grupos de fichas con 3 fichas en cada grupo. El odómetro indica cuántas fichas hay en total. Escribe una oración numérica: $4 \times 3 = 12$.

**Paso 2** Usa la herramienta para limpiar para despejar el área de trabajo. Muestra 3 grupos con 8 fichas en cada uno y escribe una oración numérica: $3 \times 8 = 24$.

**Paso 3** Selecciona el área de trabajo de matrices. Arrastra el botón para mostrar 7 filas con 6 fichas en cada fila. Escribe una oración numérica: $7 \times 6 = 42$.

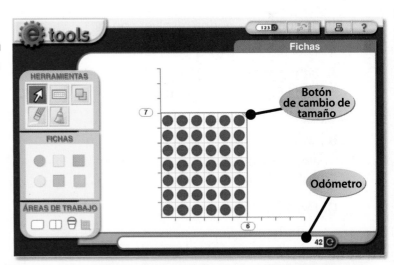

## Práctica

Usa las Fichas de eTools para dibujar fichas. Escribe una oración numérica.

**1.** 5 grupos con 3 fichas en cada uno

**2.** 7 grupos con 4 fichas en cada uno

**3.** 8 filas con 6 fichas en cada una

**4.** 9 filas con 5 fichas en cada una

**1.** ¿Cuál tiene el mismo valor que $5 \times 2$? (6-1)

   **A** $5 + 2$

   **B** $2 + 2 + 2 + 2$

   **C** $2 + 2 + 2 + 5$

   **D** $2 + 2 + 2 + 2 + 2$

**2.** La Sra. Salinas sembró flores usando el patrón siguiente. ¿Qué operación muestra mejor cómo las sembró? (6-2)

   **F** $3 \times 7$

   **G** $3 \times 6$

   **H** $3 + 7$

   **J** $7 + 3$

**3.** ¿Qué cuento se podría resolver con $7 \times 8$? (6-4)

   **A** Ben compró 7 bolsas de manzanas. Cada bolsa tenía 8 manzanas. ¿Cuántas manzanas compró Ben?

   **B** Rob tiene 7 peces rojos y 8 peces anaranjados. ¿Cuántos peces tiene Rob en total?

   **C** Tao tenía 8 problemas de matemáticas para resolver. Ha resuelto 7. ¿Cuántos le quedan?

   **D** Max tiene 7 páginas en su álbum. Tiene 8 fotos. ¿Cuántas fotos puede poner en cada página?

**4.** Maddie envió 3 tarjetas postales por correo durante sus vacaciones. Su hermana envió el doble de tarjetas. ¿Cuántas tarjetas postales envió la hermana de Maddie? (6-3)

   **F** 9

   **G** 6

   **H** 5

   **J** 2

**5.** ¿Qué oración numérica muestra cómo hallar 4 veces la cantidad de libros que lee Trent? (6-3)

   **A** $4 + 8 = 12$

   **B** $4 \times 8 = 32$

   **C** $4 \times 9 = 36$

   **D** $5 \times 8 = 40$

**6.** Tiffany compró las siguientes latas de pelotas de tenis. ¿Cuántas pelotas de tenis compró en total? (6-1)

   **F** 6

   **G** 9

   **H** 12

   **J** 18

**7.** ¿Qué número hace verdadera la segunda oración numérica? (6-2)

$9 \times 7 = 63$

$7 \times \square = 63$

**A** 63

**B** 56

**C** 9

**D** 7

**8.** La receta de Ryan para hacer pan de calabaza requiere 2 tazas de harina y 4 huevos para un solo pan. Ryan quiere hacer 3 panes. ¿Qué opción se puede usar para hallar cuántos huevos necesita Ryan? (6-1)

**F** $2 \times 4$

**G** $3 \times 2$

**H** $3 \times 4$

**J** $3 \times 6$

**9.** ¿Qué matriz muestra $2 \times 3$? (6-2)

**A**

**B**

**C**

**D**

**10.** Alicia está comprando vasos de papel para el picnic. Cada paquete tiene 8 vasos. ¿Cómo cambia el número de vasos al aumentar en 1 el número de paquetes? (6-5)

| Paquetes | 1 | 2 | 3 | 4 | 5 |
|---|---|---|---|---|---|
| Vasos | 8 | 16 | 24 | 32 | 40 |

**F** Hay 40 vasos más por cada paquete adicional.

**G** Hay 40 vasos menos por cada paquete adicional.

**H** Hay 8 vasos más por cada paquete adicional.

**J** Hay 8 vasos menos por cada paquete adicional.

**11.** Para el 4 de julio, Ron coloca banderas en su patio como se muestra abajo. ¿Qué oración numérica muestra cuántas banderas colocó Ron en su patio? (6-2)

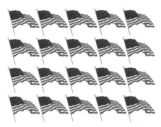

**A** $5 + 4 = \square$     **B** $4 \times 5 = \square$

**C** $4 + 5 = \square$     **D** $5 - 4 = \square$

**12.** **Respuesta en plantilla** Tony recogió 4 veces la cantidad de conchas de mar que recogió Margot. Si Margot recogió 6 conchas de mar, ¿cuántas recogió Tony? (6-3)

# Refuerzo

**Grupo A,** páginas 116 y 117

Halla el número total de fichas.

Hay 3 grupos de 2 fichas.

Puedes usar la suma para juntar grupos.

$2 + 2 + 2 = 6$

También puedes multiplicar para juntar grupos iguales.

$3 \times 2 = 6$

Por tanto, $2 + 2 + 2 = 3 \times 2$.

**Recuerda** que la multiplicación es una manera rápida de juntar grupos iguales.

Copia y completa.

**1.** 2 grupos de ▢
$5 + ▢ = ▢$
$2 \times ▢ = ▢$

**2.** 3 grupos de ▢
$6 + ▢ + ▢ = ▢$
$3 \times ▢ = ▢$

---

**Grupo B,** páginas 118 a 120

Dibuja una matriz para mostrar $2 \times 3$. Luego, escribe el producto.

Esta matriz muestra 2 filas de 3.    ■ ■ ■   2 filas
■ ■ ■   3 en cada fila

$3 + 3 = 6$ ó $2 \times 3 = 6$.

Dibuja una matriz para mostrar $3 \times 2$.

Esta matriz muestra 3 filas de 2.    ■ ■   3 filas
■ ■   2 en cada fila
■ ■

$2 + 2 + 2 = 6$ ó $3 \times 2 = 6$.

**Recuerda** que debes usar la propiedad conmutativa (o de orden) de la multiplicación.

Dibuja una matriz para representar cada operación. Escribe el producto.

**1.** $2 \times 4$    **2.** $3 \times 5$    **3.** $4 \times 4$

Copia y completa cada multiplicación.

**4.** $5 \times ▢ = 10$    **5.** $3 \times ▢ = 21$
  $2 \times ▢ = 10$      $7 \times ▢ = 21$

---

**Grupo C,** páginas 122 y 123

Halla 2 veces el número 6.

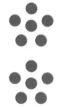

$2 \times 6 = 12$ ó $\begin{array}{r} 2 \\ \times\ 6 \\ \hline 12 \end{array}$

**Recuerda** que debes multiplicar por 2 para hallar *el doble del número*.

Halla cada cantidad. Puedes usar dibujos o fichas como ayuda.

**1.** 3 veces el número 5

**2.** 5 veces el número 4

**3.** el doble del número 7

**Grupo D,** páginas 124 y 125

Escribe un cuento sobre multiplicación para $3 \times 5$.

Haz un dibujo para hallar el producto.

Jessica está guardando pretzels en 3 bolsas. Va a poner 5 pretzels en cada bolsa. ¿Cuántos pretzels tiene Jessica en total?

Jessica tiene 15 pretzels.

**Recuerda** que tu cuento sobre multiplicación siempre debe terminar con una pregunta.

Escribe un cuento sobre multiplicación para cada uno. Haz un dibujo para hallar cada producto.

**1.** $3 \times 9$ **2.** $5 \times 6$ **3.** $7 \times 2$

Escribe un cuento sobre multiplicación para cada dibujo. Usa el dibujo para hallar el producto.

**4.**

**5.**

**Grupo E,** páginas 126 a 128

Puedes usar palabras, dibujos, números o símbolos para explicar una respuesta. Cuando explicas tu respuesta a un problema, asegúrate de:

- mostrar tu explicación claramente usando palabras, dibujos, números o símbolos.

- decir lo que significan los números en tu explicación.

- decir por qué seguiste ciertos pasos.

**Recuerda** que otra persona debe poder seguir tu explicación.

Resuelve. Explica cómo hallaste cada respuesta.

**1.** Gloria gana $3 por preparar la cena y $5 por cambiar las sábanas de su cama. ¿Cuánto ganará Gloria en una semana si prepara la cena 3 veces y cambia las sábanas una vez?

**2.** Jack está colocando mesas para una fiesta. Cada mesa tiene 6 sillas. ¿Cuántas sillas necesita para 10 mesas?

## Números y operaciones

**1.** ¿Qué número está entre 2,583 y 3,125?

| 2,583 | | 3,125 |

**A** 2,435

**B** 3,190

**C** 3,109

**D** 2,579

**2.** Los padres de Jerome gastaron $52 en una cena en un restaurante. La comida de Jerome costó $13 y la de su hermana Ana costó $11. El resto del dinero se usó para pagar la comida de los padres de Jerome. ¿Cuánto se gastó en la comida de los padres?

**F** $24

**G** $28

**H** $34

**J** $38

**3.** ¿Qué número hace verdadera esta oración numérica?

$3 + (\quad + 5) = (3 + 6) + 5$

**4.** Completa las multiplicaciones.

$3 \times \quad = 15$
$5 \times \quad = 15$

**5.** Escribe un cuento sobre multiplicación para $4 \times 3$. Haz un dibujo para hallar el producto.

**6.** **Escribir para explicar** Explica cómo puedes usar el cálculo mental para hallar la diferencia de $83 - 17$.

## Geometría y medición

**7.** ¿Qué figura describe mejor la caja de pañuelos de papel?

**A** Cubo          **C** Esfera

**B** Prisma rectangular          **D** Cilindro

**8.** La temperatura en el salón de clase era 72 °F. ¿Qué termómetro muestra 72 °F?

**9.** ¿Qué medida describe mejor la longitud del escritorio de un estudiante?

**A** 3 pulgadas          **C** 3 yardas

**B** 3 centímetros          **D** 3 pies

**10.** ¿Cuál es la longitud del clavo a la pulgada más cercana?

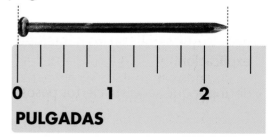

PULGADAS

**11.** **Escribir para explicar** Explica cómo se ven las manecillas del reloj a las 12:15.

## Probabilidad y estadística

**12.** ¿En qué color es más probable que caiga la flecha giratoria?

**13.** Dibuja una rueda de 2 partes en la cual sea menos probable que la flecha giratoria caiga en la letra A que en la letra B.

Usa la pictografía para los Ejercicios **14** a **16.**

### Niños en el patio de juegos

| | |
|---|---|
| Columpios | ☺ ☺ ☺ |
| Toboganes | ☺ ☺ |
| Barras | ☺ ☺ ☺ ☺ |

Clave: Cada ☺ = 2 niños

**14.** ¿Cuántos niños están jugando en las barras?

**F** 2       **H** 8

**G** 4       **J** 12

**15.** Supón que 4 niños más se unen a los niños que están en los toboganes. ¿Cuántos símbolos más agregarías para representar el número total de niños en los toboganes?

**A** 1       **C** 3

**B** 2       **D** 4

**16. Escribir para explicar** Explica cómo puedes usar la multiplicación o la suma para calcular cuántos niños están en los columpios.

## Razonamiento algebraico

**17.** ¿Qué número falta en el siguiente patrón?

3, 9, 15, ▮, 27

**F** 16       **H** 21

**G** 18       **J** 33

**18.** La tabla muestra cuántas alas tienen diferentes números de libélulas.

| Número de libélulas | 3 | 4 | 5 | 6 |
|---|---|---|---|---|
| Número de alas | 12 | | 20 | 24 |

¿Cuántas alas tendrá un grupo de 4 libélulas?

**A** 13       **C** 15

**B** 14       **D** 16

**19.** ¿Qué dos factores podrías multiplicar para hallar un producto de 15?

**F** 3, 5       **H** 4, 4

**G** 2, 7       **J** 3, 6

**20.** Halla tres números enteros que hacen verdadera la oración numérica.

12 − ▮ > 8

**21. Escribir para explicar** Explica cómo cambia el número de brazos al cambiar el número de estrellas de mar.

| Estrella de mar | 1 | 2 | 3 | 4 | 5 |
|---|---|---|---|---|---|
| Brazos | 5 | 10 | 15 | 20 | 25 |

# Estrategias para multiplicar: Usar patrones

**1**

Se construyó una casa de muñecas para la reina María de Inglaterra. ¿Qué comparación puedes hacer entre el tamaño de los objetos de la casa de muñecas y el tamaño de los objetos del castillo verdadero? Lo averiguarás en la Lección 7-3.

**2**

¿Cuántas ruedas tiene un equipo de monociclos de relevos? Lo averiguarás en la Lección 7-3.

**3** ¿Cuántos corazones tiene una lombriz? Lo averiguarás en la Lección 7-1.

**4** ¿Cuántas estacas clavaron los trabajadores del ferrocarril para mantener los durmientes de las vías en su lugar? Lo averiguarás en la Lección 7-4.

# Repasa lo que sabes

## Vocabulario

Escoge el mejor término del recuadro.

> • sumandos • producto
> • factores • suma

1. Los números que multiplicas son __?__.

2. La respuesta de un problema de suma es la __?__.

3. La respuesta de un problema de multiplicación es el __?__.

## Contar salteado

Escribe los números que faltan.

4. 10, 20, ▇ , 40, 50, ▇

5. 10, 15, 20, ▇ , ▇ , 35

## Suma repetida

Halla las sumas.

6. 1 + 1 + 1 + 1 + 1 + 1 + 1

7. 2 + 2 + 2 + 2 + 2 + 2

## Sumas

Halla las sumas.

8. 80 + 16    9. 90 + 18    10. 70 + 14

11. 110 + 22    12. 110 + 11    13. 120 + 12

## Multiplicación

14. **Escribir para explicar** Explica cómo puedes hallar cuántos objetos hay en 3 grupos si en cada grupo hay 4 objetos. Haz un dibujo como ayuda.

TEKS 3.6B: Identificar patrones en las tablas de multiplicación utilizando objetos concretos, modelos pictóricos o tecnología.
También, TEKS 3.4A y 3.4B.

# El 2 y el 5 como factores

## ¿Cómo usas los patrones para multiplicar por 2 y por 5?

¿Cuántos calcetines hay en 7 pares? Halla $7 \times 2$.

| 1 par | 2 pares | 3 pares | 4 pares | 5 pares | 6 pares | 7 pares |
|---|---|---|---|---|---|---|
| $1 \times 2$ | $2 \times 2$ | $3 \times 2$ | $4 \times 2$ | $5 \times 2$ | $6 \times 2$ | $7 \times 2$ |
| 2 | 4 | 6 | 8 | 10 | 12 | 14 |

Hay 14 calcetines en 7 pares.

## Otros ejemplos

### ¿Cuáles son los patrones de los múltiplos de 2 y de 5?

Los productos de las operaciones de multiplicación del 2 son múltiplos de 2.
Los productos de las operaciones de multiplicación del 5 son múltiplos de 5.
Los múltiplos son los productos de un número y otros números enteros.

**Datos**

| Operaciones de multiplicación del 2 | |
|---|---|
| $0 \times 2 = 0$ | $5 \times 2 = 10$ |
| $1 \times 2 = 2$ | $6 \times 2 = 12$ |
| $2 \times 2 = 4$ | $7 \times 2 = 14$ |
| $3 \times 2 = 6$ | $8 \times 2 = 16$ |
| $4 \times 2 = 8$ | $9 \times 2 = 18$ |

**Datos**

| Operaciones de multiplicación del 5 | |
|---|---|
| $0 \times 5 = 0$ | $5 \times 5 = 25$ |
| $1 \times 5 = 5$ | $6 \times 5 = 30$ |
| $2 \times 5 = 10$ | $7 \times 5 = 35$ |
| $3 \times 5 = 15$ | $8 \times 5 = 40$ |
| $4 \times 5 = 20$ | $9 \times 5 = 45$ |

**Patrón de operaciones de multiplicación del 2**

- Los múltiplos de 2 son los números pares. Los múltiplos de 2 terminan en 0, 2, 4, 6 u 8.

- Cada múltiplo de 2 es 2 más que el anterior.

**Patrón de operaciones de multiplicación del 5**

- Los múltiplos de 5 terminan en 0 o en 5.

- Cada múltiplo de 5 es 5 más que el anterior.

### Explícalo

1. ¿83 es múltiplo de 2 o de 5? ¿Cómo lo sabes?

2. **Razonamiento** ¿Cómo te pueden ayudar los patrones para hallar el resultado de $10 \times 2$?

¿Cuántos dedos hay en 7 guantes?

**Escoge una operación** Halla $7 \times 5$.

| | |
|---|---|
| $1 \times 5 =$ | 5 |
| $2 \times 5 =$ | 10 |
| $3 \times 5 =$ | 15 |
| $4 \times 5 =$ | 20 |
| $5 \times 5 =$ | 25 |
| $6 \times 5 =$ | 30 |
| $7 \times 5 =$ | 35 |

Hay 35 dedos en 7 guantes.

## Práctica guiada*

### ¿CÓMO hacerlo?

Halla los productos.

**1.** $2 \times 6$  **2.** $2 \times 3$  **3.** $7 \times 2$

**4.** $5 \times 3$  **5.** $5 \times 5$  **6.** $6 \times 5$

**7.** $\begin{array}{r} 4 \\ \times\ 2 \\ \hline \end{array}$  **8.** $\begin{array}{r} 5 \\ \times\ 2 \\ \hline \end{array}$  **9.** $\begin{array}{r} 8 \\ \times\ 5 \\ \hline \end{array}$

### ¿Lo ENTIENDES?

**10.** ¿Cómo puedes contar salteado para hallar la cantidad de calcetines que hay en 9 pares? ¿En 10 pares?

**11.** ¿Cómo puedes contar salteado para hallar la cantidad de dedos que hay en 9 guantes? ¿En 10 guantes?

**12.** **Sentido numérico** Bert dice que $2 \times 8$ es 15. ¿Cómo usas los patrones para saber que la respuesta es incorrecta?

## Práctica independiente

En los Ejercicios **13** a **22**, halla los productos.

**13.** $2 \times 2$  **14.** $5 \times 2$  **15.** $3 \times 5$  **16.** $8 \times 2$  **17.** $9 \times 5$

**18.** $\begin{array}{r} 3 \\ \times\ 5 \\ \hline \end{array}$  **19.** $\begin{array}{r} 2 \\ \times\ 4 \\ \hline \end{array}$  **20.** $\begin{array}{r} 4 \\ \times\ 5 \\ \hline \end{array}$  **21.** $\begin{array}{r} 9 \\ \times\ 2 \\ \hline \end{array}$  **22.** $\begin{array}{r} 5 \\ \times\ 7 \\ \hline \end{array}$

**23.** Halla 5 veces 6.

**24.** Multiplica $2 \times 5$.

**25.** Halla el producto de 7 y 5.

**26.** Halla $6 \times 2$.

DIGITAL
Glosario animado
**www.pearsonsuccessnet.com**

*Puedes encontrar otro ejemplo en el Grupo A, página 154.*

**Álgebra** Compara. Usa <, > o =.

**27.** $2 \times 5$ ◯ $5 \times 2$    **28.** $4 \times 5$ ◯ $4 \times 6$    **29.** $2 \times 5$ ◯ $2 \times 4$

**30.** $6 \times 5$ ◯ $5 \times 5$    **31.** $9 \times 5$ ◯ $5 \times 9$    **32.** $7 \times 2$ ◯ $2 \times 9$

**TAKS Resolución de problemas**

En los Ejercicios **33** a **35,** usa la tabla de la derecha.

**33.** ¿Cuánto cuesta jugar 3 partidos de bolos sin alquilar zapatos?

**34.** María alquiló zapatos para jugar a los bolos. También jugó dos partidos. ¿Cuánto dinero gastó?

**35.** Wendy pagó dos partidos con un billete de veinte dólares. ¿Cuánto cambio recibió?

| Bolos | |
| --- | --- |
| Costo por partido | $5 |
| Alquiler diario de zapatos | $2 |

**36.** **Escribir para explicar** Eric tiene algunas monedas de 5¢. Dice que tiene exactamente 34 centavos. ¿Puedes decir si tiene razón o no? ¿Por qué o por qué no?

**37.** Ariel tiene las siguientes monedas.

Si Ariel contara el valor de esas monedas, ¿qué lista mostraría los números que hubiera dicho?

**A** 5, 10, 16, 20, 25

**B** 5, 10, 15, 22, 25

**C** 10, 15, 20, 25, 30

**D** 10, 15, 22, 25, 30

**38.** Usa el dibujo que se muestra abajo. ¿Cuántos corazones hay en 3 lombrices?

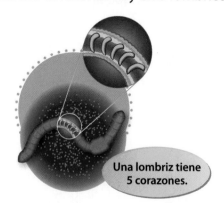

Una lombriz tiene 5 corazones.

**39.** **Álgebra** ¿Cuáles son los dos factores de 1 dígito que podrías multiplicar para obtener un producto de 30?

**40.** Jaime fue a jugar a los bolos. En la primera jugada, volteó 2 bolos. En la segunda, volteó el doble. Hasta ahora, ¿cuántos bolos ha volteado en total?

# Resolución de problemas variados

Los animales heredan ciertos rasgos de sus padres, estos rasgos se denominan características heredadas. Usa la tabla de la derecha para responder las preguntas.

**Características de algunos animales**

| Tipo de animal | Característica heredada |
|---|---|
| Pájaros | 2 ojos, 2 patas, 2 alas |
| Peces | 2 ojos |
| Insectos | 2 antenas, 6 patas, 3 partes del cuerpo |
| Monos | 2 manos, 5 dedos en cada mano, 2 patas, 5 dedos en cada pata, 2 ojos |

1. Una mamá y sus dos hijos están en la rama de un árbol. En total tienen seis alas. ¿Qué tipo de animal de la tabla podría ser?

2. Dos monos adultos y dos monos pequeños están cerca del agua. ¿Cuántos dedos de las manos tienen en total estos monos?

3. Uno de estos animales está en la rama de un árbol. En total tiene 6 patas. ¿Qué tipo de animal de la tabla podría ser?

4. ¿Quién tiene más patas, dos pájaros o un insecto? ¿Cuántas más?

---

5. Mira la siguiente tabla.

| Tipo de animal | Número de partes del cuerpo | Número de patas |
|---|---|---|
| Insecto | 3 | 6 |
| Araña | 2 | 8 |

Danny vio tres animales del mismo tipo en la acera. En total contó seis partes del cuerpo. ¿Qué vio Danny, 3 arañas o 3 insectos?

6. **Enfoque en la estrategia** Resuelve. Usa la estrategia "Hacer un dibujo".

Trini tiene 31 pececillos y 5 peces adultos en una pecera. Puso 18 de los pececillos en otra pecera y todos los peces adultos en una tercera pecera. ¿Cuántos pececillos quedan en la primera pecera? Comprueba si tu respuesta es razonable.

TEKS 3.6B: Identificar patrones en las tablas de multiplicación utilizando objetos concretos, modelos pictóricos o tecnología.
También, **TEKS 3.4A** y **3.4B.**

# El 9 como factor

## ¿Cómo usas los patrones para hallar las operaciones de multiplicación del 9?

El dueño de una florería pone 9 rosas en cada paquete. ¿Cuántas rosas hay en 8 paquetes?

Usa los patrones para hallar 8 × 9.

**Datos**

| Operaciones de multiplicación del 9 |
| --- |
| 0 × 9 = 0 |
| 1 × 9 = 9 |
| 2 × 9 = 18 |
| 3 × 9 = 27 |
| 4 × 9 = 36 |
| 5 × 9 = 45 |
| 6 × 9 = 54 |
| 7 × 9 = 63 |
| 8 × 9 = ▨ |
| 9 × 9 = ▨ |

## Práctica guiada*

### ¿CÓMO hacerlo?

Halla los productos.

**1.** 9 × 2    **2.** 5 × 9    **3.** 7 × 9

**4.** 4 × 9    **5.** 2 × 8    **6.** 6 × 9

**7.** 　3
　　 × 9

**8.** 　5
　　 × 5

**9.** 　8
　　 × 9

### ¿Lo ENTIENDES?

**10. Escribir para explicar** Usa el patrón que aparece arriba para hallar 9 × 9. Luego, explica cómo hallaste el producto.

**11. Sentido numérico** Paul cree que 3 × 9 es 24. Usa el patrón del 9 para demostrar que está equivocado.

## Práctica independiente

Halla los productos.

**12.** 9 × 0    **13.** 5 × 8    **14.** 9 × 4    **15.** 8 × 9    **16.** 9 × 9

**17.** 1 × 9    **18.** 5 × 9    **19.** 9 × 2    **20.** 7 × 9    **21.** 5 × 2

**22.** 　6
　　 × 5

**23.** 　9
　　 × 1

**24.** 　6
　　 × 9

**25.** 　9
　　 × 5

**26.** 　9
　　 × 7

**27.** 　9
　　 × 2

**28.** 　7
　　 × 9

**29.** 　8
　　 × 2

**30.** 　0
　　 × 9

**31.** 　2
　　 × 3

*Puedes encontrar otro ejemplo en el Grupo B, página 154.*

## Una manera

Usa estos patrones.

- El dígito de las unidades disminuye 1 cada vez; por tanto, el dígito de las unidades que sigue es 2.

- El dígito de las decenas aumenta 1 cada vez; por tanto, el dígito de las decenas que sigue es 7.

$8 \times 9 = 72$

Hay 72 rosas en 8 paquetes.

## Otra manera

Usa estos patrones para hallar el producto.

- El dígito de las decenas es 1 menos que el factor que se multiplica por 9.

- Los dígitos del producto suman 9.

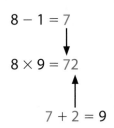

$8 - 1 = 7$

$8 \times 9 = 72$

$7 + 2 = 9$

$8 \times 9 = 72$

Hay 72 rosas en 8 paquetes.

---

**Álgebra**  Copia y completa. Usa $+$, $-$ o $\times$.

**32.** $2 \times 6 = 10 \ \square\ 2$

**33.** $5 \times 7 = 45 \ \square\ 10$

**34.** $9 \times 9 = 80 \ \square\ 1$

**35.** $20 - 2 = 2 \ \square\ 9$

**36.** $9 \ \square\ 3 = 30 - 3$

**37.** $9 \ \square\ 1 = 2 \ \square\ 5$

---

**TAKS** Resolución de problemas

La biblioteca organizó una gran venta de libros usados. En los Ejercicios **38** a **41**, usa la tabla de la derecha.

**38.** ¿Cuánto cuestan 4 libros de tapa dura?

**39.** ¿Cuánto más gastaría Chico si comprara 3 libros en CD en lugar de 3 libros de tapa dura?

**40.** Maggie compró solamente libros de tapa blanda. El empleado le dijo que debía $15. ¿Cómo sabe Maggie que el empleado se equivocó?

**41.** **Escribir para explicar**  El señor León compró 2 libros en CD y 9 libros de tapa blanda. ¿Gastó más en los CD o en los libros de tapa blanda? Explica cómo lo sabes.

**Datos**

| Gran venta de libros de la biblioteca | |
| --- | --- |
| Libros de tapa blanda | $2 |
| Libros de tapa dura | $5 |
| Libros en CD | $9 |

**42.** El dueño de una florería contó las flores en grupos de 9. ¿Qué lista muestra los números que nombró?

9 girasoles en cada florero.

**A**  9, 19, 29, 39, 49, 59

**C**  18, 27, 36, 45, 56, 65

**B**  6, 12, 18, 24, 36, 42

**D**  9, 18, 27, 36, 45, 54

**TEKS 3.6B:** Identificar patrones en las tablas de multiplicación utilizando objetos concretos, modelos pictóricos o tecnología. También, **TEKS 3.4A** y **3.4B**.

# Multiplicar por 0 y 1

## ¿Cuáles son los patrones de los múltiplos de 1 y 0?

Kira tiene 8 platos con 1 naranja en cada uno.
¿Cuántas naranjas tiene Kira?

Halla $8 \times 1$.

---

## Práctica guiada*

### ¿CÓMO hacerlo?

Halla los productos.

**1.** $1 \times 7$    **2.** $5 \times 0$    **3.** $5 \times 1$

**4.** $0 \times 0$    **5.** $1 \times 1$    **6.** $8 \times 1$

**7.**   $\begin{array}{r} 7 \\ \times\ 0 \\ \hline \end{array}$    **8.**   $\begin{array}{r} 1 \\ \times\ 9 \\ \hline \end{array}$    **9.**   $\begin{array}{r} 0 \\ \times\ 6 \\ \hline \end{array}$

### ¿Lo ENTIENDES?

**10. Escribir para explicar** ¿Cómo puedes usar las propiedades que aparecen arriba para hallar $375 \times 1$ y $0 \times 754$?

**11.** Dibuja una matriz para mostrar que $1 \times 8 = 8$.

**12.** Carlos tiene 6 platos. Hay 1 manzana y 0 uvas en cada plato. ¿Cuántas manzanas hay? ¿Cuántas uvas hay?

---

## Práctica independiente

Halla los productos.

**13.** $0 \times 4$    **14.** $1 \times 6$    **15.** $1 \times 3$    **16.** $3 \times 0$    **17.** $4 \times 1$

**18.** $0 \times 9$    **19.** $1 \times 3$    **20.** $1 \times 7$    **21.** $0 \times 7$    **22.** $8 \times 0$

**23.**   $\begin{array}{r} 8 \\ \times\ 1 \\ \hline \end{array}$    **24.**   $\begin{array}{r} 0 \\ \times\ 2 \\ \hline \end{array}$    **25.**   $\begin{array}{r} 1 \\ \times\ 2 \\ \hline \end{array}$    **26.**   $\begin{array}{r} 9 \\ \times\ 0 \\ \hline \end{array}$    **27.**   $\begin{array}{r} 0 \\ \times\ 1 \\ \hline \end{array}$

8 grupos con 1 en cada grupo es igual a 8 en total.

$$8 \times 1 = 8$$

Kira tiene 8 naranjas.

1 plato con 8 naranjas también
es igual a 8 naranjas.

$$1 \times 8 = 8$$

**Propiedad de identidad (del uno)**
de la multiplicación: cuando multiplicas un número
por 1, el producto es ese número.

Si Kira tiene 4 platos con 0 naranjas
en cada plato, tiene 0 naranjas.

$$4 \times 0 = 0$$

Si $4 \times 0 = 0$, entonces $0 \times 4 = 0$.

**Propiedad del cero en la**
multiplicación: cuando multiplicas
un número por 0, el producto es
cero.

**Álgebra** Copia y completa. Escribe $<$, $>$ o $=$ en cada $\bigcirc$.

**28.** $1 \times 6 \bigcirc 8 \times 0$      **29.** $8 \times 1 \bigcirc 1 \times 9$      **30.** $1 \times 4 \bigcirc 4 \times 1$

**31.** $0 \times 654 \bigcirc 346 \times 0$   **32.** $2 \times 9 \bigcirc 9 \times 1$      **33.** $0 \times 754 \bigcirc 5 \times 1$

 **Resolución de problemas**

**Álgebra** Copia y completa. Escribe $\times$, $+$ o $-$ en cada $\square$.

**34.** $4 \square 1 = 4$
$4 \square 1 = 5$
$4 \square 1 = 3$

**35.** $4 \square 0 = 4$
$4 \square 0 = 0$

**36.** $6 \square 1 = 5$
$6 \square 1 = 6$
$6 \square 1 = 7$

**37.** ¿Cuál es el factor que falta?

$548 \times \blacksquare = 548$

**A** 0    **B** 1    **C** 2    **D** 4

**38. Escribir para explicar** El producto de
dos factores es 0. Uno de los factores es
0. ¿Puedes decir cuál es el otro factor?
Explica tu respuesta.

**39.** Un equipo de monociclos de relevos
tiene 4 ciclistas. Cada ciclista tiene
un monociclo. Si cada monociclo tiene
1 rueda, ¿cuántas ruedas tiene el
equipo?

**40. Razonamiento** ¿Por qué crees
que la propiedad de identidad de
la multiplicación a veces se llama la
propiedad del uno de la multiplicación?

**41.** Los objetos del Castillo de Windsor son 12 veces más grandes que
la versión en miniatura de la Casa de muñecas de la Reina María.
¿Cuál es la altura real de un cuadro que mide 1 pulgada en la casa
de muñecas?

Lección

# 7-4

TEKS 3.6B: Identificar patrones en las tablas de multiplicación utilizando objetos concretos, modelos pictóricos o tecnología.
También, TEKS 3.4A.

# El 10, el 11 y el 12 como factores

## ¿Cuáles son los patrones en los múltiplos de 10, 11 y 12?

Greg quiere entrenarse para una carrera que tendrá lugar en 12 semanas. La tabla muestra su programa de entrenamiento. ¿Cuántas millas nadará Greg para entrenarse para la carrera?

**Escoge una operación**
Halla 12 × 10.

### Programa de entrenamiento semanal

| Actividad | Millas |
|---|---|
| Natación | 10 millas |
| Carrera | 11 millas |
| Ciclismo | 12 millas |

---

## Otros ejemplos

### ¿Cuáles son los múltiplos de 11 y de 12?

**Operaciones de multiplicación del 11**

| Piensa | Escribe |
|---|---|
| 0 × 11 = 0 + 0 | 0 × 11 = 0 |
| 1 × 11 = 10 + 1 | 1 × 11 = 11 |
| 2 × 11 = 20 + 2 | 2 × 11 = 22 |
| 3 × 11 = 30 + 3 | 3 × 11 = 33 |
| 4 × 11 = 40 + 4 | 4 × 11 = 44 |
| 5 × 11 = 50 + 5 | 5 × 11 = 55 |
| 6 × 11 = 60 + 6 | 6 × 11 = 66 |
| 7 × 11 = 70 + 7 | 7 × 11 = 77 |
| 8 × 11 = 80 + 8 | 8 × 11 = 88 |
| 9 × 11 = 90 + 9 | 9 × 11 = 99 |
| 10 × 11 = 100 + 10 | 10 × 11 = 110 |
| 11 × 11 = 110 + 11 | 11 × 11 = 121 |
| 12 × 11 = 120 + 12 | 12 × 11 = 132 |

**Operaciones de multiplicación del 12**

| Piensa | Escribe |
|---|---|
| 0 × 12 = 0 + 0 | 0 × 12 = 0 |
| 1 × 12 = 10 + 2 | 1 × 12 = 12 |
| 2 × 12 = 20 + 4 | 2 × 12 = 24 |
| 3 × 12 = 30 + 6 | 3 × 12 = 36 |
| 4 × 12 = 40 + 8 | 4 × 12 = 48 |
| 5 × 12 = 50 + 10 | 5 × 12 = 60 |
| 6 × 12 = 60 + 12 | 6 × 12 = 72 |
| 7 × 12 = 70 + 14 | 7 × 12 = 84 |
| 8 × 12 = 80 + 16 | 8 × 12 = 96 |
| 9 × 12 = 90 + 18 | 9 × 12 = 108 |
| 10 × 12 = 100 + 20 | 10 × 12 = 120 |
| 11 × 12 = 110 + 22 | 11 × 12 = 132 |
| 12 × 12 = 120 + 24 | 12 × 12 = 144 |

Usa los patrones para multiplicar por 10 el factor que no es 11. Luego, suma ese factor al producto.

Ejemplo: Halla 8 × 11.

8 × 10 = 80

80 + 8 = 88

Por tanto, 8 × 11 = 88.

Usa los patrones para multiplicar por 10 el factor que no es 12. Luego, multiplica ese factor por 2. Suma los dos productos.

Ejemplo: Halla 8 × 12.

8 × 10 = 80      8 × 2 = 16

80 + 16 = 96

Por tanto, 8 × 12 = 96.

### Explícalo

**1.** ¿Cómo puedes usar 9 × 10 para hallar 9 × 12?

Usa los patrones de las operaciones de multiplicación del 10 para hallar el producto.

| Operaciones de multiplicación del 10 | |
| --- | --- |
| $0 \times 10 = 0$ | $7 \times 10 = 70$ |
| $1 \times 10 = 10$ | $8 \times 10 = 80$ |
| $2 \times 10 = 20$ | $9 \times 10 = 90$ |
| $3 \times 10 = 30$ | $10 \times 10 =$ |
| $4 \times 10 = 40$ | $11 \times 10 =$ |
| $5 \times 10 = 50$ | $12 \times 10 =$ |
| $6 \times 10 = 60$ | |

- Escribe el factor que estás multiplicando por 10.
- Escribe un cero a la derecha de ese factor. Un múltiplo de 10 siempre tendrá un cero en el lugar de las unidades.

$$10 \times 10 = 100$$
$$11 \times 10 = 110$$
$$12 \times 10 = 120$$

Greg nadará 120 millas.

## Práctica guiada*

### ¿CÓMO hacerlo?

Usa los patrones para hallar los productos.

**1.** $10 \times 3$
$11 \times 3$
$12 \times 3$

**2.** $10 \times 5$
$11 \times 5$
$12 \times 5$

**3.** $10 \times 7$
$11 \times 7$
$12 \times 7$

**4.** $10 \times 9$
$11 \times 9$
$12 \times 9$

**5.** $\begin{array}{r} 10 \\ \times\ 11 \\ \hline \end{array}$

**6.** $\begin{array}{r} 11 \\ \times\ 11 \\ \hline \end{array}$

**7.** $\begin{array}{r} 12 \\ \times\ 11 \\ \hline \end{array}$

### ¿Lo ENTIENDES?

**8. Escribir para explicar** ¿Cómo puedes usar un patrón para hallar $12 \times 10$?

**9.** ¿Cuantas millas recorrerá Greg en bicicleta en 12 semanas?

**10. Sentido numérico** Greg multiplicó 2 x 12 para hallar cuántas millas más recorrió en bicicleta que las millas que nadó en 12 semanas. ¿Te parece que tiene sentido? ¿Por qué o por qué no?

## Práctica independiente

Usa los patrones para hallar los productos.

**11.** $10 \times 2$
$11 \times 2$
$12 \times 2$

**12.** $10 \times 4$
$11 \times 4$
$12 \times 4$

**13.** $10 \times 6$
$11 \times 6$
$12 \times 6$

**14.** $10 \times 8$
$11 \times 8$
$12 \times 8$

**15.a** $\begin{array}{r} 10 \\ \times\ 10 \\ \hline \end{array}$  **b** $\begin{array}{r} 11 \\ \times\ 10 \\ \hline \end{array}$  **c** $\begin{array}{r} 12 \\ \times\ 10 \\ \hline \end{array}$

**16.a** $\begin{array}{r} 10 \\ \times\ 12 \\ \hline \end{array}$  **b** $\begin{array}{r} 11 \\ \times\ 12 \\ \hline \end{array}$  **c** $\begin{array}{r} 12 \\ \times\ 12 \\ \hline \end{array}$

Halla los productos.

**17.** $10 \times 7$    **18.** $8 \times 2$    **19.** $12 \times 7$    **20.** $9 \times 9$    **21.** $6 \times 12$

**22.** $11 \times 11$    **23.** $6 \times 11$    **24.** $5 \times 9$    **25.** $3 \times 10$    **26.** $12 \times 8$

**27.**  $\begin{array}{r} 6 \\ \times\ 5 \\ \hline \end{array}$    **28.**  $\begin{array}{r} 11 \\ \times\ 4 \\ \hline \end{array}$    **29.**  $\begin{array}{r} 9 \\ \times\ 12 \\ \hline \end{array}$    **30.**  $\begin{array}{r} 10 \\ \times\ 11 \\ \hline \end{array}$    **31.**  $\begin{array}{r} 12 \\ \times\ 5 \\ \hline \end{array}$

### TAKS Resolución de problemas

En los Ejercicios **32** y **33,** usa la tabla de la derecha. Ésta muestra los productos comestibles que se compraron para un picnic escolar de 120 alumnos del Grado 3.

**Datos**

| Producto comestible | Cantidad de paquetes | Cantidad en cada paquete |
|---|---|---|
| *Hot dogs* | 10 | 12 |
| Panecillos | 12 | 10 |
| Envases de jugo | 12 | 11 |

**32.** Halla la cantidad total de cada producto que se compró.

   **a** *Hot dogs*

   **b** Panecillos

   **c** Envases de jugo

**33.** Cada alumno del Grado 3 compró un envase de jugo. ¿Cuántos envases adicionales de jugo se compraron?

**34. Álgebra** ¿Cuántas monedas de 10¢ necesitas para obtener $0.90?

**35. Sentido numérico** ¿Cómo sabes que 64 no es múltiplo de 11?

**36.** Sheila contó el valor de las monedas de abajo. ¿Qué lista muestra los números que dijo?

**37.** Un trabajador de la construcción de los primeros ferrocarriles clavó varias estacas en cada durmiente de la vía. ¿Cuántas estacas necesitó para 7 durmientes?

**A** 10, 30, 50, 70, 80

**B** 10, 20, 25, 30, 40

**C** 50, 60, 70, 80, 90

**D** 40, 50, 60, 75, 90

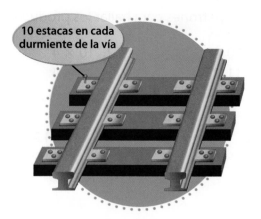

10 estacas en cada durmiente de la vía

# Enlaces con el Álgebra

## Operaciones que faltan

Recuerda que el signo igual quiere decir que los dos lados de una oración numérica deben tener el mismo valor. Un signo de operación $+$, $-$ o $\times$ te dice qué debes hacer con los números para hallar el valor de un lado. El razonamiento te puede ayudar a hallar el signo de operación que falta.

**Ejemplo:** $72 = 8 \square 9$

**Piénsalo** ¿ Es 72 igual a 8 (más, o menos, o multiplicado por) 9?

Ya que $8 \times 9 = 72$, escribe "$\times$".

$72 = 8 \boxed{\times} 9$

Copia y completa. Escribe $+$, $-$ o $\times$ en el cuadrado. Comprueba tus respuestas.

$+$ **suma**     $-$ **resta**     $\times$ **multiplica**

**1.** $9 \square 36 = 45$

**2.** $24 \square 17 = 7$

**3.** $16 = 2 \square 8$

**4.** $8 = 32 \square 24$

**5.** $7 \square 5 = 35$

**6.** $50 = 12 \square 38$

**7.** $18 = 9 \square 2$

**8.** $64 \square 36 = 28$

**9.** $30 = 6 \square 5$

**10.** $47 \square 37 = 84$

**11.** $63 = 9 \square 7$

**12.** $12 \square 1 = 12$

- - - - - - - - - - - - - - - - - - - - - - - - - - - - - - - - - - - - - - -

En los Ejercicios **13** y **14,** copia y completa la oración numérica debajo de cada problema. Úsala como ayuda para hallar tu respuesta.

**13.** A Lisa le quedaron algunos bolígrafos después de regalar 27 bolígrafos a sus amigas. Al principio tenía 36 bolígrafos. ¿Qué operación puedes usar para hallar el número de bolígrafos que le quedan a Lisa?

$9 = 36 \square 27$

**14.** La ilustración siguiente muestra cuántos botones de cada tipo hay en un paquete. ¿Qué operación puedes usar para hallar el número total de botones en un paquete?

$60 = 5 \square 12$

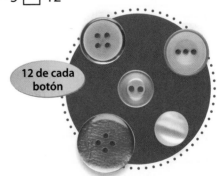

12 de cada botón

**15.** **Escribe un problema** Escribe un problema de la vida diaria usando la oración numérica:

$48 = 26 + 22$

Lección

7-5

**TEKS 3.14B:** Resolver problemas que incorporen la comprensión del problema, hacer un plan, llevarlo a cabo y evaluar lo razonable de la solución.

Resolución de problemas

# Problemas de dos preguntas

Algunas veces debes usar la respuesta a un problema para resolver otro problema.

**Problema 1:** Cuatro niñas y cinco niños fueron al cine. ¿Cuántos fueron en total al cine?

**Problema 2:** Los boletos cuestan $5 cada uno. ¿Cuál fue el precio total de los boletos?

## Práctica guiada*

### ¿CÓMO hacerlo?

**1a.** Un boleto de cine para adulto cuesta $9. ¿Cuánto cuestan 3 boletos?

? Precio total

| $9 | $9 | $9 |
|----|----|----|

**b.** El Sr. Jones pagó 3 boletos para adultos con $40. ¿Cuánto cambio recibió?

$40

| $27 | ? |
|-----|---|

### ¿Lo ENTIENDES?

**2.** ¿Qué operaciones se usaron para resolver los Ejercicios 1a y 1b? ¿Por qué?

**3.** **Escribir para explicar** ¿Por qué es necesario resolver primero 1a para resolver 1b?

**4.** **Escribir un problema** Escribe 2 problemas en los que debas usar la respuesta del primer problema para resolver el segundo.

## Práctica independiente

**5a.** Jared compró una gorra de beisbol por $12 y una camiseta por $19. ¿Cuánto costaron ambas prendas?

?

| $12 | $19 |
|-----|-----|

**b.** Supón que Jared pagó con un billete de $50. ¿Cuánto cambio debería recibir?

$50

| $31 | ? |
|-----|---|

**¿En aprietos? Intenta esto...**

- ¿Qué sé?
- ¿Qué se me pide que halle?
- ¿Qué diagrama puedo usar como ayuda para entender el problema?
- ¿Puedo usar la suma, la resta, la multiplicación o la división?
- ¿Es correcto todo mi trabajo?
- ¿Respondí la pregunta que correspondía?
- ¿Es razonable mi respuesta?

## Problema 1

Cuatro niñas y cinco niños fueron al cine. ¿Cuántos niños y niñas fueron al cine?

**? Niños y niñas en total**

| 4 niñas | 5 niños |
|---------|---------|

$4 + 5 = 9$

Nueve niños y niñas fueron al cine.

## Problema 2

Los boletos de cine para niños cuestan $5 cada uno. ¿Cuál fue el precio total de los boletos para estos niños?

**? Precio total**

| $5 | $5 | $5 | $5 | $5 | $5 | $5 | $5 | $5 |
|----|----|----|----|----|----|----|----|----|

$9 \times \$5 = \$45$

El precio total de los boletos fue $45.

## Práctica independiente

Carmen y algunos amigos compraron regalos en la tienda de regalos de un museo. Los regalos eran de Hawái. En los Ejercicios **6** a **8**, usa la respuesta del primer problema para resolver el segundo problema.

**6a.** Carmen compró un cartel y una camisa. ¿Cuánto le costaron los regalos?

**b.** Carmen le dio $30 al dependiente. ¿Cuánto cambio debe recibir?

**7a.** Daniel compró 3 tazas. ¿Cuánto gastó Daniel en las tazas?

**b.** Daniel también compró un CD. ¿Cuánto gastó Daniel en total?

**8a.** Teri compró el regalo más caro y el menos caro. ¿Cuánto gastó en total?

**b.** La hermana de Teri compró un CD. ¿Cuánto gastaron en total las dos niñas?

**9.** El lunes, Roberta nadó 10 largos en la piscina. El martes, nadó el doble de la cantidad de largos del lunes. Escoge el par de oraciones numéricas que se pueden usar para calcular:

  **a** ¿Cuántos largos nadó Roberta el martes?
  **b** ¿Cuántos largos nadó Roberta en total?

**A** $2 \times 10 = 20$
$20 + 10 = 30$

**B** $2 \times 10 = 20$
$20 - 10 = 10$

**C** $10 + 2 = 12$
$12 + 10 = 22$

**D** $10 + 2 = 12$
$12 - 10 = 2$

1. ¿Qué signo hace que la oración numérica sea verdadera? (7-3)

$5 \times 0 \bigcirc 2 \times 1$

**A** $>$

**B** $<$

**C** $=$

**D** $\times$

2. La familia de Salvador utilizó 3 canoas en el Parque Estatal del lago Caddo. En cada canoa cabían 2 personas. ¿Cuántas personas anduvieron en canoa? (7-1)

**F** 5

**G** 6

**H** 8

**J** 9

3. Utilizando el patrón de la *suma de los dígitos,* ¿qué número es un múltiplo de 9? (7-2)

**A** 55

**B** 26

**C** 43

**D** 36

4. Anita hizo 1 pulsera de la amistad para cada una de sus 8 amigas. ¿Cuántas pulseras de la amistad hizo Anita? (7-3)

**F** 1

**G** 7

**H** 8

**J** 9

5. Los niños exploradores hicieron huevos revueltos para el desayuno. Usaron 7 cartones de huevos. En cada cartón había 12 huevos. ¿Qué opción muestra una manera de hallar $7 \times 12$? (7-4)

**A** $70 + 14$

**B** $70 + 7$

**C** $70 + 2$

**D** $70 + 12$

6. Sally compró 2 paquetes de globos. En cada paquete había 8 globos. ¿Cuántos globos compró Sally? Le dio 4 globos a su hermano. ¿Cuántos globos le quedaron? (7-5)

**F** Sally compró 18 globos y le quedaron 14.

**G** Sally compró 10 globos y le quedaron 6.

**H** Sally compró 16 globos y le quedaron 10.

**J** Sally compró 16 globos y le quedaron 12.

7. A los estudiantes de Grado 3 de la Escuela Willow se los separó en 11 grupos de 10 estudiantes. ¿Cuántos estudiantes de Grado 3 había en total? (7-4)

**A** 111

**B** 110

**C** 101

**D** 100

**8.** Cada estrella de mar tiene 5 brazos. Si Shelly contara los brazos en grupos de 5, ¿qué lista mostraría los números que podría haber nombrado? (7-1)

**F** 5, 10, 21, 40

**G** 10, 15, 21, 25

**H** 10, 15, 20, 25

**J** 15, 20, 26, 35

**9.** ¿Cuál de las opciones describe mejor la longitud de todas las serpientes? (7-1)

| Serpiente | Longitud en pies |
| --- | --- |
| Mamba negra | 14 |
| Cobra rey | 16 |
| Taipán | 10 |

Datos

**A** Todas son mayores que 12.

**B** Todas son menores que 15.

**C** Todas son múltiplos de 5.

**D** Todas son múltiplos de 2.

**10.** La tienda de mascotas tenía 7 jaulas para hámsters. En cada jaula había 0 hámsters. ¿Cuántos hámsters tenían? (7-3)

**F** 0

**G** 1

**H** 7

**J** 10

**11.** Todd tenía 7 acuarios. En cada acuario había 9 peces y 3 plantas. ¿Cuál es el número total de peces? (7-2)

**A** 63

**B** 62

**C** 27

**D** 21

**12.** Len tiene 3 rollos de monedas de 25¢. Ryan tiene 8 rollos. ¿Cuántos más rollos tiene Ryan que Len? Cada rollo tiene un valor de $10 en monedas de 25¢. ¿Cuánto más dinero tiene Ryan que Len? (7-5)

**F** Ryan tiene 11 rollos más; por tanto, tiene $110 más que Len.

**G** Ryan tiene 5 rollos más; por tanto, tiene $55 más que Len.

**H** Ryan tiene 5 rollos más; por tanto, tiene $50 más que Len.

**J** Ryan tiene 6 rollos más; por tanto, tiene $60 más que Len.

**13. Respuesta en plantilla** Rosa compró 3 carretes de cinta. En cada carrete hay 5 yardas de cinta. ¿Cuántas yardas de cinta compró Rosa? (7-1)

**14. Respuesta en plantilla** Hay 12 pulgadas en 1 pie. Si Rodney mide 4 pies, ¿cuántas pulgadas mide de altura? (7-4)

**Grupo A,** páginas 138 a 140

Halla $8 \times 5$.

Puedes usar un patrón para multiplicar por 5.

• Puedes contar salteado para multiplicar por 5:
  5, 10, 15, 20, y así sucesivamente.

• Todo múltiplo de 5 termina con un 0 o un 5.

• Todo múltiplo de 5 es 5 más que el anterior.

$8 \times 5 = 40$

**Recuerda** que puedes hacer una tabla y usar un patrón como ayuda para multiplicar por 2 o por 5.

Halla los productos.

**1.** $2 \times 4$    **2.** $2 \times 7$    **3.** $3 \times 2$

**4.** $5 \times 4$    **5.** $5 \times 9$    **6.** $3 \times 5$

**7.** $\begin{array}{r} 6 \\ \times\ 2 \\ \hline \end{array}$    **8.** $\begin{array}{r} 5 \\ \times\ 5 \\ \hline \end{array}$    **9.** $\begin{array}{r} 8 \\ \times\ 5 \\ \hline \end{array}$

**Grupo B,** páginas 142 y 143

Halla $7 \times 9$. Usa un patrón.

 El dígito de las decenas es 1 menos que el factor que se multiplica por 9.

 $7 - 1 = 6$ así, $7 \times 9 = 6\blacksquare$

 Los dígitos del producto suman 9.

 $9 - 6 = 3$ así, $7 \times 9 = 63$

$7 \times 9 = 63$

**Recuerda** que puedes usar patrones y operaciones conocidas para hallar productos para operaciones de multiplicación del 9.

Dibuja una matriz para las operaciones de multiplicación. Escribe los productos.

**1.** $9 \times 5$    **2.** $7 \times 9$    **3.** $10 \times 9$

**4.** $9 \times 4$    **5.** $5 \times 9$    **6.** $3 \times 9$

**7.** $\begin{array}{r} 9 \\ \times\ 1 \\ \hline \end{array}$    **8.** $\begin{array}{r} 8 \\ \times\ 9 \\ \hline \end{array}$    **9.** $\begin{array}{r} 9 \\ \times\ 9 \\ \hline \end{array}$

**Grupo C,** páginas 144 y 145

La **propiedad de identidad de la multiplicación** dice que cuando se multiplica un número por 1, el producto es ese mismo número.

$1 \times 6 = 6$      $12 \times 1 = 12$

La **propiedad del cero de la multiplicación** dice que cuando se multiplica un número por 0, el producto es 0.

$0 \times 6 = 0$      $12 \times 0 = 0$

**Recuerda** que puedes pensar en una matriz con 1 fila cuando multiplicas por 1.

Halla los productos.

**1.** $7 \times 0$    **2.** $1 \times 10$    **3.** $0 \times 9$

**4.** $\begin{array}{r} 3 \\ \times\ 1 \\ \hline \end{array}$    **5.** $\begin{array}{r} 7 \\ \times\ 0 \\ \hline \end{array}$    **6.** $\begin{array}{r} 1 \\ \times\ 5 \\ \hline \end{array}$

**Grupo D,** páginas 146 a 148

Halla $5 \times 12$.

- Primero, usa un patrón para multiplicar por 10 el factor que no es 12.
  $5 \times 10 = 50$
  Luego, multiplica el mismo factor por 2.
  $5 \times 2 = 10$

- Por último, suma los dos productos.
  $50 + 10 = 60$

$5 \times 12 = 60$

**Recuerda** que los patrones te pueden ayudar a hallar los múltiplos.

Usa patrones para hallar los productos.

**1.** $10 \times 4$      **2.** $10 \times 7$
    $11 \times 4$         $11 \times 7$
    $12 \times 4$         $12 \times 7$

**3.**   $\begin{array}{r} 11 \\ \times\ 5 \\ \hline \end{array}$    **4.**   $\begin{array}{r} 12 \\ \times\ 6 \\ \hline \end{array}$    **5.**   $\begin{array}{r} 10 \\ \times\ 4 \\ \hline \end{array}$

**Grupo E,** páginas 150 y 151

En los problemas de dos preguntas, debes resolver uno de los problemas antes de resolver el otro.

**Problema 1:** Una familia compuesta por dos adultos y tres niños fue a un espectáculo de acrobacias aéreas. ¿Cuántos miembros de la familia fueron al espectáculo?
$2 + 3 = 5$

**Problema 2:** Cada boleto para el espectáculo de acrobacias aéreas costaba $10. ¿Cuánto gastó la familia en boletos para el espectáculo?
$5 \times \$10 = \$50$

La familia gastó un total de $50 en boletos para el espectáculo de acrobacias aéreas.

**Recuerda** que debes resolver el primer problema antes de tratar de resolver el segundo problema.

**1. a** Para el almuerzo, Julia compró un sándwich por $8 y un vaso de jugo por $3. ¿Cuánto le costó su almuerzo?

    **b** Julia le dio al dependiente un billete de $20. ¿Cuánto cambio debería recibir?

**2. a** Un grupo de tres niñas y cinco niños fue al zoológico. ¿Cuántos niños y niñas hay en el grupo?

    **b** Cada boleto para el zoológico costó $5. ¿Cuánto fue el precio total de los boletos para estos niños?

# Tema 8

# Estrategias para multiplicar: Usar operaciones conocidas

**1** ¿Cuántas antenas tienen las babosas? Lo averiguarás en la Lección 8-2.

**2** ¿Cuántos trenes hay en el Museo Nacional de Trenes de Juguete? Lo averiguarás en la Lección 8-3.

**3**

¿Encontrarás siempre cinco huevos en el nido de un sinsonte? Lo averiguarás en la Lección 8-5.

**4**

¿Cuánto tarda el cometa Encke en dar una vuelta alrededor del Sol? Lo averiguarás en la Lección 8-1.

# Repasa lo que sabes

## Vocabulario

Escoge el mejor término del recuadro.

- sumando
- factor
- matriz
- multiplicación

1. Cuando formas grupos iguales para obtener el total, haces una operación de __?__.

2. Cuando multiplicas, cada número de la operación es un __?__.

3. Cuando exhibes objetos en filas y columnas, preparas una __?__.

## Multiplicación

Halla los productos.

**4.** $3 \times 2$     **5.** $4 \times 5$     **6.** $7 \times 2$

**7.** $6 \times 1$     **8.** $8 \times 0$     **9.** $5 \times 9$

## Matrices

Dibuja una matriz para cada operación de multiplicación.

**10.** $6 \times 2$        **11.** $4 \times 9$

**12.** Escribe una oración numérica de multiplicación para la matriz que aparece a la derecha. Explica por qué usaste los números que escogiste.

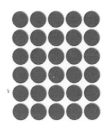

**13. Escribir para explicar** ¿La matriz de $2 \times 9$ es igual o es diferente a la matriz de $9 \times 2$? Haz un dibujo y explica tu respuesta.

# El 3 como factor

Manos a la obra
fichas

## ¿Cómo descompones matrices para multiplicar por 3?

Las canoas están guardadas en 3 filas. Hay 6 canoas en cada fila. ¿Cuál es la cantidad total de canoas guardadas?

Halla $3 \times 6$.

**Escoge una operación** Multiplica para hallar el total de una matriz.

TEKS 3.4A: Aprender y aplicar las tablas de multiplicación hasta 12 por 12 utilizando modelos concretos y objetos. También, **TEKS 3.4B**.

---

## Práctica guiada*

### ¿CÓMO hacerlo?

En los Ejercicios **1** a **6,** multiplica. Usa fichas o haz un dibujo como ayuda.

**1.** $3 \times 4$ **2.** $3 \times 11$

**3.** $3 \times 5$ **4.** $3 \times 9$

**5.** $\begin{array}{r} 12 \\ \times\ 3 \\ \hline \end{array}$ **6.** $\begin{array}{r} 3 \\ \times\ 6 \\ \hline \end{array}$

### ¿Lo ENTIENDES?

**7.** ¿Cómo puedes usar $2 \times 8 = 16$ para hallar $3 \times 8$?

**8.** En el jardín comunitario, Selena acomodó las plantas en 3 filas. Puso 6 plantas en cada fila. ¿Cuántas plantas en total acomodó Selena en las filas?

---

## Práctica independiente

En los Ejercicios **9** a **28,** halla los productos. Usa dibujos como ayuda.

**9.** $3 \times 2$ **10.** $4 \times 9$ **11.** $3 \times 10$ **12.** $2 \times 9$ **13.** $11 \times 3$

**14.** $8 \times 3$ **15.** $4 \times 7$ **16.** $5 \times 3$ **17.** $0 \times 3$ **18.** $3 \times 8$

**19.** $\begin{array}{r} 7 \\ \times 3 \\ \hline \end{array}$ **20.** $\begin{array}{r} 12 \\ \times 8 \\ \hline \end{array}$ **21.** $\begin{array}{r} 3 \\ \times 3 \\ \hline \end{array}$ **22.** $\begin{array}{r} 5 \\ \times 4 \\ \hline \end{array}$ **23.** $\begin{array}{r} 3 \\ \times 9 \\ \hline \end{array}$

**24.** $\begin{array}{r} 1 \\ \times 3 \\ \hline \end{array}$ **25.** $\begin{array}{r} 6 \\ \times 3 \\ \hline \end{array}$ **26.** $\begin{array}{r} 9 \\ \times 5 \\ \hline \end{array}$ **27.** $\begin{array}{r} 3 \\ \times 4 \\ \hline \end{array}$ **28.** $\begin{array}{r} 3 \\ \times 7 \\ \hline \end{array}$

eTools
www.pearsonsuccessnet.com

Halla 3 × 6.

Usa las operaciones de multiplicación del 1 y del 2 como ayuda para multiplicar por 3. Haz una matriz para cada multiplicación.

2 × 6 = 12

1 × 6 = 6

12 + 6 = 18

3 × 6 equivale a 3 filas de 6.
Es decir, 2 veces seis, más 6.

2 veces seis es 12.
1 vez seis es 6.

12 + 6 = 18

3 × 6 = 18.

Hay 18 canoas en total.

---

**TAKS Resolución de problemas**

En los Ejercicios **29** y **30,** usa la tabla de la derecha.

**29.** ¿Cuál es la cantidad total de estampillas en un paquete de estampillas de carros y en un paquete de estampillas del espacio?

**30.** Carla compró un paquete de estampillas de reptiles. ¿Qué cantidad total de estampillas de reptiles compró? Dibuja una matriz.

**Cantidad de estampillas en los distintos paquetes**

| Tipo de estampilla | Cantidad de filas | Cantidad en cada fila |
|---|---|---|
| Dinosaurios | 3 | 7 |
| Carros | 3 | 9 |
| Espacio | 3 | 8 |
| Reptiles | 5 | 6 |

**31. Sentido numérico** Supón que tienes que hallar 3 × 9.

**a** ¿Qué dos operaciones de multiplicación te pueden ayudar para hallar 3 × 9?

**b** ¿Cómo puedes usar 3 × 9 para que te ayude a hallar 9 × 3?

**32.** El cometa Encke tarda aproximadamente 3 años en dar la vuelta alrededor del Sol. ¿Cuánto tardará aproximadamente el cometa Encke en dar 5 vueltas alrededor del Sol?

**A** Aproximadamente 5 años

**B** Aproximadamente 10 años

**C** Aproximadamente 15 años

**D** Aproximadamente 20 años

**33.** El Sr. Torres tenía paquetes de tomates en el mostrador. Cada paquete tenía 3 tomates.

Si el Sr. Torres contara los tomates en grupos de 3, ¿qué lista mostraría los números que contó?

**F** 6, 12, 16, 19          **H** 3, 6, 10, 13

**G** 6, 9, 12, 15          **J** 3, 7, 11, 15

Lección
## 8-2

**TEKS 3.4A:** Aprender y aplicar las tablas de multiplicación hasta 12 por 12 utilizando modelos concretos y objetos. También, **TEKS 3.4B.**

# El 4 como factor

### ¿Cómo usas dobles para multiplicar por 4?

Anna pintó alcancías para vender en la feria escolar de arte. Pintó una alcancía por día, los siete días de la semana durante 4 semanas. ¿Cuántas alcancías pintó en total?

Halla $4 \times 7$.

**Escoge una operación** Multiplica para hallar el total de una matriz.

---

## Práctica guiada*

### ¿CÓMO hacerlo?

En los Ejercicios **1** a **6**, multiplica. Usa fichas o haz un dibujo como ayuda.

**1.** $4 \times 6$

**2.** $5 \times 4$

**3.** $4 \times 12$

**4.** $1 \times 4$

**5.**
$$\begin{array}{r} 11 \\ \times\ 4 \\ \hline \end{array}$$

**6.**
$$\begin{array}{r} 10 \\ \times\ 4 \\ \hline \end{array}$$

### ¿Lo ENTIENDES?

**7.** Además de la manera que se muestra arriba, ¿de qué otra manera puedes descomponer $4 \times 7$ usando las operaciones que conoces?

**8.** Si sabes que $2 \times 8 = 16$, ¿cómo puedes hallar $4 \times 8$?

**9.** Nolan hizo lámparas para vender en la feria escolar de arte. Hizo 9 lámparas por semana durante 4 semanas. ¿Cuántas lámparas hizo Nolan en total?

---

## Práctica independiente

En los Ejercicios **10** a **29**, halla los productos. Puedes hacer dibujos como ayuda.

**10.** $4 \times 8$

**11.** $3 \times 8$

**12.** $4 \times 3$

**13.** $6 \times 4$

**14.** $9 \times 6$

**15.** $4 \times 4$

**16.** $5 \times 9$

**17.** $11 \times 4$

**18.** $0 \times 4$

**19.** $2 \times 11$

**20.** $3 \times 4$

**21.** $2 \times 8$

**22.** $4 \times 5$

**23.** $7 \times 4$

**24.** $4 \times 12$

**25.**
$$\begin{array}{r} 2 \\ \times\ 4 \\ \hline \end{array}$$

**26.**
$$\begin{array}{r} 7 \\ \times\ 4 \\ \hline \end{array}$$

**27.**
$$\begin{array}{r} 9 \\ \times\ 4 \\ \hline \end{array}$$

**28.**
$$\begin{array}{r} 10 \\ \times\ 7 \\ \hline \end{array}$$

**29.**
$$\begin{array}{r} 4 \\ \times\ 8 \\ \hline \end{array}$$

eTools
www.pearsonsuccessnet.com

DIGITAL

*Puedes encontrar otro ejemplo en el Grupo B, página 176.*

Halla $4 \times 7$.

Para multiplicar por 4, piensa en una operación de multiplicación del 2, luego duplica el producto.

Puedes hacer matrices.

$2 \times 7 = 14$

$2 \times 7 = 14$
$14 + 14 = 28$

$4 \times 7$ equivale a 4 filas de 7. Es decir, 2 veces siete más 2 veces siete.

2 veces siete es 14.

$14 + 14 = 28$

Por tanto, $4 \times 7 = 28$.

Anna pintó 28 alcancías en total.

## TAKS Resolución de problemas

En los Ejercicios **30** y **31,** usa la tabla de la derecha para saber cuáles son los víveres que James tiene que comprar para la caminata.

**30.** ¿Cuál es el número total de barras de cereal que tiene que comprar?

**31.** ¿Cuántas más manzanas que envases de jugo necesita James?

### Víveres para la caminata

| Artículo | Número de paquetes necesarios | Número de artículos en cada paquete |
|---|---|---|
| Manzanas | 2 | 8 |
| Barras de cereal | 4 | 6 |
| Envases de jugo | 4 | 3 |

**32.** Martín estudió las babosas en la clase de ciencias. Aprendió que cada babosa tiene 4 antenas. Esa noche, vio 8 babosas. ¿Cuántas antenas tenían en total las babosas?

**33. Escribir para explicar** Lila tomó 9 semanas de clases de alpinismo. Tenía 4 clases por semana. Explica por qué Lila puede usar $4 \times 9$ para hallar el producto de $9 \times 4$.

**34.** ¿Cuál de estas opciones describe mejor todos los números de las camisas?

**A** Todos son números pares.

**B** Todos son múltiplos de 3.

**C** Todos son mayores que 10.

**D** Todos son números de 2 dígitos.

**35.** Bess tenía cajas de velas sobre la mesa. Cada caja tenía 4 velas.

Si Bess contara las velas en grupos de 4, ¿qué lista mostraría los números que contó?

**F** 8, 12, 16, 20

**G** 8, 12, 14, 18

**H** 4, 6, 12, 14

**J** 4, 8, 10, 14

# 8-3

TEKS 3.4A: Aprender y aplicar las tablas de multiplicación hasta 12 por 12 utilizando modelos concretos y objetos.
También, TEKS 3.4B.

# El 6 y el 7 como factores

**Manos a la obra**
fichas

## ¿Cómo descompones matrices para multiplicar?

Los músicos de la banda marchan en 6 filas iguales. Hay 8 músicos en cada fila. ¿Cuántos músicos hay en la banda?

Halla $6 \times 8$.

**Escoge una operación** Multiplica para hallar el total de una matriz.

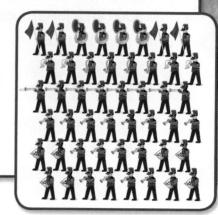

---

**Otro ejemplo** ¿Cómo descompones matrices para multiplicar por 7?

Los cantantes del coro están formados en filas iguales.
Hay 8 cantantes en cada fila. Hay 7 filas.
¿Cuántos cantantes hay en el coro?

**Lo que muestras**

Halla $7 \times 8$.

Usa las operaciones de multiplicación del 5 y del 2 para multiplicar por 7. Haz una matriz para cada multiplicación.

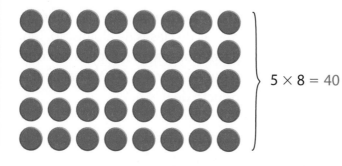

$5 \times 8 = 40$

$2 \times 8 = 16$

**Lo que piensas**

$7 \times 8$ equivale a 7 filas de 8.

Es decir, 5 veces ocho más 2 veces ocho.

5 veces ocho es 40.
2 veces ocho es 16.

$40 + 16 = 56$

Por tanto, $7 \times 8 = 56$.

En el coro hay 56 cantantes.

## Explícalo

1. ¿Qué otras operaciones de multiplicación puedes usar para hallar $7 \times 8$?

2. ¿Cómo puedes usar $5 \times 7$ y $2 \times 7$ para hallar $7 \times 7$?

Halla 6 × 8.

Usa las operaciones de multiplicación del 5 y del 1.

Haz una matriz para cada multiplicación.

5 × 8 = 40

1 × 8 = 8

6 × 8 equivale a 6 filas de 8.

Es decir, 5 veces ocho y 1 ocho más.

5 veces ocho es 40.

8 más es 48.

40 + 8 = 48

Por tanto, 6 × 8 = 48.

En la banda hay 48 músicos.

## Práctica guiada*

### ¿CÓMO hacerlo?

En los Ejercicios **1** a **6,** multiplica. Haz dibujos o usa fichas como ayuda.

**1.** 6 × 10

**2.** 7 × 6

**3.**  12
     × 6

**4.**   11
      × 7

**5.** Halla 4 veces 7.

**6.** Multiplica 6 por 5.

### ¿Lo ENTIENDES?

**7.** Dibuja dos matrices que muestren que 6 × 9 es igual a 5 × 9 más 1 × 9. Explica tu dibujo.

**8.** Los estudiantes que se gradúan están formados en 7 filas iguales. Hay 9 estudiantes en cada fila. ¿Cuántos estudiantes se gradúan?

## Práctica independiente

En los Ejercicios **9** a **23,** halla los productos. Haz dibujos como ayuda.

**9.** 6 × 7

**10.** 7 × 9

**11.** 9 × 6

**12.** 12 × 7

**13.** 6 × 4

**14.** 6 × 6

**15.** 10 × 7

**16.** 8 × 6

**17.** 7 × 7

**18.** 7 × 3

**19.**   5
      × 7

**20.**   3
      × 6

**21.**   4
      × 7

**22.**   7
      × 8

**23.**   11
      × 6

eTools
www.pearsonsuccessnet.com

DIGITAL

*Puedes encontrar otro ejemplo en el Grupo C, página 176.*

**24.** El Museo Nacional de Trenes de Juguete tiene 5 grandes circuitos de trenes. ¿Cuántos trenes hay en el museo?

**25. Sentido numérico** Margarita dice que el producto de 1 × 0 es lo mismo que la suma de 1 + 0. ¿Tiene razón? Explica.

6 trenes en cada circuito.

**26.** Miguel tenía canastas de naranjas en su tienda. Cada canasta contenía 6 naranjas.

Si Miguel contara las naranjas en grupos de 6, ¿qué lista mostraría los números que contó?

**A** 6, 12, 21, 26

**C** 12, 16, 20, 24

**B** 6, 11, 16, 21

**D** 12, 18, 24, 30

**27. Escribir para explicar** Nancy hizo las matrices que se muestran para hallar 6 × 3. Explica cómo modificar las matrices para hallar 7 × 3. Usa objetos y haz un dibujo.

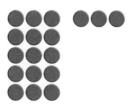

En los Ejercicios **28** y **29,** usa los dibujos de los trenes siguientes.

**28.** Un grupo de turistas necesita 7 filas de asientos en el vagón 5 del tren Réseau. ¿Cuántos asientos quedan para los demás pasajeros?

**29. Estimación** Redondea a la decena más cercana para calcular aproximadamente cuántos asientos hay en total en los trenes Atlantique y Sud-Est.

Atlantique
485 asientos en total

| 3 asientos en cada fila | 3 asientos en cada fila | 3 asientos en cada fila | 4 asientos en cada fila | 4 asientos en cada fila |

Réseau
377 asientos en total

| 3 asientos en cada fila | 3 asientos en cada fila | 3 asientos en cada fila | 4 asientos en cada fila | 4 asientos en cada fila |

Sud-Est
345 asientos en total

| 3 asientos en cada fila | 3 asientos en cada fila | 3 asientos en cada fila | 4 asientos en cada fila | 4 asientos en cada fila |

## Oraciones numéricas con más de una operación

Algunas oraciones numéricas tienen más de una operación. Las reglas para el *orden de las operaciones* indican el orden en el que se deben realizar las operaciones.

## Reglas para el orden de las operaciones

- Primero, realiza las operaciones que están dentro del paréntesis ( ).

- Después, realiza las multiplicaciones en orden, de izquierda a derecha.

- Luego, realiza las sumas y restas en orden, de izquierda a derecha.

**Ejemplo:** $(8 - 2) \times 7 = $ ▢

**Piénsalo** ¿Qué operaciones se usan? ¿Se usan paréntesis?

Realiza las operaciones dentro del paréntesis.

$$(8 - 2) \times 7$$
$$6 \quad \times 7$$

Luego, realiza la multiplicación.

$$6 \times 7 = 42$$

**Ejemplo:** $5 + 3 \times 6 = $ ▢

Realiza la multiplicación. $\quad 5 + 3 \times 6$

$$5 + \quad 18$$

Luego, realiza la suma. $\quad 5 + 18 = 23$

Copia y completa las oraciones numéricas siguiendo el orden de las operaciones.

**1.** $(5 + 3) \times 6 = $ ▢

**2.** $7 + 3 \times 2 = $ ▢

**3.** $(7 + 3) \times 2 = $ ▢

**4.** $(8 + 4) \times 2 = $ ▢

**5.** $3 + 2 \times 9 = $ ▢

**6.** $(7 - 1) \times 4 = $ ▢

**7.** $8 + 0 \times 6 = $ ▢

**8.** $(2 + 2) \times 7 = $ ▢

**9.** $(6 - 3) \times 4 = $ ▢

**10.** $16 - 4 \times 3 = $ ▢

**11.** $13 + 9 \times 0 = $ ▢

**12.** $45 - 3 \times 2 = $ ▢

En los Ejercicios **13** y **14,** copia y completa la oración numérica debajo de cada problema. Úsala como ayuda para resolver el problema.

**13.** Natalia tenía 2 juegos de trenes con 7 vagones cada uno. Sacó 3 vagones de cada juego. ¿Cuántos vagones en total hay ahora en los juegos de trenes?

$(7 - ▢) \times 2 = $ ▢

**14.** Joan tenía 5 lápices. Luego compró 4 paquetes de lápices. Cada paquete tenía 6 lápices. ¿Cuál es la cantidad total de lápices que Joan tiene ahora?

$5 + 4 \times ▢ = $ ▢

**15. Escribe un problema** Escribe un problema de la vida diaria que se pueda resolver usando la oración numérica $3 + (6 \times 2) = $ ▢.

TEKS 3.4A: Aprender
y aplicar las tablas de
multiplicación hasta
12 por 12 utilizando
modelos concretos
y objetos.
También, **TEKS 3.4B.**

# El 8 como factor

### ¿Cómo usas dobles para multiplicar por 8?

En la feria escolar, los estudiantes tratan de embocar una pelota de ping-pong en un tazón. Hay 8 filas de tazones. Hay 8 tazones en cada fila. ¿Cuántos tazones hay en total?

**Escoge una operación** Multiplica para hallar el total de una matriz. Halla 8 × 8.

## Práctica guiada*

### ¿CÓMO hacerlo?

En los Ejercicios **1** a **6,** multiplica.

**1.** 8 × 7

**2.** 8 × 12

**3.** 6 × 8

**4.** 10 × 8

**5.**  11
    × 8

**6.**   8
     × 3

### ¿Lo ENTIENDES?

**7.** ¿Cómo puede 5 × 8 = 40 ayudarte a hallar cuánto es 8 × 8?

**8.** ¿Cómo puedes usar 4 × 7 para hallar 8 × 7?

**9.** La Sra. Reyes necesita hacer un pedido de ladrillos para el jardín. Necesita 8 filas de ladrillos. Cada fila tendrá 7 ladrillos. ¿Cuántos ladrillos en total necesita pedir la Sra. Reyes?

## Práctica independiente

En los Ejercicios **10** a **27,** halla los productos.

**10.** 8 × 4

**11.** 11 × 8

**12.** 2 × 9

**13.** 5 × 7

**14.** 8 × 2

**15.** 8 × 6

**16.** 5 × 9

**17.** 8 × 5

**18.** 0 × 8

**19.** 4 × 9

**20.**  10
     × 8

**21.**   3
     × 7

**22.**   8
     × 8

**23.**  12
     × 4

**24.**   9
     × 8

**25.** Halla 6 veces 9.

**26.** Multiplica 8 × 1.

**27.** Halla 9 veces 8.

*Puedes encontrar otro ejemplo en el Grupo D, página 177.*

Usa las operaciones de multiplicación del 2 para hallar $8 \times 8$.

$8 \times 8$ equivale a 4 grupos de 2 veces ocho.

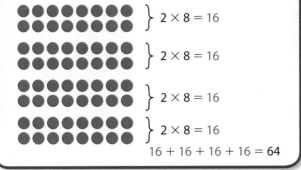

$\left.\right\}\ 2 \times 8 = 16$

$\left.\right\}\ 2 \times 8 = 16$

$\left.\right\}\ 2 \times 8 = 16$

$\left.\right\}\ 2 \times 8 = 16$

$16 + 16 + 16 + 16 = 64$

Duplica una operación de multiplicación del 4 para hallar $8 \times 8$.

$8 \times 8$ es 4 veces ocho más 4 veces ocho.

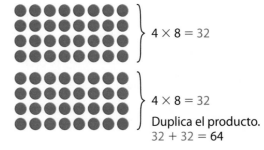

$\left.\right\}\ 4 \times 8 = 32$

$\left.\right\}\ 4 \times 8 = 32$

Duplica el producto.
$32 + 32 = 64$

Por tanto, $8 \times 8 = 64$.

Hay 64 tazones en total.

## ★TAKS Resolución de problemas

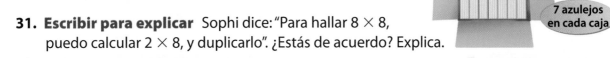

En los Ejercicios **28** a **30,** halla el número total de azulejos.

**28.** Mischa compró 8 cajas de azulejos a cuadros.

**29.** Aaron compró 6 cajas de azulejos amarillos.

**30.** Liz compró 7 cajas de azulejos verdes.

8 azulejos en cada caja

9 azulejos en cada caja

7 azulejos en cada caja

**31. Escribir para explicar** Sophi dice: "Para hallar $8 \times 8$, puedo calcular $2 \times 8$, y duplicarlo". ¿Estás de acuerdo? Explica.

En los Ejercicios **32** y **33,** usa la tabla de la derecha.

**32. Álgebra** La cantidad total de dinero que Nate gastó en la gran venta de ropa es $(2 \times \$9) + \$42$. ¿Qué compró?

**33.** Willa compró una camisa y un suéter. Le sobraron $14. ¿Cuánto dinero tenía antes de hacer la compra?

| Gran venta de ropa | |
| --- | --- |
| Camisa | $23 |
| Cinturón | $9 |
| Suéter | $38 |
| Par de *jeans* | $42 |

**34.** La Srta. Vero tenía cajas de crayones en un armario. Cada caja tenía 8 crayones.

Si la Srta. Vero contara los crayones en grupos de 8, ¿qué lista mostraría los números que contó?

**A** 8, 16, 28, 32

**B** 8, 14, 18, 24

**C** 16, 20, 24, 28

**D** 16, 24, 32, 40

# Multiplicar con 3 factores

## ¿Cómo multiplicas 3 números?

**TEKS 3.4A:** Aprender y aplicar las tablas de multiplicación hasta 12 por 12 utilizando modelos concretos y objetos.
También, **TEKS 3.4B.**

Andrea está uniendo 3 partes de una colcha de retazos. Cada parte tiene 2 filas con 4 cuadrados en cada fila. ¿Cuántos cuadrados hay en total en las 3 partes?

Halla $3 \times 2 \times 4$.

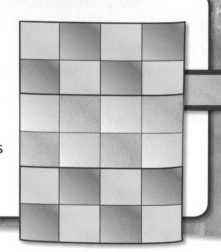

## Práctica guiada*

### ¿CÓMO hacerlo?

En los Ejercicios **1** a **6,** multiplica. Usa objetos o haz un dibujo como ayuda.

**1.** $2 \times 4 \times 2$    **2.** $3 \times 4 \times 3$

**3.** $2 \times 2 \times 3$    **4.** $2 \times 5 \times 2$

**5.** $3 \times 2 \times 4$    **6.** $2 \times 6 \times 2$

### ¿Lo ENTIENDES?

**7.** En el ejemplo de arriba, si hallas $3 \times 4$ primero, ¿obtienes el mismo producto? Explícalo.

**8.** Sara tiene 4 partes de una colcha de retazos. Cada parte tiene 3 filas con 3 cuadrados en cada fila. ¿Cuántos cuadrados tienen las partes de la colcha de Sara?

## Práctica independiente

En los Ejercicios **9** a **16,** halla los productos. Haz un dibujo como ayuda.

**9.** $2 \times 3 \times 2$    **10.** $5 \times 2 \times 2$    **11.** $3 \times 6 \times 1$    **12.** $3 \times 3 \times 2$

**13.** $2 \times 2 \times 2$    **14.** $2 \times 3 \times 4$    **15.** $3 \times 3 \times 3$    **16.** $6 \times 2 \times 2$

En los Ejercicios **17** a **22,** escribe el número que falta.

**17.** $3 \times (2 \times 5) = 30$. Así, $(3 \times 2) \times 5 = $ ▢    **18.** $5 \times (7 \times 2) = (7 \times 2) \times $ ▢

**19.** $4 \times (2 \times 2) = 16$. Así, $(4 \times 2) \times 2 = $ ▢    **20.** $8 \times (3 \times 6) = (8 \times 3) \times $ ▢

**21.** $(7 \times 3) \times 4 = $ ▢ $\times (3 \times 4)$    **22.** $5 \times (2 \times 9) = (5 \times $ ▢ $) \times 9$

Glosario animado
www.pearsonsuccessnet.com

## Una manera

Halla primero 3 × 2.

$(3 \times 2) \times 4$

↓

6    × 4 = 24

6 filas, 4 cuadrados en cada fila

Hay 24 cuadrados en total.

## Otra manera

Halla primero 2 × 4.

$3 \times (2 \times 4)$

↓

3 ×    8 = 24    3 partes, 8 cuadrados en cada parte

Hay 24 cuadrados en total en las partes de la colcha de retazos de Andrea.

La propiedad asociativa (o de agrupación) de la multiplicación dice que puedes cambiar la forma de agrupar los factores y el producto será el mismo.

---

**TAKS Resolución de problemas**

En los Ejercicios **23** a **25,** halla la cantidad total de huevos.

**23.** Hay 8 nidos de sinsontes en el parque. En cada nido hay 5 huevos.

**24.** En otro parque, hay 3 nidos de sinsontes con 4 huevos cada uno y 2 nidos más con 3 huevos cada uno.

El sinsonte pone de 3 a 5 huevos.

**25. Estimación** ¿Aproximadamente cuántos huevos encontrarías en 10 nidos?

**26. ¿Es razonable?** Anita dice que el producto de 5 × 2 × 3 es menor que 20. ¿Estás de acuerdo? Explica.

En los Ejercicios **27** y **28,** usa la tabla de la derecha.

**27.** Ellis compró 3 paquetes de tarjetas de beisbol y 2 paquetes de tarjetas de básquetbol. ¿Cuántas tarjetas compró en total?

**28.** Mandy compró 1 paquete de cada uno de los 4 tipos de tarjetas. ¿Qué cantidad de tarjetas compró en total?

| Gran venta de tarjetas deportivas | |
| --- | --- |
| Tipo de tarjetas | Cantidad de tarjetas en cada paquete |
| Beisbol | 8 |
| Básquetbol | 5 |
| Futbol | 7 |
| Hockey | 6 |

Datos

**29.** ¿Qué número hace falta para que esta oración numérica sea verdadera?

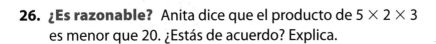

$4 \times (3 \times 2) = (4 \times \quad) \times 2$

**A** 12    **B** 7    **C** 3    **D** 2

# 8-6

**TEKS 3.14B:** Resolver problemas que incorporen la comprensión del problema, hacer un plan, llevarlo a cabo y evaluar lo razonable de la solución.

**Resolución de problemas**

# Problemas de varios pasos

Algunos problemas verbales tienen preguntas escondidas que debes responder antes de resolver el problema.

Keisha compró 2 yardas de fieltro para hacer unos títeres. Tanya compró 6 yardas de fieltro. El fieltro costó $3 la yarda. ¿Cuánto gastaron las dos niñas en el fieltro?

$3
la yarda

## Otro ejemplo

Keisha quiere hacer 3 títeres. Tanya hará 3 veces la cantidad de títeres que Keisha. Se necesitan 2 botones para los ojos de cada título. ¿Cuántos botones necesitará Tanya?

**Halla y resuelve la pregunta escondida.**

¿Cuántos títeres hará Tanya?

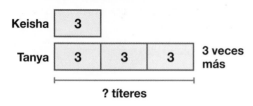

$3 \times 3$ títeres $= 9$ títeres

Tanya hará 9 títeres.

**Usa la respuesta a la pregunta escondida para resolver el problema.**

¿Cuántos botones necesitará Tanya?

Botones para cada título

$9 \times 2$ botones $= 18$ botones

Tanya necesitará 18 botones.

## Explícalo

1. Phillip escribió $3 + 3 + 3 = $ ▢ en vez de $3 \times 3 = $ ▢ para el diagrama para la pregunta escondida. ¿Es correcta su oración numérica? Explícalo.

2. **Sentido numérico** ¿Qué multiplicación escribirías para hallar cuántos botones necesitan las dos niñas? Explica tu razonamiento.

**Halla y resuelve la pregunta escondida.**

¿Cuánto fieltro compraron las niñas en total?

| ? yardas en total | |
|---|---|
| 2 yardas | 6 yardas |

2 yardas + 6 yardas = 8 yardas

Las niñas compraron 8 yardas de fieltro.

**Usa la respuesta a la pregunta escondida para resolver el problema.**

¿Cuánto gastaron las niñas en total?

| ? costo total | | | | | | | |
|---|---|---|---|---|---|---|---|
| $3 | $3 | $3 | $3 | $3 | $3 | $3 | $3 |

$8 \times \$3 = \$24$

Las dos niñas gastaron $24 en el fieltro.

## Práctica guiada*

### ¿CÓMO hacerlo?

1. Keisha compró pegamento por $3, lentejuelas por $6 y encaje por $4 para decorar sus títeres. Pagó por estos artículos con un billete de $20. ¿Cuánto cambio recibió?

   **Ojo** *La pregunta escondida es "¿Cuál es el costo total de los tres artículos?"*

### ¿Lo ENTIENDES?

2. Describe otra manera de resolver el problema de arriba sobre la compra del fieltro.

3. **Escribe un problema** Escribe un problema que tenga una pregunta escondida. Luego, resuelve el problema.

## Práctica independiente

4. En la biblioteca hay 4 videos y algunos libros sobre dinosaurios. Hay 5 veces más libros que videos. ¿Cuántos libros sobre dinosaurios hay en la biblioteca?

| Videos | 4 | | | | |
|---|---|---|---|---|---|

| Libros | 4 | 4 | 4 | 4 | 4 |
|---|---|---|---|---|---|

5 veces más

? libros en total

**¿En aprietos? Intenta esto...**

- ¿Qué sé?
- ¿Qué se me pide que halle?
- ¿Qué diagrama puedo usar como ayuda para entender el problema?
- ¿Puedo usar la suma, la resta, la multiplicación o la división?
- ¿Es correcto todo mi trabajo?
- ¿Respondí la pregunta que correspondía?
- ¿Es razonable mi respuesta?

En los Ejercicios **5** a **8,** usa las ilustraciones.

**5.** Craig compró 2 bolsas de naranjas. Se comió 3 naranjas, ¿cuántas le quedan?

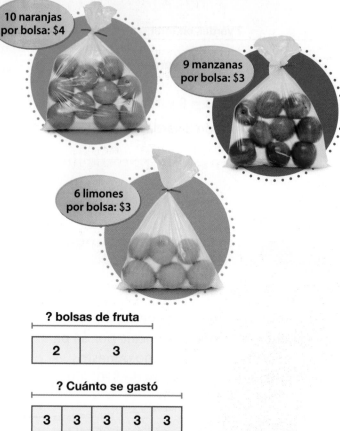

10 naranjas por bolsa: $4

9 manzanas por bolsa: $3

6 limones por bolsa: $3

**Ojo** *Primero calcula cuántas naranjas compró Craig.*

**? naranjas en total**

| 10 | 10 |
|----|----|

**20**

| 3 | ? |
|---|---|

**6.** Delia compró 2 bolsas de limones y 3 bolsas de manzanas. ¿Cuánto gastó en las frutas?

**Ojo** *Primero halla cuántas bolsas de fruta compró Delia.*

**? bolsas de fruta**

| 2 | 3 |
|---|---|

**? Cuánto se gastó**

| 3 | 3 | 3 | 3 | 3 |
|---|---|---|---|---|

**7.** El Sr. Day compró una bolsa de manzanas, una de naranjas y una de limones. Pagó con un billete de $20. ¿Cuánto cambio debe recibir?

**8.** La Sra. Evans compró 2 bolsas de naranjas y 2 bolsas de limones. ¿Cuántas frutas compró?

## Piensa en el proceso

**9.** Alberto tenía $38. Gastó $4 en un muñequito de acción y $10 en un juego de mesa. ¿Qué oración numérica muestra cuánto dinero le queda a Alberto?

**A** $38 + $4 + $10 =

**B** $38 − ($4 + $10) =

**C** $38 − $4 =

**D** 38 + $10 =

**10.** José tiene 4 muñequitos de acción. Su hermano tiene 3 veces más el número de muñequitos de acción. ¿Qué oración numérica muestra cuántos muñequitos de acción tienen los niños en total?

**F** $4 + 3 =$

**G** $4 \times 3 =$

**H** $4 - 3 =$

**J** $4 + (3 \times 4) =$

## Usar operaciones conocidas

Usa  tools

### Fichas

Usa operaciones conocidas para hallar $4 \times 6$ y $6 \times 7$.

**Paso 1** Ve a las Fichas de eTools. Selecciona el área de trabajo doble. Usa $2 \times 6$ para hallar $4 \times 6$. Selecciona una ficha. A la izquierda, muestra dos filas de 6 fichas. Mira el odómetro. Puedes ver que $2 \times 6 = 12$. Muestra las mismas filas a la derecha. Hay 4 filas de 6 fichas en total. $4 \times 6 = 24$ y $12 + 12 = 24$.

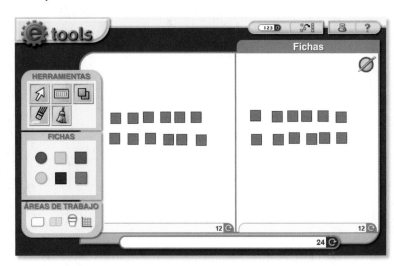

**Paso 2** Usa la herramienta para limpiar un lado del área de trabajo. Selecciona el otro lado y límpialo usando la herramienta para limpiar. Usa $5 \times 7$ y $1 \times 7$ para hallar $6 \times 7$. Muestra 5 filas de 7 fichas en un lado del área de trabajo. Mira el odómetro para hallar que $5 \times 7 = 35$. Muestra 1 fila de 7 fichas en el otro lado. Hay 6 filas de 7 fichas en total.
$6 \times 7 = 42$ y $35 + 7 = 42$.

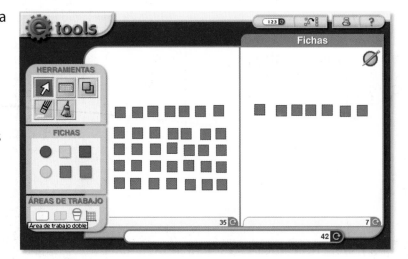

## Práctica

Usa las Fichas de eTools y operaciones conocidas para hallar los productos. Explica cómo hallaste los productos.

**1.** $4 \times 9$

**2.** $8 \times 8$

**3.** $6 \times 8$

**4.** $7 \times 7$

1. El verano pasado, en el Parque Estatal de las Cataratas de Pedernales, Martín recorrió 7 veces las 8 millas del Sendero de la montaña Lobo. ¿Cuántas millas en total recorrió por el sendero? (8-3)

   A 15

   B 54

   C 56

   D 78

2. Un partido de hockey se juega en 3 tiempos. ¿Cuántos tiempos hay en 5 partidos de hockey? (8-1)

   F 8

   G 12

   H 15

   J 18

3. ¿Qué opción muestra una manera de hallar $4 \times 6$? (8-2)

   A $4 + 6$

   B $12 + 12$

   C $6 + 6 + 6$

   D $12 + 2$

4. Jorge compró 3 paquetes de invitaciones. En cada paquete había 8 invitaciones. Envió 20 invitaciones. ¿Qué opción muestra una manera de hallar cuántas invitaciones quedan? (8-6)

   F Multiplica 3 por 8 y luego resta 20.

   G Multiplica 3 por 20 y luego resta 8.

   H Multiplica 5 por 8 y luego suma 20.

   J Multiplica 3 por 8 y luego suma 20.

5. En cada caja hay 6 pastelitos. Si cuentas los pastelitos en grupos de 6, ¿qué lista muestra los números que nombrarías? (8-3)

   A 6, 12, 16, 24

   B 6, 12, 16, 22

   C 12, 18, 24, 32

   D 12, 18, 24, 30

6. Esteban les da a sus peces 2 porciones de alimento 3 veces al día. ¿Cuántas porciones de alimento les da a sus peces en 7 días? (8-5)

   F 13

   G 14

   H 21

   J 42

7. La Sra. Chávez colocó placas nuevas para los interruptores de luz en su casa. Colocó 8 placas dobles y 7 placas sencillas. Las placas dobles requieren 4 tornillos y las sencillas requieren 2 tornillos. ¿Cuántos tornillos usó la Sra. Chávez en total? (8-6)

   A 32

   B 39

   C 44

   D 46

**8.** El Sr. Hernández compró 8 bolsas de limas. En cada bolsa hay 4 limas. ¿Cuántas limas compró? (8-2)

**F** 32

**G** 28

**H** 24

**J** 12

**9.** ¿Qué número hace que la oración numérica sea verdadera? (8-5)

$6 \times (9 \times 2) = (6 \times 9) \times \square$

**A** 2

**B** 6

**C** 9

**D** 54

**10.** En un desfile había una banda de música. Los miembros de la banda marcharon en 8 filas. En cada fila había 6 miembros de la banda. ¿Qué opción muestra una manera de hallar $8 \times 6$? (8-4)

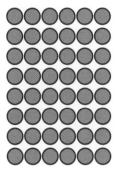

**F** $8 + 6$

**G** $24 + 24 + 24$

**H** $12 + 12 + 12 + 12$

**J** $16 + 16 + 16 + 16$

**11.** El equipo de básquetbol Cougars tiene 8 jugadores. El entrenador encargó 3 pares de medias para cada jugador. ¿Cuántos pares encargó? (8-4)

**A** 16

**B** 24

**C** 32

**D** 48

**12.** ¿Qué opción describe mejor todos los números en la señal de millas? (8-1)

Allen — 9 mi
Plano — 15 mi
Parque Highland — 30 mi
Dallas — 33 mi

**F** Todos son mayores que 18.

**G** Todos son múltiplos de 5.

**H** Todos son múltiplos de 3.

**J** Todos son menores que 30.

**13.** ¿Cuál es una manera de calcular $7 \times 6$? (8-3)

**A** $35 + 14$

**B** $30 + 12$

**C** $35 + 6$

**D** $30 + 14$

**14.** **Respuesta en plantilla** La Sra. Kent conduce un total de 4 millas 2 veces por día para llevar a sus niños a la escuela. ¿Cuántas millas conduce en 5 días? (8-5)

**Grupo A,** páginas 158 y 159

Halla 3 × 7.

Puedes descomponer una matriz en operaciones básicas conocidas.

3 × 7 = 3 grupos de 7
Esto es 2 veces siete más 1 siete.

●●●●●●●  2 × 7 = 14
●●●●●●●                    } 14 + 7 = 21
●●●●●●●  1 × 7 = 7

Por tanto, 3 × 7 = 21.

**Recuerda** que puedes usar operaciones conocidas como ayuda para multiplicar.

Halla el producto.

| | | |
|---|---|---|
| **1.** 3 × 8 | **2.** 6 × 3 | **3.** 4 × 3 |
| **4.** 2 × 3 | **5.** 9 × 3 | **6.** 1 × 3 |

**7.**　3　　　**8.**　3　　　**9.**　10
　　　× 3　　　　　× 5　　　　　× 3

---

**Grupo B,** páginas 160 y 161

Halla 4 × 7.

Piensa en una operación de multiplicación del 2. Luego, duplica el producto.

4 × 7 = 4 grupos de 7.

☆☆☆☆☆☆☆  2 × 7 = 14
☆☆☆☆☆☆☆                    } 14 + 14 = 28
☆☆☆☆☆☆☆  2 × 7 = 14
☆☆☆☆☆☆☆

Por tanto, 4 × 7 = 28.

**Recuerda** que puedes dibujar matrices para resolver operaciones de multiplicación.

Halla el producto.

| | | |
|---|---|---|
| **1.** 4 × 10 | **2.** 3 × 4 | **3.** 6 × 4 |
| **4.** 4 × 5 | **5.** 4 × 4 | **6.** 9 × 4 |

**7.**　8　　　**8.**　4　　　**9.**　11
　　　× 4　　　　　× 2　　　　　× 4

---

**Grupo C,** páginas 162 a 164

Halla 7 × 6.

Usa operaciones de multiplicación del 5 y del 2 para multiplicar por 7.

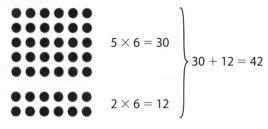

5 × 6 = 30
　　　　　　} 30 + 12 = 42
2 × 6 = 12

Por tanto, 7 × 6 = 42.

**Recuerda** que puedes usar operaciones conocidas para multiplicar por 6 y por 7.

Halla el producto.

| | | |
|---|---|---|
| **1.** 7 × 9 | **2.** 8 × 7 | **3.** 6 × 9 |
| **4.** 3 × 6 | **5.** 7 × 4 | **6.** 6 × 8 |

**7.**　7　　　**8.**　6　　　**9.**　12
　　　× 7　　　　　× 2　　　　　× 7

**Grupo D,** páginas 166 y 167

Halla $8 \times 6$. Puedes duplicar una operación de multiplicación del 4.

Halla $4 \times 6$. Luego, duplica el producto.

$4 \times 6 = 24$

$4 \times 6 = 24$

$24 + 24 = 48$

Por tanto, $8 \times 6 = 48$.

**Recuerda** que debes comprobar que tu dibujo muestre las matrices correctas para los números que se multiplican.

Halla el producto.

**1.** $7 \times 8$ **2.** $8 \times 8$ **3.** $1 \times 8$

**4.** $8 \times 9$ **5.** $10 \times 8$ **6.** $5 \times 8$

**7.** $\begin{array}{r} 2 \\ \times\ 8 \\ \hline \end{array}$ **8.** $\begin{array}{r} 3 \\ \times\ 8 \\ \hline \end{array}$ **9.** $\begin{array}{r} 11 \\ \times\ 8 \\ \hline \end{array}$

**Grupo E,** páginas 168 y 169

Halla $4 \times 5 \times 2$.

La propiedad asociativa de la multiplicación dice que puedes cambiar la agrupación de los factores y el producto será el mismo.

**Una manera**

$(4 \times 5) \times 2$

$20 \quad \times 2 = 40$

**Otra manera**

$4 \times (5 \times 2)$

$4 \times \quad 10 = 40$

Por tanto, $4 \times 5 \times 2 = 40$.

**Recuerda** que puedes hacer un dibujo como ayuda para multiplicar 3 factores.

Halla el producto.

**1.** $3 \times 2 \times 5$ **2.** $5 \times 3 \times 4$

**3.** $1 \times 9 \times 8$ **4.** $7 \times 2 \times 5$

**5.** $6 \times 3 \times 4$ **6.** $4 \times 3 \times 2$

**Grupo F,** páginas 170 y 172

Algunos problemas tienen preguntas escondidas.

Jeff cobraba $10 por lavar un carro y $7 por pasear un perro. ¿Cuánto dinero ganó Jeff por lavar 6 carros y pasear 1 perro?

Halla y resuelve la pregunta escondida.
¿Cuánto dinero ganó Jeff por lavar 6 carros?
$6 \times \$10 = \$60$
Luego, resuelve el problema.
¿Cuánto dinero ganó Jeff en total?
$\$60 + \$7 = \$67$
Jeff ganó $67.

**Recuerda** que debes leer atentamente en qué orden suceden las cosas.

**1.** En la feria, Bonnie quiere comprar 2 anillos y 1 bolígrafo. Cada anillo cuesta 8 boletos y cada bolígrafo cuesta 6 boletos. ¿Cuántos boletos necesita en total?

**2.** La Sra. Green compró 2 bolsas de manzanas. Cada bolsa tenía 10 manzanas. Se comió 4. ¿Cuántas manzanas le quedaron?

## Números y operaciones

**1.** Hay gente ocupando 73 asientos en un teatro. Hay 39 asientos desocupados. ¿Cuál es la mejor estimación del número total de asientos en el teatro?

**A** 110      **C** 100

**B** 30        **D** 20

**2.** Jeremy tiene un álbum de fotos con 12 páginas. Cada página tiene 6 fotos. ¿Cuántas fotos hay en su álbum?

**F** 2 fotos

**G** 12 fotos

**H** 18 fotos

**J** 72 fotos

**3.** Escribe la forma desarrollada de novecientos veinte.

**4.** Halla $160 + 27 + 391$.

**5.** Escribe una multiplicación que signifique lo mismo que $6 + 6 + 6$. Escribe el producto.

**6.** ¿Qué número hace verdadera esta oración numérica?
$$\boxed{\phantom{x}} \times 9 = 54$$

**7.** **Escribir para explicar** Explica cómo hallar el producto de $7 \times 4$.

## Geometría y medición

**8.** ¿Qué nombre describe mejor la figura?

**A** Esfera

**B** Cono

**C** Pirámide

**D** Cilindro

**9.** Haz un dibujo de una casa usando por lo menos 3 figuras diferentes. Nombra cada figura que uses.

**10.** ¿Qué medida describe mejor la longitud de un billete de un dólar?

**F** 6 centímetros

**G** 6 pulgadas

**H** 6 pies

**J** 6 metros

**11.** Nombra dos objetos que pesan menos de 1 libra.

**12.** ¿Qué hora muestra el reloj?

**13.** **Escribir para explicar** A la 1 P.M. la temperatura era 78 °F. A las 9 P.M. era 63 °F. ¿Cuántos grados cambió la temperatura? ¿Aumentó o disminuyó? Explica.

## Probabilidad y estadística

En los Ejercicios **14** y **15,** usa la tabla que muestra el número de canicas de colores que hay en una bolsa.

**Datos**

| Colores de las canicas | |
|---|---|
| **Color** | **Número en la bolsa** |
| Amarillo | 9 |
| Azul | 3 |
| Verde | 5 |
| Morado | 1 |

**14.** Si Sara saca una canica de la bolsa sin mirar, ¿qué color es más probable que saque?

**A** Amarillo      **C** Verde

**B** Azul      **D** Morado

**15.** Sara saca las canicas amarillas y moradas de la bolsa. ¿Cuántas canicas azules necesita poner en la bolsa para que sea igualmente probable escoger una canica azul o una verde?

**F** 1      **G** 2      **H** 3      **J** 4

En los Ejercicios **16** y **17,** usa la pictografía.

| Estudiantes en el campamento | |
|---|---|
| Grado 3 | 🧍🧍🧍🧍 |
| Grado 4 | 🧍🧍🧍🧍🧍🧍 |
| Clave: Cada 🧍 = 2 estudiantes | |

**16.** ¿Cuántos más estudiantes del Grado 4 que del Grado 3 hay en el campamento?

**17.** **Escribir para explicar** Explica cómo puedes usar la multiplicación para hallar el número de estudiantes del Grado 4 que hay en el campamento.

## Razonamiento algebraico

**18.** Resuelve: $53 + \boxed{\phantom{0}} = 70$

**A** 7      **B** 10      **C** 17      **D** 123

**19.** El Sr. Jenkins tenía cajas de pintura. Cada caja tenía 6 pinturas.

Si el Sr. Jenkins contó las pinturas en grupos de 6, ¿qué lista muestra los números que pudo haber contado?

**F** 6, 7, 8, 9

**G** 6, 10, 14, 18

**H** 6, 10, 16, 20

**J** 6, 12, 18, 24

**20.** El hermano de Jaime tiene 17 años y su hermana tiene 15 años. La suma de las tres edades es 40. ¿Cuántos años tiene Jaime?

**21.** ¿Qué oración numérica está en la misma familia de operaciones que $6 + 4 = 10$?

**A** $10 + 4 = 14$

**B** $6 \times 4 = 24$

**C** $6 - 4 = 2$

**D** $10 - 6 = 4$

**22.** **Escribir para explicar** Andrés dice que $\boxed{\phantom{0}} = 7$ puede hacer que la oración numérica $\boxed{\phantom{0}} + 5 = 11$ sea verdadera. ¿Tiene razón? Explica.

# Patrones de multiplicación y sentido numérico

**1** ¿Cuántos pasajeros pueden volar en cada viaje del *Flagship Knoxville?* Lo averiguarás en la Lección 9-5.

**2** ¿Aproximadamente cuánto pesa un manatí comparado con un águila real? Lo averiguarás en la Lección 9-1.

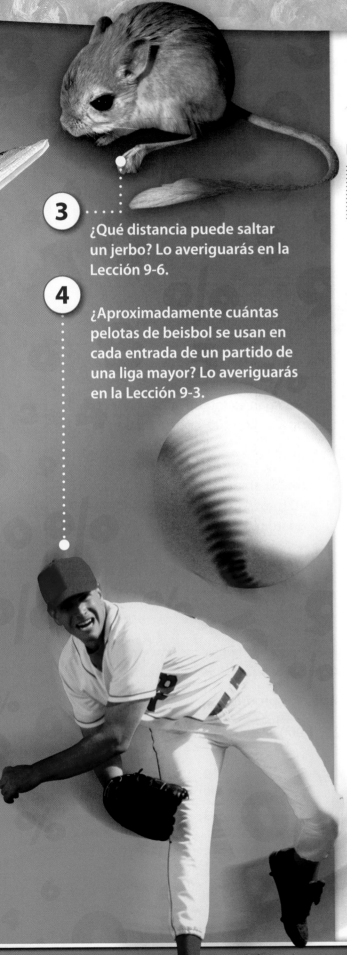

**3** ¿Qué distancia puede saltar un jerbo? Lo averiguarás en la Lección 9-6.

**4** ¿Aproximadamente cuántas pelotas de beisbol se usan en cada entrada de un partido de una liga mayor? Lo averiguarás en la Lección 9-3.

## Vocabulario

Escoge el mejor término del recuadro.

- sumandos
- producto
- factores
- suma

1. Cuando sumas para combinar números, otro nombre para el total es la __?__.

2. La propiedad conmutativa de la multiplicación dice que los __?__ pueden multiplicarse en cualquier orden y la respuesta será la misma.

3. En la oración numérica $9 \times 6 = 54$, el número 54 es el __?__.

## Multiplicación

Multiplica.

**4.** $3 \times 9$   **5.** $8 \times 7$   **6.** $6 \times 6$

**7.** $4 \times 8$   **8.** $7 \times 5$   **9.** $4 \times 2$

**10.** $7 \times 6$   **11.** $8 \times 9$   **12.** $6 \times 8$

## Matrices

Dibuja una matriz de puntos para cada multiplicación.

**13.** $3 \times 9$   **14.** $4 \times 8$

**15. Escribe un problema** Escribe un problema de la vida diaria para la oración numérica $7 \times 6$.

**TEKS 3.4B:** Resolver y anotar problemas de multiplicación (hasta dos dígitos por un dígito). También, **TEKS 3.6B**.

# Usar el cálculo mental para multiplicar

Manos a la obra
bloques de valor de posición

**¿Cómo multiplicas por múltiplos de 10, de 100 y de 1,000?**

Usa bloques de valor de posición para hallar los productos.

6 × 100 equivale a 6 grupos de cien, o sea 600.

5 × 1,000 equivale a 5 grupos de mil, o sea 5,000.

## Práctica guiada*

### ¿CÓMO hacerlo?

En los Ejercicios **1** a **8,** usa bloques de valor de posición o patrones para hallar los productos.

**1.** 8 × 100

**2.** 7 × 1,000

**3.** 6 × 1,000

**4.** 9 × 100

**5.** 6 × 40

**6.** 3 × 700

**7.** 9 × 50

**8.** 5 × 3,000

### ¿Lo ENTIENDES?

**9.** En los ejemplos de arriba, ¿qué patrón ves cuando multiplicas un número por 10, por 100 y por 1,000?

**10.** Jay sabe que la tarjeta de memoria de su cámara digital puede guardar 70 fotos. ¿Cuántas fotos podrían guardar 4 tarjetas de memoria?

**11.** Tu amigo dice: "El producto de 6 × 5 es 30; por tanto, 6 × 500 es 300". ¿Tiene razón? Explica.

## Práctica independiente

En los Ejercicios **12** a **27,** usa el cálculo mental para hallar los productos.

**12.** 4 × 10

**13.** 9 × 100

**14.** 2 × 1,000

**15.** 3 × 60

**16.** 8 × 80

**17.** 6 × 50

**18.** 40 × 7

**19.** 900 × 4

**20.** 500 × 9

**21.** 70 × 5

**22.** 100 × 8

**23.** 2 × 6,000

**24.** 200 × 8

**25.** 300 × 6

**26.** 4 × 500

**27.** 3 × 400

eTools
www.pearsonsuccessnet.com

*Puedes encontrar otro ejemplo en el Grupo A, página 202.

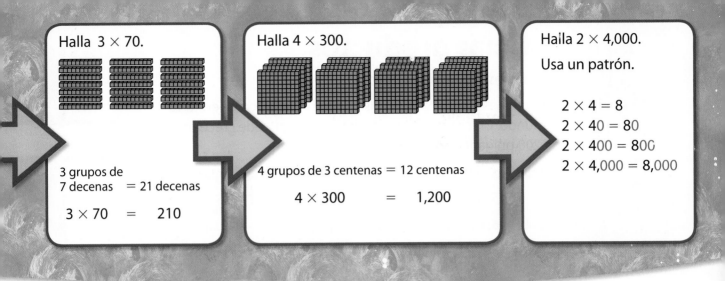

Halla $3 \times 70$.

3 grupos de
7 decenas $= 21$ decenas

$3 \times 70 = 210$

Halla $4 \times 300$.

4 grupos de 3 centenas $= 12$ centenas

$4 \times 300 = 1,200$

Halla $2 \times 4,000$.

Usa un patrón.

$2 \times 4 = 8$
$2 \times 40 = 80$
$2 \times 400 = 800$
$2 \times 4,000 = 8,000$

---

**TAKS Resolución de problemas**

En los Ejercicios **28** y **29,** usa la tabla de la derecha.

**28.** Si usaras una lavadora para tres cargas de ropa, ¿cuántos galones de agua usarías? Haz dibujos o usa bloques de valor de posición para mostrar el problema.

**29. Escribir para explicar** ¿Cuánta agua ahorrarías si tomaras una ducha de diez minutos en vez de un baño por día, durante 5 días? Explica cómo resolviste el problema.

| Usos del agua | |
|---|---|
| **Uso** | **Cantidad estimada de galones** |
| Baño | 50 |
| Lavaplatos (1 carga) | 10 |
| Ducha (10 minutos) | 20 |
| Inodoro (1 tirón de cadena) | 5 |
| Lavadora (1 carga) | 50 |

**30.** En los Estados Unidos, cada persona usa aproximadamente 200 galones de agua por día. Aproximadamente 125 galones se usan en el cuarto de baño. ¿Cuántos galones de agua se usan de otras maneras?

**31.** Un águila real pesa aproximadamente 11 libras. Un manatí puede pesar 100 veces esa cantidad. ¿Cuánto puede pesar un manatí?

**32.** Un elefante africano bebe aproximadamente 50 galones de agua por día. ¿Cuántos galones de agua bebe el elefante en 7 días?

**33.** Hay 6 pisos en un edificio. Cada piso tiene 20 ventanas. Algunas ventanas tienen 2 cortinas. ¿Cuántas ventanas tiene el edificio en total?

A 240          C 120

B 122          D 28

**TEKS 3.5A:** Redondear números enteros a la decena o centena más cercana para aproximar resultados razonables de problemas.

# Estimar productos

## ¿Cómo estimas productos?

El bambú es una de las plantas que más rápido crece en todo el mundo. Crece unas 36 pulgadas por día. ¿Puede crecer más de 200 pulgadas por semana?

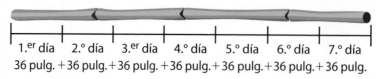

| 1.er día | 2.º día | 3.er día | 4.º día | 5.º día | 6.º día | 7.º día |

36 pulg. + 36 pulg. + 36 pulg. + 36 pulg. + 36 pulg. + 36 pulg. + 36 pulg.

---

## Práctica guiada*

### ¿CÓMO hacerlo?

En los Ejercicios **1** a **6,** haz una estimación de los productos.

**1.** $6 \times 18$

**2.** $3 \times 52$

**3.** $5 \times 79$

**4.** $4 \times 65$

**5.** $7 \times 23$

**6.** $9 \times 37$

### ¿Lo ENTIENDES?

**7.** En el ejemplo de arriba, la respuesta exacta, ¿es más o menos que la estimación de 280? ¿Cómo lo sabes?

**8.** La planta de kudzú es una enredadera que crece unas 12 pulgadas por día. ¿Crece más de 100 pulgadas por semana? Explica cómo redondeaste para hacer una estimación.

---

## Práctica independiente

En los Ejercicios **9** a **28,** haz una estimación de los productos.

**9.** $2 \times 46$

**10.** $8 \times 31$

**11.** $5 \times 84$

**12.** $7 \times 26$

**13.** $4 \times 58$

**14.** $6 \times 19$

**15.** $3 \times 67$

**16.** $9 \times 23$

**17.** $8 \times 44$

**18.** $5 \times 32$

**19.** $9 \times 47$

**20.** $2 \times 64$

**21.** $4 \times 71$

**22.** $7 \times 98$

**23.** $6 \times 85$

**24.** $4 \times 31$

**25.** $\begin{array}{r} 56 \\ \times\ 2 \\ \hline \end{array}$

**26.** $\begin{array}{r} 73 \\ \times\ 5 \\ \hline \end{array}$

**27.** $\begin{array}{r} 29 \\ \times\ 3 \\ \hline \end{array}$

**28.** $\begin{array}{r} 47 \\ \times\ 6 \\ \hline \end{array}$

*Puedes encontrar otro ejemplo en el Grupo B, página 202.

Una estimación es suficiente para saber si la planta puede crecer más de 200 pulgadas en una semana.

Haz una estimación de $7 \times 36$.

Redondea 36 a la decena más cercana.

$7 \times 36$

↓ 36 se redondea a 40.

$7 \times 40 = 280$

$7 \times 36$ es aproximadamente 280.

Compara la estimación con 200 pulgadas.

$280 > 200$

Por tanto, una planta de bambú puede crecer más de 200 pulgadas por semana.

---

**TAKS Resolución de problemas**

En los Ejercicios **29** a **31**, usa la gráfica de la derecha.

29. **Escribir para explicar** Una planta gigante de bambú, ¿crece más de 100 pulgadas en 6 días? Explica cómo redondeaste para estimar la respuesta.

30. **¿Es razonable?** Jim dice que un árbol de eucalipto crece más en 8 días que el pasto de Bermuda en 2 días. ¿Es razonable lo que dice? Explícalo.

31. ¿Cuánto más crece un bambú gigante en un día que el pasto de Bermuda?

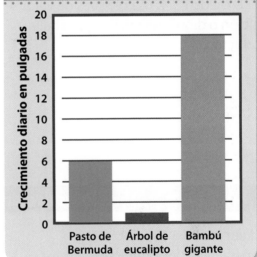

**Plantas de crecimiento rápido**

Crecimiento diario en pulgadas

Pasto de Bermuda — Árbol de eucalipto — Bambú gigante

32. **Álgebra** Busca patrones en la tabla. Copia y completa.

| 2 | 3 | 4 | 5 | 7 | 9 |
|---|---|---|---|---|---|
| 40 | 60 | ▪ | 100 | ▪ | ▪ |

33. Hay 18 filas de asientos en un avión. Cada fila tiene 6 asientos. ¿Cuál es la mejor estimación del número de pasajeros en el avión?

**A** 20    **B** 60    **C** 120    **D** 200

34. **Piensa en el proceso** Jamal está comprando 5 libros. Cada libro cuesta $19. ¿Qué oración numérica muestra la mejor estimación del costo total de los libros?

**F** $5 \times \$10 = \$50$    **H** $5 \times \$20 = \$100$

**G** $\$5 + \$20 = \$25$    **J** $\$10 + \$20 = \$30$

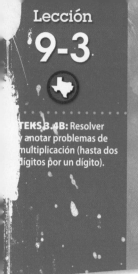

TEKS 3.4B: Resolver y anotar problemas de multiplicación (hasta dos dígitos por un dígito).

# Multiplicación y matrices

Manos a la obra
bloques de valor de posición

4 filas

13 lámparas en cada fila

## ¿Cómo usas matrices para mostrar cómo multiplicar con números más grandes?

En una tienda, las lámparas de lava están ordenadas en 4 filas iguales. ¿Cuál es el número total de lámparas de lava en la tienda?

**Escoge una operación** Multiplica para hallar el total de una matriz.

---

## Práctica guiada*

### ¿CÓMO hacerlo?

En los Ejercicios **1** a **4**, usa bloques de valor de posición o dibuja una matriz para hallar los productos.

**1.** $5 \times 14$

**2.** $3 \times 21$

**3.** $2 \times 38$

**4.** $4 \times 29$

### ¿Lo ENTIENDES?

**5.** En el ejemplo de arriba, ¿qué operación de multiplicación podrías usar para hallar el número total de unidades?

**6.** En un estante de una tienda, los focos están ordenados en 3 filas iguales. Hay 17 focos en cada fila. ¿Cuál es el número total de focos en el estante?

---

## Práctica independiente

En los Ejercicios **7** a **11**, dibuja una matriz para hallar los productos.

 *Puedes dibujar líneas para mostrar decenas y X para mostrar unidades. El dibujo siguiente muestra 23.*

_____ _____ × × ×

**7.** $3 \times 26$

**8.** $5 \times 15$

**9.** $2 \times 18$

**10.** $4 \times 16$

**11.** $7 \times 21$

En los Ejercicios **12** a **21**, halla los productos. Usa bloques de valor de posición o haz un dibujo como ayuda.

**12.** $2 \times 47$

**13.** $6 \times 28$

**14.** $5 \times 31$

**15.** $3 \times 45$

**16.** $4 \times 32$

**17.** $8 \times 15$

**18.** $3 \times 29$

**19.** $5 \times 22$

**20.** $2 \times 38$

**21.** $4 \times 19$

DIGITAL
eTools
www.pearsonsuccessnet.com

*Puedes encontrar otro ejemplo en el Grupo C, página 202.

## Paso 1

Usa una matriz para mostrar $4 \times 13$.

4 filas de 1 decena y 3 unidades en cada fila.

## Paso 2

Halla cuántas unidades hay en total.

4 decenas     12 unidades

Cuenta de diez en diez y luego sigue contando las unidades para hallar el total.

10, 20, 30, 40

41, 42, 43, 44, 45, 46, 47, 48, 49, 50, 51, 52

Hay 52 lámparas de lava en la tienda.

---

## TAKS Resolución de problemas

En los Ejercicios **22** y **23,** usa la tabla de la derecha.

**22.** Jake caminó durante 1 minuto. ¿Cuál es el número de latidos de su corazón?

**23. Enfoque en la estrategia** Resuelve. Usa la estrategia Intentar, revisar y corregir.

Mientras estaba haciendo una de las actividades, Jake contó los latidos de su corazón. Descubrió que el número de latidos en un minuto era mayor que 120, pero menor que 130. ¿Qué actividad estaba haciendo? Explica cómo resolviste el problema.

**Datos**

| Ritmo cardíaco de Jake | |
| --- | --- |
| **Actividad** | **Número de latidos en 10 segundos** |
| Andar en bicicleta | 21 |
| Descansar | 13 |
| Correr | 22 |
| Caminar | 18 |

**Ojo** *El número de latidos del corazón en 1 minuto es 6 veces el número de latidos en 10 segundos.*

**24.** Las latas de sopa en la vitrina de la tienda están ordenadas en filas. Hay 27 latas en cada fila. Hay 3 filas. ¿Qué oración numérica describe la matriz de latas de sopa?

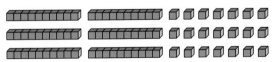

**A** $3 \times 27 = 81$

**B** $6 \times 21 = 126$

**C** $6 + 21 = 27$

**D** $2 \times 27 = 54$

**25.** ¿Qué oración de multiplicación escribirías para esta matriz?

_____ _____ _____ × × × ×

_____ _____ _____ × × × ×

**26.** En una entrada de beisbol, cada pelota se usó para hacer 7 lanzamientos. Escribe una oración numérica que muestre el número total de lanzamientos en esa entrada.

Se usaron 4 pelotas de beisbol en cada entrada.

Lección

9-4

TEKS 3.4B: Resolver y anotar problemas de multiplicación (hasta dos dígitos por un dígito).

# Descomponer para multiplicar

Manos a la obra
bloques de valor de posición

24 espacios en cada fila

## ¿Cómo descompones para multiplicar números más grandes?

Un estacionamiento tiene el mismo número de espacios en cada fila. ¿Cuántos espacios hay en el estacionamiento?

**Escoge una operación** Multiplica para hallar el total de una matriz.

4 filas

---

## Práctica guiada*

### ¿CÓMO hacerlo?

En los Ejercicios **1** y **2**, copia y completa.

**1.** $4 \times 36$
   $4 \times 3$ decenas = ▢ decenas, o sea 120
   $4 \times 6$ unidades = 24 unidades, o sea ▢
   ▢ + ▢ = ▢

**2.** $5 \times 27$
   $5 \times 20 = ▢$
   $5 \times 7 = ▢$
   ▢ + ▢ = ▢

En los Ejercicios **3** y **4,** halla los productos. Usa bloques de valor de posición o dibujos como ayuda.

**3.** $2 \times 48$          **4.** $6 \times 34$

### ¿Lo ENTIENDES?

**5.** En el ejemplo del estacionamiento de arriba, ¿en qué dos grupos se descompuso la matriz?

**6.** En un garaje de autobuses, los autobuses están estacionados en filas iguales. Hay 4 filas. Hay 29 autobuses en cada fila. ¿Cuál es el número total de autobuses en el garaje?

**7. Escribir para explicar** Explica por qué puedes descomponer números para multiplicarlos sin que cambie el producto.

---

## Práctica independiente

En los Ejercicios **8** a **17,** halla los productos. Usa bloques de valor de posición o dibujos como ayuda.

**8.** $3 \times 19$     **9.** $4 \times 31$     **10.** $6 \times 23$     **11.** $5 \times 25$     **12.** $2 \times 54$

**13.** $3 \times 49$    **14.** $6 \times 27$    **15.** $5 \times 43$    **16.** $7 \times 35$    **17.** $4 \times 62$

eTools, Glosario animado
www.pearsonsuccessnet.com

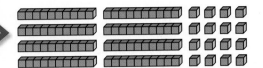
**Paso 2**

Suma cada parte para hallar el producto.

$4 \times 20 = 80$        $4 \times 4 = 16$

$80 + 16 = 96$

80 y 16 son productos parciales, porque son las partes del producto.

$4 \times 24 = 96$

Hay 96 espacios en el estacionamiento.

---

**TAKS Resolución de problemas**

En los Ejercicios **18** a **22**, halla el número total de millas recorridas en el número dado de semanas.

**18.** Policía: 4 semanas

**19.** Enfermera: 6 semanas

**20.** Cartero: 7 semanas

**21.** Médico: 3 semanas

**22.** Reportero: 2 semanas

| **Datos** Tipo de trabajo | Distancia recorrida en 1 semana |
|---|---|
| Médico | 16 millas |
| Cartero | 21 millas |
| Enfermera | 18 millas |
| Policía | 32 millas |
| Reportero | 19 millas |

**23. Estimación** Walt tiene $80. ¿Tiene suficiente dinero para comprar una silla y un escritorio? Explica cómo redondeaste para estimar.

**24.** Nilda compró un estante, una lámpara y un escritorio. ¿Cuál fue el costo total de los tres artículos?

**25.** Raúl está contando los huevos que hay en 8 filas. Cada fila tiene 36 huevos. ¿Qué oración numérica muestra la mejor manera de hacer una estimación del número total de huevos en las 8 filas?

**A** $8 + 30 = 38$        **C** $8 \times 30 = 240$

**B** $10 + 40 = 50$        **D** $8 \times 40 = 320$

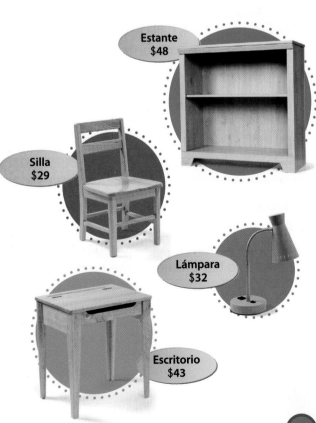

Estante $48

Silla $29

Lámpara $32

Escritorio $43

Lección
9-5

TEKS 3.4B: Resolver y anotar problemas de multiplicación (hasta dos dígitos por un dígito).

# Usar un algoritmo desarrollado

**Manos a la obra**
bloques de valor de posición

## ¿Cómo usas el valor de posición para multiplicar?

¿Cuántas calorías hay en 3 duraznos?

Halla 3 × 46.

Haz una estimación: 3 × 50 = 150

**Calorías**

| Fruta | Número de calorías |
|---|---|
| Durazno | 46 |
| Naranja | 35 |
| Pera | 40 |

## Práctica guiada*

### ¿CÓMO hacerlo?

En los Ejercicios **1** y **2**, copia y completa. Usa bloques de valor de posición o haz dibujos como ayuda.

**1.**  16
× 3
18

**2.**  34
× 5
20

En los Ejercicios **3** y **4**, halla los productos. Usa bloques de valor de posición o haz dibujos como ayuda.

**3.**  67
× 2

**4.**  54
× 7

### ¿Lo ENTIENDES?

En los Ejercicios **5** a **7**, usa el ejemplo de arriba.

**5.** ¿Qué factores dan el producto parcial 18? ¿Qué factores dan el producto parcial 120?

**6.** ¿Cuál es el paso siguiente después de haber hallado los productos parciales?

**7.** ¿Cuántas calorías hay en 2 naranjas?

## Práctica independiente

**Práctica al nivel** En los Ejercicios **8** y **9**, copia y completa. En los Ejercicios **10** a **12**, halla los productos. Usa bloques de valor de posición o haz dibujos como ayuda.

**Ojo** *Puedes dibujar líneas para mostrar decenas y X para mostrar unidades. Este dibujo muestra 27.*

**8.**  36
× 2
12

**9.**  53
× 4
12

**10.**  18
× 7

**11.**  42
× 6

**12.** 3 × 65

eTools
www.pearsonsuccessnet.com

*Puedes encontrar otro ejemplo en el Grupo E, página 203.

Haz una matriz para 3 × 46.

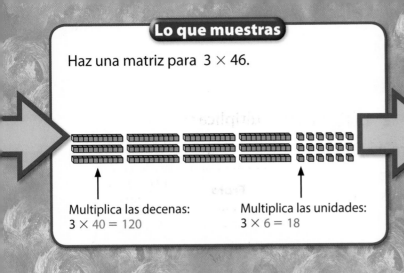

Multiplica las decenas:
3 × 40 = 120

Multiplica las unidades:
3 × 6 = 18

$$\begin{array}{r} 46 \\ \times\ \ 3 \\ \hline 18 \\ +\ 120 \\ \hline 138 \end{array}$$

18 ← Productos
120 ← parciales

Hay 138 calorías en 3 duraznos.

¿Es razonable la respuesta?
Sí. 138 está cerca de la estimación de 150.

## TAKS Resolución de problemas

**13.** La familia de Sam está planeando unas vacaciones. La tabla muestra el precio de ida de un pasaje de avión, desde su ciudad a tres ciudades distintas.

**a** ¿Cuánto más cuesta el pasaje de ida a Atlanta que el pasaje de ida a Chicago?

**b** ¿Cuánto gastaría la familia de Sam por 3 pasajes de ida y vuelta a Kansas City?

**Ojo** *Un pasaje de ida y vuelta cuesta el doble que un pasaje de ida solamente.*

**Datos**

| Tarifa de pasajes | |
|---|---|
| **Ciudad** | **Precio del pasaje de ida** |
| Atlanta | $87 |
| Chicago | $59 |
| Kansas City | $49 |

**14. Razonamiento** ¿Cómo el saber que 5 × 14 = 70 te ayuda para calcular 5 × 16? Explica tu estrategia.

**15. Álgebra** El producto de este número entero y 25 es mayor que 50 pero menor que 100. ¿Cuál es el número?

**16.** ¿Cuántos pasajeros en total podría llevar el *Flagship Knoxville*, en 3 viajes?

**17. Escribir para explicar** Para hallar 24 × 7, Joel suma los productos parciales 28 y 14. ¿Tiene razón? Explica.

**18.** El Sr. Cruz pesó 8 cajas. Cada caja pesaba 17 libras. ¿Cuál era el peso total en libras?

A 25 libras     C 856 libras

B 136 libras     D 8,056 libras

21 pasajeros por viaje

Lección
9-6

**TEKS 3.4B:** Resolver y anotar problemas de multiplicación (hasta dos dígitos por un dígito).

# Multiplicar números de 2 dígitos por números de 1 dígito

**Manos a la obra**
bloques de valor de posición

## ¿Cómo reagrupas para multiplicar?

Una carpa herbívora puede comer por día 3 veces su peso en alimentos vegetales. ¿Cuánto puede comer esta carpa herbívora por día?

> Esta carpa herbívora pesa 26 libras.

Halla $3 \times 26$.

Haz una estimación: $3 \times 30 = 90$

---

**Otro ejemplo**  ¿Cómo reagrupas para multiplicar sin usar bloques de valor de posición?

Un atún rojo puede nadar 67 pies en 1 segundo. ¿Cuántos pies puede nadar en 4 segundos?

Halla $4 \times 67$.

Haz una estimación: $4 \times 70 = 280$

? pies en total

| 67 | 67 | 67 | 67 |
|----|----|----|----|

↑
número de pies que el atún nada por segundo

**Paso 1**

Multiplica las unidades.
Reagrupa si es necesario.

$4 \times 7 = 28$ unidades
Reagrupa 28 unidades
como 2 decenas y 8 unidades.

$$\begin{array}{r} \overset{2}{6}7 \\ \times\ \ 4 \\ \hline 8 \end{array}$$

**Paso 2**

Multiplica las decenas.
Suma las decenas reagrupadas.

$4 \times 6$ decenas $= 24$ decenas
24 decenas $+$ 2 decenas $= 26$ decenas

$$\begin{array}{r} \overset{2}{6}7 \\ \times\ \ 4 \\ \hline 268 \end{array}$$

El atún puede nadar 268 pies.

¿Es razonable la respuesta?
Sí. 268 está cerca de la estimación de 280.

**Explícalo**

1. ¿Por qué aparece un 2 pequeñito arriba del 6? ¿Por qué sumas el 2 en vez de multiplicar por ese número?

2. Un delfín puede nadar 44 pies por segundo. ¿Cuántos pies puede nadar en 5 segundos?

Multiplica las unidades. Reagrupa si es necesario.

$$\begin{array}{r} \overset{1}{2}6 \\ \times\ \ 3 \\ \hline 8 \end{array}$$

$3 \times 6 = 18$ unidades
Reagrupa 18 unidades como 1 decena y 8 unidades.

Multiplica las decenas. Suma las decenas reagrupadas.

$3 \times 2$ decenas $= 6$ decenas
$6$ decenas $+ 1$ decena $= 7$ decenas

$$\begin{array}{r} \overset{1}{2}6 \\ \times\ \ 3 \\ \hline 78 \end{array}$$

La carpa hervíbora puede comer 78 libras de alimentos por día.

---

## Práctica guiada*

### ¿CÓMO hacerlo?

En los Ejercicios **1** y **2,** copia y completa. Haz dibujos como ayuda.

**1.**
$$\begin{array}{r} 13 \\ \times\ \ 6 \\ \hline 8 \end{array}$$

**2.**
$$\begin{array}{r} 24 \\ \times\ \ 7 \\ \hline 8 \end{array}$$

En los Ejercicios **3** y **4,** halla los productos. Haz dibujos como ayuda.

**3.**
$$\begin{array}{r} 78 \\ \times\ \ 4 \\ \hline \end{array}$$

**4.**
$$\begin{array}{r} 35 \\ \times\ \ 8 \\ \hline \end{array}$$

### ¿Lo ENTIENDES?

**5.** En el ejemplo de arriba, ¿por qué la estimación es mayor que la respuesta exacta?

**6.** En el ejemplo de arriba, ¿cuánto alimento podría comer la carpa herbívora en 4 días?

**7.** Un tiburón azul puede nadar 36 pies en 1 segundo. ¿Cuántos pies puede nadar en 3 segundos?

---

## Práctica independiente

En los Ejercicios **8** a **15,** primero haz una estimación y luego halla los productos. Puedes hacer dibujos como ayuda.

**8.**
$$\begin{array}{r} 49 \\ \times\ \ 2 \\ \hline \end{array}$$

**9.**
$$\begin{array}{r} 37 \\ \times\ \ 3 \\ \hline \end{array}$$

**10.**
$$\begin{array}{r} 64 \\ \times\ \ 5 \\ \hline \end{array}$$

**11.**
$$\begin{array}{r} 52 \\ \times\ \ 9 \\ \hline \end{array}$$

**12.** $6 \times 53$

**13.** $7 \times 38$

**14.** $4 \times 44$

**15.** $5 \times 42$

*Puedes encontrar otro ejemplo en el Grupo E, página 203.*

# Práctica independiente

En los Ejercicios **16** a **24,** halla los productos.

**16.**  46
     $\times\ 7$

**17.**  23
     $\times\ 9$

**18.**  85
     $\times\ 4$

**19.**  19
     $\times\ 6$

**20.**  89
     $\times\ 2$

**21.** $2 \times 48$

**22.** $91 \times 3$

**23.** $86 \times 5$

**24.** $6 \times 47$

## TAKS Resolución de problemas

**25.** El avestruz es el ave terrestre más rápida. Un avestruz puede correr 66 pies en 1 segundo. El guepardo es el mamífero terrestre más veloz: puede correr 94 pies en 1 segundo. ¿Cuántos pies menos que el guepardo puede correr el avestruz en 1 segundo?

**26.** La longitud del cuerpo del jerbo se muestra en el dibujo. ¿Qué distancia puede llegar a saltar este jerbo?

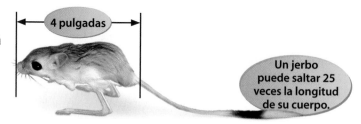

4 pulgadas

Un jerbo puede saltar 25 veces la longitud de su cuerpo.

**27. Estimación** Dionne redondeó para hacer una estimación del producto de 58 por otro número. Su estimación del producto fue 300. ¿Cuál de los siguientes números escogerías para el otro factor?

**A** 3          **B** 5          **C** 8          **D** 10

**28.** En un museo, se formaron 8 grupos de personas para hacer visitas guiadas. En cada grupo había 32 personas. ¿Cuántas personas hicieron las visitas guiadas?

**F** 40          **G** 246

**H** 256          **J** 2,416

**29.** El edificio del Centro Columbia tiene 4 veces el número de pisos que un edificio de 19 pisos. ¿Cuántos pisos más tiene el Centro Columbia que un edificio de 19 pisos?

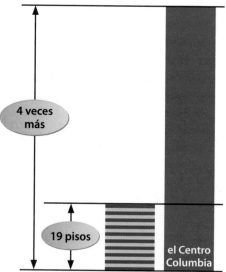

4 veces más

19 pisos

el Centro Columbia

**Álgebra** En los Ejercicios **30** a **32,** copia y completa. Usa $<$, $>$ o $=$.

**30.** $53 \times 6 \bigcirc 308$          **31.** $19 \times 5 \bigcirc 145$          **32.** $24 \times 4 \bigcirc 12 \times 8$

# Enlaces con el Álgebra

## Usar las propiedades de la multiplicación

Recuerda que debes usar las propiedades de la multiplicación como ayuda para completar oraciones numéricas.

**Propiedad conmutativa (o de orden)** Puedes multiplicar factores en cualquier orden y el producto será el mismo. $5 \times 9 = 9 \times 5$

**Propiedad de identidad (o del uno)** Cuando multiplicas un número por 1, el producto es ese mismo número. $1 \times 8 = 8$

**Propiedad del cero** Cuando multiplicas un número por 0, el producto es 0. $0 \times 7 = 0$

**Propiedad asociativa (o de agrupación)** Puedes cambiar la agrupación de los factores y el producto será el mismo. $(3 \times 2) \times 4 = 3 \times (2 \times 4)$

---

**Ejemplo:** $\boxed{\phantom{0}} \times 8 = 0$

**Piénsalo** ¿Qué número multiplicado por 8 es igual a 0?

Usa la propiedad del cero.
$$\underline{0} \times 8 = 0$$

**Ejemplo:**
$$6 \times (9 \times 7) = (6 \times \boxed{\phantom{0}}) \times 7$$

**Piénsalo** ¿Qué número hace que los dos lados sean iguales?

Usa la propiedad asociativa.
$$6 \times (9 \times 7) = (6 \times \underline{9}) \times 7$$

---

Copia y completa con el número que hace que los dos lados sean iguales.

**1.** $10 \times \boxed{\phantom{0}} = 10$

**2.** $12 \times 8 = 8 \times \boxed{\phantom{0}}$

**3.** $6 \times (2 \times 5) = (6 \times \boxed{\phantom{0}}) \times 5$

**4.** $\boxed{\phantom{0}} \times 8 = 0$

**5.** $\boxed{\phantom{0}} \times 7 = 7 \times 11$

**6.** $(4 \times 3) \times \boxed{\phantom{0}} = 4 \times (3 \times 8)$

**7.** $6 \times \boxed{\phantom{0}} = 9 \times 6$

**8.** $\boxed{\phantom{0}} \times 9 = 9$

**9.** $(\boxed{\phantom{0}} \times 7) \times 2 = 5 \times (7 \times 2)$

- - - - - - - - - - - - - - - - - - - - - - - - - - - - - - - - - - - - - - - -

En los Ejercicios **10** y **11,** copia y completa la oración numérica. Resuelve el problema.

**10.** Gloria pegó en una hoja 8 filas de calcomanías, con 9 calcomanías en cada fila. Luego, en otra hoja, pegó el mismo número de calcomanías en 9 filas. ¿Cuántas calcomanías había en cada una de estas filas?

$8 \times 9 = 9 \times \boxed{\phantom{0}}$

¿Cuántas calcomanías tenía ella en total?

**11.** Hal y David tienen copias de las mismas fotos. Hal pega 5 fotos en cada una de las 6 páginas de 2 álbumes de fotos. David necesita 5 páginas en 2 álbumes para las mismas fotos. ¿Cuántas fotos hay en cada página de los álbumes de David?

$(6 \times 5) \times 2 = (5 \times \boxed{\phantom{0}}) \times 2$

¿Cuántas fotos tiene cada uno?

**12. Escribe un problema** Escribe un problema de la vida diaria que pueda representarse con la oración numérica de la derecha. $\boxed{\phantom{0}} \times 12 = 12 \times 3$

**TEKS 3.14C:** Seleccionar o desarrollar un plan o una estrategia de resolución de problemas apropiado en el que haga un dibujo, busque un patrón, adivine y compruebe sistemáticamente, haga una dramatización, elabore una tabla, resuelva un problema más sencillo o trabaje desde el final hasta el principio para resolver un problema.

# Hacer un dibujo y Escribir una oración numérica

Oscar compró 5 cajas de agua embotellada. ¿Cuántas botellas de agua compró Oscar?

24 botellas por caja

## Otro ejemplo

Melody quiere comprar una caja de envases de jugo. Hay 3 veces más envases en una caja grande que en una caja regular. ¿Cuántos envases de jugo hay en una caja grande?

Caja regular: 18 envases

Caja grande

### Planea

Usa un dibujo o diagrama para mostrar lo que sabes.

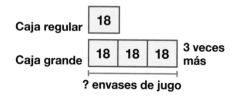

**Escribe una oración numérica**

Halla el número que es 3 veces 18.

$3 \times 18 = $ ▢

### Resuelve

Halla $3 \times 18$.

$$
\begin{array}{r}
\overset{2}{\phantom{0}}18 \\
\times \phantom{0}3 \\
\hline
54
\end{array}
$$

Una caja grande tiene 54 envases de jugo.

### Comprueba

Asegúrate de que la respuesta sea razonable. Haz una estimación para comprobar. 18 se redondea a 20.

$20 \times 3 = 60$

54 está cerca de 60; por tanto, la respuesta es razonable.

## Explícalo

1. **Sentido numérico** ¿Por qué no puedes usar para este problema el mismo tipo de diagrama que usaste para el problema en la parte de arriba de la página?

2. Describe otra manera que puedas usar para comprobar que la respuesta al problema de arriba es correcta.

Usa un dibujo o un diagrama para mostrar lo que sabes.

? botellas en total

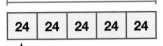

| 24 | 24 | 24 | 24 | 24 |

↑ Número de botellas en cada caja

Conoces el número de botellas en cada grupo y sabes que los grupos son iguales. Por tanto, puedes multiplicar para hallar el total.

Halla $5 \times 24$.

$$
\begin{array}{r}
\overset{2}{24} \\
\times\ 5 \\
\hline
120
\end{array}
$$

Oscar compró 120 botellas de agua.

Asegúrate de que la respuesta es razonable.

Haz una estimación para comprobar.

24 se redondea a 20.

$20 \times 5 = 100$

120 está cerca de 100, por tanto, la respuesta es razonable.

## Práctica guiada*

### ¿CÓMO hacerlo?

1. Una colección de muñecas se exhibe en 8 filas. En cada fila hay 16 muñecas. ¿Cuántas muñecas hay en la colección?

? muñecas en total

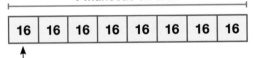

| 16 | 16 | 16 | 16 | 16 | 16 | 16 | 16 |

↑ Número de muñecas en cada fila

### ¿Lo ENTIENDES?

2. **Escribir para explicar** ¿Por qué multiplicas para resolver el Problema 1?

3. **Escribe un problema** Escribe un problema que se pueda resolver haciendo un dibujo. Haz el dibujo y resuelve.

## Práctica independiente

4. Eduardo tiene 36 tarjetas de futbol americano. Tiene 3 veces más tarjetas de beisbol. ¿Cuántas tarjetas de beisbol tiene?

tarjetas de futbol americano | 36 |

tarjetas de beisbol | 36 | 36 | 36 | 3 veces más

? tarjetas de beisbol en total

5. **Escribir para explicar** Noah tiene que colocar 95 libros en 4 estantes. Si coloca 24 libros en cada estante, ¿cabrán todos los libros en los estantes?

?

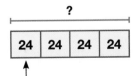

| 24 | 24 | 24 | 24 |

↑ Número de libros en cada estante

**¿En aprietos? Intenta esto...**

- ¿Qué sé?
- ¿Qué se me pide que halle?
- ¿Qué diagrama puedo usar como ayuda para entender el problema?
- ¿Puedo usar la suma, la resta, la multiplicación o la división?
- ¿Es correcto todo mi trabajo?
- ¿Respondí a la pregunta que correspondía?
- ¿Es razonable mi respuesta?

*Puedes encontrar otro ejemplo en el Grupo F, página 203.

La tabla muestra cuántas calorías quema una persona que pesa 100 libras durante las diferentes actividades. Usa la tabla para los Ejercicios **6** a **8.**

**6.** Marta corrió durante 15 minutos. ¿Cuántas calorías quemó?

? calorías en total

| 8 | 8 | 8 | 8 | 8 | 8 | 8 | 8 | 8 | 8 | 8 | 8 | 8 | 8 | 8 |
|---|---|---|---|---|---|---|---|---|---|---|---|---|---|---|

**Número de calorías quemadas por minuto**

**Datos**

### Calorías quemadas en 1 minuto

| Actividad | Número de calorías |
|---|---|
| Andar en bicicleta | 5 |
| Correr | 8 |
| Patinar | 4 |
| Caminar | 4 |

**7.** Julio caminó durante 25 minutos. Luego patinó durante 20 minutos. ¿Cuántas calorías quemó?

**8.** Cathy piensa andar en bicicleta 15 minutos todos los días. ¿Cuántas calorías quemará en una semana?

**9.** Frank anduvo en bicicleta durante una hora. Luego patinó durante 25 minutos. ¿Cuántos minutos más pasó andando en bicicleta que patinando?

**10. Estimación** Según datos del Departamento de Salud de los EE. UU., muchos niños pasan aproximadamente 32 horas por semana frente a la pantalla de una computadora. ¿Aproximadamente cuántas horas por mes?

**Ojo** *1 mes tiene aproximadamente 4 semanas.*

**11.** Stacy tiene 3 bolsas de cuentas rojas. Cynthia tiene 2 bolsas más que Stacy. En cada bolsa hay 24 cuentas.

**a** ¿Cuántas cuentas tiene cada niña?

**b** ¿Cuántas cuentas tienen las niñas en total?

### Piensa en el proceso

**12.** Mike gana $4 por hora haciendo trabajos de jardín. La semana pasada trabajó 12 horas y esta semana trabajó 23 horas. ¿Qué oración numérica muestra cuánto ganó esta semana?

**A** $23 + $12 = ▩

**B** 12 × $4 = ▩

**C** 23 × $4 = ▩

**D** (23 × $4) × 7 = ▩

**13.** Katy leyó 46 páginas de un libro el lunes. El martes leyó 25 páginas. Aún le quedan 34 páginas por leer. ¿Qué oración numérica muestra cuántas páginas hay en el libro?

**F** 46 + 25 = ▩

**G** 46 − 34 = ▩

**H** (46 + 25) − 34 = ▩

**J** 46 + 25 + 34 = ▩

## Hacia el mundo digital

## Matrices y productos parciales

Usa 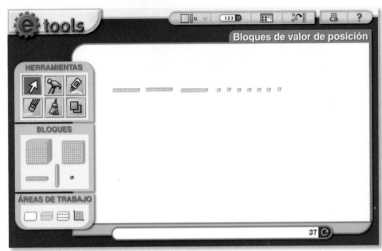 tools

### Bloques de valor de posición

Halla 4 × 37. Usa una matriz para mostrar los productos parciales.

**Paso 1** Ve a la herramienta de bloques de valor de posición. Selecciona un bloque de decenas horizontal. Haz clic en el área de trabajo 3 veces para mostrar las 3 decenas en 37. Selecciona un bloque de unidades. Haz clic en el área de trabajo 7 veces para mostrar las 7 unidades en 37. Pon todos estos bloques en una fila.

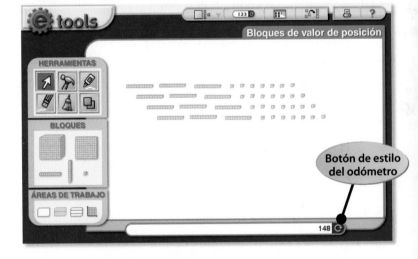

**Paso 2** Haz 3 filas más con 37 en cada una, así tienes 4 filas en total. Haz clic en el botón de estilo del odómetro hasta que aparezcan los productos parciales 120 + 28 en el odómetro. Haz clic en el botón de estilo del odómetro nuevamente hasta que aparezca el producto. El odómetro debe mostrar 148. Ahora, escribe una oración numérica que muestre los productos parciales y el producto.

Botón de estilo del odómetro

4 × 37 = 120 + 28 = 148

## Práctica

Usa los bloques de valor de posición de eTools para hallar los productos parciales y los productos.

**1.** 3 × 56

**2.** 3 × 29

**3.** 2 × 68

**4.** 2 × 87

**5.** 3 × 98

**6.** 5 × 17

**1.** Juliana compró 7 paquetes de papel. Cada paquete tenía 500 hojas. ¿Cuántas hojas de papel compró Juliana? (9-1)

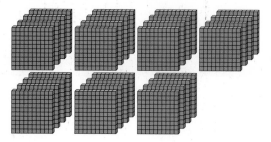

A 35,000

B 3,500

C 135

D 35

**2.** Un paquete de calcomanías contiene 4 páginas. En cada página hay 32 calcomanías. ¿Qué oración numérica muestra la mejor estimación del número total de calcomanías? (9-2)

F $4 \times 30 = 120$

G $4 \times 40 = 160$

H $4 + 30 = 34$

J $4 + 40 = 44$

**3.** La Sra. Martínez trabaja 37 horas cada semana. ¿Cuántas horas trabaja en 6 semanas? Halla el producto. (9-5)

$$\begin{array}{r} 37 \\ \times\ 6 \\ \hline \end{array}$$

A 60

B 122

C 192

D 222

**4.** La estantería de Laura tiene 6 estantes. En cada estante se exhiben 3 muñecas. ¿Qué oración numérica muestra cuántas muñecas se exhiben en la estantería? (9-7)

| ? muñecas en total | | | | | |
|---|---|---|---|---|---|
| 3 | 3 | 3 | 3 | 3 | 3 |

↑
Muñecas en cada estante

F $6 + 3 = 9$

G $6 - 3 = 3$

H $6 \times 3 = 18$

J $6 \div 3 = 2$

**5.** Henry compró 3 bolsas de naranjas. En cada bolsa hay 16 naranjas. ¿Cuántas naranjas compró? Usa la matriz para resolver. (9-3)

A 19

B 38

C 48

D 54

**6.** El Sr. Gómez compró 26 paquetes de envases de jugo para el picnic de la escuela. En cada paquete hay 8 envases de jugo. ¿Cuántos envases de jugo compró? (9-6)

F 214

G 208

H 202

J 168

**7.** ¿Qué suma muestra cómo usar productos parciales para hallar 5 × 17? (9-4)

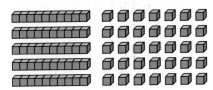

**A** 50 + 35 = 85

**B** 5 + 35 = 38

**C** 50 + 45 = 95

**D** 50 + 5 = 55

**8.** En el Grado 3 hay 46 estudiantes. Cada estudiante trajo 6 globos para la carroza del Grado 3 que participará en el desfile. ¿Cuál es la mejor estimación del número de globos que se utilizarán en la carroza? (9-2)

**F** 50

**G** 100

**H** 150

**J** 300

**9.** La Sra. Kent compró 7 bolsas de arena para el arenero de su hija. Cada bolsa de arena pesa 25 libras. ¿Cuántas libras de arena compró la Sra. Kent? (9-6)

**A** 32

**B** 145

**C** 175

**D** 180

**10.** ¿Cuál es la oración numérica que sigue en el patrón? (9-1)

8 × 6 = 48

8 × 60 = 480

8 × 600 = 4,800

**F** 8 × 600 = 48,000

**G** 8 × 6,000 = 48,000

**H** 80 × 60 = 4,800

**J** 80 × 600 = 48,000

**11.** José bebe de 2 a 3 vasos de leche por día. ¿Cuál es un número razonable de vasos de leche que José beberá en 7 días? (9-2)

**A** Menos de 14

**B** Entre 14 y 21

**C** Entre 22 y 35

**D** Más de 35

**12. Respuesta en plantilla** Ann necesita 20 baldosas para decorar un escalón. Si quiere decorar 4 escalones en el jardín, ¿cuántas baldosas necesitará? (9-1)

**13. Respuesta en plantilla** Un paquete de bocaditos de fruta contiene 15 gramos de azúcar. Si Esteban comiera un paquete de bocaditos de fruta todos los días durante 5 días, ¿cuántos gramos de azúcar comería tan sólo de los bocaditos de fruta? (9-6)

**Grupo A,** páginas 182 y 183

Halla 7 × 5,000.

Usa operaciones básicas y patrones.

7 × 5 = 35 ← operación básica
7 × 50 = 350
7 × 500 = 3,500  } Patrón de ceros
7 × 5,000 = 35,000

**Recuerda** que cuando el producto de una operación básica contiene un cero, ese cero no es parte del patrón.

Usa bloques de valor de posición o patrones para hallar los productos.

**1.** 7 × 300  **2.** 9 × 6,000

**3.** 4 × 5,000  **4.** 5 × 200

**5.** 8 × 900  **6.** 3 × 3,000

**Grupo B,** páginas 184 y 185

Haz una estimación de 6 × 57.

Redondea 57 a la decena más cercana. Luego, multiplica.

6 × 57
↓  57 se redondea a 60.
6 × 60 = 360

6 × 57 es aproximadamente 360.

**Recuerda** que debes redondear a la decena mayor si el dígito que está en el lugar de las unidades es 5 o mayor que 5. Redondea a la decena menor si el dígito que está en el lugar de las unidades es 4 o menor que 4.

Haz una estimación de los productos.

**1.** 5 × 39  **2.** 8 × 67

**3.** 7 × 42  **4.** 2 × 76

**5.** 4 × 83  **6.** 9 × 25

**Grupo C,** páginas 186 y 187

Dibuja una matriz para hallar 3 × 24.

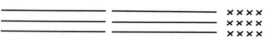

6 decenas en total  12 unidades en total

Cuenta de diez en diez.
10, 20, 30, 40, 50, 60

Luego, cuenta de uno en uno para hallar el total.
61, 62, 63, 64, 65, 66, 67, 68, 69, 70, 71, 72

Por tanto, 3 × 24 = 72.

**Recuerda** que debes hacer dibujos sencillos.

Halla los productos. Usa bloques de valor de posición o haz un dibujo como ayuda.

**1.** 3 × 27  **2.** 4 × 18

**3.** 5 × 14  **4.** 3 × 32

**5.** 7 × 31  **6.** 4 × 42

**7.** 8 × 22  **8.** 5 × 62

**Grupo D,** páginas 188 y 189

Descompone los números para hallar $2 \times 17$.

—————————— ×××××××
—————————— ×××××××

Dos filas de 1 decena = 2 decenas, o sea 20
Dos filas de 7 unidades = 14 unidades, o sea 14
20 y 14 son productos parciales.

Suma los productos parciales para hallar el producto.
$20 + 14 = 34$

Por tanto, $2 \times 17 = 34$.

**Recuerda** que debes incluir un cero cuando anotas el valor de las decenas.

Halla los productos. Haz un dibujo como ayuda.

**1.** $4 \times 73$          **2.** $2 \times 59$

**3.** $6 \times 35$          **4.** $3 \times 81$

**5.** $7 \times 25$          **6.** $5 \times 34$

**Grupo E,** páginas 190 a 194

Halla $27 \times 6$.

**Una manera**

$$
\begin{array}{r}
27 \\
\times\ \ 6 \\
\hline
42 \\
+\ 120 \\
\hline
162
\end{array}
$$

← productos
← parciales

**Otra manera**

$$
\begin{array}{r}
4 \\
27 \\
\times\ \ 6 \\
\hline
162
\end{array}
$$

Multiplica las unidades.
Reagrupa.
Multiplica las decenas.

Por tanto, $27 \times 6 = 162$.

**Recuerda** que puedes estimar para comprobar si tu respuesta es razonable.

Halla los productos. Puedes hacer dibujos como ayuda.

**1.**   29
       $\times\ \ 6$

**2.**   42
       $\times\ \ 5$

**3.**   79
       $\times\ \ 4$

**4.**   16
       $\times\ \ 9$

**5.**   55
       $\times\ \ 8$

**6.**   39
       $\times\ \ 6$

**Grupo F,** páginas 196 a 198

Beth tiene 24 calcomanías de planetas. Tiene 4 veces más calcomanías de flores que de planetas. ¿Cuántas calcomanías de flores tiene Beth?

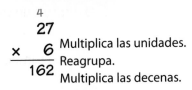

? calcomanías de flores en total

Calcomanías de flores: | 24 | 24 | 24 | 24 |   4 veces más

Calcomanías de planetas: | 24 |

Sabes el número de calcomanías que hay en cada grupo y sabes que los grupos son iguales. Por tanto, multiplicas.

$24 \times 4 = 96$
Beth tiene 96 calcomanías de flores en total.

**Recuerda** que hacer un dibujo puede ayudarte a escoger la operación más adecuada.

Haz un dibujo para mostrar lo que sabes. Escoge una operación y resuelve el problema.

**1.** Tomás tiene una colección de modelos de carros en los estantes de su cuarto. Hay 9 estantes con 18 modelos diferentes en cada estante. ¿Cuántos modelos de carros hay en total?

**1** ¿Cuántas cuerdas tienen las guitarras que tocan los músicos tejanos? Lo averiguarás en la Lección 10-2.

**2** El mismo número de astronautas viajó en el Apolo 11 y en el Apolo 12. ¿Cuántos astronautas viajaron en cada misión espacial? Lo averiguarás en la Lección 10-3.

**3**

¿Cuánta agua usas cuando te lavas los dientes? Lo averiguarás en la Lección 10-5.

**4**

En cada bote de pedales se pueden sentar dos personas. Cada persona que está en tierra tiene dos amigos. ¿Cuántos botes necesita este grupo de personas? Lo averiguarás en la Lección 10-9.

# Repasa lo que sabes

## Vocabulario

Escoge el mejor término del recuadro.

- matriz
- factor
- diferencia
- producto

**1.** El resultado de la multiplicación es el ___?___.

**2.** En $3 \times 5 = 15$, 5 es un ___?___.

**3.** Cuando los objetos se colocan en filas iguales forman una ___?___.

## Resta

Resta.

**4.** $21 - 7$     **5.** $15 - 5$     **6.** $27 - 9$
$14 - 7$         $10 - 5$         $18 - 9$
$7 - 7$          $5 - 5$          $9 - 9$

## Operaciones de multiplicación

**7.** $5 \times 4$    **8.** $7 \times 3$    **9.** $3 \times 8$

**10.** $9 \times 2$    **11.** $6 \times 5$    **12.** $4 \times 7$

**13.** $6 \times 7$    **14.** $8 \times 4$    **15.** $5 \times 9$

## Grupos iguales

**16. Escribir para explicar** En el dibujo hay 9 fichas. Explica por qué el dibujo no muestra grupos iguales. Luego, muestra cómo se puede modificar el dibujo para que muestre grupos iguales.

Lección

10-1

★

**TEKS 3.4C:** Utilizar modelos para resolver problemas de división y utilizar oraciones numéricas para anotar las soluciones.

# La división como repartición

Manos a la obra
fichas

## ¿Cuántos hay en cada grupo?

Tres amigos tienen 12 juguetes para compartir por igual. ¿Cuántos juguetes recibirá cada amigo? Piensa en colocar los 12 juguetes en 3 grupos iguales.

La división es una operación que se usa para averiguar cuántos grupos iguales hay o cuántos hay en cada grupo.

## Práctica guiada*

### ¿CÓMO hacerlo?

Usa fichas o haz un dibujo para resolver.

1. Si hay 15 plátanos y 3 cajas, ¿cuántos plátanos hay en cada caja?

2. Si hay 16 plantas y 4 macetas, ¿cuántas plantas hay en cada maceta?

### ¿Lo ENTIENDES?

3. Copia y completa.

$18 \div 3 = $ ▢

4. ¿Se pueden repartir 12 uvas por igual entre 5 niños? Explica.

## Práctica independiente

Usa fichas o haz un dibujo para resolver.

5. Si hay 18 canicas y 6 bolsas, ¿cuántas canicas hay en cada bolsa?

6. Si hay 36 calcomanías y 4 personas, ¿cuántas calcomanías hay para cada persona?

7. Si hay 16 crayones y 2 personas, ¿cuántos crayones hay para cada persona?

8. Si hay 12 dibujos y 4 páginas, ¿cuántos dibujos hay en cada página?

9. Si hay 24 botellas y 4 cajas, ¿cuántas botellas hay en cada caja?

10. Si hay 27 CD y 9 paquetes, ¿cuántos CD hay en cada paquete?

DIGITAL
Glosario animado, eTools
**www.pearsonsuccessnet.com**

## Lo que piensas

Coloca los juguetes uno por uno en cada grupo.

12

Juguetes para cada amigo

Cuando todos los juguetes estén agrupados, habrá 4 en cada grupo.

## Lo que escribes

Puedes escribir una división para calcular la cantidad de juguetes que hay en cada grupo.

$$12 \div 3 = 4$$

| | | |
|---|---|---|
| Total | Cantidad de grupos iguales | Cantidad en cada grupo |

Cada amigo recibirá 4 juguetes.

Completa cada división.

**11.**

12

| ? | ? |
|---|---|

$12 \div 2 = $ ▢

**12.**

16

| ? | ? | ? | ? | ? | ? | ? | ? |
|---|---|---|---|---|---|---|---|

$16 \div 8 = $ ▢

## TAKS Resolución de problemas

**13. Escribir para explicar** James está separando 18 bolígrafos en grupos iguales. Dice que habrá más bolígrafos en cada uno de 2 grupos iguales que en cada uno de 3 grupos iguales. ¿Tiene razón? Explícalo.

**14.** Joy tiene 12 conchas de mar. Le da 2 a su mamá. Luego, comparte las conchas que quedan por igual con su hermana. ¿Cuántas conchas de mar recibe Joy? ¿Cuántas conchas de mar recibe la hermana?

**15.** Max tiene las calcomanías que se muestran. Quiere colocar la misma cantidad de calcomanías en 2 carteles. ¿Qué oración numérica muestra cuántas calcomanías tendría que colocar Max en cada cartel?

**A** $7 + 2 = 9$

**B** $7 \times 2 = 14$

**C** $14 \div 7 = 2$

**D** $14 \div 2 = 7$

# La división como resta repetida

Manos a la obra
fichas

TEKS 3.4C: Utilizar modelos para resolver problemas de división y utilizar oraciones numéricas para anotar las soluciones.

## ¿Cuántos grupos iguales?

Julia va a servir 10 fresas.
Si cada invitado come 2 fresas, ¿a cuántos invitados puede servir Julia?

---

## Práctica guiada*

### ¿CÓMO hacerlo?

Usa fichas o haz un dibujo para resolver.

1. Hay 16 guantes.
   Hay 2 guantes en cada par.
   ¿Cuántos pares hay?

2. Hay 15 pelotas de tenis.
   Hay 3 pelotas en cada lata.
   ¿Cuántas latas hay?

### ¿Lo ENTIENDES?

3. Imagina que Julia tenía 12 fresas y cada invitado comió 2 fresas. ¿A cuántos invitados pudo servir? Usa fichas o haz un dibujo para resolver.

4. **Sentido numérico** Muestra cómo puedes usar la resta repetida para hallar cuántos grupos de 4 hay en 20. Luego, escribe la división.

---

## Práctica independiente

Usa fichas o haz un dibujo para resolver.

5. Hay 12 ruedas.
   Hay 4 ruedas en cada vagón.
   ¿Cuántos vagones hay?

6. Hay 30 marcadores.
   Hay 5 marcadores en cada paquete.
   ¿Cuántos paquetes hay?

7. Hay 8 manzanas.
   Hay 4 manzanas en cada bolsa.
   ¿Cuántas bolsas hay?

8. Hay 18 lápices.
   Hay 2 lápices en cada escritorio.
   ¿Cuántos escritorios hay?

eTools
www.pearsonsuccessnet.com

Puedes usar la resta repetida para hallar cuántos grupos de 2 hay en 10.

$10 - 2 = 8$
$8 - 2 = 6$
$6 - 2 = 4$ } Puedes restar 2, cinco veces. Hay cinco grupos de 2 en 10.
$4 - 2 = 2$
$2 - 2 = 0$ No queda ninguna fresa.

Julia puede servir a 5 invitados.

Puedes escribir una división para hallar la cantidad de grupos.

**Escribe:** $10 \div 2 = 5$

**Lee:** Diez dividido por 2 es igual a 5.

Julia puede servir a 5 invitados.

## TAKS Resolución de problemas

**9. Sentido numérico** Raymond quiere exhibir 16 modelos de aviones. ¿Necesitará más estantes si pone 8 modelos en un estante o si pone 4 modelos en un estante? Explica.

En los Ejercicios **10** a **12**, empareja cada problema con un dibujo o una resta repetida. Luego, escribe la división para resolver.

**10.** Hay 24 libros.
Hay 6 libros en cada caja.
¿Cuántas cajas hay?

**11.** Hay 24 libros.
Hay 3 libros en cada caja.
¿Cuántas cajas hay?

**12.** Hay 24 libros.
Hay 8 libros en cada caja.
¿Cuántas cajas hay?

**a**
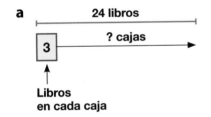
24 libros
? cajas
3
Libros en cada caja

**b** $24 - 8 = 16$
$16 - 8 = 8$
$8 - 8 = 0$

**c**
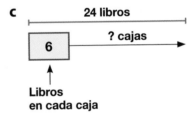
24 libros
? cajas
6
Libros en cada caja

**13.** ¿Cuántas cuerdas se necesitan en total para 4 guitarras de 12 cuerdas?

En la música tejana se usan guitarras de 12 cuerdas

**14.** Toni tiene 6 tulipanes y 6 margaritas. Quiere colocar 4 flores en cada florero. ¿Qué oración numérica representa los floreros que necesita?

**A** $12 + 4 = 16$

**B** $12 - 4 = 8$

**C** $6 \times 4 = 24$

**D** $12 \div 4 = 3$

**TEKS 3.4C:** Utilizar modelos para resolver problemas de división y utilizar oraciones numéricas para anotar las soluciones.

# Escribir cuentos sobre división

## ¿Cuál es la idea principal de un cuento sobre división?

La Sra. White les pidió a sus estudiantes que escribieran un cuento sobre división para la oración numérica $15 \div 3 = $ ☐. Mike y Kia decidieron escribir cuentos sobre colocar rosas en floreros.

Manos a la obra
fichas

---

## Práctica guiada*

### ¿CÓMO hacerlo?

Escribe un cuento sobre división para cada una de las oraciones numéricas. Luego, usa fichas o haz un dibujo para resolverlas.

**1.** $8 \div 4 = $ ☐

**2.** $10 \div 2 = $ ☐

**3.** $20 \div 5 = $ ☐

**4.** $14 \div 7 = $ ☐

### ¿Lo ENTIENDES?

**5.** ¿En qué se parecen los cuentos de Mike y de Kia? ¿En qué se diferencian?

**6. Sentido numérico** Cuando escribes un cuento sobre división, ¿qué información necesitas incluir?

---

## Práctica independiente

Escribe un cuento sobre división para cada una de las oraciones numéricas. Luego, usa fichas o haz un dibujo para resolver.

**7.** $18 \div 3 = $ ☐    **8.** $25 \div 5 = $ ☐    **9.** $16 \div 4 = $ ☐    **10.** $30 \div 6 = $ ☐

**11. Sentido numérico** Escoge dos de los cuentos que escribiste para los ejercicios de arriba. En cada uno, indica si hallaste la cantidad de objetos en cada grupo o la cantidad de grupos iguales.

DIGITAL

eTools
www.pearsonsuccessnet.com

*Puedes encontrar otro ejemplo en el Grupo B, página 232.*

## El cuento de Mike

Tengo 15 rosas. Quiero tener el mismo número de rosas en cada uno de los 3 floreros. ¿Cuántas rosas debo poner en cada florero?

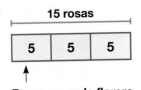

**15 rosas**

| 5 | 5 | 5 |
|---|---|---|

↑
**Rosas en cada florero**

$15 \div 3 = 5$

Debo poner 5 rosas en cada florero.

## El cuento de Kia

Tengo que poner 15 rosas en floreros. Quiero poner 3 rosas en cada florero. ¿Cuántos floreros necesitaré?

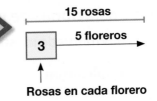

**15 rosas**

**5 floreros**

3 →

↑
**Rosas en cada florero**

$15 \div 3 = 5$

Necesitaré 5 floreros.

---

### ★ TAKS Resolución de problemas

La tabla muestra el número de jugadores que se necesita para cada tipo de equipo de deportes. Usa la tabla para los Ejercicios **12** a **14**.

Hay 36 estudiantes de Grado 3 en el campamento de deportes que quieren jugar en diferentes equipos.

**12.** Si todos quieren jugar al beisbol, ¿cuántos equipos habrá?

**14.** Veinte de los estudiantes de Grado 3 fueron a nadar. El resto jugó al tenis. ¿Cuántos equipos de tenis había?

**16.** Carmen va en bicicleta a la escuela de 3 a 5 veces por semana. ¿Aproximadamente, cuántas veces irá en bicicleta a la escuela en 4 semanas?

    **A** Más de 28

    **B** De 12 a 20

    **C** De 14 a 28

    **D** Menos de 12

| Equipo de deportes | Número |
|---|---|
| Beisbol | 9 jugadores |
| Básquetbol | 5 jugadores |
| Tenis | 2 jugadores |

**Datos**

**13. Escribir para explicar** ¿Podrían jugar al básquetbol todos al mismo tiempo? ¿Por qué o por qué no?

**15.** En total, seis astronautas viajaron al espacio en Apolo 11 y Apolo 12. ¿Cuántos astronautas fueron en cada misión?

Las misiones Apolo 11 y 12 llevaron el mismo número de astronautas.

Lección

# 10-4

TEKS 3.6C: Identificar patrones en oraciones relacionadas de multiplicación y división (familias de operaciones), tales como 2   3   6, 3   2   6, 6   2   3 y 6   3   2.

# Relacionar la multiplicación y la división

**Manos a la obra**
fichas

¿Cómo pueden ayudarte a dividir las operaciones de multiplicación?

Esta matriz puede mostrar la multiplicación y la división.

| **Multiplicación** | **División** |
|---|---|
| 5 filas de 6 tambores | 30 tambores en 5 filas iguales |
| $5 \times 6 = 30$ | $30 \div 5 = 6$ |
| 30 tambores | 6 tambores en cada fila |

## Práctica guiada*

### ¿CÓMO hacerlo?

Copia y completa. Usa fichas o haz un dibujo como ayuda.

**1.** $4 \times \ \square\ = 12$
$12 \div 4 = \square$

**2.** $6 \times \ \square\ = 36$
$36 \div 6 = \square$

**3.** $2 \times \ \square\ = 18$
$18 \div 2 = \square$

**4.** $8 \times \ \square\ = 32$
$32 \div 8 = \square$

### ¿Lo ENTIENDES?

**5. Sentido numérico** ¿Qué operación de multiplicación puede ayudarte a hallar $54 \div 6$?

**6.** Mira la familia de operaciones para 5, 6 y 30. ¿Qué observas en los productos y en los dividendos?

**7. Escribir para explicar** ¿Es $4 \times 6 = 24$ parte de la familia de operaciones para 3, 8 y 24? Explica.

## Práctica independiente

Copia y completa. Usa fichas o haz un dibujo como ayuda.

**8.** $8 \times \ \square\ = 16$
$16 \div 8 = \square$

**9.** $5 \times \ \square\ = 35$
$35 \div 5 = \square$

**10.** $6 \times \ \square\ = 48$
$48 \div 6 = \square$

**11.** $9 \times \ \square\ = 36$
$36 \div 9 = \square$

**12.** $3 \times \ \square\ = 27$
$27 \div 3 = \square$

**13.** $8 \times \ \square\ = 56$
$56 \div 8 = \square$

**14.** Escribe la familia de operaciones para 5, 8, y 40.

**DIGITAL** eTools, Glosario animado
**www.pearsonsuccessnet.com**

*Puedes encontrar otro ejemplo en el Grupo C, página 232.

Una familia de operaciones muestra cómo se relacionan la multiplicación y la división.

Familia de operaciones para 5, 6, y 30:

$5 \times 6 = 30$

$6 \times 5 = 30$

$30 \div 5 = 6$

$30 \div 6 = 5$

dividendo    divisor    cociente

El dividendo es el número de objetos que se van a dividir.

El divisor es el número por el cual se divide otro número.

El cociente es el resultado de un problema de división.

---

**TAKS** Resolución de problemas

15. **Escribir para explicar** ¿Por qué la familia de operaciones para $2 \times 2 = 4$ tiene solamente dos operaciones?

En los Ejercicios **16** y **17**, escribe el resto de la familia de operaciones para cada matriz.

16.

$3 \times 4 = 12$

$12 \div 3 = 4$

17.

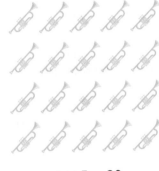

$4 \times 5 = 20$

$20 \div 4 = 5$

18. Hay 28 animadoras en un desfile. Forman filas con 4 animadoras en cada fila. ¿Cuántas filas hay?

19. Hay 3 filas de payasos en un desfile. Cada fila tiene 8 payasos. Hacia el final del desfile se van 3 payasos. ¿Cuántos payasos quedan en el desfile?

20. **Sentido numérico** Dibuja una matriz. Luego, escribe una familia de operaciones para describir tu matriz.

21. ¿Qué número falta para que esta oración numérica sea verdadera?

     $\div 3 = 9$

**A** 3      **B** 12      **C** 18      **D** 27

Lección

10-5

TEKS 3.6C: Identificar patrones en oraciones relacionadas de multiplicación y división (familias de operaciones), tales como 2 · 3 = 6, 3 · 2 = 6, 6 ÷ 2 = 3 y 6 ÷ 3 = 2.

# Familias de operaciones con 2, 3, 4 y 5

## ¿Qué operaciones de multiplicación puedes usar?

Dora tiene 14 trompetines. Pone el mismo número de trompetines en 2 mesas. ¿Cuántos habrá en cada mesa?

| Lo que piensas | Lo que escribes |
|---|---|
| ¿2 veces qué número es 14?<br><br>$2 \times 7 = 14$ | $14 \div 2 = 7$<br><br>Habrá 7 trompetines en cada mesa. |

**Otro ejemplo** ¿De qué otra manera puedes escribir un problema de división?

Dora está haciendo animales con globos para su fiesta. Tiene 24 globos. Necesita 4 globos para hacer cada animal. ¿Cuántos animales puede hacer con los globos?

¿4 veces qué número es 24?
$4 \times 6 = 24$

Hay dos maneras de escribir un problema de división.

$$24 \div 4 = 6$$
dividendo · divisor · cociente

$$6 \leftarrow \text{cociente}$$
$$\text{divisor} \rightarrow 4\overline{)24} \leftarrow \text{dividendo}$$

Dora puede hacer 6 animales con los globos.

### Explícalo

1. Copia y completa la familia de operaciones.

   $4 \times 6 = 24$
   $24 \div 4 = 6$

2. ¿Cómo sabes qué operación de multiplicación debes usar para hallar $24 \div 4$?

3. **Sentido numérico** Dora dice que podría hacer más de 10 animales con globos si pudiera hacer un animal con 3 globos solamente. ¿Estás de acuerdo? ¿Por qué o por qué no?

Dora tiene 40 calcomanías. Coloca 5 calcomanías en cada bolsa. ¿Cuántas bolsas puede decorar?

| Lo que piensas | Lo que escribes |
| --- | --- |
| ¿5 veces qué número es 40?<br><br>$5 \times 8 = 40$ | $40 \div 5 = 8$<br><br>Dora puede decorar 8 bolsas. |

Dora quiere colocar 15 vasos en 3 filas sobre la mesa. ¿Cuántos vasos colocará en cada fila?

| Lo que piensas | Lo que escribes |
| --- | --- |
| ¿3 veces qué número es 15?<br><br>$3 \times 5 = 15$ | $15 \div 3 = 5$<br><br>Dora colocará 5 vasos en cada fila. |

## Práctica guiada*

### ¿CÓMO hacerlo?

En los Ejercicios **1** a **3,** copia y completa cada familia de operaciones.

**1.** $2 \times 7 = 14$
$14 \div 2 = 7$

**2.** $5 \times 8 = 40$
$40 \div 5 = 8$

**3.** $3 \times 5 = 15$
$15 \div 3 = 5$

En los Ejercicios **4** a **9,** halla los cocientes.

**4.** $27 \div 3$    **5.** $16 \div 4$    **6.** $40 \div 4$

**7.** $2\overline{)18}$    **8.** $4\overline{)28}$    **9.** $5\overline{)30}$

### ¿Lo ENTIENDES?

**10.** Identifica el dividendo, el divisor y el cociente en el Ejercicio 9.

**11.** **Sentido numérico** ¿Cómo puedes decir que $15 \div 3$ es mayor que $15 \div 5$ sin hacer la división?

**12.** ¿Cómo puedes usar la multiplicación para hallar 36 dividido por 4?

## Práctica independiente

En los Ejercicios **13** a **20,** halla los cocientes.

**13.** $10 \div 2$     **14.** $25 \div 5$     **15.** $21 \div 3$     **16.** $18 \div 3$

**17.** $2\overline{)16}$     **18.** $5\overline{)50}$     **19.** $3\overline{)24}$     **20.** $4\overline{)36}$

*Puedes encontrar otro ejemplo en el Grupo C, página 232.

Halla los cocientes.

**21.** $12 \div 4$ 　　　**22.** $45 \div 5$ 　　　**23.** $4\overline{)16}$ 　　　**24.** $5\overline{)40}$

**25.** Halla 12 dividido por 2. 　**26.** Divide 20 por 5. 　**27.** Halla 32 dividido por 4.

**Álgebra** Halla los números que faltan.

**28.** $2 \times \blacksquare = 8$ 　　**29.** $15 \div 3 = \blacksquare$ 　　**30.** $\blacksquare \div 3 = 2$

**31.** $7 \times 4 = \blacksquare$ 　　**32.** $\blacksquare \times 5 = 40$ 　　**33.** $32 \div \blacksquare = 8$

**Sentido numérico** Escribe $<$ o $>$ para comparar.

**34.** $4 \times 2 \bigcirc 4 \div 2$ 　　**35.** $2 \times 3 \bigcirc 6 \div 2$ 　　**36.** $5 + 8 \bigcirc 5 \times 8$

**TAKS Resolución de problemas**

**37.** **Escribir para explicar** Joey dice: "No puedo resolver $8 \div 2$ usando la operación $2 \times 8 = 16$". ¿Estás de acuerdo? Explica.

**38.** Anna quiere hacer una matriz con 2 filas de 8 fichas cuadradas y otra matriz con 3 filas de 5 fichas cuadradas. ¿Cuántas fichas cuadradas necesita en total?

**39.** Podrías usar 2 galones de agua para cepillarte los dientes. Hay 16 tazas en 1 galón. Aproximadamente, ¿cuántas tazas de agua podrías usar para cepillarte los dientes?

**40.** Bob tiene 15 monedas de 1¢ y 3 monedas de 10¢. Kiko tiene la misma cantidad de dinero, pero tiene solamente monedas de 5¢. ¿Cuántas monedas de 5¢ tiene Kiko?

**41.** ¿Qué oración numérica está en la misma familia de operaciones que $3 \times 6 = 18$?

A $3 \times 3 = 9$

B $2 \times 9 = 18$

C $6 \div 3 = 2$

D $18 \div 6 = 3$

**42.** Mike compró 3 bolsas de canicas con 5 canicas en cada bolsa. Le dio 4 canicas a Marsha. ¿Cuántas canicas le quedaron a Mike?

F 11 　　H 19

G 15 　　J 21

**43.** Sammy quiere comprar un carro de control remoto por $49 y 3 carros pequeños a $5 cada uno. ¿Cuál será el costo total?

## División y oraciones numéricas

Recuerda que los dos lados de una oración numérica pueden ser iguales o desiguales. Los símbolos >, < o = se usan para comparar los lados. La estimación o el razonamiento te ayudan a saber si un lado es mayor sin hacer cálculos.

 > significa *es mayor que*
< significa *es menor que*
= significa *es igual a*

**Ejemplo:** $10 \div 2 \bigcirc 8 \div 2$

**Piénsalo** Cada entero se divide en dos grupos iguales. El entero mayor tendrá un número más grande de objetos en cada grupo.

Como 10 es mayor que 8, el cociente de la izquierda es mayor. Escribe el símbolo >.

$10 \div 2 \;\lessgtr\; 8 \div 2$

Copia y completa escribiendo >, < o =.

**1.** $20 \div 5 \bigcirc 25 \div 5$    **2.** $12 \div 3 \bigcirc 12 \div 4$    **3.** $3 \times 18 \bigcirc 3 \times 21$

**4.** $24 \div 2 \bigcirc 8$    **5.** $19 + 19 \bigcirc 2 \times 19$    **6.** $100 \bigcirc 5 \times 30$

**7.** $1 \times 53 \bigcirc 1 \times 43$    **8.** $9 \bigcirc 36 \div 4$    **9.** $9 \div 3 \bigcirc 18 \div 3$

**10.** $16 \div 2 \bigcirc 1 + 9$    **11.** $35 \div 5 \bigcirc 2 + 3$    **12.** $24 \div 4 \bigcirc 24 \div 2$

En los Ejercicios **13** y **14,** copia y completa la oración numérica debajo de cada problema. Úsala como ayuda para explicar tu respuesta.

**13.** Mara y Bobby tienen que leer 40 páginas cada uno. Mara leerá 4 páginas por día. Bobby leerá 5 páginas por día. ¿Quién necesita más días para leer las 40 páginas?

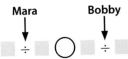

**14.** Tim tenía una tabla que medía 12 pies de longitud. Cortó la tabla en 3 partes iguales. Ellen tenía una tabla que medía 18 pies de longitud. Cortó la tabla en 3 partes iguales. ¿Quién tenía las partes más largas?

**15. Escribe un problema** Escribe un problema de la vida diaria descrito por $16 \div 2 > 14 \div 2$.

# Familias de operaciones con 6 y 7

### ¿Cómo divides por 6 y 7?

48 perros participan en una exhibición de perros. El juez quiere que haya 6 perros en cada grupo. ¿Cuántos grupos habrá?

**Escoge una operación** Divide para hallar cuántos grupos.

**TEKS 3.6C:** Identificar patrones en oraciones relacionadas de multiplicación y división (familias de operaciones), tales como 2   3   6, 3   2   6, 6   2   3 y 6   3   2.

---

## Práctica guiada*

### ¿CÓMO hacerlo?

1. Copia y completa la familia de operaciones.

$8 \times 6 = 48$
$48 \div 6 = 8$

En los Ejercicios **2** a **10**, halla los cocientes.

2. $12 \div 6$   3. $30 \div 6$   4. $42 \div 6$

5. $14 \div 7$   6. $42 \div 7$   7. $63 \div 7$

8. $6\overline{)24}$   9. $6\overline{)54}$   10. $6\overline{)60}$

### ¿Lo ENTIENDES?

11. **Sentido numérico** ¿Cómo puedes decir sin dividir que $42 \div 6$ será mayor que $42 \div 7$?

12. Escribe la familia de operaciones para 7, 8 y 56.

13. Hay 54 niños en 6 clases de ballet. Cada clase tiene la misma cantidad de niños. ¿Cuántos niños hay en cada clase?

---

## Práctica independiente

Halla los cocientes.

14. $18 \div 6$   15. $36 \div 4$   16. $21 \div 7$   17. $36 \div 6$   18. $27 \div 3$

19. $6\overline{)48}$   20. $2\overline{)24}$   21. $7\overline{)56}$   22. $5\overline{)35}$   23. $6\overline{)36}$

24. $6\overline{)72}$   25. $7\overline{)84}$   26. $6\overline{)66}$   27. $7\overline{)77}$   28. $7\overline{)70}$

29. Halla 49 dividido por 7.   30. Divide 72 por 6.   31. Halla 56 dividido por 7.

32. Halla 60 dividido por 6.   33. Divide 21 por 7.   34. Halla 48 dividido por 6.

Halla 48 ÷ 6.

| Lo que piensas | Lo que escribes |
|---|---|
| ¿Qué número multiplicado por 6 es igual a 48? | $48 \div 6 = 8$ |
| $8 \times 6 = 48$ | Habrá 8 grupos. |

Entra otro perro a participar. Ahora hay 7 perros en cada grupo. ¿Cuántos grupos habrá ahora?

Halla 49 ÷ 7.

| Lo que piensas | Lo que escribes |
|---|---|
| ¿Qué número multiplicado por 7 es igual a 49? | $49 \div 7 = 7$ |
| $7 \times 7 = 49$ | Habrá 7 grupos. |

## TAKS Resolución de problemas

En los Ejercicios **35** a **38,** usa los siguientes dibujos.

7 cuentas rojas $1.

6 cuentas azules $2.

5 cuentas doradas $3.

**35.** Rita necesita 15 cuentas doradas para un proyecto de arte.

   **a** ¿Cuántos paquetes de cuentas necesita?

   **b** ¿Cuánto cuestan las 15 cuentas?

**36.** Eva compró 2 paquetes de cuentas rojas y 2 paquetes de cuentas azules.

   **a** ¿Cuántas cuentas compró?

   **b** ¿Cuánto gastó?

**37. Escribir para explicar** Guy compró 28 cuentas rojas y 18 cuentas azules. ¿Cuántos paquetes compró? Explica cómo resolviste el problema.

**38. Sentido numérico** Andy compró exactamente 35 cuentas de un solo color. ¿De qué color eran las cuentas que compró? Explica tu razonamiento.

**39.** Hay 6 balsas en el río. Cada balsa lleva 8 personas. ¿Qué oración numérica está en la familia de operaciones de estos números?

   **A** $48 - 6 = 42$     **C** $48 + 6 = 54$

   **B** $48 \div 6 = 8$     **D** $48 - 8 = 40$

**40.** El auditorio de la escuela tiene 182 asientos. Hay personas sentadas en 56 de esos asientos. ¿Cuál es la mejor estimación del número de asientos en los que **NO** hay personas sentadas?

   **F** 20   **G** 120   **H** 240   **J** 250

TEKS 3.6C: Identificar patrones en oraciones relacionadas de multiplicación y división (familias de operaciones), tales como 2  3  6, 3  2  6, 6  2  3 y 6  3  2.

# Familias de operaciones con 8 y 9

## ¿Qué operación de multiplicación puedes usar?

John tiene 56 pajillas.

¿Cuántas arañas puede hacer?

Halla 56 ÷ 8.

¿Qué número multiplicado por 8 es igual a 56?

$7 \times 8 = 56$

John puede hacer 7 arañas.

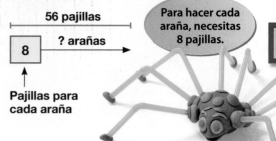

Para hacer cada araña, necesitas 8 pajillas.

---

## Práctica guiada*

### ¿CÓMO hacerlo?

Halla los cocientes.

**1.** $16 \div 8$   **2.** $64 \div 8$   **3.** $36 \div 9$

**4.** $27 \div 9$   **5.** $45 \div 9$   **6.** $63 \div 9$

**7.** $8\overline{)24}$   **8.** $8\overline{)72}$   **9.** $8\overline{)80}$

### ¿Lo ENTIENDES?

**10.** ¿Qué operación de multiplicación puedes usar para hallar 18 ÷ 9?

**11.** **Sentido numérico** Carla y Jeff usaron 72 pajillas cada uno. Carla hace animales con 9 patas. Jeff hace animales con 8 patas. ¿Quién hace más animales?

---

## Práctica independiente

Halla los cocientes.

**12.** $32 \div 8$   **13.** $28 \div 7$   **14.** $18 \div 9$   **15.** $48 \div 8$   **16.** $81 \div 9$

**17.** $5\overline{)45}$   **18.** $9\overline{)54}$   **19.** $7\overline{)56}$   **20.** $4\overline{)28}$   **21.** $8\overline{)56}$

**22.** $9\overline{)27}$   **23.** $9\overline{)90}$   **24.** $8\overline{)16}$   **25.** $8\overline{)64}$   **26.** $8\overline{)48}$

**27.** Halla 72 dividido por 9.   **28.** Divide 40 por 8.   **29.** Halla 56 dividido por 8.

**30.** Halla 81 dividido por 9.   **31.** Divide 45 por 9.   **32.** Halla 64 dividido por 8.

**33.** Escribe las familias de operaciones de los números en los Ejercicios **30** y **31.** ¿En qué se diferencian las familias de operaciones?

*Puedes encontrar otro ejemplo en el Grupo C, página 232.

Luz hizo 9 animales. Usó 54 pajillas. Usó la misma cantidad de pajillas para cada animal. ¿Cuántos pajillas usó para cada animal?

Halla 54 ÷ 9.

54 pajillas

| ? | ? | ? | ? | ? | ? | ? | ? | ? |

↑

**Número de pajillas para un animal**

| Lo que piensas | Lo que escribes |
|---|---|
| ¿9 veces qué número es 54? | $54 \div 9 = 6$ |
| $9 \times 6 = 54$ | Luz usó 6 pajillas para cada animal. |

**TAKS Resolución de problemas**

**Álgebra** Escribe < o > para comparar.

**34.** $36 \div 9 \bigcirc 9$

**35.** $65 \bigcirc 8 \times 8$

**36.** $63 \div 9 \bigcirc 8$

En los Ejercicios **37** a **40,** usa los precios de los boletos que aparecen en la tabla.

**37.** El dependiente del teatro vendió boletos para jóvenes por un total de $64. ¿Cuántos boletos para jóvenes vendió?

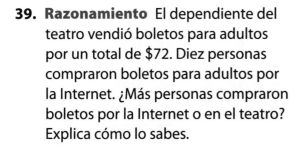

| Precio de los boletos de teatro | |
|---|---|
| Tipo de boleto | Precio del boleto |
| Niños | $4 |
| Jóvenes | $8 |
| Adultos | $9 |

**38.** Melinda compró 2 boletos para niños y 2 boletos para adultos. ¿Cuánto dinero gastó?

**39. Razonamiento** El dependiente del teatro vendió boletos para adultos por un total de $72. Diez personas compraron boletos para adultos por la Internet. ¿Más personas compraron boletos por la Internet o en el teatro? Explica cómo lo sabes.

**40. Escribir para explicar** El Sr. Estrada compró 4 boletos para niños y 2 boletos para adultos. ¿Cuánto más gastó en los boletos para adultos que en los boletos para niños? Explica.

**41.** ¿Qué oración numérica **NO** pertenece a la misma familia de operaciones que las demás?

**A** $8 \times 4 = 32$

**B** $32 \div 8 = 4$

**C** $2 \times 4 = 8$

**D** $4 \times 8 = 32$

**42.** Los cerditos nacen con 8 dientes pequeños llamados "dientes aguja". ¿Cuántos dientes aguja tienen en total 5 cerditos?

**TEKS 3.6C:** Identificar patrones en oraciones relacionadas de multiplicación y división (familias de operaciones), tales como 2  3  6, 3  2  6, 6  2  3 y 6  3  2.

# Dividir con 0 y 1

### ¿Cómo divides por 1 ó 0?

**Dividir por 1**

Halla $3 \div 1$

¿Qué número multiplicado por 1 es igual a 3?

$3 \times 1 = 3$

Por tanto, $3 \div 1 = 3$.

**Regla:** Todo número dividido por 1 es ese mismo número.

3 grupos de 1.

---

## Práctica guiada*

### ¿CÓMO hacerlo?

Halla los cocientes.

1. $8 \div 8$
2. $2 \div 1$
3. $0 \div 5$

4. $1\overline{)8}$
5. $6\overline{)6}$
6. $10\overline{)0}$

### ¿Lo ENTIENDES?

7. ¿Cómo puedes saber sin hacer la división que $375 \div 375 = 1$?

8. **Escribir para explicar** Describe cómo puedes hallar $0 \div 267$, sin hacer la división.

---

## Práctica independiente

Halla los cocientes.

9. $7 \div 7$
10. $0 \div 4$
11. $10 \div 1$
12. $0 \div 6$
13. $10 \div 10$

14. $1\overline{)4}$
15. $1\overline{)7}$
16. $8\overline{)0}$
17. $5\overline{)5}$
18. $1\overline{)5}$

19. $2\overline{)14}$
20. $5\overline{)25}$
21. $7\overline{)56}$
22. $4\overline{)24}$
23. $9\overline{)81}$

24. $6\overline{)36}$
25. $7\overline{)49}$
26. $8\overline{)64}$
27. $9\overline{)90}$
28. $5\overline{)20}$

29. $7\overline{)56}$
30. $8\overline{)48}$
31. $7\overline{)42}$
32. $7\overline{)70}$
33. $4\overline{)32}$

34. Divide 0 por 9.
35. Halla 9 dividido por 9.
36. Halla 6 dividido por 1.

37. Divide 3 por 3.
38. Halla 0 dividido por 8.
39. Halla 7 dividido por 1.

*Puedes encontrar otro ejemplo en el Grupo D, página 233.*

## 1 como cociente

Halla $3 \div 3$.

 ¿3 veces qué número es igual a 3?

$$3 \times 1 = 3$$

Por tanto, $3 \div 3 = 1$.

**Regla:** Todo número (excepto 0) dividido por sí mismo es 1.

## Dividir 0 por un número

Halla $0 \div 3$.

 ¿3 veces qué número es igual a 0?

$$3 \times 0 = 0$$

Por tanto, $0 \div 3 = 0$.

**Regla:** 0 dividido por cualquier número (excepto 0) es 0.

## Dividir por 0

Halla $3 \div 0$.

 ¿0 veces qué número es igual a 3?

No existe ese número.

Por tanto, $3 \div 0$ no se puede hallar.

**Regla:** No se puede dividir por 0.

---

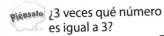 **Resolución de problemas**

**Álgebra** En los Ejercicios **40-43,** copia y completa.

**40.** $3 \div 3 \bigcirc 3 \times 0$

**41.** $17 \div 17 \bigcirc 1 \div 1$

**42.** $0 \div 6 \bigcirc 0 \div 1$

**43.** $6 \times 1 \bigcirc 6 \div 1$

Usa el cartel de la derecha para los Ejercicios **44** a **47.**

**44.** Paul recorrió uno de los senderos 3 veces con una distancia total de 12 millas. ¿Qué sendero recorrió?

**45. Razonamiento** Addie recorrió 3 senderos diferentes con una distancia total de 11 millas. ¿Qué senderos recorrió?

**46.** Yoko recorrió el sendero azul una vez y el verde dos veces. ¿Cuántas millas recorrió por el sendero verde?

**47. Escribir para explicar** Marty recorrió un sendero 4 veces. Recorrió más de 10 millas pero menos de 16 millas. ¿Qué sendero recorrió? Explica.

**48.** ¿Qué número hace falta para que la siguiente oración numérica sea verdadera?

$54 \div \boxed{\phantom{0}} = 9$

**A** 5

**B** 6

**C** 7

**D** 8

**49.** ¿Qué número hace falta para que la siguiente oración numérica sea verdadera?

$\boxed{\phantom{0}} \times 6 = 42$

**F** 48

**G** 36

**H** 6

**J** 7

**TEKS 3.6C:** Identificar patrones en oraciones relacionadas de multiplicación y división (familias de operaciones), tales como 2   3 = 6, 3 × 2 = 6, 6 ÷ 2 = 3 y 6 ÷ 3 = 2.

# Patrones de división

Manos a la obra
fichas

¿Cuáles son algunos de los patrones de división por 10 y por 11?

Dan está llenando canastas con manzanas y naranjas. ¿Cuántas canastas necesitará para 90 manzanas y 99 naranjas?

| Cantidad de canastas | 1 | 2 | 3 | 4 | 5 | 6 | 7 | 8 | 9 | 10 | 11 |
|---|---|---|---|---|---|---|---|---|---|---|---|
| Cantidad de manzanas | 10 | 20 | 30 | 40 | 50 | 60 | 70 | 80 | 90 | 100 | 110 |
| Cantidad de naranjas | 11 | 22 | 33 | 44 | 55 | 66 | 77 | 88 | 99 | 110 | 121 |

## Práctica guiada*

### ¿CÓMO hacerlo?

Halla los cocientes. Usa una tabla de multiplicación, fichas o un dibujo como ayuda.

**1.** 70 ÷ 10          **2.** 44 ÷ 11

**3.** 121 ÷ 11         **4.** 110 ÷ 10

### ¿Lo ENTIENDES?

**5. Sentido numérico** Escribe una familia de operaciones para 8, 11 y 88.

**6.** Haz un dibujo para mostrar cómo puedes hallar 44 ÷ 11.

## Práctica independiente

En los Ejercicios **7** a **19,** halla los cocientes. Usa una tabla de multiplicación, fichas o un dibujo como ayuda.

**7.** 40 ÷ 10     **8.** 77 ÷ 11     **9.** 120 ÷ 10     **10.** 22 ÷ 11     **11.** 100 ÷ 10

**12.** 8)‾24     **13.** 6)‾36     **14.** 7)‾28     **15.** 9)‾63     **16.** 6)‾42

**17.** Divide 99 por 9.     **18.** Halla 11 dividido por 11.     **19.** Halla 30 dividido por 10.

**Sentido numérico** En los Ejercicios **20** a **22,** usa los patrones para hallar los cocientes.

**20.** 10 ÷ 5 = ▢
      20 ÷ 10 = ▢

**21.** 40 ÷ 5 = ▢
      80 ÷ 10 = ▢

**22.** 30 ÷ 5 = ▢
      60 ÷ 10 = ▢

eTools
www.pearsonsuccessnet.com

DIGITAL

**Dividir por 10**

$50 \div 10 = 5$

$70 \div 10 = 7$

$90 \div 10 = 9$

$110 \div 10 = 11$

El cociente es igual al dividendo sin el cero final.

**Dividir por 11**

$33 \div 11 = 3$

$55 \div 11 = 5$

$77 \div 11 = 7$

$99 \div 11 = 9$

El cociente es igual a cada uno de los dígitos del dividendo.

$90 \div 10 = 9$

$99 \div 11 = 9$

Dan necesitará 9 canastas para 90 manzanas y 99 naranjas.

**TAKS Resolución de problemas**

**23.** Vuelve a mirar los Ejercicios **20** a **22.** ¿Qué notas en los dividendos, divisores y cocientes de cada par de oraciones numéricas?

Cada bote de pedales puede llevar 2 personas a la vez.

**24.** ¿Cuántos botes de pedales hacen falta para 18 personas si cada uno va lleno?

**25.** Para hacer una excursión, 88 estudiantes se dividieron en 8 grupos iguales. ¿Cuántos estudiantes había en cada grupo?

**26.** Un álbum de fotos tiene 10 páginas con 4 fotos en cada página. Otras dos páginas tienen 3 fotos cada una. ¿Cuántas fotos hay en total?

**27. Escribir para explicar**  Kyle hizo 40 minutos de ejercicio por día durante 5 días. Su tiempo total haciendo ejercicio, ¿fue más o menos de 4 horas? Explícalo.

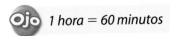 1 hora = 60 minutos

**28.** Al final del día, el panadero contó 12 panecillos, 24 roscas y 10 pastelitos que no había vendido. ¿Cuántos panecillos y roscas no se vendieron?

**A** 12

**B** 24

**C** 36

**D** 40

**29.** ¿Qué familia de operaciones puedes usar como ayuda para hallar $110 \div 11 = 10$?

# 10-10

# Hacer un dibujo y Escribir una oración numérica

**TEKS 3.14C:** Seleccionar o desarrollar un plan o una estrategia de resolución de problemas apropiado en el que haga un dibujo, busque un patrón, adivine y compruebe sistemáticamente, haga una dramatización, elabore una tabla, resuelva un problema más sencillo o trabaje desde el final hasta el principio para resolver un problema.

En el carnaval de la escuela, Jeff está preparando el puesto para pintar con arena. Coloca la arena de una bolsa en 5 cubetas. Si cada cubeta contiene la misma cantidad de arena, ¿cuánta arena hay en cada cubeta?

45 libras de arena

## Otro ejemplo · ¿Hay otros tipos de situaciones de división?

Alison está preparando el puesto de los premios. Tiene 48 premios. Va a colocar 8 premios en cada fila. ¿Cuántas filas puede hacer?

### Planea y resuelve

Usa un diagrama para mostrar lo que sabes.

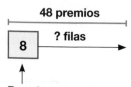

48 premios

? filas

8

↑
Premios en cada fila

### Responde

Escribe una oración numérica.

$48 \div 8 = 6$

Alison puede hacer 6 filas.

### Comprueba

Asegúrate de que la respuesta sea razonable.

Usa la multiplicación o la suma repetida para comprobar.

$6 \times 8 = 48$

o sea,

$8 + 8 + 8 + 8 + 8 + 8 = 48$

## Explícalo

1. Explica cómo puedes comprobar el cociente de la división usando la multiplicación o la suma.

2. **Sentido numérico** Si Alison quiere menos de 6 filas de premios, ¿tendría que colocar más o menos premios en cada fila? Explica tu razonamiento.

## Planea y resuelve

Usa un diagrama para mostrar lo que sabes.

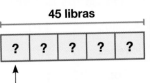

**45 libras**

| ? | ? | ? | ? | ? |
|---|---|---|---|---|

↑
**Cantidad de arena en cada cubeta**

Sabes cuál es la cantidad total de arena y que hay 5 cubetas. Divide para hallar cuánta arena hay en cada cubeta.

## Responde

Escribe una oración numérica.

$$45 \div 5 = 9$$

Hay 9 libras de arena en cada cubeta.

## Comprueba

Asegúrate de que la respuesta sea razonable.

Usa la multiplicación o la suma repetida para comprobar.

$$5 \times 9 = 45$$

o sea,

$$9 + 9 + 9 + 9 + 9 = 45$$

---

## Práctica guiada*

### ¿CÓMO hacerlo?

**1.** Larry y Pat hicieron 18 carteles. Cada uno hizo la misma cantidad. ¿Cuántos carteles hizo cada uno? Escribe una oración numérica y resuelve.

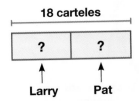

**18 carteles**

| ? | ? |
|---|---|

↑      ↑
**Larry**   **Pat**

### ¿Lo ENTIENDES?

**2.** ¿Qué operación usaste para el Problema 1? Indica por qué.

**3. Escribe un problema** Escribe un problema de la vida diaria que puedas resolver restando. Dibuja un diagrama. Escribe una oración numérica y resuélvela.

---

## Práctica independiente

En los Ejercicios **4** y **5,** dibuja un diagrama para mostrar lo que sabes. Luego, escribe una oración numérica y resuélvela.

**4.** Hay 8 cabinas en una rueda de Chicago. Cada cabina lleva 3 personas. ¿Cuántas personas pueden viajar en la rueda de Chicago al mismo tiempo?

**5.** Hay 24 niños en una carrera de relevo. Hay 6 equipos en total. ¿Cuántos niños hay en cada equipo?

**¿En aprietos? Intenta esto...**

- ¿Qué sé?
- ¿Qué se me pide que halle?
- ¿Qué diagrama puedo usar como ayuda para entender el problema?
- ¿Puedo usar la suma, la resta, la multiplicación o la división?
- ¿Es correcto todo mi trabajo?
- ¿Respondí a la pregunta que correspondía?
- ¿Es razonable mi respuesta?

*Puedes encontrar otro ejemplo en el Grupo F, página 233.

Usa la tabla de la derecha para los Ejercicios **6** y **7.**
Resuelve cada problema.

| Precio de los boletos | |
|---|---|
| Adultos | $10 |
| Jóvenes | $5 |
| Niños | $3 |

**6.** El Sr. Niglio compró 2 boletos para jóvenes y 2 boletos para adultos. Le entregó al dependiente un billete de $50. ¿Cuánto cambio recibió?

**7. Sentido numérico** Dan, Sue y Joe compraron un tipo de boleto diferente cada uno. Dan fue el que menos gastó. Sue gastó el doble que Joe. ¿Cuánto gastó Joe?

En los Ejercicios **8** y **9,** usa los dibujos de animales que están a la derecha. Escribe una oración numérica y resuélvela.

Los koala están despiertos aproximadamente 28 horas por semana.

Los perezosos duermen aproximadamente 20 horas por día.

**8.** Aproximadamente, ¿cuántas horas está despierto un perezoso por día?

**Ojo** *Hay 24 horas en un día.*

**9.** Aproximadamente, ¿cuántas horas está despierto un koala por día?

**Ojo** *Hay 7 días en una semana.*

## Piensa en el proceso

**10.** Alma compró 2 pulseras por $6 en una feria de artesanías. Cada pulsera costó la misma cantidad. ¿Qué oración numérica muestra el precio de cada pulsera?

**A** $2 \times \$6 =$ ▨

**B** $2 + \$6 =$ ▨

**C** $\$6 - 2 =$ ▨

**D** $\$6 \div 2 =$ ▨

**11.** Tomás compró 1 libro por $4, crayones por $2 y un bolígrafo por $1. Le dio al dependiente $10. ¿Qué oración numérica muestra cómo hallar el cambio que recibió?

**F** $\$4 + \$2 + \$1 =$ ▨

**G** $\$4 \times \$2 \times \$1 =$ ▨

**H** $\$10 - \$6 =$ ▨

**J** $\$10 - (\$4 + \$2 + \$1) =$ ▨

## Escoger una operación y un método para calcular

El edificio más alto en Dallas es el Bank of America Plaza. Mide 921 pies de altura. El segundo edificio más alto es la Torre Renaissance. Mide 886 pies de altura. ¿Cuánto más alto es el edificio de Bank of America Plaza que la Torre Renaissance?

**Paso 1** Haz un dibujo y escoge una operación.

921 pies

| 886 | ? |
|-----|---|

Resta. Halla 921 − 886.

**Paso 2** Halla el mejor método para calcular. Decide si debes usar el cálculo mental, papel y lápiz o una calculadora.

Como hay más de 1 reagrupamiento, usa una calculadora.

**Paso 3** Resuelve.

Presiona: 921 — 886 **ENTER =**

Pantalla: 35

El edificio de Bank of America Plaza es 35 pies más alto que la Torre Renaissance.

## Práctica

Para cada problema, haz un dibujo y escoge una operación. Luego, usa el mejor método para calcular y resuelve.

1. El edificio de Bank of America Plaza tiene 72 pisos. Un ascensor se detuvo cada nueve pisos cuando descendía desde el último piso hasta la planta baja. ¿Cuántas veces se detuvo?

2. La Torre JP Morgan Chase en Houston podría dividirse en 3 secciones con 25 pisos en cada sección. ¿Cuántos pisos tiene la torre?

3. El edificio Lincoln Plaza en Dallas mide 579 pies de altura. El edificio Fountain Place mide 142 pies más. ¿Qué altura tiene el edificio Fountain Place?

4. En Houston, la Torre JP Morgan Chase mide 1,002 pies de altura. El edificio Wells Fargo Plaza mide 972 pies de altura. ¿Cuánto más alta es la Torre JP Morgan que el edificio Wells Fargo Plaza?

**1.** Cinco amigos tienen 15 lápices para compartir por igual. ¿Qué oración numérica muestra cuántos lápices recibirá cada amigo? (10-1)

**A** $15 \div 5 = 3$

**B** $15 + 5 = 20$

**C** $15 \times 5 = 75$

**D** $15 - 5 = 10$

**2.** ¿Cuál de las opciones hace que las dos oraciones numéricas sean verdaderas? (10-4)

$9 \times \boxed{\phantom{0}} = 54$ y $54 \div 9 = \boxed{\phantom{0}}$

**F** 8

**G** 7

**H** 6

**J** 5

**3.** ¿Qué oración numérica es verdadera? (10-8)

**A** $6 \div 6 = 0$

**B** $5 \div 1 = 1$

**C** $4 \div 0 = 4$

**D** $7 \div 1 = 7$

**4.** Nancy tiene 4 CD. Cada CD tiene 8 canciones. ¿Qué oración numérica está en esta familia de operaciones? (10-5)

**F** $32 \div 4 = 8$

**G** $32 - 8 = 24$

**H** $8 - 4 = 4$

**J** $2 \times 4 = 8$

**5.** La Sra. Vincent compró 16 kiwis para que sus 4 niños los compartan por igual. ¿Cuántos kiwis recibirá cada niño? (10-1)

**A** 3

**B** 4

**C** 5

**D** 12

**6.** Mason tiene 12 piñas. Utiliza 3 piñas para su comedero para pájaros. ¿Qué oración numérica muestra cuántos comederos para pájaros puede hacer? (10-2)

**F** $12 + 3 = 15$

**G** $12 \div 3 = 4$

**H** $12 - 3 = 9$

**J** $12 \times 3 = 36$

**7.** Nick tiene que colocar 60 sillas en filas. Cada fila necesita10 sillas. ¿Cuántas filas tendrá que hacer? (10-9)

**A** 6

**B** 50

**C** 70

**D** 600

**8.** La Sra. Hendrix compró 45 libras de arcilla. Quiere distribuirla de manera uniforme entre sus 5 clases de arte. ¿Cuántas libras de arcilla recibirá cada clase? (10-5)

**F** 40

**G** 9

**H** 8

**J** 7

**9.** Beth compró una bolsa de galletas para perros. La caja tenía 48 galletas. Si Beth le da a su perro 6 galletas por día, ¿cuánto durará la caja de galletas? (10-6)

**A** 6

**B** 7

**C** 8

**D** 9

**10.** ¿Qué cuento se puede resolver con $20 \div 4$? (10-3)

**F** Harold pescó 20 peces. Todos menos 4 eran bagres. ¿Cuántos no eran bagres?

**G** Becky compró 20 bolsas de cuentas de cristal. En cada bolsa había 4. ¿Cuántas cuentas de cristal compró?

**H** Batina hizo 20 vestidos para muñecas. Si hace 4 más, ¿cuántos vestidos para muñecas habrá hecho?

**J** El entrenador Sid tiene 20 pelotas de beisbol. Cada grupo necesita 4 pelotas para la práctica. ¿Cuántos grupos puede formar?

**11.** El álbum de fotografías de Gavin tiene 7 páginas llenas. En cada página hay 6 fotografías, para hacer un total de 42 fotografías. ¿Qué oración numérica **NO** está en la misma familia de operaciones que las otras? (10-6)

**A** $7 \times 6 = 42$

**B** $6 \times 7 = 42$

**C** $42 \div 7 = 6$

**D** $5 \times 7 = 35$

**12.** Neil tiene 30 clavos y 6 tablas. ¿Qué oración numérica muestra cuántos clavos puede usar en cada tabla si usa el mismo número de clavos en cada una? (10-10)

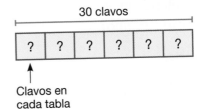

30 clavos

Clavos en cada tabla

**F** $30 + 6 = 36$

**G** $30 - 6 = 24$

**H** $30 \div 6 = 5$

**J** $6 \times 30 = 180$

**13.** **Respuesta en plantilla** ¿Qué número hace que esta oración numérica sea verdadera? (10-7)

$\boxed{\phantom{x}} \div 9 = 8$

**14.** **Respuesta en plantilla** Peg puso 18 piedras en 2 pilas iguales. ¿Cuántas piedras había en cada pila? (10-5)

**Grupo A,** páginas 206 a 209

Don tiene 2 modelos de carro. Si caben 4 en cada estuche, ¿cuántos estuches necesita?

$12 - 4 = 8$    Usa restas repetidas para hallar
$8 - 4 = 4$    cuántos grupos.
$4 - 4 = 0$    Puedes restar 4, tres veces.

$12 \div 4 = 3$    También puedes dividir para
              hallar el número de grupos.

Don necesita 3 estuches.

**Recuerda** que también puedes pensar en la división como repartición en partes iguales.

Usa fichas o haz un dibujo para resolver los problemas.

**1.** Hay 6 libros.
Hay 3 libros en cada estante.
¿Cuántos estantes hay?

**2.** Hay 18 estudiantes.
Hay 2 grupos iguales.
¿Cuántos hay en cada grupo?

**Grupo B,** páginas 210 y 211

Escribe un cuento sobre división para $20 \div 5$.

Si 20 niños forman 5 equipos iguales, ¿cuántos niños hay en cada equipo?

**20 niños**

Niños en
cada equipo    $20 \div 5 = 4$

Hay 4 niños en cada equipo.

**Recuerda** que los cuentos sobre división pueden pedir la cantidad que hay en cada grupo o el número de grupos iguales.

Escribe un cuento sobre división para las oraciones numéricas. Haz un dibujo como ayuda.

**1.** $15 \div 3 = \blacksquare$      **2.** $21 \div 7 = \blacksquare$

**3.** $24 \div 6 = \blacksquare$      **4.** $30 \div 5 = \blacksquare$

**Grupo C,** páginas 212 a 216, 218 a 221

Hanna leyó 21 páginas de un libro en 3 días. Si leyó la misma cantidad de páginas cada día, ¿cuántas páginas leyó por día?

Halla $21 \div 3$.

 ¿Qué número multiplicado por 3 es igual a 21?

$7 \times 3 = 21$

Escribe:   $21 \div 3 = 7$

Hanna leyó 7 páginas por día.

**Recuerda** que puedes pensar en una operación de multiplicación relacionada para resolver un problema de división.

Halla los cocientes.

**1.** $27 \div 3$      **2.** $63 \div 9$

**3.** $42 \div 7$      **4.** $35 \div 5$

**5.** $60 \div 6$      **6.** $8 \div 2$

**7.** $20 \div 4$      **8.** $48 \div 8$

**Grupo D,** páginas 222 y 223

Halla $8 \div 1$, $8 \div 8$ y $0 \div 8$.

Cuando un número cualquiera se divide por 1, el cociente es el mismo número. **$8 \div 1 = 8$**

Cuando un número cualquiera (excepto 0) se divide por sí mismo, el cociente es 1. **$8 \div 8 = 1$**

Cuando 0 se divide por cualquier número (excepto 0), el cociente es 0. **$0 \div 8 = 0$**

**Recuerda** que no puedes dividir ningún número por 0.

Halla los cocientes.

**1.** $4 \div 1$    **2.** $7 \div 7$    **3.** $0 \div 5$

**4.** $1\overline{)5}$    **5.** $3\overline{)0}$    **6.** $9\overline{)9}$

**7.** $6\overline{)6}$    **8.** $1\overline{)7}$    **9.** $4\overline{)0}$

**Grupo E,** páginas 224 y 225

Halla $55 \div 11$.

Cuando el dividendo es un número de dos dígitos, puedes usar un patrón para dividir por 11.

$11 \div 11 = 1$   $44 \div 11 = 4$   $77 \div 11 = 7$
$22 \div 11 = 2$   $55 \div 11 = 5$   $88 \div 11 = 8$
$33 \div 11 = 3$   $66 \div 11 = 6$   $99 \div 11 = 9$

El cociente es igual a cada uno de los dígitos en el dividendo.

$55 \div 11 = 5$

**Recuerda** que todos los números divisibles por 10 terminan en 0.

Divide. Puedes usar una tabla de multiplicar, fichas o un dibujo.

**1.** $40 \div 10$      **2.** $66 \div 11$

**3.** $11\overline{)77}$   **4.** $10\overline{)30}$   **5.** $10\overline{)50}$

**6.** $11\overline{)22}$   **7.** $10\overline{)70}$   **8.** $11\overline{)44}$

**Grupo F,** páginas 226 a 228

Carl quiere atar 48 globos en 6 grupos iguales. ¿Cuántos globos habrá en cada grupo?

**48 globos**

| ? | ? | ? | ? | ? | ? |

Dibuja un diagrama para mostrar lo que sabes.

**Globos en cada grupo**

Escribe una oración numérica.
$48 \div 6 = 8$
Habrá 8 globos en cada grupo.

**Recuerda** que debes leer atentamente.

Haz un diagrama y escribe una oración numérica para resolver.

**1.** Una montaña rusa tiene 10 vagones. En cada vagón caben 6 personas. ¿Cuántas personas pueden montar en la montaña rusa al mismo tiempo?

**2.** En una excursión de la escuela había 36 niños. Los niños formaron 6 grupos iguales. ¿Cuántos niños había en cada grupo?

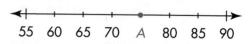
## Números y operaciones

**1.** ¿Cuál de las siguientes respuestas es otra manera de escribir 2,508?

**A** $2,000 + 500 + 80$

**B** dos mil quinientos ocho

**C** $2,000 + 50 + 8$

**D** dos mil quinientos ochenta

**2.** ¿Qué número completa la división que se muestra abajo?

$$14 \div 2 = \blacksquare$$

**F** 7          **H** 16

**G** 12        **J** 28

**3.** ¿Qué oración numérica **NO** pertenece a la misma familia de operaciones que las demás?

**A** $48 \div 6 = 8$     **C** $8 + 6 = 14$

**B** $8 \times 6 = 48$     **D** $48 \div 8 = 6$

**4.** Muestra dos maneras de hallar $28 \times 7$. Escribe el producto.

**5.** Tomás colocó 24 pelotas de tenis en 8 latas. Puso el mismo número de pelotas en cada lata. ¿Cuántas pelotas de tenis hay en cada lata?

**6. Escribir para explicar** Explica cómo puedes usar el cálculo mental para hallar $8 \times 1,200$. Escribe el producto.

## Geometría y medición

**7.** ¿Qué número representa mejor el punto A en la recta numérica?

55   60   65   70   A   80   85   90

**8.** ¿Cuántos vértices tiene un cubo?

**F** 6          **H** 10

**G** 8         **J** 12

**9.** ¿Cuál sería el mejor instrumento para medir la capacidad de un tazón?

**A**      **C**

**B** 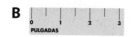     **D**

PULGADAS

**10.** ¿Cuál de las siguientes actividades tomaría como un minuto?

**F** Dormir toda la noche

**H** Cenar

**G** Atarse los zapatos

**J** Escribir un cuento

**11.** ¿Qué hora muestra el reloj?

**12.** ¿Usarías pulgadas, tazas o libras para medir la longitud?

**13. Escribir para explicar** El termómetro muestra que la temperatura exterior es de 33 °F. ¿Qué tipo de ropa deberías usar para salir afuera? Explícalo.

## Probabilidad y estadística

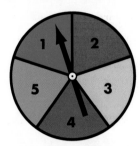

**14.** ¿En cuál de los siguientes números es más probable que caiga la flecha?

    **A** un número menor que 5

    **B** un número par

    **C** un número impar

    **D** un número mayor que 4

Usa la gráfica de barras para los Ejercicios **15** a **17.**

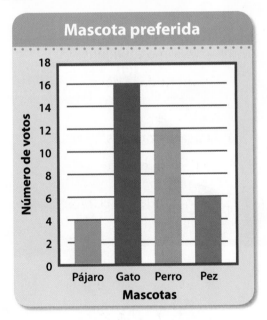

**15.** ¿Cuántos estudiantes más escogieron el perro que el pez?

**16.** ¿Cuántos estudiantes votaron en total?

**17. Escribir para explicar** Supón que 10 estudiantes votaron por un jerbo. Explica cómo mostrarías esto en la gráfica.

## Razonamiento algebraico

**18.** ¿Qué número completa el patrón?

27, 24, 21, ▓ , 15

    **F** 16             **H** 18

    **G** 17             **J** 20

**19.** ¿Cuál es el número que falta?

$24 \div \blacksquare = 8$

    **A** 2             **C** 4

    **B** 3             **D** 6

**20.** ¿Qué número hace verdadera esta oración numérica?

$6 + \blacksquare = 20$

**21.** Linda juega a un juego de conteo. Cuenta 50, 45, 40, 35, 30. Si continúa ese patrón, ¿cuáles son los tres números siguientes que va a contar?

**22.** Dos bolígrafos cuestan $4. Tres cuestan $6. Cuatro cuestan $8. ¿Cuánto costarán nueve bolígrafos?

**23. Escribir para explicar** ¿Cuántos puntos habrá en la sexta figura en este patrón? Explica cómo hallaste tu respuesta.

# Conceptos de fracciones

**1** ¿Qué fracción de las estatuas del Monumento a los Niños, en Texas, son niñas? Lo averiguarás en la Lección 11-3.

**2** ¿Qué fracción del área no sumergida de la superficie de la Tierra es desierto? Lo averiguarás en la Lección 11-7.

# Repasa lo que sabes

## Vocabulario

Escoge el mejor término del recuadro.

- comparar
- menor
- mayor
- multiplicar

**1.** El número 219 es __?__ que el número 392.

**2.** El número 38 es __?__ que el número 19.

**3.** Para determinar si 15 tiene más o menos decenas que 24, tienes que __?__ los dos números.

## Matrices

Halla el producto de cada matriz.

**4.** ● ● ●
● ● ●

**5.** ● ● ● ●
● ● ● ●
● ● ● ●

## Comparar números

Compara. Escribe $<$, $>$ o $=$.

**6.** 427 ◯ 583

**7.** 910 ◯ 906

**8.** 139 ◯ 136

**9.** 4,500 ◯ 4,500

**10.** 693 ◯ 734

**11.** 1,050 ◯ 1,005

**12. Escribir para explicar** Halla qué número es mayor, 595 ó 565. Explica qué dígitos usaste para decidirlo.

**3**

¿Qué fracción de los huesos de tu cuerpo están en los pies? Lo averiguarás en la Lección 11-4.

**4**

La bandera de Nigeria, ¿está formada por partes iguales? Lo averiguarás en la Lección 11-1.

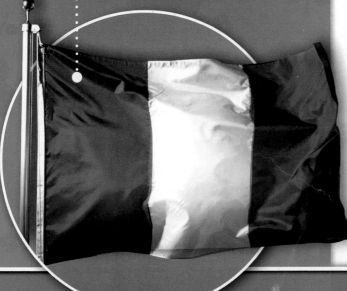

Tema 11     **237**

# Dividir regiones en partes iguales

Manos a la obra
papel cuadriculado

## ¿Cómo divides un entero en partes iguales?

Muestra dos maneras de dividir el papel cuadriculado en partes iguales.

Cuando una región se divide en dos partes iguales, las partes se llaman mitades.

No es necesario que las partes tengan la misma forma, pero deben tener la misma área.

6 partes iguales
sextos

6 partes iguales
sextos

10 partes iguales
décimos

10 partes iguales
décimos

## Práctica guiada*

### ¿CÓMO hacerlo?

En los Ejercicios **1** a **4**, di si las figuras muestran partes iguales o desiguales. Si las partes son iguales, escribe su nombre.

**1.**

**2.**

**3.**

**4.**

### ¿Lo ENTIENDES?

**5.** En los ejemplos de papel cuadriculado que aparecen arriba, explica cómo sabes que las dos partes son iguales.

**6.** Usa papel cuadriculado. Haz un dibujo para mostrar sextos.

**7.** Agustín dividió su jardín en áreas iguales, como se muestra abajo. ¿Cómo se llaman esas partes iguales del entero?

eTools, Glosario animado
**www.pearsonsuccessnet.com**

*Puedes encontrar otro ejemplo en el Grupo A, página 258.*

Éstos son algunos nombres de las partes iguales de un entero.

| | | | |
|---|---|---|---|
| 2 partes iguales mitades | 3 partes iguales tercios | 4 partes iguales cuartos | 5 partes iguales quintos |
| 6 partes iguales sextos | 8 partes iguales octavos | 10 partes iguales décimos | 12 partes iguales doceavos |

## Práctica independiente

En los Ejercicios **8** a **11,** di si las figuras muestran partes iguales o desiguales. Si las partes son iguales, escribe el nombre.

**8.**

**9.**

**10.**

**11.**

En los Ejercicios **12** a **15,** usa papel cuadriculado. Dibuja una región que muestre las partes iguales que se indican.

**12.** cuartos   **13.** mitades   **14.** décimos   **15.** octavos

 **TAKS Resolución de problemas**

En los Ejercicios **16** a **18,** usa la tabla de las banderas.

**16. Razonamiento** La bandera de este país tiene más de tres partes. Las partes son iguales. ¿Cuál es el país?

**17.** La bandera de Nigeria está formada por partes iguales. ¿Cuál es el nombre de las partes de la bandera de Nigeria?

**18.** ¿Qué bandera **NO** está dividida en partes iguales?

**Banderas de distintos países**

| País | Bandera |
|---|---|
| Mauricio | |
| Nigeria | |
| Polonia | |
| Seychelles | |

**19.** ¿Qué figura **NO** está dividida en partes iguales?

A    B    C    D

**TEKS 3.2C:** Utilizar nombres y símbolos de fracciones para describir las partes fraccionarias de un entero o de grupos de enteros.

# Fracciones y regiones

## ¿Cómo muestras y nombras las partes de una región?

El Sr. Kim hizo una bandeja de barras de fruta. Sirvió parte de la bandeja de barras a sus amigos. ¿Qué parte del entero sirvió? ¿Qué parte le quedó?

Una fracción es un símbolo, como $\frac{1}{2}$ ó $\frac{2}{3}$, que se usa para nombrar partes iguales de un entero.

---

## Práctica guiada*

### ¿CÓMO hacerlo?

En los Ejercicios **1** y **2,** escribe qué fracción de cada figura es anaranjada.

**1.**

**2.**

En los Ejercicios **3** y **4,** haz un dibujo para mostrar cada fracción.

**3.** $\frac{3}{4}$

**4.** $\frac{4}{7}$

### ¿Lo ENTIENDES?

**5.** En el ejemplo de arriba, ¿qué fracción nombra a todas las partes de la bandeja de barras?

**6.** La Sra. Gupta compró una pizza y se comió una parte. ¿Qué fracción de la pizza se comió? ¿Qué fracción de la pizza le quedó?

---

## Práctica independiente

En los Ejercicios **7** a **10,** escribe la fracción de cada figura que es verde.

**7.**

**8.**

**9.**

**10.**

En los Ejercicios **11** a **15,** haz un dibujo para mostrar cada fracción.

**11.** $\frac{1}{3}$

**12.** $\frac{2}{4}$

**13.** $\frac{1}{6}$

**14.** $\frac{7}{10}$

**15.** $\frac{2}{2}$

Glosario animado
**www.pearsonsuccessnet.com**

*Puedes encontrar otro ejemplo en el Grupo B, página 258.*

## TAKS Resolución de problemas

En los Ejercicios **16** a **19**, usa el cartel que está a la derecha.

**16.** Ben y sus amigos pidieron una pizza mediana. Ben comió 1 porción de pizza. ¿Qué fracción de la pizza comió Ben?

**17.** La familia de Aída compró una pizza grande. La familia comió 4 porciones de pizza. ¿Qué fracción de la pizza les quedó?

**18.** La familia de Tami compró 3 pizzas pequeñas. La familia de Leonardo compró 2 pizzas medianas. ¿Cuánto más gastó la familia de Tami que la de Leonardo?

**19.** ¿Qué cuesta más: 6 pizzas pequeñas o 4 pizzas grandes? ¿Cuánto más cuestan?

| Tamaño de la pizza | Precio |
|---|---|
| Pequeña | $7 |
| Mediana | $9 |
| Grande | $11 |

**20. ¿Es razonable?** Se divide una fuente de macarrones con queso en 12 partes desiguales. Alana sirve 3 de las partes. ¿Es razonable decir que Alana ha servido $\frac{3}{12}$ de la fuente de macarrones con queso? Explica tu respuesta.

**21.** Mira el dibujo de la colcha. ¿Qué fracción de la colcha es blanca?

**A** $\frac{4}{6}$    **C** $\frac{6}{10}$

**B** $\frac{6}{6}$    **D** $\frac{2}{5}$

**TEKS 3.2C:** Utilizar nombres y símbolos de fracciones para describir las partes fraccionarias de un entero o de grupos de enteros.
También, **TEKS 3.2A**.

# Fracciones y conjuntos

**Manos a la obra**
fichas

## ¿Cómo representa una fracción una parte de un grupo?

Un grupo de 12 personas está en la fila para comprar entradas para una película. ¿Qué fracción del grupo de personas llevan puesto algo rojo? ¿Qué fracción de las personas no llevan nada rojo?

Una fracción nombra partes iguales de un conjunto, o de un grupo, de objetos.

8 personas llevan algo rojo.

---

## Práctica guiada*

### ¿CÓMO hacerlo?

En los Ejercicios **1** y **2,** escribe qué fracción de las fichas son rojas.

1.

2.

En los Ejercicios **3** y **4,** dibuja fichas para mostrar la fracción dada.

3. $\frac{4}{5}$

4. $\frac{3}{8}$

### ¿Lo ENTIENDES?

5. En el ejemplo de arriba, ¿por qué el denominador es igual para la parte del grupo que lleva algo rojo como para la parte del grupo que no lleva nada rojo?

6. Un grupo de 9 estudiantes está esperando el autobús. Seis de ellos llevan una chaqueta. ¿Qué fracción de los estudiantes del grupo llevan chaqueta? ¿Qué fracción de los estudiantes no llevan chaqueta?

---

## Práctica independiente

En los Ejercicios **7** a **9,** escribe qué fracción de las fichas son amarillas.

7.

8.

9.

En los Ejercicios **10** a **12,** haz un dibujo del conjunto que se describe.

10. 5 figuras, $\frac{3}{5}$ de ellas son círculos

11. 8 figuras, $\frac{5}{8}$ de ellas son triángulos

12. 2 figuras, $\frac{1}{2}$ de ellas son cuadrados

*Puedes encontrar otro ejemplo en el Grupo B, página 258.

eTools
www.pearsonsuccessnet.com

## Lo que escribes

$\dfrac{8}{12}$ ◄—Número de personas que llevan algo rojo
◄—Número total de personas

$\dfrac{4}{12}$ ◄—Número de personas que **no** llevan nada rojo
◄—Número total de personas

## Lo que dices

*Ocho doceavos* de las personas llevan algo rojo.

*Cuatro doceavos* de las personas no llevan nada rojo.

---

### ⬥TAKS Resolución de problemas

En los Ejercicios **13** a **15,** escribe la fracción del grupo de botones que se describe.

**13.** Botones rosados

**14.** Botones azules

**15.** Botones con sólo dos agujeros

En los Ejercicios **16** y **17,** haz un dibujo para mostrar cada fracción de un conjunto.

**16.** Flores: $\dfrac{3}{4}$ son amarillas

**17.** Manzanas: $\dfrac{1}{2}$ son verdes

**18.** El Monumento a los Niños, en el Capitolio estatal de Austin, Texas, está compuesto de seis estatuas. ¿Cuántas son estatuas de niñas?

**19. Sentido numérico** Una familia de 5 personas está comprando boletos para un concierto. Si $\dfrac{2}{5}$ de los boletos que compran son para adultos, ¿cuántos boletos de adultos necesita la familia?

**20.** ¿Qué fracción de los pétalos se ha caído de la flor?

A $\dfrac{3}{5}$

B $\dfrac{2}{8}$

C $\dfrac{8}{10}$

D $\dfrac{2}{10}$

$\dfrac{3}{6}$ de las estatuas son estatuas de niñas

Lección

11-4

TEKS 3.2C: Utilizar
nombres y símbolos de
fracciones para describir
las partes fraccionarias
de un entero o de grupos
de enteros.

# Fracciones y longitud

Manos a la obra
tiras de fracciones
$\frac{1}{8}$

## ¿Cómo una fracción puede representar una parte de una longitud?

¿Qué fracción de la longitud de este collar es azul?

¿Qué fracción no es azul?

Una fracción puede representar una parte de una longitud.

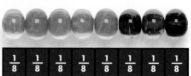

## Práctica guiada*

### ¿CÓMO hacerlo?

En los Ejercicios **1** y **2,** ¿qué fracción de la longitud de la tira 1 muestra la otra tira? Usa tiras de fracciones como ayuda.

1.

2.

### ¿Lo ENTIENDES?

3. En el ejemplo de arriba, ¿cómo ayudan las tiras de fracciones a resolver el problema?

4. ¿Qué fracción de la longitud de la cinta de abajo es verde? ¿Qué fracción de la longitud de la cinta no es verde?

## Práctica independiente

En los Ejercicios **5** a **8,** ¿qué fracción de la longitud de la tira 1 muestra la otra tira?

5.
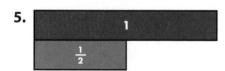

6.

7.
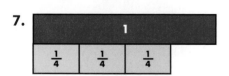

8.
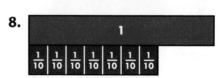

eTools
www.pearsonsuccessnet.com

## Lo que escribes

$\frac{5}{8}$ ← Número de partes de la longitud que son azules
    ← Número total de partes de la longitud del collar

$\frac{3}{8}$ ← Número de partes de la longitud que **no** son azules
    ← Número total de partes de la longitud del collar

## Lo que dices

*Cinco octavos* de la longitud del collar son azules.

*Tres octavos* de la longitud del collar no son azules.

### TAKS Resolución de problemas

En los Ejercicios **9** y **10**, ¿qué fracción de cada longitud de lana es verde?

**9.**

| $\frac{1}{12}$ | $\frac{1}{12}$ | $\frac{1}{12}$ | $\frac{1}{12}$ | $\frac{1}{12}$ | $\frac{1}{12}$ | $\frac{1}{12}$ | $\frac{1}{12}$ |

**10.**

| $\frac{1}{4}$ | $\frac{1}{4}$ |

**11. Estimación** Nick quiere comprar dos artículos. Estima que el precio total de los dos artículos será $100. Un artículo cuesta $58. ¿Cuál sería un precio razonable para el otro artículo?

**12.** Para su papel en la obra de teatro de la escuela, Carmen debe memorizar 10 líneas. Cada línea tiene alrededor de 10 palabras. ¿Aproximadamente cuántas palabras necesita memorizar Carmen?

**13.** ¿Qué grupo muestra menos de $\frac{3}{5}$ de las figuras sombreadas?

**A** ◆◇◆◇◆

**C** ◆◆◆◆◆

**B** ◆◇◆◆◆

**D** ◆◇◇◇◆

**14.** ¿Qué fracción de los huesos del cuerpo humano **NO** están en los pies?

| 1 |
| $\frac{1}{4}$ |

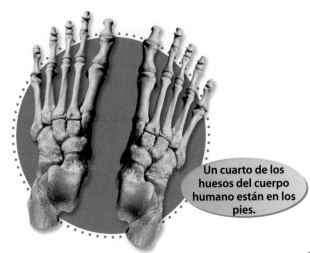

Un cuarto de los huesos del cuerpo humano están en los pies.

TEKS 3.2B: Comparar partes fraccionarias de objetos enteros o de conjuntos de objetos en un problema utilizando modelos concretos.

# Usar modelos para comparar fracciones

Manos a la obra
tiras de fracciones  $\frac{1}{8}$

## ¿Cómo comparas fracciones?

Nora y Edwin están pintando dos paneles del mismo tamaño y de la misma forma. ¿Cuál de los dos pintó una porción más grande: Nora o Edwin?

Compara $\frac{1}{2}$ y $\frac{2}{5}$.

Nora pintó $\frac{1}{2}$ de un panel.

Edwin pintó $\frac{2}{5}$ del otro panel.

---

## Práctica guiada*

### ¿CÓMO hacerlo?

En los Ejercicios **1** y **2**, compara. Escribe >, < o =. Usa tiras de fracciones como ayuda.

1.
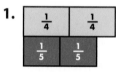
$\frac{2}{4} \bigcirc \frac{2}{5}$

2.

$\frac{4}{8} \bigcirc \frac{3}{6}$

### ¿Lo ENTIENDES?

3. En el problema de arriba que trata de Zoe y de Nat, ¿puedes decir quién pintó un área mayor del panel? Explica.

4. Bob e Irene están pintando dos paredes del mismo tamaño y de la misma forma. Irene pintó $\frac{2}{3}$ de una pared. Bob pintó $\frac{3}{4}$ de la otra. ¿Cuál de los dos pintó un área más grande?

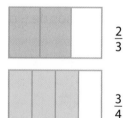

$\frac{2}{3}$

$\frac{3}{4}$

---

## Práctica independiente

En los Ejercicios **5** a **7**, compara. Escribe >, < o =. Usa tiras de fracciones como ayuda.

5.
$\frac{1}{3}$ $\frac{1}{3}$
$\frac{1}{5}$
$\frac{2}{3} \bigcirc \frac{1}{5}$

6.
$\frac{1}{12}$ $\frac{1}{12}$ $\frac{1}{12}$
$\frac{1}{4}$
$\frac{3}{12} \bigcirc \frac{1}{4}$

7.
$\frac{1}{6}$ $\frac{1}{6}$
$\frac{1}{2}$
$\frac{2}{6} \bigcirc \frac{1}{2}$

eTools
www.pearsonsuccessnet.com
DIGITAL

*Puedes encontrar otro ejemplo en el Grupo D, página 259.

Puedes usar tiras de fracciones.

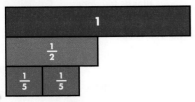

Compara las tiras de fracciones.

$\frac{1}{2}$ es mayor que $\frac{2}{5}$.

$\frac{1}{2} > \frac{2}{5}$

Nora pintó una porción más grande.

Zoe pintó $\frac{1}{2}$ de un panel. Nat pintó $\frac{1}{2}$ de un panel con un área diferente. ¿Es la mitad de lo que pintó Zoe igual a la mitad de lo que pintó Nat?

Haz un dibujo.

Pintaron $\frac{1}{2}$ de cada panel.

Los paneles tienen distintas áreas. La mitad de lo que pintó Zoe no es igual a la mitad de lo que pintó Nat.

---

**TAKS Resolución de problemas**

Las tiras de fracciones de la derecha representan tres panes que la Sra. Rai cortó en rebanadas para una comida. Las tiras muestran cuánto de cada pan quedó después de la comida.

En los Ejercicios **8** y **9**, copia y completa las oraciones numéricas para hallar el pan del que haya quedado más después de la comida.

8. El pan cortado en sextos o el pan cortado en tercios

   $\frac{5}{6} \bigcirc \frac{2}{3}$

9. El pan cortado en octavos o el pan cortado en tercios

   $\frac{3}{8} \bigcirc \frac{2}{3}$

10. **Escribir para explicar** Lupe comió $\frac{1}{3}$ de un sándwich. Jed comió $\frac{1}{3}$ de otro sándwich. Jed comió más que Lupe. ¿Cómo es posible?

11. Kobe alimentó a su hámster y a su conejo. Al conejo le dio 3 trozos de zanahoria por cada 2 trozos que le dio al hámster. Si el hámster comió 8 trozos de zanahoria, ¿cuántos trozos comió el conejo?

12. ¿En qué grupo están sombreadas más de $\frac{5}{7}$ de las figuras?

TEKS 3.2B: Comparar partes fraccionarias de objetos enteros o de conjuntos de objetos en un problema utilizando modelos concretos.

**Manos a la obra** $\frac{1}{5}$
tiras de fracciones

# Comparar fracciones

## ¿Cómo comparas fracciones con el mismo numerador o con el mismo denominador?

Dos bufandas son del mismo tamaño. Una bufanda es $\frac{4}{5}$ verde y la otra bufanda es $\frac{2}{5}$ verde.

¿Qué parte es mayor, $\frac{4}{5}$ ó $\frac{2}{5}$?

Compara $\frac{4}{5}$ y $\frac{2}{5}$.

$\frac{4}{5}$ de esta bufanda es verde.

$\frac{2}{5}$ de esta bufanda es verde.

---

**Otro ejemplo** ¿Cómo comparas fracciones con el mismo numerador?

Dos bufandas son del mismo tamaño. Cada bufanda tiene una parte azul y otra blanca. Una bufanda es $\frac{1}{6}$ azul y la otra es $\frac{1}{4}$ azul.

¿Qué parte es menor, $\frac{1}{6}$ ó $\frac{1}{4}$?

$\frac{1}{6}$ y $\frac{1}{4}$ son fracciones unitarias. Una fracción unitaria es una fracción con un numerador de 1.

### Lo que muestras

Puedes usar tiras de fracciones.

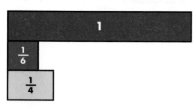

Compara las tiras de fracciones.

### Lo que escribes

$$\frac{1}{6} < \frac{1}{4}$$

*Un sexto* es menor que *un cuarto*.

Si dos fracciones tienen el mismo numerador, la fracción con el denominador más grande es menor que la otra fracción.

### Explícalo

1. **¿Es razonable?** ¿Pueden $\frac{1}{6}$ y $\frac{1}{3}$ de la misma bufanda ser iguales? ¿Por qué o por qué no?

2. **Escribir para explicar** ¿Qué fracción es mayor, $\frac{2}{6}$ ó $\frac{2}{5}$? Explica.

Glosario animado, eTools
www.pearsonsuccessnet.com

Puedes usar tiras de fracciones.

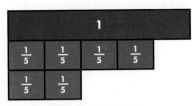

Compara las tiras de fracciones.

$\frac{4}{5} > \frac{2}{5}$

*Cuatro quintos* es mayor que *dos quintos*.

Si dos fracciones tienen el mismo denominador, la fracción con el numerador más grande es la fracción mayor.

## Práctica guiada*

### ¿CÓMO hacerlo?

En los Ejercicios **1** y **2**, compara. Escribe $<$, $>$ o $=$. Usa tiras de fracciones como ayuda.

**1.**

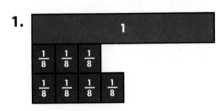

$\frac{3}{8} \bigcirc \frac{4}{8}$

**2.**

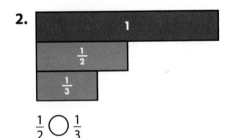

$\frac{1}{2} \bigcirc \frac{1}{3}$

### ¿Lo ENTIENDES?

**3.** En el ejemplo de arriba, ¿cómo pueden mostrar los modelos que si dos fracciones tienen el mismo denominador, la fracción con el numerador más grande es la mayor?

**4.** Dos cintas tienen la misma longitud. Cada una tiene una parte rosada y una parte amarilla. Una cinta es $\frac{2}{4}$ rosada, y la otra es $\frac{3}{4}$ rosada. ¿Qué fracción es mayor, $\frac{2}{4}$ ó $\frac{3}{4}$?

## Práctica independiente

En los Ejercicios **5** y **6**, compara. Escribe $<$, $>$ o $=$. Usa tiras de fracciones como ayuda.

**5.**

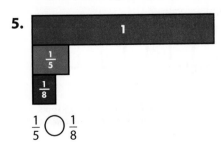

$\frac{1}{5} \bigcirc \frac{1}{8}$

**6.**

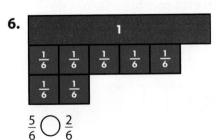

$\frac{5}{6} \bigcirc \frac{2}{6}$

*Puedes encontrar otro ejemplo en el Grupo D, página 259.*

En los Ejercicios **7** a **10**, copia y completa. Usa <, > o = para comparar.

**7.** $\frac{4}{5} \bigcirc \frac{4}{10}$      **8.** $\frac{5}{8} \bigcirc \frac{7}{8}$      **9.** $\frac{1}{2} \bigcirc \frac{1}{10}$      **10.** $\frac{3}{8} \bigcirc \frac{3}{6}$

 **TAKS** Resolución de problemas

En los Ejercicios **11** a **14,** los dibujos muestran cuatro postes de una cerca parcialmente pintados. Copia y completa las oraciones numéricas para comparar las partes pintadas de cada poste.

**11.** Postes pintados de verde:

$\frac{1}{3} \bigcirc \frac{1}{5}$

**12.** Postes pintados de amarillo:

$\frac{3}{4} \bigcirc \frac{2}{4}$

**13.** Primer y último poste:

$\frac{1}{5} \bigcirc \frac{2}{4}$

$$\frac{1}{5} \qquad \frac{1}{3} \qquad \frac{3}{4} \qquad \frac{2}{4}$$

**14.** **Estimación** Roy ha ahorrado dinero para comprar una cometa que cuesta $54.

  **a** Haz una estimación para decidir si ha ahorrado suficiente dinero para comprar la cometa. Explica tu respuesta.

  **b** ¿Cuánto dinero ha ahorrado Roy hasta ahora?

  **c** ¿Cuánto más dinero necesita para comprar la cometa?

**Datos**

| Dinero ahorrado | |
| --- | --- |
| **Mes** | **Cantidad** |
| Junio | $12 |
| Julio | $13 |
| Agosto | $21 |

**15.** **Escribir para explicar** Una pizza de vegetales y una pizza de queso son del mismo tamaño. La pizza de vegetales se corta en 8 porciones iguales. La pizza de queso se corta en 12 porciones iguales. ¿Qué pizza tiene porciones más grandes? Explica tu respuesta.

**16.** ¿Qué región está sombreada más de $\frac{6}{10}$ del total?

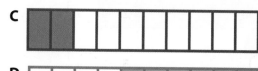

  **A**

  **B**

  **C**

  **D**

## Comparar fracciones

Usa 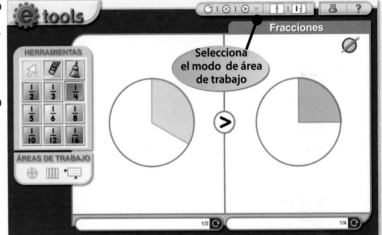 tools
### Fracciones

Demuestra las fracciones usando la herramienta de fracciones y escribe > o < para cada $\bigcirc$.

$\frac{1}{3} \bigcirc \frac{1}{4}$
$\frac{3}{8} \bigcirc \frac{1}{8}$

**Paso 1** Ve a las fracciones de eTools. Escoge el modo de área de trabajo de equivalentes usando el menú desplegable en la parte de arriba de la página. Escoge $\frac{1}{3}$, para mostrar $\frac{1}{3}$ en el primer círculo.

**Paso 2** Selecciona el segundo círculo haciendo clic sobre el mismo. Selecciona $\frac{1}{4}$ para mostrar $\frac{1}{4}$ en el segundo círculo. Observa que el primer círculo está más sombreado que el segundo. Observa también el símbolo en el medio del área de trabajo. Las dos cosas muestran que $\frac{1}{3} > \frac{1}{4}$.

**Paso 3** Usa la herramienta para limpiar para borrar el área de trabajo antes de comenzar con otro problema. Haz clic en el primer círculo. Luego, haz clic en $\frac{1}{8}$ tres veces para mostrar $\frac{3}{8}$. Haz clic en el segundo círculo y luego en $\frac{1}{8}$. Esto muestra $\frac{3}{8} > \frac{1}{8}$.

---

## Práctica

Demuestra las fracciones usando la herramienta de fracciones y escribe > o < para cada $\bigcirc$.

**1.** $\frac{2}{3} \bigcirc \frac{1}{3}$

**2.** $\frac{1}{5} \bigcirc \frac{3}{5}$

**3.** $\frac{1}{8} \bigcirc \frac{1}{6}$

**4.** $\frac{5}{6} \bigcirc \frac{1}{6}$

**5.** $\frac{1}{4} \bigcirc \frac{1}{5}$

**6.** $\frac{4}{5} \bigcirc \frac{3}{5}$

**7.** $\frac{1}{3} \bigcirc \frac{1}{2}$

**8.** $\frac{3}{10} \bigcirc \frac{7}{10}$

**9.** $\frac{5}{12} \bigcirc \frac{7}{12}$

## Lección
# 11-7

TEKS 3.2D: Construir modelos concretos de fracciones equivalentes para partes fraccionarias de objetos enteros.

# Hallar fracciones equivalentes

**¿De qué manera pueden fracciones diferentes nombrar la misma parte de un entero?**

Sonya ha coloreado $\frac{1}{2}$ del borde.

¿Cuáles son otras dos maneras de nombrar $\frac{1}{2}$?

Fracciones distintas pueden nombrar la misma parte de un entero.

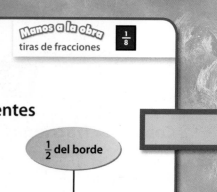

$\frac{1}{2}$ del borde

---

## Práctica guiada*

### ¿CÓMO hacerlo?

En los Ejercicios **1** a **4**, copia y completa la oración numérica. Usa tiras de fracciones como ayuda.

**1.**
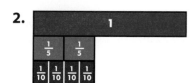

$\frac{1}{3} = \frac{\square}{12}$

**2.**

$\frac{2}{5} = \frac{\square}{10}$

**3.** $\frac{1}{2} = \frac{5}{\square}$        **4.** $\frac{2}{4} = \frac{\square}{6}$

### ¿Lo ENTIENDES?

**5.** En el ejemplo de arriba, ¿qué patrón ves en el numerador y en el denominador de fracciones que representan $\frac{1}{2}$?

**6.** Vijay dobló una cuerda en cuartos. Luego mostró $\frac{1}{4}$ de la longitud. Escribe $\frac{1}{4}$ de otra manera.

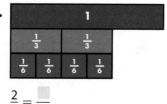

---

## Práctica independiente

En los Ejercicios **7** a **9**, copia y completa las oraciones numéricas. Usa tiras de fracciones como ayuda.

**7.**
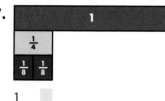

$\frac{1}{4} = \frac{\square}{8}$

**8.**

$\frac{2}{3} = \frac{\square}{6}$

**9.**
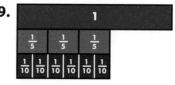

$\frac{3}{5} = \frac{\square}{10}$

DIGITAL — eTools — www.pearsonsuccessnet.com

*Puedes encontrar otro ejemplo en el Grupo E, página 259.*

$\frac{1}{2} = \frac{\square}{8}$

Puedes usar tiras de fracciones. Los denominadores de las fracciones indican qué tiras de fracciones usar.

Halla cuántos $\frac{1}{8}$ equivalen a $\frac{1}{2}$.

Cuatro tiras de $\frac{1}{8}$ equivalen a $\frac{1}{2}$, por tanto $\frac{1}{2} = \frac{4}{8}$.

Otra manera de expresar $\frac{1}{2}$ es $\frac{4}{8}$.

$\frac{1}{2} = \frac{\square}{6}$

Puedes usar tiras de fracciones. El denominador es 6; por tanto, usa tiras de $\frac{1}{6}$.

Halla cuántos $\frac{1}{6}$ equivalen a $\frac{1}{2}$.

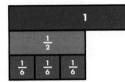

Tres tiras de $\frac{1}{6}$ equivalen a $\frac{1}{2}$, por tanto $\frac{1}{2} = \frac{3}{6}$.

Otra manera de expresar $\frac{1}{2}$ es $\frac{3}{6}$.

 **TAKS Resolución de problemas**

En los Ejercicios **10** a **12**, copia y completa. Usa $<$, $>$ o $=$ para comparar.

**10.** $\frac{6}{12} \bigcirc \frac{6}{10}$

**11.** $\frac{1}{5} \bigcirc \frac{2}{10}$

**12.** $\frac{1}{3} \bigcirc \frac{2}{6}$

En los Ejercicios **13** y **14,** nombra una fracción para resolver los problemas.

**13.** Evie pintó $\frac{1}{6}$ de la longitud de un panel. ¿Cuál es otra manera de nombrar $\frac{1}{6}$?

**14.** Dos octavos de un collar son rojos. ¿Qué parte de la longitud del collar no es roja?

**Álgebra** En los Ejercicios **15** a **17**, copia y completa para continuar el patrón.

**15.** $\frac{1}{2}, \frac{2}{4}, \frac{3}{6}, \frac{4}{\square}, \frac{5}{\square}, \frac{6}{\square}$

**16.** $\frac{2}{3}, \frac{4}{6}, \frac{6}{9}, \frac{\square}{12}$

**17.** $\frac{1}{4}, \frac{2}{8}, \frac{3}{12}, \frac{\square}{16}, \frac{\square}{20}, \frac{\square}{24}$

**18.** **¿Es razonable?** Jan lee de 4 a 6 libros por mes. ¿Aproximadamente cuántos libros leería Jan en 7 meses? Explica tu respuesta.

**20.** ¿La parte sombreada de qué rectángulo es una fracción igual a $\frac{1}{4}$?

F

H

G

J

**19.** ¿Qué fracción representa la parte del área no sumergida de la superficie de la Tierra que es un desierto?

A $\frac{1}{2}$

B $\frac{1}{3}$

C $\frac{1}{5}$

D $\frac{4}{6}$

Aproximadamente $\frac{2}{6}$ del área no sumergida de la superficie de la Tierra es desierto.

**TEKS 3.14C:** Seleccionar o desarrollar un plan o una estrategia de resolución de problemas apropiado en el que haga un dibujo, busque un patrón, adivine y compruebe sistemáticamente, haga una dramatización, elabore una tabla, resuelva un problema más sencillo o trabaje desde el final hasta el principio para resolver un problema.

# Hacer una tabla y Buscar un patrón

Una tienda de videojuegos probó 20 juegos. Tres de los juegos no funcionaron. Si se probaran 120 juegos, ¿cuántos probablemente no funcionarían?

## Práctica guiada*

### ¿CÓMO hacerlo?

Copia y completa la tabla para resolver.

1. La Sra. Simms está comprando bolsas de bloques. De los 50 bloques que hay en cada bolsa, 3 son cubos. Si la Sra. Simms compra 250 bloques, ¿cuántos serán cubos?

| Cubos | 3 | | | | |
|---|---|---|---|---|---|
| Total de bloques | 50 | | | | |

### ¿Lo ENTIENDES?

2. Mira el ejemplo de arriba. Si la tienda de videojuegos comprara 50 juegos, ¿qué cantidad probablemente no funcionaría? Explica.

3. **Escribe un problema** Escribe un problema que pueda resolverse haciendo una tabla y usando un patrón. Luego resuelve el problema.

## Práctica independiente

Copia y completa la tabla para resolver.

4. Los borradores se venden en paquetes de 6. En cada paquete, hay 2 borradores de color rosado. ¿Cuántos borradores rosados tendrás si compras 30 borradores?

| Borradores rosados | 2 | | | | |
|---|---|---|---|---|---|
| Total de borradores | 6 | | | | |

### ¿En aprietos? Intenta esto...

- ¿Qué sé?
- ¿Qué se me pide que halle?
- ¿Qué diagrama puedo usar como ayuda para entender el problema?
- ¿Puedo usar la suma, la resta, la multiplicación o la división?
- ¿Es correcto todo mi trabajo?
- ¿Respondí a la pregunta que correspondía?
- ¿Es razonable mi respuesta?

*Puedes encontrar otro ejemplo en el Grupo F, página 259.

Haz una tabla.

Luego, complétala con la información que tienes.

| Quizás no funcionen | 3 | | | | | |
| --- | --- | --- | --- | --- | --- | --- |
| Total de juegos | 20 | | | | | |

Amplía la tabla. Busca un patrón que te ayude. Luego, halla la respuesta en la tabla.

| Quizás no funcionen | 3 | 6 | 9 | 12 | 15 | 18 |
| --- | --- | --- | --- | --- | --- | --- |
| Total de juegos | 20 | 40 | 60 | 80 | 100 | 120 |

Si se prueban 120 juegos, quizás 18 no funcionen.

En los ejercicios **5** y **6**, copia y completa cada tabla para resolver.

**5.** Sue plantó 8 bulbos de narcisos. Dos de los bulbos no crecieron. Supón que continúa el mismo patrón y Sue planta 32 bulbos. ¿Qué cantidad de bulbos probablemente no crecerá?

| No crecieron | 2 | | | |
| --- | --- | --- | --- | --- |
| Total de bulbos | 8 | | | |

**6.** Sue plantó 12 bulbos de tulipán de distintos colores. Cuando los bulbos crecieron, salieron 4 tulipanes rojos. Supón que continúa el mismo patrón y Sue planta 48 bulbos. ¿Cuántos tulipanes rojos habrá probablemente?

| Tulipanes rojos | 4 | | | |
| --- | --- | --- | --- | --- |
| Total de tulipanes | 12 | | | |

**7. Razonamiento** Tad plantó 15 tulipanes en una fila usando el siguiente patrón. ¿De qué color es el último tulipán de la fila?

**8. Razonamiento** Vuelve a leer el Ejercicio 5. Supón que Sue decidió plantar 20 bulbos de narcisos.

**a** ¿Cuántos bulbos probablemente no crecerán?

**b** ¿Cuántos bulbos probablemente crecerán?

**9.** ¿Cuál es la fracción equivalente que completa el siguiente patrón?

$\frac{1}{4}$   $\frac{2}{8}$   $\frac{3}{12}$   $\frac{\blacksquare}{\blacksquare}$

**A** $\frac{3}{14}$   **C** $\frac{3}{16}$

**B** $\frac{4}{14}$   **D** $\frac{4}{16}$

**10. Sentido numérico** Supón que Sue quiere 10 tulipanes rojos. ¿Cuántos bulbos de tulipán debería plantar? Vuelve a leer el Ejercicio 6.

**11.** Vuelve a leer el Ejercicio 6. Si Sue plantó 48 bulbos de tulipán, ¿cuántos tulipanes **NO** serán rojos?

**1.** ¿Cómo se les llama a las partes iguales de la pizza entera? (11-1)

**A** Sextos

**B** Séptimos

**C** Octavos

**D** Novenos

**2.** El escenario estaba dividido en partes iguales. ¿Qué parte fraccionaria del escenario se usaba para los flautistas? (11-2)

| Trombones | Tambores | Trombones |
|---|---|---|
| Clarinetes | Trombones | Clarinetes |
| Flautas | Triángulos | Flautas |

**F** $\frac{1}{9}$

**G** $\frac{2}{9}$

**H** $\frac{2}{7}$

**J** $\frac{3}{9}$

**3.** Blair compró las siguientes frutas. ¿Qué fracción de las frutas representan las naranjas? (11-3)

**A** $\frac{5}{7}$

**B** $\frac{6}{12}$

**C** $\frac{5}{12}$

**D** $\frac{1}{5}$

**4.** ¿De qué color es $\frac{7}{15}$ del tapete que compró Ted para el rincón de lectura de la clase? (11-2)

**F** Morado

**G** Anaranjado

**H** Azul claro

**J** Blanco

**5.** ¿Qué comparación es verdadera? (11-6)

**A** $\frac{3}{5} < \frac{3}{8}$

**B** $\frac{3}{8} > \frac{3}{4}$

**C** $\frac{3}{4} < \frac{3}{5}$

**D** $\frac{3}{5} > \frac{3}{8}$

**6.** ¿Qué fracción de la longitud de la tabla tiene un alambre? (11-4)

**F** $\frac{6}{6}$

**G** $\frac{4}{5}$

**H** $\frac{5}{6}$

**J** $\frac{1}{6}$

**7.** Dina nadó $\frac{3}{4}$ de la longitud de la piscina durante el tiempo permitido. Loren nadó $\frac{4}{5}$ de la piscina. Usa los modelos para hallar qué símbolo hace verdadera la comparación. (11-5)

$\frac{3}{4} \bigcirc \frac{4}{5}$

| $\frac{1}{4}$ | $\frac{1}{4}$ | $\frac{1}{4}$ | |
|---|---|---|---|
| $\frac{1}{5}$ | $\frac{1}{5}$ | $\frac{1}{5}$ | $\frac{1}{5}$ |

**A** =

**B** ×

**C** >

**D** <

**8.** ¿Qué número hace verdadero el enunciado? (11-7)

$\frac{1}{4} = \frac{\blacksquare}{12}$

| 1 | | | |
|---|---|---|---|
| $\frac{1}{4}$ | | | |
| $\frac{1}{12}$ $\frac{1}{12}$ $\frac{1}{12}$ | | | |

**F** 12

**G** 9

**H** 4

**J** 3

**9.** Alfredo tiene 7 monedas. ¿Qué opción muestra que $\frac{3}{7}$ de las monedas son de 10¢? (11-5)

**A**

**B**

**C**

**D**

**10. Respuesta en plantilla** Allison está comprando paquetes de carnes frías para el picnic. Cada paquete tiene 20 rebanadas de carnes frías. De las 20 rebanadas, 5 son de pavo. Si Allison compra 80 rebanadas, ¿cuántas son de pavo? (11-8)

| Rebanadas de pavo | 5 | 10 | ▢ | ▢ |
|---|---|---|---|---|
| Rebanadas en total | 20 | 40 | 60 | 80 |

**Grupo A,** páginas 238 y 239

Indica si la figura está dividida en partes iguales de un entero y nómbralas.

Hay 8 partes iguales.

Las partes iguales se llaman octavos.

**Recuerda** que las partes iguales no necesariamente tienen que ser de la misma forma, pero deben tener la misma área.

Indica si cada figura muestra partes iguales o desiguales. Si las partes son iguales, nómbralas.

**1.**    **2.**

---

**Grupo B,** páginas 240 a 243

¿Qué fracción de los triángulos son rosados?

$$\frac{\text{numerador}}{\text{denominador}} = \frac{\text{número de triángulos rosados}}{\text{número total de triángulos}} = \frac{5}{8}$$

$\frac{5}{8}$ de los triángulos son rosados.

**Recuerda** que las fracciones pueden nombrar regiones o conjuntos.

Escribe la fracción de la figura que es roja.

**1.**

Escribe la fracción que representan las fichas rojas.

**2.**

---

**Grupo C,** páginas 244 y 245

¿Qué fracción de la longitud de la tira 1 muestran las otras tiras?

Dos tiras de $\frac{1}{3}$ muestran $\frac{2}{3}$ de la tira 1.

**Recuerda** que las tiras de fracciones dividen la tira entera en partes iguales.

¿Qué fracción de la longitud de la tira 1 muestran las otras tiras?

**1.**

**2.**

**Grupo D,** páginas 246 a 250

Compara $\frac{3}{8}$ y $\frac{1}{2}$.

$\frac{3}{8} \bigcirc \frac{1}{2}$

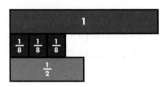

$\frac{3}{8} < \frac{1}{2}$

**Recuerda** que si dos fracciones tienen el mismo denominador, la fracción más grande es la que tiene el numerador mayor.

Compara. Escribe $<$, $>$ o $=$.

**1.**

$\frac{7}{8} \bigcirc \frac{2}{5}$

**Grupo E,** páginas 252 y 253

Completa la oración numérica.

$\frac{3}{4} = \frac{\blacksquare}{8}$

$\frac{3}{4} = \frac{6}{8}$

**Recuerda** que diferentes fracciones pueden nombrar la misma parte de un entero.

**1.**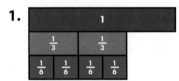

$\frac{2}{3} = \frac{\blacksquare}{6}$

**Grupo F,** páginas 254 y 255

Haz una tabla para resolver el problema.

Unas bolsas de canicas tienen 20 canicas cada una. De las 20 canicas, 4 son verdes. Si compras 80 canicas, ¿cuántas serán verdes?

Haz una tabla que muestre lo que sabes. Busca un patrón y continúalo.

| Canicas verdes | 4 | 8 | 12 | 16 |
|---|---|---|---|---|
| Total de canicas | 20 | 40 | 60 | 80 |

16 de 80 canicas serán verdes.

**Recuerda** que una tabla puede ser útil cuando las cantidades cambian según un patrón.

**1.** Unos bolígrafos se venden en paquetes de 8. En cada paquete hay 2 bolígrafos rojos. ¿Cuántos bolígrafos rojos tendrás si compras 40 bolígrafos?

| Bolígrafos rojos | 2 | | | | |
|---|---|---|---|---|---|
| Total de bolígrafos | 8 | | | | |

# Patrones y relaciones

**1** ¿Cuántos años tardará en repetirse el símbolo de un animal en el calendario chino? Lo averiguarás en la Lección 12-2.

**2** ¿A qué velocidad puede nadar un pingüino? Lo averiguarás en la Lección 12-3.

**3** Las rocas de Stonehenge, ¿están ordenadas siguiendo un patrón? Lo averiguarás en la Lección 12-5.

**4**

¿Cuántos huevos puede poner un avestruz en un año? Lo averiguarás en la Lección 12-4.

# Repasa lo que sabes

## Vocabulario

Escoge el mejor término del recuadro.

- comparar
- dividir
- multiplicar
- reagrupar

1. Al juntar grupos iguales para hallar el número total, debes __?__.

2. Para decidir si 4 tiene más unidades o menos unidades que 8, debes __?__ los números.

3. Para separar en grupos iguales, debes __?__.

## Patrones numéricos

Escribe el número que falta en los patrones.

4. 3, 6, 9, 12, ▧ , 18      5. 4, 8, 12, ▧ , 20, 24

6. 8, 7, 6, ▧ , 4, 3      7. 30, 25, 20, 15, ▧ , 5

## Operaciones de multiplicación

Halla los productos.

8. $4 \times 3$      9. $3 \times 5$      10. $7 \times 2$

11. $5 \times 6$      12. $2 \times 4$      13. $3 \times 7$

## Operaciones de división

Halla los cocientes.

14. $20 \div 4$      15. $10 \div 5$      16. $18 \div 6$

17. $28 \div 4$      18. $24 \div 6$      19. $56 \div 8$

20. **Escribir para explicar** Janelle compró 4 latas de pelotas de tenis. Hay 3 pelotas en cada lata. ¿Cuántas pelotas compró? Explica cómo resolviste el problema.

# Patrones que se repiten

## ¿Cómo continúas un patrón que se repite?

**TEKS 3.6A:** Identificar y extender patrones de números enteros y patrones geométricos para hacer predicciones y resolver problemas.

Rashad hace patrones de figuras. ¿Cuáles son las tres figuras que siguen en este patrón?

Un patrón que se repite está formado con figuras o números que forman una parte que se repite.

---

## Práctica guiada*

### ¿CÓMO hacerlo?

1. Dibuja las tres figuras que siguen en el patrón.

2. Escribe los tres números que siguen en el patrón.
9, 2, 7, 6, 9, 2, 7, 6, 9

### ¿Lo ENTIENDES?

3. En el ejemplo de arriba, describe el patrón usando palabras.

4. ¿Cuál es la 10.ª figura del patrón? ¿Cómo lo sabes?

---

## Práctica independiente

En los Ejercicios **5** a **8,** dibuja las tres figuras que siguen en el patrón.

5. [figuras del patrón]

6. [figuras del patrón]

7. [figuras del patrón]

8. [figuras del patrón]

En los Ejercicios **9** a **12,** escribe los tres números que siguen en el patrón.

9. 1, 1, 2, 1, 1, 2, 1, 1, 2

10. 5, 7, 4, 8, 5, 7, 4, 8, 5, 7, 4

11. 2, 8, 2, 9, 2, 8, 2, 9, 2, 8, 2, 9

12. 4, 0, 3, 3, 4, 0, 3, 3, 4, 0, 3

---

Glosario animado
**www.pearsonsuccessnet.com**

*Puedes encontrar otro ejemplo en el Grupo A, página 282.*

Halla la parte que se repite.

Continúa el patrón.

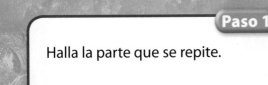

Estas 4 figuras forman la parte que se repite.

**TAKS Resolución de problemas**

**13.** Hilda hace un patrón con las siguientes figuras. Si ella continúa el patrón, ¿cuál será la 11.ª figura? Haz un dibujo para mostrar la figura.

**14.** Marcus usa figuras para formar el siguiente patrón. Quiere que el patrón completo muestre 5 veces la parte que se repite. ¿Cuántos círculos habrá en el patrón completo de Marcus?

**15.** Luisa enhebró cuentas para hacer una pulsera. Usó una cuenta azul, luego tres verdes, luego una azul, luego tres verdes, y así sucesivamente, hasta usar 18 cuentas verdes. ¿Cuántas cuentas usó en total?

**16. Estimación** Una caja de cubos de juguete tiene 108 cubos. Jiang usó 72 cubos para hacer un edificio. ¿Aproximadamente cuántos cubos quedan en la caja? Explica cómo hiciste la estimación.

**17.** La tabla muestra el número de estudiantes de cada grado en una escuela.

¿Qué grado tiene más de 145 estudiantes pero menos de 149?

A  Primer grado    C  Segundo grado

B  Tercer grado    D  Cuarto grado

| Datos | Grado | Número de estudiantes |
|---|---|---|
| | Primero | 142 |
| | Segundo | 158 |
| | Tercero | 146 |
| | Cuarto | 139 |

**18. Escribir para explicar** Los globos se venden en bolsas de 30. Hay 4 globos gigantes en cada bolsa. ¿Cuántos globos gigantes recibes si compras 120 globos? Explica tu respuesta.

**TEKS 3.6A:** Identificar y extender patrones de números enteros y patrones geométricos para hacer predicciones y resolver problemas.

# Secuencias numéricas

## ¿Cuál es el patrón?

Los números de una calle forman un patrón. Si el patrón continúa, ¿cuáles son los tres números que siguen?

---

## Práctica guiada*

### ¿CÓMO hacerlo?

En los Ejercicios **1** y **2,** halla la regla para el patrón. Úsala para continuar con los patrones.

**1.**

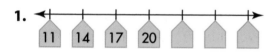

**2.** 48, 42, 36, 30, 24, ▢ , ▢ , ▢

### ¿Lo ENTIENDES?

**3.** En el ejemplo de arriba, si 16 es el 1.$^{er}$ número del patrón, ¿cuál es el 10.º número?

**4.** Rudy usa "Sumar 2" como regla para formar un patrón. Empezó con 4 y escribió los números que aparecen abajo para su patrón. ¿Qué número no pertenece al patrón? Explícalo.

4, 6, 8, 9, 10, 12

---

## Práctica independiente

En los Ejercicios **5** a **16,** halla la regla del patrón. Úsala para continuar con los patrones.

**5.** 21, 18, 15, ▢ , ▢

**6.** 4, 11, 18, ▢ , ▢

**7.** 5, 10, 15, ▢ , ▢

**8.** 5, 7, 9, ▢ , ▢ , 15

**9.** 250, 300, 350, ▢ , ▢

**10.** 92, 80, 68, ▢ ,

**11.** 790, 780, 770, ▢ , ▢

**12.** 16, 27, 38, ▢ , ▢

**13.** 96, 101, 106, ▢ , 116, ▢

**14.** 43, 47, 51, ▢ , ▢ , 63

**15.** 120, 105, 90, ▢ , ▢ , 45

**16.** 99, 90, 81, 72, ▢ , ▢

*Puedes encontrar otro ejemplo en el Grupo B, página 282.

Halla una regla para el patrón.

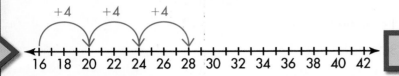

+4    +4    +4

16 18 20 22 24 26 28 30 32 34 36 38 40 42

Cada número es 4 veces más grande que el número anterior.

Usa la regla que continúa el patrón.

Regla: Sumar 4

$$28 + 4 = 32$$
$$32 + 4 = 36$$
$$36 + 4 = 40$$

Los números que siguen en el patrón son 32, 36 y 40.

## TAKS Resolución de problemas

**17.** Orlando reparte el correo. Se da cuenta de que un buzón no tiene número. Si los números forman un patrón, ¿cuál es el número que falta?

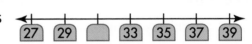

27  29  ☐  33  35  37  39

**18.** En el calendario chino, cada año tiene un animal como símbolo. Hay 12 animales. El año de la serpiente fue 2001 y lo será otra vez 2013. El año del gallo fue 2005. ¿Cuál será el próximo año del gallo?

**19.** Supón que naciste en el año de la serpiente. ¿Cuántos años tendrás la próxima vez que se celebre el año de la serpiente?

El patrón de animales se repite cada 12 años.

**20. Razonamiento** Los números siguientes forman un patrón.

24, 27, 30, 33

¿Qué número puede ser parte del patrón?

**A** 34

**C** 39

**B** 38

**D** 44

**21.** María cuenta los lápices de una caja.

Si ella cuenta los lápices en grupos de 6, ¿qué lista muestra los números que María va a nombrar?

**F** 24, 36, 48, 52

**H** 6, 12, 24, 32

**G** 6, 24, 48, 56

**J** 12, 18, 24, 30

Lección

# 12-3

TEKS 3.7A: Generar una tabla de pares de números basada en la vida real, por ejemplo, los insectos y sus patas.

# Ampliar tablas

## ¿Qué pares de números van en un patrón?

Una hoja de trébol tiene 3 hojuelas.

Hay 3 hojuelas en 1 hoja de trébol.

Hay 9 hojuelas en 3 hojas de trébol.

Hay 12 hojuelas en 4 hojas de trébol.

¿Cuántas hojuelas hay en 2 hojas de trébol? ¿En 5 hojas de trébol?

## Práctica guiada*

### ¿CÓMO hacerlo?

En los Ejercicios **1** y **2,** copia y completa cada tabla.

**1.**

| Número de cajas | Número total de sombreros |
|---|---|
| 2 | 6 |
| 5 | 15 |
| 7 | 21 |
| ▣ | 27 |

**2.**

| Número de carros | 2 | 3 | 5 | 9 |
|---|---|---|---|---|
| Número total de ruedas | 8 | 12 | 20 | ▣ |

### ¿Lo ENTIENDES?

**3.** En el ejemplo de arriba, 4 y 12 son un par de números que van en el patrón. ¿El par 6 y 16 va en el patrón? Explícalo.

**4.** **¿Es razonable?** La regla de esta tabla es "Sumarle 5 a mi edad".

| Mi edad | La edad de Joe |
|---|---|
| 5 | 10 |
| 8 | 13 |
| 9 | 15 |

¿Qué número no sigue la regla?

## Práctica independiente

En los Ejercicios **5** a **7,** copia y completa cada tabla.

**5.**

| Número de arañas | Número de patas |
|---|---|
| 1 | 8 |
| 2 | ▣ |
| 3 | 24 |
| 4 | 32 |
| ▣ | 56 |

**6.**

| Precio regular | Precio de oferta |
|---|---|
| $29 | $22 |
| $25 | $18 |
| ▣ | $16 |
| $22 | ▣ |
| $19 | $12 |

**7.**

| Peso del libro en onzas | 9 | 11 | 12 | 16 |
|---|---|---|---|---|
| Peso total del cartón en onzas | 18 | 20 | 21 | ▣ |

**8.** En cada tabla de los Ejercicios 5 a 7, escribe otro par de números que siga el patrón de la tabla.

*Puedes encontrar otro ejemplo en el Grupo C, página 282.

## Una manera

Haz dibujos y cuenta las hojas.

2 hojas de trébol tienen 6 hojuelas.

5 hojas de trébol tienen 15 hojuelas.

## Otra manera

Completa la tabla usando una regla.

Regla: Multiplicar por 3

| Número de hojas de trébol | Número de hojuelas |
|:---:|:---:|
| 1 | 3 |
| 2 | 6 |
| 3 | 9 |
| 4 | 12 |
| 5 | 15 |

## TAKS Resolución de problemas

Para los Ejercicios **9** y **10,** la tabla de la derecha muestra el número de pilas necesario para diferentes números de un mismo tipo de linterna.

**Pilas para linternas**

| Número de linternas | Número de pilas |
|:---:|:---:|
| 1 | 3 |
| 4 | 12 |
| 7 | 21 |

Datos

9. ¿Cuántas pilas necesitan 8 linternas? ¿10 linternas?

10. **Escribir para explicar** ¿Cuántas pilas más necesitan 6 linternas que 4 linternas? Explica cómo hallaste la respuesta.

11. **Sentido numérico** ¿Cuál es el número más grande que puedes formar usando los dígitos 1, 7, 0 y 6 una vez?

12. El pingüino puede nadar a una velocidad de 11 millas por hora. A esta velocidad, ¿cuántas millas puede nadar en 3 horas? Usa una tabla como ayuda.

13. Alan tiene 35 monedas menos que Suzy. ¿Qué opción muestra el número de monedas que Alan y Suzy tienen?

   A  Alan 65, Suzy 105          C  Alan 105, Suzy 65

   B  Alan 105, Suzy 70          D  Alan 70, Suzy 105

14. Si el patrón de la derecha continúa, ¿cuánto medirá cada lado del cuadrado que sigue?

   F  8 pies            H  10 pies

   G  9 pies            J  11 pies

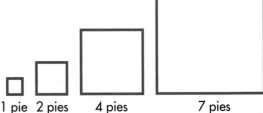

1 pie   2 pies      4 pies            7 pies

**TEKS 3.7B:** Identificar y describir patrones en una tabla de pares de números relacionados que se basan en un problema relevante, y extender la tabla.

# Escribir reglas para situaciones diversas

## ¿Cuál es la regla matemática para la situación?

Alex y su hermano mayor Andy cumplen años el mismo día. Si conoces la edad de Alex, ¿cómo puedes hallar la edad de Andy? Busca el patrón en la tabla y halla la regla.

| La edad de Alex | 2 | 4 | 6 | 7 | 9 |
|---|---|---|---|---|---|
| La edad de Andy | 8 | 10 | 12 | 13 | 15 |

**Otro ejemplo** ¿Qué otras reglas hay para los pares de números?

Nell ahorra parte del dinero que gana. La tabla muestra cuánto ganó y cuánto ahorró en cinco días. ¿Cuál es la regla de la tabla? ¿Cuáles son los números que faltan?

| Ganó | 65¢ | 45¢ | 50¢ | 30¢ | |
|---|---|---|---|---|---|
| Ahorró | 50¢ | 30¢ | | 15¢ | 25¢ |

**Paso 1**

Halla la regla para la tabla.

Busca el patrón.

| Ganó | 65¢ | 45¢ | 50¢ | 30¢ | |
|---|---|---|---|---|---|
| Ahorró | 50¢ | 30¢ | | 15¢ | 25¢ |

Cada vez, la cantidad que ahorró es 15¢ menos que la cantidad que ganó.

La regla es "Restar 15¢ de la cantidad que ganó".

**Paso 2**

Comprueba que la regla sirve para todos los pares.

Regla: Restar 15¢ de la cantidad que ganó.

$65¢ - 15¢ = 50¢$
$45¢ - 15¢ = 30¢$ La regla sirve para
$30¢ - 15¢ = 15¢$ cada par.

¿Qué cantidad es 15¢ menos que 50¢?
$50¢ - 15¢ = 35¢$

¿25¢ es 15¢ menos que qué cantidad?
$25¢ = \blacksquare - 15¢$    $15¢ + 25¢ = 40¢$

Las cantidades que faltan son 35¢ y 40¢.

**Explícalo**

1. David dijo que la regla para la tabla de arriba es "Sumar 15¢". ¿Tiene razón? Explícalo.

Halla la regla para la tabla.

Compara cada par de números. Busca el patrón.

| Edad de Alex | 2 | 4 | 6 | 7 | 9 |
|---|---|---|---|---|---|
| Edad de Andy | 8 | 10 | 12 | 13 | 15 |

En cada par, la edad de Andy es 6 años más que la de Alex. La regla es "Sumar 6".

Comprueba que la regla sirve para todos los pares.

Regla: Sumar 6

$2 + 6 = 8$
$4 + 6 = 10$
$6 + 6 = 12$
$7 + 6 = 13$
$9 + 6 = 15$

La regla sirve para cada par.

## Práctica guiada*

### ¿CÓMO hacerlo?

En los Ejercicios **1** y **2**, usa la siguiente tabla.

| Horas de trabajo | 4 | 8 | 7 | 2 | 6 |
|---|---|---|---|---|---|
| Cantidad ganada | $24 | $48 | ▢ | $12 | ▢ |

**1.** Escribe la regla para la tabla.

**2.** Escribe los números que faltan.

### ¿Lo ENTIENDES?

**3.** En el ejemplo de arriba, ¿qué significa la regla "sumar 6" en el problema?

**4.** Marty usa la regla "restar 9" para su tabla. Si el primer número es 11, ¿cuál es el segundo número en el par de números?

## Práctica independiente

En los Ejercicios **5** a **9**, halla la regla de la tabla. Usa la regla para completar la tabla.

**5.**

| Ganó | $15 | $12 | $17 | $9 | $11 |
|---|---|---|---|---|---|
| Gastó | $7 | ▢ | $9 | ▢ | $3 |

**6.**

| Ganó | $14 | $18 | $12 | $16 | $8 |
|---|---|---|---|---|---|
| Ahorró | $7 | $9 | ▢ | ▢ | $4 |

**7.**

| Precio | $36 | $28 | $33 | $40 | $25 |
|---|---|---|---|---|---|
| Descuento | $24 | $16 | ▢ | $28 | ▢ |

**8.**

| Número de sillas | Número de patas |
|---|---|
| 3 | 12 |
| 2 | 8 |
| 5 | 20 |
| 7 | ▢ |
| ▢ | 36 |

**9.**

| Número de equipos | Número de jugadores |
|---|---|
| 4 | 20 |
| 3 | 15 |
| 5 | ▢ |
| 6 | 30 |
| 8 | ▢ |

En los Ejercicios **10** y **11,** usa la tabla de la derecha.

**10.** La tabla muestra las edades de un árbol mezquita y un cactus saguaro en un jardín. ¿Cuántos años tenía el cactus saguaro cuando el árbol mezquita tenía 48 años?

**Edad de la planta en años**

Datos

| Árbol mezquita | Cactus saguaro |
|:---:|:---:|
| 1 año | 36 |
| 15 | 50 |
| 67 | 102 |
| 48 | ▢ |

**11. ¿Es razonable?** Phil dice que el cactus saguaro tiene aproximadamente 100 años más que el árbol mezquita. ¿Es razonable su estimación? Explícalo.

**12.** Usa la siguiente tabla. ¿Cuántos huevos ponen 4 avestruces en un año? ¿5 avestruces?

| Número de avestruces | 1 | 2 | 3 | 4 | 5 |
|:---:|:---:|:---:|:---:|:---:|:---:|
| Número de huevos | 50 | 100 | 150 | ▢ | ▢ |

Un avestruz pone 50 huevos en un año.

Para los Ejercicios **13** y **14,** la tabla muestra el número de canastas que Betty necesita para diferentes números de manzanas. Ella debe colocar el mismo número de manzanas en cada canasta.

**Las canastas de Betty**

Datos

| Número de manzanas | 28 | 56 | 7 | 21 | 14 |
|:---:|:---:|:---:|:---:|:---:|:---:|
| Número de canastas | 4 | ▢ | 1 | 3 | 2 |

**13.** ¿Cuántas canastas necesita Betty para 56 manzanas?

   **A** 8    **B** 7    **C** 6    **D** 5

**14.** ¿Cuál es la regla de la tabla?

   **F** Restar 24    **H** Dividir por 7

   **G** Restar 6    **J** Sumar 12

**15.** Un museo de arte tiene 47 pinturas en una sala y 24 en otra. ¿Cuál es la mejor estimación del número total de pinturas?

   **A** 50       **C** 80

   **B** 70       **D** 100

**16.** Esther tiene 8 años más que Manuel. ¿Qué opción muestra las edades que Esther y Manuel pueden tener?

   **F** Esther 15, Manuel 23

   **G** Esther 16, Manuel 15

   **H** Esther 15, Manuel 7

   **J** Esther 7, Manuel 15

En los siglos XIX y XX muchos inventos ayudaron a cambiar la vida en el mundo. La línea cronológica muestra las fechas de algunos de estos inventos y descubrimientos.

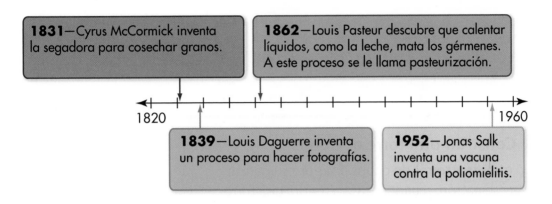

**1831**—Cyrus McCormick inventa la segadora para cosechar granos.

**1862**—Louis Pasteur descubre que calentar líquidos, como la leche, mata los gérmenes. A este proceso se le llama pasteurización.

1820      1960

**1839**—Louis Daguerre inventa un proceso para hacer fotografías.

**1952**—Jonas Salk inventa una vacuna contra la poliomielitis.

1. ¿Qué se inventó aproximadamente 10 años antes que el proceso para hacer fotografías?

2. ¿Aproximadamente cuántos años después del descubrimiento del proceso de la pasteurización se desarrolló la vacuna contra la poliomielitis?

3. ¿Qué invento o descubrimiento se hizo antes de 1900 pero después de 1850?

4. ¿Cuántos años han pasado desde el año que se desarrolló la vacuna contra la poliomielitis?

5. Mira la tabla siguiente.

| Año | Número de casos de poliomielitis en el mundo |
|---|---|
| 1988 | 350,000 |
| 1996 | 4,074 |
| 2000 | 2,971 |
| 2004 | 1,258 |

Datos

¿Cuántos casos de poliomielitis menos hubo en 2004 que en 1996?

6. **Enfoque en la estrategia** Resuelve el problema. Usa la estrategia "Hacer una tabla".

Una segadora podía cortar el trigo y moverlo a un lado para la cosecha. Una segadora podía hacer el trabajo de 5 personas. ¿Cuántas segadoras se necesitaban para hacer el trabajo de 20 personas?

**TEKS 3.6A:** Identificar y extender patrones de números enteros y patrones geométricos para hacer predicciones y resolver problemas.

# Patrones geométricos

## ¿Cómo describes torres de cubos?

Talisa construyó tres torres de cubos. Ella anotó el patrón.
Si continúa con ese patrón, ¿cuántos cubos tendrá una torre de 10 pisos? ¿una de 100 pisos?

| Pisos: | 1 | 2 | 3 |
|--------|---|---|----|
| **Cubos:** | 4 | 8 | 12 |

---

**Otro ejemplo** **Construir otra torre de cubos**

Luis construyó otras tres torres de cubos. Él anotó su patrón.
Si continúa con ese patrón, ¿cuántos cubos tendrá una torre de 5 pisos?

| Número de pisos | 1 | 2 | 3 |
|-----------------|---|---|---|
| Número de cubos | 1 | 3 | 6 |

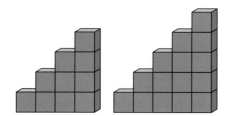

Construye las dos torres que siguen.

| Número de pisos | 1 | 2 | 3 | 4 | 5 |
|-----------------|---|---|---|---|---|
| Número de cubos | 1 | 3 | 6 | ? | ? |

Una torre de 4 pisos tendrá 10 cubos
y una de 5 pisos tendrá 15 cubos.

## Explícalo

1. ¿Cuántos cubos necesitará Luis para una torre de 6 pisos? Explícalo.

2. ¿Cuántos pisos tiene una torre de 36 cubos?

Construye las dos torres que siguen.

| Número de pisos | 1 | 2 | 3 | 4 | 5 |
|---|---|---|---|---|---|
| Número de cubos | 4 | 8 | 12 |  |  |

| | | | | |
|---|---|---|---|---|
| 1 piso 4 cubos | 2 pisos 8 cubos | 3 pisos 12 cubos | 4 pisos 16 cubos | 5 pisos 20 cubos |

El patrón de la tabla es "multiplicar por 4".

$$5 \times 4 = 20$$
$$10 \times 4 = 40$$
$$100 \times 4 = 400$$

Una torre de 10 pisos tendrá 40 cubos.

Una torre de 100 pisos tendrá 400 cubos.

## Práctica guiada*

### ¿CÓMO hacerlo?

En los Ejercicios **1** y **2,** dibuja las dos torres que siguen en el patrón. Usa papel cuadriculado. Halla los números que faltan en cada tabla.

**1.**

| Número de pisos | 1 | 2 | 3 | 4 | 5 |
|---|---|---|---|---|---|
| Número de cubos | 2 | 4 | 6 |  | |

**2.**

| Número de pisos | 1 | 2 | 3 | 4 | 5 | |
|---|---|---|---|---|---|---|
| Número de cubos | 2 | 3 | 4 | 5 | | 7 |

### ¿Lo ENTIENDES?

**3.** En el ejemplo de arriba, ¿por qué sirve la multiplicación para ir del primer número al segundo número en un par de números?

**4.** En el Ejercicio 1, ¿cuántos cubos tendrá una torre de 10 pisos?

**5.** Lionel construyó las tres siguientes torres de cubos. Si él continúa ese patrón, ¿cuántos cubos tendrá una torre de 100 pisos?

**6. Escribir para explicar** ¿Cuántos cubos necesitarías para construir una torre de 15 pisos en el Ejercicio 2? Explica cómo lo sabes.

eTools
www.pearsonsuccessnet.com

DIGITAL

En los Ejercicios **7** a **10,** dibuja las dos figuras que siguen en el patrón. Usa papel cuadriculado como ayuda. Halla los números que faltan en cada tabla.

**7.**

| Número de pisos | 7 | 6 | 5 | 4 | 3 |
|---|---|---|---|---|---|
| Número de cubos | 21 | 18 | 15 | ▦ | ▦ |

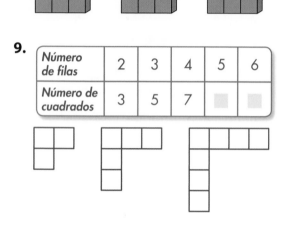

**8.**

| Número de pisos | 1 | 2 | 3 | 4 | 5 |
|---|---|---|---|---|---|
| Número de cubos | 4 | 8 | 12 | ▦ | ▦ |

**9.**

| Número de filas | 2 | 3 | 4 | 5 | 6 |
|---|---|---|---|---|---|
| Número de cuadrados | 3 | 5 | 7 | ▦ | ▦ |

**10.**

| Número de filas | 1 | 2 | 3 | 4 | 5 |
|---|---|---|---|---|---|
| Número de triángulos pequeños | 1 | 4 | 9 | ▦ | ▦ |

En los Ejercicios **11-13,** usa los patrones en las figuras para copiar y completar cada tabla.

**11.**

| Número de pisos | 1 | 2 | 3 | 4 | 5 | ▦ |
|---|---|---|---|---|---|---|
| Número de cubos | 3 | 6 | 9 | ▦ | ▦ | 30 |

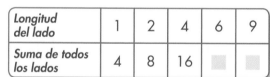

**12.**

| Longitud del lado | 1 | 2 | 4 | 6 | 9 |
|---|---|---|---|---|---|
| Suma de todos los lados | 4 | 8 | 16 | ▦ | ▦ |

1 unidad    2 unidades    4 unidades

**13.**

| Número de pisos | 1 | 2 | 3 | 4 | 5 |
|---|---|---|---|---|---|
| Número de cubos | 2 | 6 | 12 | ▦ | ▦ |

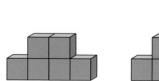

**14.** Jon usó 15 cubos para construir una torre. Luego usó 12 cubos para construir una torre y luego 9 cubos para construir una torre. Si continúa el patrón, ¿qué regla podría usar para esta tabla?

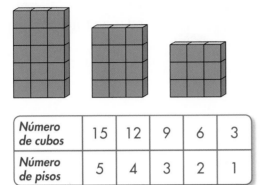

| Número de cubos | 15 | 12 | 9 | 6 | 3 |
|---|---|---|---|---|---|
| Número de pisos | 5 | 4 | 3 | 2 | 1 |

**15.** Dean hace marcos para cuadros. Usa el mismo número de pedazos de madera en cada marco. La tabla muestra el número de pedazos de madera que Dean necesita para diferentes números de marcos.

| Número de marcos | 6 | 7 | 8 | 9 | 10 |
|---|---|---|---|---|---|
| Número de pedazos de madera | 24 | 28 | ⬜ | 36 | 40 |

¿Cuántos pedazos de madera necesita Dean para 8 marcos?

**A** 30   **C** 34

**B** 32   **D** 36

**16.** Stonehenge es un antiguo monumento en Inglaterra formado por un patrón de rocas que se ve así:

Dibuja la figura que sigue en este patrón.

**17.** Maura construyó estas tres torres de cubos. Si ella continúa el patrón, ¿cuántos cubos tendrá una torre de 10 pisos? ¿Cuántos cubos tendrá una torre de 100 pisos?

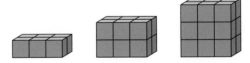

**18. Álgebra** ¿Qué dos factores de 1 dígito puedes multiplicar para obtener un producto de 48?

**19. Escribir para explicar** ¿Qué producto es mayor, $9 \times 15$ ó $9 \times 17$? Explica cómo puedes saberlo sin hallar los productos.

**20. Estimación** Lily tiene 75¢. Una estampilla cuesta 39¢. ¿Tiene dinero suficiente para comprar 2 estampillas? Explícalo.

**21.** Leonardo corrió el doble de vueltas en la pista que Sam. Sam corrió 6 vueltas. ¿Cuántas vueltas corrieron en total?

**TEKS 3.14C:** Seleccionar o desarrollar un plan o una estrategia de resolución de problemas apropiado en el que haga un dibujo, busque un patrón, adivine y compruebe sistemáticamente, haga una dramatización, elabore una tabla, resuelva un problema más sencillo o trabaje desde el final hasta el principio para resolver un problema.

Resolución de problemas

# Representarlo y usar el razonamiento

Juana colecciona monedas viejas de 1¢, de 5¢, y de 10¢. Su colección tiene por lo menos una moneda de cada tipo.

¿Cuántos monedas de cada tipo tiene Juana?

**La colección de Juana**

2 monedas de 1¢

2 monedas menos de 5¢ que de 10¢

10 monedas en total

moneda de 5¢

moneda de 1¢

moneda de 10¢

---

**Otro ejemplo** ¿Cuáles son otras clases de relaciones?

**La colección de monedas de 1¢, de 5¢ y de 10¢ de Ken**

3 monedas de 5¢

4 monedas más de 10¢ que de 5¢

15 monedas en total

¿Cuántas monedas de cada tipo hay en su colección?

**Lee y comprende**

*¿Qué sé?*

Hay 15 monedas en total, y 3 de ellas son monedas de 5¢.

Hay 4 monedas más de 10¢ que de 5¢.

Usa objetos para mostrar lo que sabes.

**Planea y resuelve**

Usa el razonamiento para sacar conclusiones.

Como hay 3 monedas de 5¢, hay 12 monedas de 1¢ y de 10¢ en total.

Intenta con 3 monedas de 5¢, 7 de 10¢ y 5 de 1¢. Como 3 + 7 + 5 = 15, esto es correcto.

Hay 5 monedas de 1¢, 3 de 5¢ y 7 de 10¢ en su colección.

**Explícalo**

1. ¿Qué información te dan sobre el número de monedas de cada tipo que tiene Ken? ¿Qué información necesitas averiguar?

2. Explica cómo sabes que 7 es el número de monedas de 10¢ en la solución de arriba.

*¿Qué sé?*

Juana tiene 10 monedas en total y 2 de las monedas son de 1¢.

Hay 2 monedas menos de 5¢ que de 10¢.

Usa objetos para mostrar lo que sabes.

Razona para sacar conclusiones.

Ella tiene 2 monedas de 1¢; por tanto, hay 8 monedas de 5¢ y de 10¢ en total.

Intenta con 2 monedas de 5¢ y 4 de 10¢. Pero $2 + 2 + 4$ no es igual a 10.

Intenta con 3 monedas de 5¢ y 5 de 10¢. Como $2 + 3 + 5 = 10$, esto es correcto.

Hay 2 monedas de 1¢, 3 de 5¢ y 5 de 10¢ en la colección de Juana.

## Práctica guiada*

### ¿CÓMO hacerlo?

Halla el número de cada tipo de estampilla en la colección. Usa fichas.

1. Ricardo tiene 9 estampillas en total. Él tiene 2 estampillas de naciones y 3 estampillas más de inventores que de flores.

   Estampillas de naciones = ▢
   Estampillas de inventores = ▢
   Estampillas de flores = ▢

### ¿Lo ENTIENDES?

2. ¿Cómo hallaste el número de estampillas de inventores de la colección de Ricardo?

3. **Escribe un problema** Escribe un problema sobre colecciones de monedas que puedas resolver usando el razonamiento lógico.

## Práctica independiente

Halla el número de cada tipo de objeto en la colección de Anya. Usa fichas o haz dibujos como ayuda.

4. **La colección de minerales, piedras preciosas y rocas de Anya.**
   6 minerales
   3 piedras preciosas menos que rocas
   15 objetos en total

   Minerales = ▢
   Piedras preciosas = ▢
   Rocas = ▢

**¿En aprietos? Intenta esto...**

- ¿Qué sé?
- ¿Qué se me pide que halle?
- ¿Qué diagrama puedo usar como ayuda para entender el problema?
- ¿Puedo usar la suma, la resta, la multiplicación o la división?
- ¿Es correcto todo mi trabajo?
- ¿Respondí la pregunta que correspondía?
- ¿Es razonable mi respuesta?

*Puedes encontrar otro ejemplo en el Grupo E, página 283.*

**5.** Hay 10 peces en la pecera de Percy. Cuatro de los peces son peces ángel. Hay 4 peces mollys más que peces tetras. ¿Cuántos peces de cada tipo hay en la pecera?

**6.** El perro de Nora pesa 9 libras más que su gato. Su perro pesa 6 libras menos que el perro de Jeff. El gato de Nora pesa 7 libras. ¿Cuánto pesa el perro de Jeff?

**7.** Los estudiantes de la clase del Sr. Cole votaron para averiguar qué tipo de colección les gustaría tener en la clase. La gráfica muestra los resultados. ¿Cuántos votos más obtuvo la colección con el número mayor de votos que la colección con el número menor de votos?

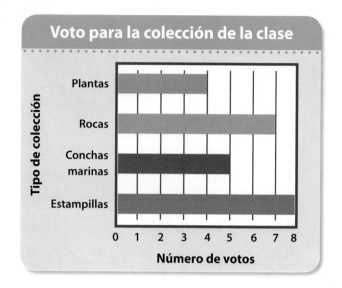

**8.** Isadora tiene 15 conchas marinas en su colección. Las conchas marinas son de ostra, de almeja y de caracol. Hay 6 conchas de almeja. Hay 2 conchas de almeja menos que de ostra. ¿Cuántas conchas de caracol hay en la colección?

**9.** Lyn, Kurt y Steve escribieron una adivinanza sobre sus edades. Lyn tiene 7 años más que Steve. Steve tiene 5 años. La suma de sus edades es 25 años. ¿Cuántos años tiene Kurt?

**10.** Sondra quiere comprar 2 platos y 3 toallas. ¿Cuál es el precio total de sus artículos?

| **Artículo** | **Precio** |
|---|---|
| Linterna | $9 |
| Plato | $7 |
| Toalla | $4 |
| Red para pescar | $8 |
| Paraguas | $3 |

Datos

**11.** Piensa en el proceso En la exhibición de mascotas del pueblo, Dina vio 48 mascotas. Había 6 pájaros y 7 gatos. El resto de las mascotas eran perros. ¿Qué oración numérica muestra una manera de hallar el número de mascotas que eran perros?

**A** $48 - 6 - 7 = $ ☐

**B** $48 + 6 \div 7 = $ ☐

**C** $48 - 6 \times 7 = $ ☐

**D** $6 \times 7 \times 48 = $ ☐

## Ampliar tablas

Usa **e·tools**

### Hoja de cálculo/datos/gráficas de eTool

Usa una regla para completar la tabla.

| Número de leones | 1 | 2 | 3 | 4 | 5 |
|---|---|---|---|---|---|
| Número de patas | 4 | 8 | | 16 | 20 |

**Paso 1**  Ve a la hoja de cálculo/datos/gráficas de eTool. Usa la herramienta de flecha para seleccionar por lo menos 2 filas y 6 columnas. Asigna el número de lugares decimales a cero usando el menú desplegable .00. Inserta *Leones, 1, 2, 3, 4 y 5* en la fila 1. Inserta *Patas* en la primera columna de la fila 2.

**Paso 2**  Intenta usar la regla "multiplicar por 4". La casilla B2 está en la columna B, fila 2. En la casilla B2, escribe *= 4\*B1*. Esto multiplicará 4 veces 1 y mostrará el producto en la casilla B2. En la casilla C2, escribe *= 4\*C1*. Haz lo mismo para las casillas D2, E2 y F2.

**Paso 3**  Comprueba que los números coincidan con los que aparecen en la tabla de arriba. Esto significa que la regla "multiplicar por 4" es correcta. El número que falta es 12.

Asignar el número de lugares decimales

| F2 | 20 | | | | | |
|---|---|---|---|---|---|---|
| | **A** | **B** | **C** | **D** | **E** | **F** |
| 1 | Leones | 1.00 | 2.00 | 3.00 | 4.00 | 5.00 |
| 2 | Patas | 4.00 | 8.00 | 12.00 | 16.00 | 20.00 |

## Práctica

Copia cada tabla, halla la regla y completa la casilla que falta.

**1.**

| Edad de Bud | 2 | 4 | 6 | 9 |
|---|---|---|---|---|
| Edad de Spot | 7 | 9 | | 14 |

**2.**

| Días | 1 | 2 | 3 | 4 |
|---|---|---|---|---|
| Juguetes hechos | 7 | | 21 | 28 |

**1.** La Sra. Inez hizo panes de plátano para la venta de productos horneados. La siguiente lista muestra el número de huevos que había usado después de hacer cada pan, comenzando con 5 panes.

15, 18, 21, 24

¿Cuántos huevos habrá usado después de hornear un pan más? (12-2)

**A** 25

**B** 27

**C** 28

**D** 30

**2.** ¿Cuáles son los 3 números que siguen en este patrón? (12-1)

6, 5, 3, 1, 6, 5, 3, 1, 6, 5, 3

**F** 6, 3, 1

**G** 6, 5, 3

**H** 1, 5, 3

**J** 1, 6, 5

**3.** ¿Qué regla se puede usar para hallar el número de patas en 7 saltamontes? (12-4)

| Número de saltamontes | 3 | 5 | 7 | 9 |
|---|---|---|---|---|
| Número de patas | 18 | 30 | ▢ | 54 |

**A** Sumar 15

**B** Dividir por 6

**C** Multiplicar por 5

**D** Multiplicar por 6

**4.** El entrenador Kim necesita formar equipos con el mismo número de jugadores. La tabla muestra cuántos equipos se pueden formar con diferentes números de jugadores.

| Número de jugadores | 24 | 32 | 40 | 72 |
|---|---|---|---|---|
| Número de equipos | 3 | 4 | ▢ | 9 |

Si hay 40 jugadores, ¿qué regla se puede usar para hallar cuántos equipos se pueden formar? (12-4)

**F** Dividir por 8

**G** Dividir por 6

**H** Multiplicar por 8

**J** Multiplicar por 6

**5.** Kayla está cortando una cinta para colocar alrededor de unos portarretratos que tienen la forma de un triángulo, con todos los lados de la misma longitud. ¿Cuántas pulgadas de cinta necesita para un portarretratos con lados que miden 7 pulgadas de longitud? (12-5)

2 pulgadas   3 pulgadas   4 pulgadas

| Pulgadas en un lado | 2 | 3 | 4 | 7 |
|---|---|---|---|---|
| Pulgadas de cinta | 6 | 9 | 12 | ▢ |

**A** 15

**B** 18

**C** 21

**D** 24

**6.** Hank celebró su cumpleaños en el zoológico. La tabla siguiente es una guía para hallar el precio total de la entrada para fiestas de diferentes tamaños.

| Número total de niños | Precio total de la entrada |
|---|---|
| 3 | $21 |
| 5 | $35 |
| 7 | |
| 9 | $63 |

¿Cuál es el precio de la entrada para 7 niños? (12-3)

**F** $37

**G** $48

**H** $49

**J** $56

**7.** Jasmine tiene un borde decorativo alrededor de la pared de su cuarto. ¿Qué opción muestra los 3 objetos que siguen en el patrón? (12-1)

**A**

**B**

**C**

**D**

**8.** Joe tiene 18 mascotas. Diez son peces. Los demás son pájaros o hámsteres. Tiene 2 pájaros menos que hámsteres. ¿Cuántos pájaros tiene? (12-6)

**F** 2

**G** 3

**H** 4

**J** 5

**9.** ¿Cuál es la regla para el patrón? (12-2)

29, 24, 19, 14, 9

**A** Restar 4

**B** Restar 5

**C** Sumar 4

**D** Sumar 5

**10. Respuesta en plantilla** La tabla muestra cuántas onzas de jugo hay en diferentes números de latas. Todas las latas son exactamente iguales.

| Número de latas | 3 | 6 | 9 | 12 |
|---|---|---|---|---|
| Número de onzas | 18 | 36 | | 72 |

¿Cuántas onzas hay en 9 latas de jugo? (12-3)

**11. Respuesta en plantilla** Los jugadores de futbol americano salieron del vestuario conforme al siguiente patrón.

¿Qué número va en la camiseta sin número? (12-2)

**Grupo A,** páginas 262 y 263

Dibuja las tres figuras que siguen en el patrón.

Encuentra la parte del patrón que se repite.

Luego, continúa el patrón.

**Recuerda** que primero tienes que encontrar la parte del patrón que se repite.

Dibuja las tres figuras o números que siguen en el patrón.

**1.**

**2.** 3, 5, 7, 9, 3, 5, 7, 9, 3, 5, 7

---

**Grupo B,** páginas 264 y 265

Halla la regla para el patrón. Úsala para continuar el patrón.

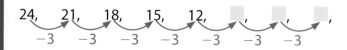

Regla: Resta 3

$12 - 3 = 9$   $9 - 3 = 6$   $6 - 3 = 3$

Los números que siguen en el patrón son 9, 6 y 3.

**Recuerda** que debes comprobar que la regla funcione con todos los números del patrón.

Halla la regla para cada patrón. Úsala para continuar el patrón.

**1.** 5, 7, 9, ▢, ▢, ▢

**2.** 22, 18, 14, ▢, ▢, ▢

---

**Grupo C,** páginas 266 a 270

Halla la regla y completa la tabla.

| Número de hormigas | 1 | 2 | 3 | 4 | 5 |
|---|---|---|---|---|---|
| Número de patas | 6 | ▢ | 18 | 24 | ▢ |

La regla es multiplicar el número de hormigas por 6.

| Número de hormigas | 1 | 2 | 3 | 4 | 5 |
|---|---|---|---|---|---|
| Número de patas | 6 | 12 | 18 | 24 | 30 |

Los números que faltan son 12 y 30.

**Recuerda** que debes usar los pares de números en una tabla para hallar la regla.

Halla los números que faltan. Escribe la regla.

**1.**

| Número de carros | 1 | 2 | 3 | 4 |
|---|---|---|---|---|
| Número de ruedas | 4 | 8 | ▢ | ▢ |

**2.**

| Ahorro | $8 | $12 | $15 | $6 | $10 |
|---|---|---|---|---|---|
| Ganancia | $16 | $24 | ▢ | ▢ | $20 |

**Grupo D,** páginas 272 a 275

Sam construyó tres torres con cubos. Anotó su patrón. Si continúa el patrón, ¿cuántos cubos tendrá una torre de 5 pisos?

| Número de pisos | 1 | 2 | 3 |
|---|---|---|---|
| Número de cubos | 3 | 6 | 9 |

El patrón de la tabla es multiplicar por 3.

Por tanto, usa 5 × 3 para hallar el número de cubos en una torre de 5 pisos.

$5 \times 3 = 15$.

Una torre de 5 pisos tendrá 15 cubos.

**Recuerda** que debes asegurarte de que estás usando la operación correcta para calcular el número de cubos.

**1.** Dibuja las dos figuras que siguen en el patrón. Usa papel cuadriculado. Halla los números que faltan en la tabla y escribe la regla.

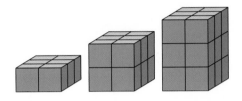

| Número de pisos | 1 | 2 | 3 | 4 | 5 |
|---|---|---|---|---|---|
| Número de cubos | 6 | 12 | 18 | | |

---

**Grupo E,** páginas 276 a 278

Cuando resuelvas un problema representándolo, sigue estos pasos.

**Paso 1**

Escoge objetos para representar el problema.

**Paso 2**

Muestra lo que sabes usando los objetos.

**Paso 3**

Representa el problema.

**Paso 4**

Halla la respuesta.

**Recuerda** que debes decidir lo que significan los objetos antes de representar el problema.

Resuelve. Halla el número de cada tipo de objeto en la colección.

**1. Colección de calcomanías de Ben**
- 17 calcomanías en total
- 6 calcomanías de estrellas
- 3 calcomanías menos de caritas sonrientes que calcomanías de planetas

Calcomanías de estrellas =
Calcomanías de caritas sonrientes =
Calcomanías de planetas =

## Números y operaciones

**1.** ¿Qué número hace verdadera esta oración numérica?

3,535 <

**A** 3,525      **C** 3,355

**B** 3,553      **D** 3,532

**2.** ¿Qué fracción de las pelotas son amarillas?

**F** $\frac{3}{5}$      **H** $\frac{5}{8}$

**G** $\frac{5}{3}$      **J** $\frac{3}{8}$

**3.** Haz una estimación de la diferencia.

892 − 129

**A** 900      **C** 800

**B** 825      **D** 700

**4.** Copia y completa la siguiente oración numérica.

$\frac{1}{2} = \frac{3}{\boxed{\phantom{0}}}$

**5.** Héctor construyó una torre usando cubos. Cada piso de la torre tenía 3 filas. En cada fila había 2 cubos. La torre tenía 6 pisos en total. ¿Cuántos cubos usó Héctor?

**6. Escribir para explicar** Explica cómo el pensar en la multiplicación te puede ayudar a resolver 28 ÷ 4. Luego, halla el cociente.

## Geometría y medición

**7.** ¿Cuántos lados tiene un triángulo?

**F** 2      **H** 4

**G** 3      **J** 8

**8.** Escoge la mejor estimación para la longitud de un marcador.

**A** 1 pulgada      **C** 8 pulgadas

**B** 2 pies      **D** 24 pulgadas

**9.** Este clip mide aproximadamente 1 pulgada de longitud. ¿Cuánto mide la cinta?

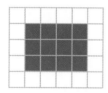

**F** aproximadamente 3 pulgadas

**G** aproximadamente 2 pulgadas

**H** aproximadamente 5 pulgadas

**J** aproximadamente 6 pulgadas

**10.** Kevin se despertó a las 7:30 A.M. Le tomó 30 minutos prepararse para la escuela. ¿A qué hora terminó de prepararse?

**11.** ¿Cuál es el área de la parte sombreada de la figura?

**12. Escribir para explicar** ¿De cuántas maneras puedes formar $0.11 usando monedas de 1¢, de 5¢ y de 10¢? Haz una lista organizada para resolver.

## Probabilidad y estadística

**13.** Martín hizo una pictografía. Cada símbolo en su gráfica representa 2 votos. ¿Cuántos símbolos usó para 12 votos?

**A** 2         **C** 6

**B** 4         **D** 8

**14.** Cuando está nevando, ¿cuál de las siguientes temperaturas es la más probable?

**F** 30 °F         **H** 65 °F

**G** 50 °F         **J** 80 °F

En los Ejercicios **15** y **16,** usa la gráfica de barras.

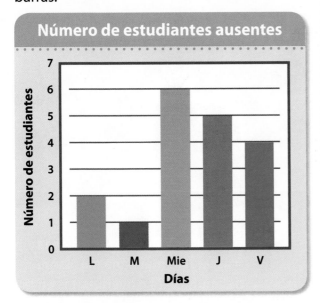

**15.** ¿Cuántos estudiantes estuvieron ausentes el viernes?

**16.** ¿Cuándo estuvieron ausentes 6 estudiantes?

**17.** **Escribir para explicar** En una bolsa hay 10 canicas azules, 3 amarillas y 5 rojas. Si sacas una canica sin mirar, ¿qué color tienes menos probabilidad de elegir? Explícalo.

## Razonamiento algebraico

**18.** ¿Qué número falta en el patrón de abajo?

7, 9, 12, 7, 9, 12, 7, ▨

**A** 8         **C** 10

**B** 9         **D** 12

**19.** ¿Qué número falta en la tabla?

| Número de bicicletas | 1 | 4 | 7 | 10 |
|---|---|---|---|---|
| Número de ruedas | 2 | 8 | ▨ | 20 |

**F** 9         **H** 12

**G** 10         **J** 14

**20.** ¿Qué propiedad de la multiplicación dice que $5 \times 1 = 5$?

**A** Propiedad conmutativa (o propiedad de orden)

**B** Propiedad asociativa (o propiedad de agrupación)

**C** Propiedad de identidad

**D** Propiedad del cero

**21.** Dibuja las tres figuras que siguen en este patrón.

**22.** **Escribir para explicar** En un hospital hay 2 enfermeras de turno por cada 10 pacientes. Si en el hospital hay 70 pacientes, ¿cuántas enfermeras hay de turno? Explica cómo calculaste tu respuesta.

# Números enteros y fracciones en la recta numérica

**1**

El 7 de agosto de 2004 se marcó el récord del sándwich más largo del mundo. ¿Qué longitud tenía el sándwich? Lo averiguarás en la Lección 13-2.

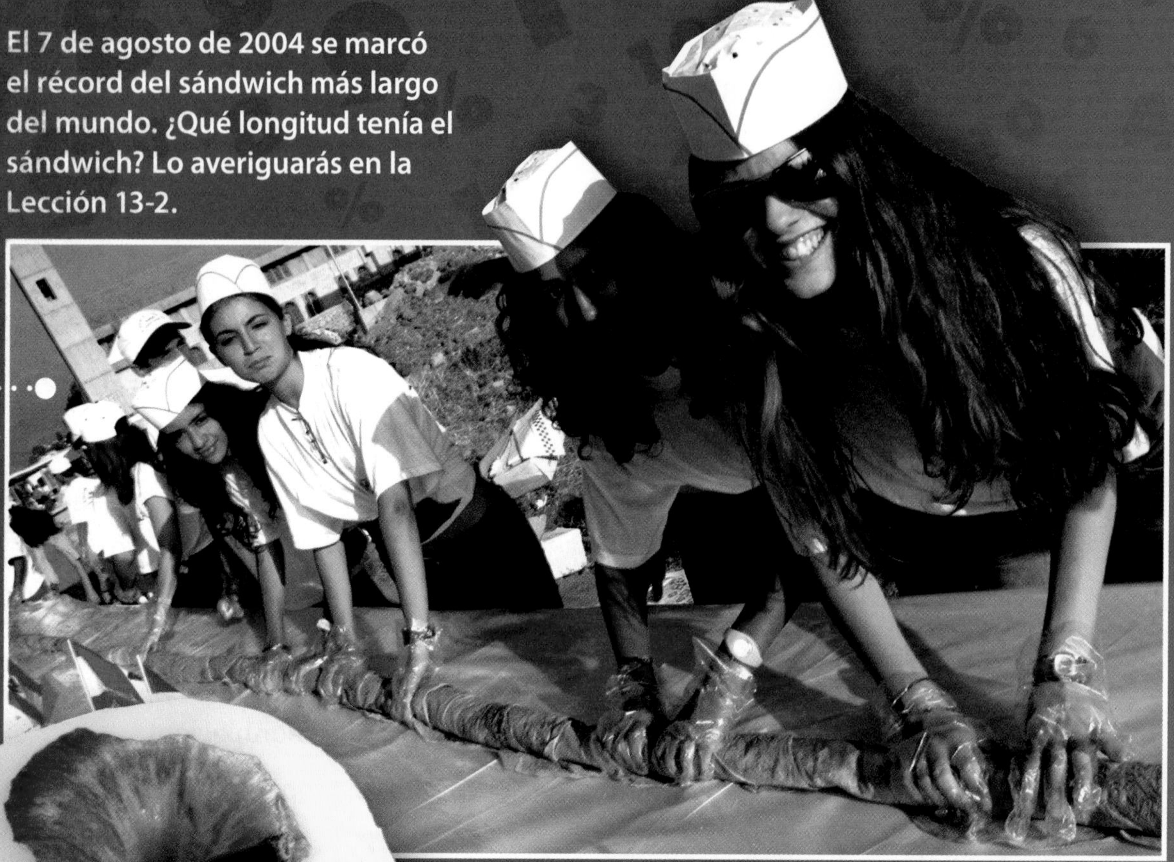

**2**

¿Cuál es la longitud récord de la "cáscara de manzana más larga del mundo"? Lo averiguarás en la Lección 13-1.

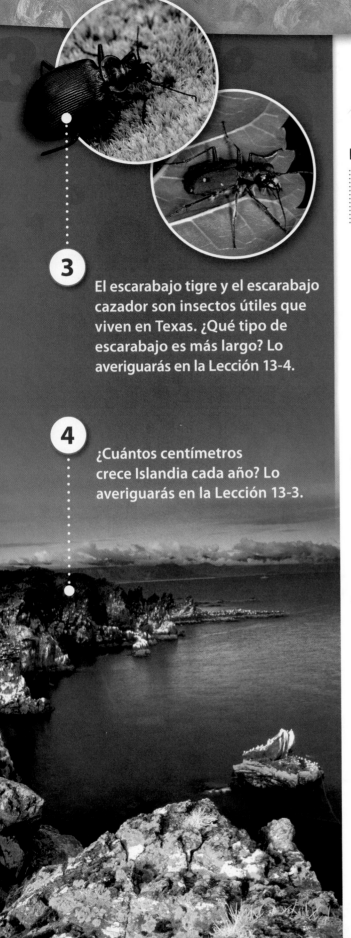

**3**

El escarabajo tigre y el escarabajo cazador son insectos útiles que viven en Texas. ¿Qué tipo de escarabajo es más largo? Lo averiguarás en la Lección 13-4.

**4**

¿Cuántos centímetros crece Islandia cada año? Lo averiguarás en la Lección 13-3.

# Repasa lo que sabes

## Vocabulario

Escoge el mejor término del recuadro.

> - comparar • mitad
> - fracción • orden

1. Cuando decides que un número es mayor que otro, lo que haces es __?__ los números.

2. Un número que representa parte de un entero es una __?__.

3. Cuando se escriben números de mayor a menor, los números están en __?__.

## Contar salteado

Escribe los números que faltan.

4. 2, 4, 6, ▨, ▨, 12, ▨

5. 4, 8, 12, ▨, ▨, ▨

## Comparar números

Compara. Escribe < o >.

6. 5 ◯ 7          7. 18 ◯ 13

8. 86 ◯ 87          9. 128 ◯ 124

## Fracciones equivalentes

10. **Escribir para explicar** Describe lo que muestran los siguientes dibujos.

**TEKS 3.10:** Localizar y nombrar puntos en una recta numérica utilizando números enteros y fracciones, incluyendo un medio y un cuarto.

# Rectas numéricas

## ¿Cómo localizas y escribes números en una recta numérica?

Observa esta recta numérica.

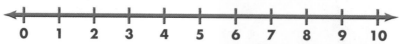

- Cada número entero tiene su propio punto en la recta numérica.
- Cero es el número entero menor en la recta numérica.
- Una recta numérica continúa sin fin, por tanto, no existe un número que sea el mayor de todos.

## Práctica guiada*

### ¿CÓMO hacerlo?

En los Ejercicios **1** y **2**, escribe el número que cada punto con letra representa en la recta numérica.

1.

10   A   12   B   14

2.
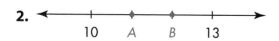
10   A   B   13

### ¿Lo ENTIENDES?

3. ¿En qué se parecen las rectas numéricas de los Ejercicios 1 y 2? ¿En qué se diferencian?

4. **Escribir para explicar** ¿Por qué hay 5 números en la recta numérica del Ejercicio 1 y solamente 4 números en la recta numérica del Ejercicio 2?

## Práctica independiente

En los Ejercicios **5** a **9**, escribe el número que cada punto con letra representa en la recta numérica.

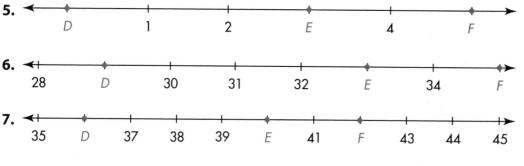

5.
D        1        2        E        4        F

6.
28        D        30        31        32        E        34        F

7.
35        D        37        38        39        E        41        F        43        44        45

8.
10        12        D        16        E        20        22        F

9.
D        5        7        9        E        13        F        17

En una recta numérica, la distancia entre cualquier número entero y el número entero siguiente es la misma.

Las dos rectas numéricas muestran los números del 5 al 9.

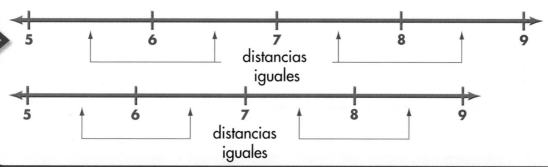

distancias iguales

distancias iguales

**10.** En 1976 se marcó el récord mundial de "la cáscara de manzana más larga del mundo", la cual medía aproximadamente 170 pies. ¿Cuál de los puntos con letra representa mejor la longitud de "la cáscara de manzana más larga del mundo"?

**11. Sentido numérico** Maryanne marcó y numeró los puntos en la recta numérica de abajo. Explica qué error cometió.

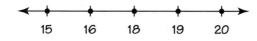

**12. Sentido numérico** Tito marcó y numeró los puntos en la recta numérica de abajo. Explica qué error cometió.

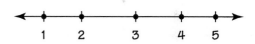

**13.** ¿Qué punto con letra representa 30 en la recta numérica?

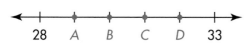

**A** el Punto *A*  **C** el Punto *C*

**B** el Punto *B*  **D** el Punto *D*

**14.** ¿Qué número está representado por el Punto *C* en la recta numérica?

**F** 36  **H** 38

**G** 37  **J** 39

**15. Escribir para explicar** Explica por qué los dos puntos *A* y *B* representan el número 6.

TEKS 3.10: Localizar y nombrar puntos en una recta numérica utilizando números enteros y fracciones, incluyendo un medio y un cuarto.

# Patrones de la recta numérica

## ¿Cómo completas el patrón de una recta numérica?

¿Qué números están representados por los puntos A y B?

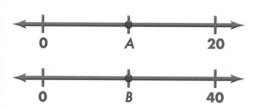

Las distancias iguales en una recta numérica muestran diferencias iguales entre los números.

A es 10 y B es 20.

---

## Práctica guiada*

### ¿CÓMO hacerlo?

1. ¿Qué números enteros faltan en esta parte de una recta numérica?

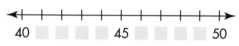

40 ▨ ▨ ▨ 45 ▨ ▨ ▨ 50

2. ¿Qué números enteros faltan en esta recta numérica?

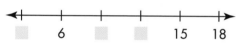

▨ 6 ▨ ▨ 15 18

### ¿Lo ENTIENDES?

3. **Escribir para explicar** Describe cómo hallaste el patrón de la recta numérica del Ejercicio 2.

4. **Sentido numérico** En la gráfica de barras de arriba, ¿cuánto más alta era la Planta 2 que la Planta 1?

---

## Práctica independiente

Escribe los números enteros que faltan en las rectas numéricas.

5.

▨ 10 ▨ ▨ ▨ 30 35 40

6.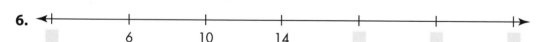

▨ 6 10 14 ▨ ▨ ▨

7.

▨ 14 ▨ ▨ ▨ 42 49 56 ▨

8.

▨ 11 ▨ 17 20 23 ▨ ▨

En algunas gráficas de barras, la escala es una recta numérica. Esta gráfica muestra la altura de dos plantas. ¿Qué planta es más alta?

**Altura de las plantas**

Planta 1  Planta 2

**Plantas**

Altura (en pulgadas)

Halla los números que faltan en la escala.

Cuenta salteado con diferentes números hasta que halles números que se ajusten al patrón.

Cada recta de la escala representa 2 pulgadas. Por tanto, los números que faltan son 2 y 6.

**Paso 2**

Compara las barras para las dos plantas.

Planta 1: La barra termina en la marca de 6 pulgadas.
Planta 2: La barra termina en la marca de 8 pulgadas.

La planta 2 es más alta.

---

**TAKS** Resolución de problemas

**9.** El 7 de agosto de 2004, prepararon un sándwich en Italia que medía 2,081 pies de longitud. Haz una recta numérica como la siguiente. Luego, dibuja un punto para mostrar dónde queda 2,081 en la recta numérica.

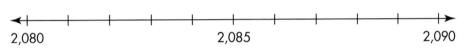

2,080                    2,085                    2,090

La gráfica muestra cuántos libros han leído cuatro estudiantes este año. En los Ejercicios **10** a **13**, usa la gráfica.

**10.** ¿Qué números faltan en la escala?

**11.** ¿Quién leyó dieciséis libros?

**12. Escribir para explicar** ¿Cuántos libros leyó Meg? ¿Cómo lo sabes?

**13.** Ed leyó dos veces más libros que Mike. ¿Cuántos libros leyó Ed?

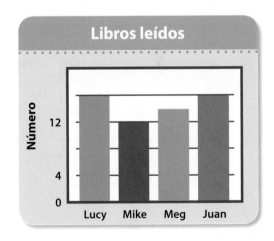

**Libros leídos**

Número

12

4

0

Lucy  Mike  Meg  Juan

**14.** ¿Qué punto en la recta numérica representa 24?

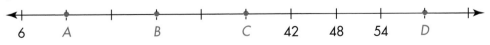

6    A        B        C    42    48    54    D

**A** Punto *A*    **B** Punto *B*    **C** Punto *C*    **D** Punto *D*

TEKS 3.10: Localizar y nombrar puntos en una recta numérica utilizando números enteros y fracciones, incluyendo un medio y un cuarto.

# Ubicar fracciones en la recta numérica

## ¿Cómo hallas fracciones en una recta numérica?

Cada fracción representa un punto en una recta numérica.

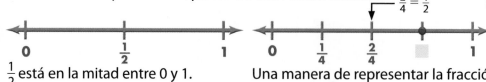

$\frac{2}{4} = \frac{1}{2}$

$\frac{1}{2}$ está en la mitad entre 0 y 1.

Una manera de representar la fracción que falta es $\frac{3}{4}$.

---

## Práctica guiada*

### ¿CÓMO hacerlo?

Escribe las fracciones o los números mixtos que faltan en las rectas numéricas.

1.

2.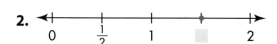

### ¿Lo ENTIENDES?

3. ¿Qué número entero es igual a $\frac{4}{4}$?

4. ¿Qué número mixto vendría después de $1\frac{2}{4}$ en una recta numérica que está dividida en cuartos?

5. **Sentido numérico** Chris dice que $\frac{8}{4}$ es lo mismo que 2. ¿Estás de acuerdo? ¿Por qué o por qué no?

---

## Práctica independiente

Escribe las fracciones o los números mixtos que faltan en las rectas numéricas.

6.

7.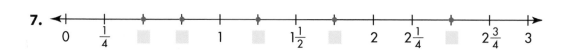

8.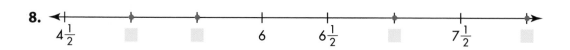

---

Glosario animado
www.pearsonsuccessnet.com

*Puedes encontrar otro ejemplo en el Grupo C, página 302.

Los números mixtos son números que tienen una parte que es un número entero y una parte que es una fracción.

Puedes usar números mixtos para representar puntos en una recta numérica.

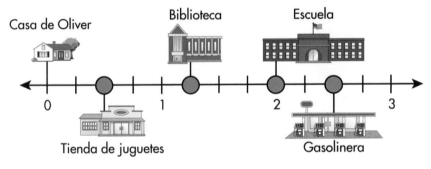

$$1\frac{2}{4} = 1\frac{1}{2}$$

Cada número mixto representa un punto en la recta numérica. Una manera de representar el número mixto que falta en la recta numérica es $1\frac{3}{4}$.

La siguiente recta numérica muestra a cuántas millas de distancia de la casa de Oliver están ciertos lugares. En los Ejercicios **9** y **10,** usa la recta numérica.

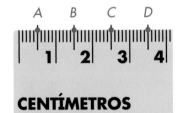

**9.** ¿A cuántas millas de la casa de Oliver están estos lugares?

　**a** biblioteca　　　　**b** tienda　　　　**c** gasolinera

**10.** Un banco está al doble de la distancia que hay desde la casa de Oliver hasta la tienda de juguetes. ¿A cuántas millas de la casa de Oliver está el banco?

**11.** ¿En la regla de abajo, qué letra representa cuántos centímetros puede crecer Islandia en un año?

ISLANDIA

¡Islandia crece entre 2 y 3 centímetros cada año!

CENTÍMETROS

**12.** ¿Qué número hace verdadera esta oración numérica?

　　$\boxed{\phantom{0}} \div 9 = 6$

　**A** 18　　　　**B** 28　　　　**C** 36　　　　**D** 54

TEKS 3.2B: Comparar partes fraccionarias de objetos enteros o de conjuntos de objetos en un problema utilizando modelos concretos. También, **TEKS 3.10.**

# Comparar fracciones en la recta numérica

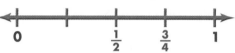

## ¿Cómo comparas fracciones en una recta numérica?

¿Hay más cinta marrón o verde?

Usa una recta numérica para comparar las fracciones.

$\frac{1}{2}$ yarda

$\frac{3}{4}$ yarda

$\frac{3}{4}$ está más a la derecha que $\frac{1}{2}$.

Por tanto, $\frac{3}{4} > \frac{1}{2}$.

Hay más cinta verde.

---

**Otro ejemplo** ¿Cómo comparas números mixtos que tienen las mismas partes fraccionarias?

Nancy tiene dos pedazos de cinta para usar en un proyecto de arte. ¿Tiene menos cinta rosada o naranja?

Compara $1\frac{1}{4}$ y $2\frac{1}{4}$.

$1\frac{1}{4}$ yardas

$2\frac{1}{4}$ yardas

**Una manera**

Puedes usar una recta numérica para comparar los números mixtos.

$1\frac{1}{4}$ está más a la izquierda que $2\frac{1}{4}$.

Por tanto, $1\frac{1}{4} < 2\frac{1}{4}$.

**Otra manera**

Las partes fraccionarias de los números mixtos son iguales.

Compara sólo las partes de los números mixtos que son números enteros.

$1 < 2$

Por tanto, $1\frac{1}{4} < 2\frac{1}{4}$.

## Explícalo

1. Describe cómo compararías $4\frac{1}{2}$ y $2\frac{1}{2}$.

2. ¿Por qué es más grande $3\frac{1}{4}$ que $1\frac{3}{4}$, aunque $\frac{1}{4}$ es menor que $\frac{3}{4}$?

3. Describe cómo comparar $9\frac{2}{4}$ y $9\frac{3}{4}$.

Puedes usar una recta numérica para comparar números mixtos. Compara $1\frac{3}{4}$ y $1\frac{1}{4}$.

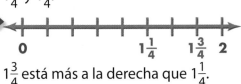

$1\frac{3}{4}$ está más a la derecha que $1\frac{1}{4}$.

Por tanto, $1\frac{3}{4} > 1\frac{1}{4}$.

Las partes que son números enteros en $1\frac{3}{4}$ y $1\frac{1}{4}$ son iguales.

Sólo compara las partes fraccionarias.

$\frac{3}{4} > \frac{1}{4}$

Por tanto, $1\frac{3}{4} > 1\frac{1}{4}$.

## Práctica guiada*

### ¿CÓMO hacerlo?

Compara. Escribe $<$, $>$, o $=$.

**1.** $\frac{1}{2} \bigcirc \frac{3}{4}$  **2.** $\frac{2}{4} \bigcirc \frac{1}{4}$

**3.** $4\frac{1}{2} \bigcirc 4\frac{2}{4}$  **4.** $8\frac{1}{4} \bigcirc 8\frac{3}{4}$

**5.** $6\frac{1}{2} \bigcirc 8\frac{1}{2}$  **6.** $5\frac{3}{4} \bigcirc 4\frac{3}{4}$

### ¿ Lo ENTIENDES?

**7. Sentido numérico** Observa el Ejercicio 1. ¿Cómo sabes qué fracción es menor?

**8. Escribir para explicar** Observa el Ejercicio 6. ¿Cómo puedes saber qué número mixto es mayor sin mirar la parte fraccionaria?

## Práctica independiente

Usa la recta numérica para comparar. Escribe $<$, $>$, o $=$.

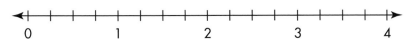

**9.** $\frac{1}{2} \bigcirc \frac{1}{4}$  **10.** $\frac{2}{4} \bigcirc \frac{4}{4}$  **11.** $\frac{1}{4} \bigcirc \frac{3}{4}$  **12.** $1\frac{2}{4} \bigcirc 1\frac{1}{2}$

**13.** $4\frac{3}{4} \bigcirc 4\frac{1}{4}$  **14.** $9\frac{1}{2} \bigcirc 9\frac{3}{4}$  **15.** $3\frac{1}{4} \bigcirc 7\frac{1}{4}$  **16.** $9\frac{3}{4} \bigcirc 7\frac{3}{4}$

**17.** $\frac{1}{2} \bigcirc \frac{2}{2}$  **18.** $\frac{2}{4} \bigcirc \frac{1}{2}$  **19.** $8\frac{1}{4} \bigcirc 9\frac{1}{4}$  **20.** $8\frac{1}{2} \bigcirc 6\frac{1}{2}$

**21.** $6\frac{1}{4} \bigcirc 6\frac{3}{4}$  **22.** $3\frac{1}{4} \bigcirc 2\frac{3}{4}$  **23.** $\frac{1}{1} \bigcirc \frac{2}{2}$  **24.** $5\frac{1}{2} \bigcirc 5\frac{1}{4}$

En los Ejercicios **25** a **28,** usa las ilustraciones y la siguiente recta numérica.

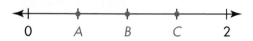

**25.** Escribe el nombre de los escarabajos cuyas longitudes concuerden con cada punto con letra en la recta numérica.

a Punto *A*

b Punto *B*

c Punto *C*

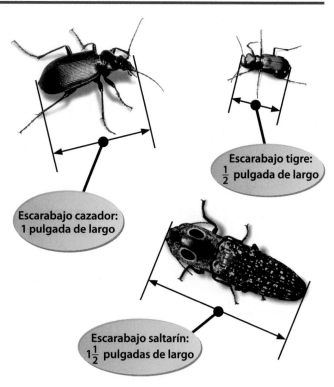

Escarabajo tigre: $\frac{1}{2}$ pulgada de largo

Escarabajo cazador: 1 pulgada de largo

Escarabajo saltarín: $1\frac{1}{2}$ pulgadas de largo

**26. Escribir para explicar** ¿De qué manera la recta numérica muestra cuál es el escarabajo más largo?

**27.** ¿Cuál es más largo, el escarabajo tigre o el escarabajo cazador?

**28.** ¿Cuál es el escarabajo más corto?

**29.** Muestra 3 maneras de dividir un cuadrado en cuartos.

**30.** ¿Qué fracción de las letras en la palabra *TENNESSEE* son *Es*?

**31.** Escribe una familia de operaciones para los números 4, 5 y 9.

**32.** Escribe una familia de operaciones para los números 5, 9 y 45.

**33.** La fiesta de Felipe comenzó a la 1:00 P.M. y terminó a las 4:00 P.M. ¿Cuánto tiempo duró la fiesta?

A   2 horas

B   2 horas 30 minutos

C   3 horas

D   3 horas 30 minutos

**34.** ¿Qué número falta en el siguiente patrón?

| 66 | 58 | 50 | |

F  48          G  46          H  44          J  42

# Enlaces con el Álgebra

## Usar oraciones numéricas para comparar

Ya sabes que los dos lados de una oración numérica pueden ser iguales o desiguales. La estimación, una recta numérica o el razonamiento te pueden ayudar a decidir qué símbolo ($>$, $<$, o $=$) muestra cómo se comparan los lados.

 **Ojo** $>$ *significa es mayor que*
$<$ *significa es menor que*
$=$ *significa es igual a*

**Ejemplo:** $3 \times 16 \bigcirc 3 \times 20$

 **Piénsalo** 3 grupos de 16, ¿son más que 3 grupos de 20?

Como 16 es menor que 20, el lado izquierdo es menor. Escribe "$<$".

$$3 \times 16 \bigcirc 3 \times 20$$

Copia y completa escribiendo $<$, $>$, o $=$.

**1.** $3 \times 25 \bigcirc 3 \times 19$    **2.** $5\frac{1}{2} \times 1 \bigcirc 5\frac{1}{2}$    **3.** $38 + 38 \bigcirc 2 \times 38$

**4.** $10 \div 2 \bigcirc 8\frac{1}{2}$    **5.** $6 \times 47 \bigcirc 7 \times 47$    **6.** $300 \bigcirc 9 \times 30$

**7.** $16 \times 0 \bigcirc 15 \times 0$    **8.** $80 \bigcirc 5 \times 13$    **9.** $17 + \frac{1}{2} \bigcirc 4 + \frac{1}{2}$

**10.** $1 \times 52 \bigcirc 1\frac{3}{4} + 52$    **11.** $2 \times 15 \bigcirc 2 + 15$    **12.** $6 \times 40 \bigcirc 4 \times 60$

En los Ejercicios **13** y **14,** copia y completa la oración numérica que aparece debajo de cada problema. Úsala para explicar tu respuesta.

**13.** Jaime anotó 2 puntos en cada uno de sus 3 intentos de encestar. Alonso anotó 3 puntos en cada uno de sus 4 intentos. ¿Quién anotó más puntos?

Puntos de Jaime    Puntos de Alonso

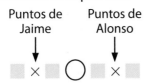

**14.** Observa los artículos que están en venta. La Sra. Tom compró 2 suéteres. La Sra. Lum compró 2 camisas. ¿Quién gastó más?

Sra. Tom    Sra. Lum

**15. Escribe un problema** Escribe un problema de la vida real usando esta oración numérica: $5 \times 24 > 5 \times 21$.

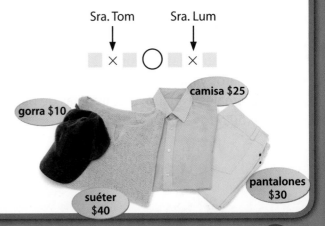

gorra $10
camisa $25
suéter $40
pantalones $30

**TEKS 3.14B:**
Resolver problemas que incorporen la comprensión del problema, hacer un plan, llevarlo a cabo y evaluar lo razonable de la solución.

# Información que falta o que sobra

Ruth compró un CD, un DVD y un paquete de cintas en blanco. Gastó un total de $25 en el CD y el DVD. Si al principio Ruth tenía $45, ¿cuánto dinero le quedó?

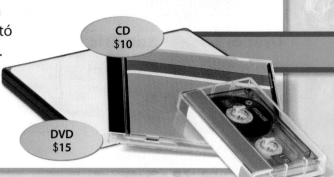

CD
$10

DVD
$15

---

## Práctica guiada*

### ¿CÓMO hacerlo?

Di qué información falta.

1. Brad compró 3 cintas en blanco por un total de $9. También compró unos CD que costaron $10 cada uno. ¿Cuánto gastó Brad en total?

### ¿Lo ENTIENDES?

2. Para el Problema 1, completa la información que falta y resuelve.

3. **Escribe un problema** Escribe un problema sobre el costo de los útiles escolares. Pon información que sobra.

---

## Práctica independiente

Decide si el problema tiene información que sobra o que falta. Si tienes suficiente información, resuélvelo.

4. Pablo colecciona monedas. Tiene 24 monedas de México, 14 monedas de Canadá y 6 monedas de Italia. ¿Cuántas monedas más de México que de Canadá tiene?

5. Meg colecciona estampillas. Tiene 36 estampillas de flores, 24 estampillas de pájaros y más de 20 estampillas de otros animales. ¿Cuántas estampillas de pájaros y de otros animales tiene?

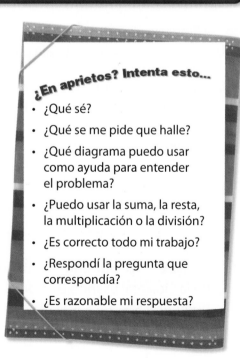

**¿En aprietos? Intenta esto...**

- ¿Qué sé?
- ¿Qué se me pide que halle?
- ¿Qué diagrama puedo usar como ayuda para entender el problema?
- ¿Puedo usar la suma, la resta, la multiplicación o la división?
- ¿Es correcto todo mi trabajo?
- ¿Respondí la pregunta que correspondía?
- ¿Es razonable mi respuesta?

*Puedes encontrar otro ejemplo en el Grupo E, página 303.

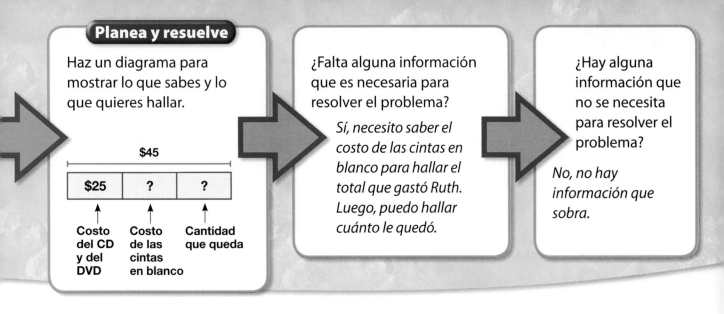

Haz un diagrama para mostrar lo que sabes y lo que quieres hallar.

$45

| $25 | ? | ? |

↑ Costo del CD y del DVD    ↑ Costo de las cintas en blanco    ↑ Cantidad que queda

¿Falta alguna información que es necesaria para resolver el problema?

*Sí, necesito saber el costo de las cintas en blanco para hallar el total que gastó Ruth. Luego, puedo hallar cuánto le quedó.*

¿Hay alguna información que no se necesita para resolver el problema?

*No, no hay información que sobra.*

En los Ejercicios **6** a **9,** decide si cada problema tiene información que sobra o que falta. Si falta información, completa la información. Luego, resuélvelo.

En los Ejercicios **6** y **7,** usa la pictografía.

**6.** Los niños exploradores pasaron 2 horas plantando robles y 4 horas plantando arces. ¿Cuántos robles y cuántos arces plantaron?

**7.** Los niños exploradores también plantaron dos veces más pinos que nogales. ¿Cuántos pinos plantaron?

### Árboles plantados por los niños exploradores

| Robles | 🌳 🌳 |
| Arces | 🌳 🌳 🌳 |
| Nogales | 🌳 🌳 🌳 🌳 🌳 |

🌳 representa 3 árboles

**8.** Stacy gastó $24 en 20 yardas de tela para hacer cortinas. Usó toda la tela para hacer 4 cortinas idénticas. ¿Cuánta tela usó para cada cortina?

**9.** Nick está sembrando 36 flores en filas en su jardín. El jardín mide 10 pies de longitud y 2 pies de ancho. ¿Cuántas filas de flores puede sembrar Nick?

**10.** Francis tiene 24 lápices de colores y 14 marcadores. ¿Qué información se necesita para hallar el número de lápices que **NO** son rojos?

   **A** El número total de lápices y marcadores

   **B** El número de lápices que son rojos

   **C** El número de marcadores que son azules

   **D** El número de marcadores que son rojos

1. Los estudiantes en el campamento de música marcaron sus edades en la recta numérica. Miguel marcó su edad con la letra *M*. ¿Cuántos años tiene Miguel? (13-1)

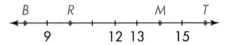

**A** 8

**B** 10

**C** 14

**D** 16

2. Cuatro amigos adivinaron el promedio de la longitud, en pulgadas, del escorpión más común que se encuentra en Texas, el escorpión rayado. Tito adivinó correctamente. ¿Qué número representa lo que Tito adivinó? (13-3)

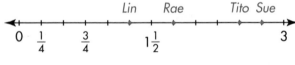

**F** $1\frac{1}{4}$      **G** $1\frac{3}{4}$

**H** $2\frac{1}{2}$      **J** $2\frac{3}{4}$

3. Elena tiene 6 pelotas de tenis, 12 pelotas de golf, 2 pelotas de básquetbol y algunas pelotas de softbol en el armario del gimnasio. ¿Qué otra información se necesita para hallar cuántas pelotas de softbol tiene Elena? (13-5)

**A** Cuántas pelotas tiene en total

**B** Cuántas pelotas de futbol tiene

**C** De qué tamaño es el cubo de las pelotas

**D** Con qué frecuencia juega ella al softbol

4. La lombriz de Rachel mide $3\frac{1}{2}$ pulgadas de longitud. Elisa dice que su lombriz es más larga que la de Rachel. ¿Cuál podría ser la longitud de la lombriz de Elisa? (13-4)

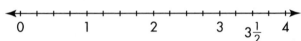

**F** $3\frac{3}{4}$

**G** $2\frac{3}{4}$

**H** 3

**J** $3\frac{1}{4}$

5. ¿Qué enunciado sobre la recta numérica es verdadero? (13-1)

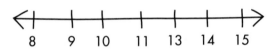

**A** El único error es que se saltó el número 12.

**B** Es correcta porque los puntos se encuentran a la misma distancia.

**C** Es incorrecta porque se saltó el número 12 y los puntos no se encuentran a la misma distancia.

**D** No hay ningún error en la recta numérica.

6. ¿Qué punto en la recta numérica representa 28? (13-2)

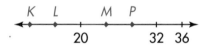

**F** *K*

**G** *L*

**H** *M*

**J** *P*

**7.** ¿Qué punto representa mejor el número 46 en la recta numérica? (13-1)

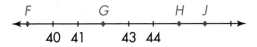

**A** *F*

**B** *G*

**C** *H*

**D** *J*

**8.** Cuando hace sol, a Jan le gusta ir a la escuela en bicicleta. Recorre aproximadamente $1\frac{1}{2}$ millas. ¿Qué punto representa mejor $1\frac{1}{2}$ en la recta numérica? (13-3)

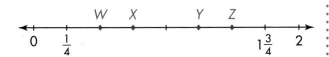

**F** *W*

**G** *X*

**H** *Y*

**J** *Z*

**9.** Rashawn agrega el mismo número de flores a su colección cada semana. La recta numérica muestra cómo va aumentando su colección. ¿Qué número representa el Punto *N*? (13-2)

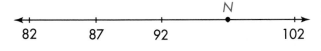

**A** 95

**B** 97

**C** 98

**D** 100

**10.** La rana flecha venenosa es uno de los animales más peligrosos de la selva tropical. Mide de $\frac{1}{2}$ pulgada a 2 pulgadas de longitud. En el zoológico hay una rana flecha venenosa azul que mide $1\frac{1}{4}$ pulgadas de longitud y una dorada que mide $1\frac{3}{4}$ pulgadas de longitud. ¿Qué símbolo hace verdadera la oración numérica? (13-4)

$$1\frac{1}{4} \bigcirc 1\frac{3}{4}$$

**F** $>$

**G** $<$

**H** $\times$

**J** $=$

**11.** María gastó $11 en una camisa, $25 en unos pantalones, $12 en un CD y $19 en un par de sandalias. ¿Cuánto gastó María en ropa y calzado? (13-5)

**A** $48

**B** $55

**C** $56

**D** $67

**12.** **Respuesta en plantilla** ¿Qué número representa el Punto *G* en la recta numérica? (13-2)

**Grupo A,** páginas 288 y 289

¿Qué números están representados por los puntos *A* y *B* en la recta numérica?

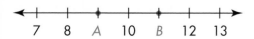

En una recta numérica, la distancia entre cualquier número entero y el número entero siguiente es la misma.

El punto *A* indica 9.
El punto *B* indica 11.

**Recuerda** que los números en una recta numérica pueden estar muy cerca o muy separados entre sí.

Escribe el número representado por un punto con letra en la recta numérica.

**1.**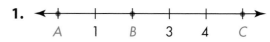

**2.**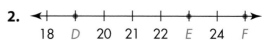

---

**Grupo B,** páginas 290 y 291

Observa estas rectas numéricas. ¿Qué números están representados por los puntos *A* y *B*?

El punto *A* indica 20.

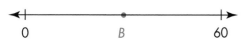

El punto *B* indica 30.

Las distancias iguales en una recta numérica indican diferencias iguales entre los números.

**Recuerda** que debes hallar un patrón que concuerde con todos los puntos de la recta numérica.

Escribe el número representado por cada punto con letra en la recta numérica.

**1.**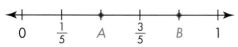

**2.**

**3.**

---

**Grupo C,** páginas 292 y 293

¿Qué fracciones están representadas por los puntos *A* y *B* en la recta numérica?

Cada sección de la recta numérica es $\frac{1}{5}$.

El punto *A* indica $\frac{2}{5}$. El punto *B* indica $\frac{4}{5}$.

**Recuerda** que debes buscar un patrón en las fracciones en tu recta numérica.

Escribe la fracción para cada punto con letra en la recta numérica.

**1.**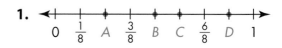

**2.**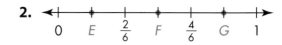

**Grupo D,** páginas 294 a 296

Usa una recta numérica para comparar $1\frac{1}{2}$ y $1\frac{3}{4}$.

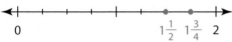

$1\frac{3}{4}$ está más a la derecha que $1\frac{1}{2}$.

Por tanto, $1\frac{3}{4} > 1\frac{1}{2}$.

**Recuerda** que debes colocar las fracciones o números mixtos correctamente en la recta numérica antes de compararlos.

Compara. Escribe $<$, $>$ o $=$.

**1.** $\frac{1}{4} \bigcirc \frac{1}{2}$    **2.** $\frac{3}{4} \bigcirc \frac{1}{4}$

**3.** $3\frac{3}{4} \bigcirc 3\frac{2}{4}$    **4.** $5\frac{1}{4} \bigcirc 5\frac{2}{4}$

**5.** $2\frac{1}{4} \bigcirc 2\frac{1}{2}$    **6.** $7\frac{2}{4} \bigcirc 7\frac{3}{4}$

**7.** $5\frac{1}{2} \bigcirc 3\frac{1}{4}$    **8.** $4\frac{3}{4} \bigcirc 5\frac{1}{4}$

**Grupo E,** páginas 298 y 299

Para resolver un problema con mucha información, sigue estos pasos.

**Paso 1**

Halla la idea principal y los datos y detalles clave en el problema.

**Paso 2**

Tacha toda la información que sobra.

**Paso 3**

Resuelve el problema si tienes suficiente información.

¿Este problema tiene información que sobra? ¿Hay información necesaria que falta?

Meg colecciona estampillas. Tiene 36 estampillas de flores, 24 estampillas de pájaros y más de 20 estampillas de peces. ¿Cuántas estampillas de pájaros y de peces tiene?

El número de estampillas de flores es información que sobra. El número exacto de estampillas de peces es información necesaria que falta para resolver el problema.

**Recuerda** que debes comprender qué información necesitas hallar para resolver el problema.

Decide si cada problema tiene información que sobra o información que falta. Si hay suficiente información, resuelve el problema. Si no, di qué falta.

**1.** Tres amigos gastaron $24 para comprar el almuerzo. También compraron una revista por $4. Repartieron el costo del almuerzo en partes iguales. ¿Cuánto gastó cada persona en el almuerzo?

**2.** Ana compró 4 yardas de tela para hacer almohadones. Pagó $4 la yarda de tela. ¿Cuántos almohadones puede hacer Ana?

# Sólidos y figuras

**1**

Esta escultura, que se encuentra en Madrid, España, ¡está hecha con 6 toneladas de plátanos! ¿Qué cuerpo geométrico describe mejor la forma de esta escultura? Lo averiguarás en la Lección 14-1.

**2**

¿Qué término geométrico describe las alas de un biplano? Lo averiguarás en la Lección 14-3.

**3** ¿Qué polígonos usó el famoso arquitecto Frank Lloyd Wright en el diseño de esta casa? Lo averiguarás en la Lección 14-5.

**4** ¿Qué te llama la atención cuando ves esta bicicleta? Lo averiguarás en la Lección 14-7.

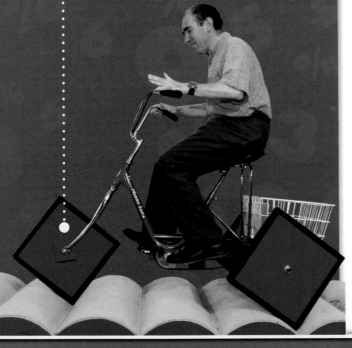

## Vocabulario

Escoge el mejor término del recuadro.

- círculo
- cubo
- cuadrado
- triángulo

**1.** Una figura que tiene 4 lados de la misma longitud se llama ___?___.

**2.** Un sólido que tiene seis caras cuadradas se llama ___?___.

**3.** Una figura que tiene 3 lados se llama ___?___.

## Nombrar sólidos y figuras

Escribe el nombre de cada figura.

**4.**

**5.**

**6.**

**7.**

## Figuras

Escribe el número de lados que tiene cada figura.

**8.**

**9.**

**10.**

**11.**

**12. Escribir para explicar** ¿Qué sólido puede rodar: un cono o un cubo? Explica por qué rueda.

**TEKS 3.8:** Identificar, clasificar y describir figuras geométricas de dos y tres dimensiones basándose en sus atributos. Comparar figuras de dos dimensiones, de tres dimensiones o ambas según sus atributos usando vocabulario formal de la geometría.

# Cuerpos geométricos

### ¿Qué es un cuerpo geométrico?

Un cuerpo geométrico es una figura geométrica que tiene longitud, ancho y altura.

A la derecha se muestran algunos cuerpos geométricos comunes y sus nombres.

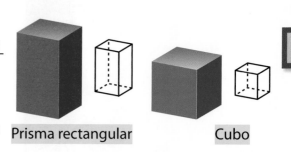

Prisma rectangular          Cubo

---

**Otro ejemplo**  ¿Cómo te ayudan los cuerpos geométricos a describir objetos del mundo que te rodea?

Muchas cosas del mundo real tienen formas como las de los cuerpos geométricos que se muestran arriba. Nombra el cuerpo geométrico al que se parece cada objeto.

El gorro del payaso se parece a un cono.

La caja de cereal se parece a un prisma rectangular.

La pelota de tenis se parece a una esfera.

La barra de pegamento se parece a un cilindro.

### Explícalo

1. Explica por qué el gorro del payaso se parece a un cono.

2. ¿Por qué sería incorrecto decir que la caja de cereal se parece a un cubo?

3. ¿Cuáles de los 4 objetos de arriba pueden rodar? Explica tu respuesta.

Pirámide    Cilindro    Cono    Esfera

## Práctica guiada*

### ¿CÓMO hacerlo?

Nombra el cuerpo geométrico.

**1.**

**2.**

Nombra el cuerpo geométrico al que se parece cada objeto.

**3.**

**4.**

**5.**

**6.**

### ¿Lo ENTIENDES?

Para los Ejercicios **7** a **10,** observa los cuerpos geométricos de arriba.

**7.** ¿Qué cuerpo geométrico no tiene ninguna superficie plana?

**8.** ¿Qué cuerpos geométricos pueden rodar? ¿Cuáles no pueden rodar?

**9.** ¿En qué se parecen el cono y el cilindro? ¿En qué se diferencian?

**10.** ¿En qué se parecen el cono y la pirámide? ¿En qué se diferencian?

**11. Escribir para explicar** Observa las siguientes ilustraciones. ¿Cambia el nombre de un cuerpo geométrico si se pone de lado? Explícalo.

*Puedes encontrar otro ejemplo en el Grupo A, página 328.

# Práctica independiente

En los Ejercicios **12** a **17,** nombra el cuerpo geométrico.

**12.**

**13.**

**14.**

**15.**

**16.**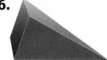

**17.**

En los Ejercicios **18** a **26,** nombra el cuerpo geométrico al que se parece cada objeto.

**18.**

**19.**

**20.**

**21.**

**22.**

**23.**

**24.**

**25.**

**26.**

En los Ejercicios **27** a **32,** nombra un objeto de la clase o de tu casa cuya forma sea igual a la del cuerpo geométrico que se indica.

**27.** esfera

**28.** cubo

**29.** cilindro

**30.** prisma rectangular

**31.** pirámide

**32.** cono

**33.** Kayla usó bloques para hacer este tren. Indica el nombre del cuerpo geométrico que representa cada tipo de bloque. Di cuántos bloques de cada tipo usó Kayla.

**34.** ¿Qué cuerpos geométricos obtienes si cortas un cubo como se muestra abajo?

**35.** Se cortaron tres pizzas en 8 porciones cada una. Seis amigos se comieron toda la pizza. Todos comieron el mismo número de porciones. ¿Cuántas porciones comió cada uno?

**36. Escribir para explicar** Las esferas y los cilindros son cuerpos geométricos que pueden rodar. ¿Por qué se practican deportes con objetos en forma de esfera en lugar de objetos en forma de cilindro?

**37.** ¿Qué cuerpo geométrico formarías si apilaras dos prismas rectangulares del mismo tamaño?

**38.** ¿Qué cuerpos geométricos se pueden apilar para formar una torre redonda con la parte de arriba plana?

**39.** ¿Qué cuerpo geométrico describiría mejor la forma de la escultura de plátanos que se muestra a la derecha?

   **A** cilindro

   **B** pirámide

   **C** prisma rectangular

   **D** esfera

**40. Sentido numérico** Catherine tiene 2 hámsters, 1 gato, 2 perros y 4 peces. ¿Qué fracción de sus mascotas son perros?

Lección

# 14-2

TEKS 3.8: Identificar,
clasificar y describir
figuras geométricas de
dos y tres dimensiones
basándose en sus
atributos. Comparar
figuras de dos
dimensiones, de tres
dimensiones o ambas
según sus atributos
usando vocabulario
formal de la geometría.

# Relacionar sólidos y figuras

## ¿Cómo describes las partes de los cuerpos geométricos?

Algunos cuerpos geométricos tienen caras, vértices y aristas.

Cada superficie plana es una cara.

Un prisma rectangular tiene 6 caras.
La figura que forma cada cara es un rectángulo.

---

**Otro ejemplo** **¿Tienen todos los cuerpos geométricos caras, aristas y vértices?**

Las superficies planas de los cuerpos geométricos que pueden rodar no se llaman caras.

Un cilindro tiene dos superficies planas.

Pero un cilindro puede rodar.

Por tanto, las superficies planas de un cilindro no son caras.

Recuerda que una arista es el lugar donde se encuentran
2 caras. Por tanto, un cilindro no tiene aristas.

Un cono no tiene ni caras ni aristas. Tiene un vértice.

vértice

### Explícalo

1. Explica por qué la superficie plana de un cono no se llama cara.

2. ¿Piensas que las superficies planas de una pirámide se llaman caras?
   Explica tu respuesta.

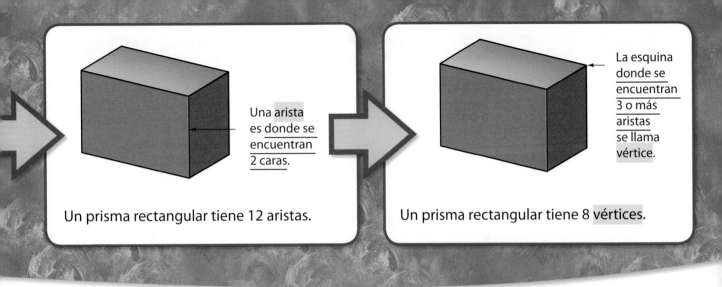

Una arista es donde se encuentran 2 caras.

Un prisma rectangular tiene 12 aristas.

La esquina donde se encuentran 3 o más aristas se llama vértice.

Un prisma rectangular tiene 8 vértices.

## Práctica guiada*

### ¿CÓMO hacerlo?

En los Ejercicios **1** a **6,** usa el cubo y el cono que aparecen abajo.

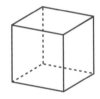 

1. ¿Cuántas caras tiene un cubo en total?

2. ¿Cuál es la figura que forma cada una de las caras del cubo?

3. ¿Cuántas aristas tiene el cubo?

4. ¿Cuántos vértices tiene el cubo?

5. ¿Cuántas aristas tiene el cono?

6. ¿Cuántos vértices tiene el cono?

### ¿Lo ENTIENDES?

En los Ejercicios **7** a **10,** usa los siguientes cuerpos geométricos.

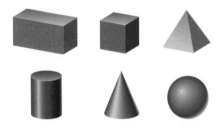

7. ¿Qué sólido tiene todas las caras del mismo tamaño y la misma forma? ¿Cómo se llama la figura que forma la cara?

8. ¿Qué dos sólidos tienen el mismo número de aristas?

9. ¿Cuáles de estos cuerpos geométricos no tienen caras?

10. Además del prisma rectangular, ¿qué sólido tiene 6 caras, 12 aristas y 8 vértices?

Glosario animado
www.pearsonsuccessnet.com

*Puedes encontrar otro ejemplo en el Grupo B, página 328.

En los Ejercicios **11** a **14**, usa la pirámide de la derecha.

**11.** ¿Cuántas aristas tiene esta pirámide?

**12.** ¿Cuántos vértices tiene esta pirámide?

**13.** ¿Cuántas caras tiene esta pirámide?

**14.** ¿Qué figuras forman las caras? ¿Cuántas caras de cada figura hay?

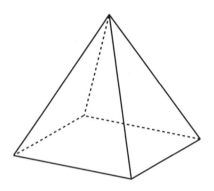

### TAKS Resolución de problemas

**15. Escribir para explicar** ¿Por qué un cubo tiene el mismo número de caras, aristas y vértices que un prisma rectangular?

Este trozo de queso se parece a un cuerpo geométrico llamado *prisma triangular*.
En los Ejercicios **16** a **19**, usa la foto.

**16.** ¿Cuántas caras tiene un prisma triangular?

**17.** ¿Qué figura forman las caras?

**18.** ¿Cuántos vértices tiene un prisma triangular?

**19.** ¿Cuántas aristas tiene un prisma triangular?

**20.** Tomás compró una bolsa de 24 calcomanías. Piensa pegar una calcomanía en cada una de las caras de este cubo. ¿Cuántas calcomanías le sobrarán?

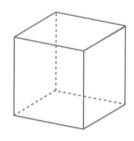

**A** 12          **C** 18

**B** 16          **D** 21

**21.** ¿Cuál es el valor total de las siguientes 8 monedas?

**F** 36¢          **H** 56¢

**G** 46¢          **J** 71¢

# Resolución de problemas variados

Cada instrumento musical hace un sonido distinto. La forma de un instrumento puede afectar la manera que suena. Usa la tabla de la derecha para responder las Preguntas **1** a **5.**

1. ¿Qué instrumento está formado por un prisma rectangular largo y angosto y un cilindro corto?

2. ¿Qué instrumento de percusión tiene la forma de un cilindro?

3. ¿Qué instrumento tiene la forma de una figura de 3 lados?

4. ¿A qué cuerpo geométrico se parece la flauta dulce?

5. El instrumento que produce el sonido con el mayor número de decibeles es el instrumento que suena más fuerte. ¿Qué instrumento de la siguiente tabla puede producir el sonido más fuerte?

**Instrumentos musicales**

| Nombre del instrumento | Grupo de instrumentos |
|---|---|
| Banjo | Cuerdas |
| Tambor | Percusión |
| Flauta dulce | Viento (maderas) |
| Triángulo | Percusión |

**Datos**

| Instrumento | Sonido máximo (en decibeles) |
|---|---|
| Trompeta | 95 |
| Platillos | 110 |
| Tambor mayor | 115 |
| Piano | 100 |

6. **Enfoque en la estrategia** Resuelve. Usa la estrategia Intentar, revisar y corregir.

   Elian toca tres instrumentos. El tambor pesa 5 libras más que la guitarra. La trompeta pesa 5 libras menos que la guitarra. La trompeta pesa 3 libras. ¿Cuántas libras pesa el tambor?

Lección

# 14-3

**TEKS 3.8:** Identificar, clasificar y describir figuras geométricas de dos y tres dimensiones basándose en sus atributos. Comparar figuras de dos dimensiones, de tres dimensiones o ambas según sus atributos usando vocabulario formal de la geometría.

# Rectas y segmentos de recta

## ¿Qué es importante saber sobre las rectas?

Para describir figuras y cuerpos geométricos se usan rectas y partes de rectas.

Un **punto** es una posición exacta.

Una **recta** es un conjunto infinito de puntos en ambas direcciones.

Un **segmento de recta** es una parte de una recta con dos extremos.

---

## Práctica guiada*

### ¿CÓMO hacerlo?

Escribe el nombre para cada caso.

1. ●━━━━━━━●

2. ✕ (dos rectas que se cruzan)

3. ←→ ←→ (dos rectas)

### ¿Lo ENTIENDES?

4. ¿Qué te indican las flechas en el dibujo de una recta?

5. ¿A qué tipo de rectas se parecen las vías del ferrocarril?

---

## Práctica independiente

Escribe los nombres.

6. ←————→

7. ●

8.

9. ↑↑ ↓↓

10.

11.

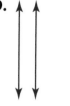

Glosario animado
**www.pearsonsuccessnet.com**

*Puedes encontrar otro ejemplo en el Grupo C, página 328.*

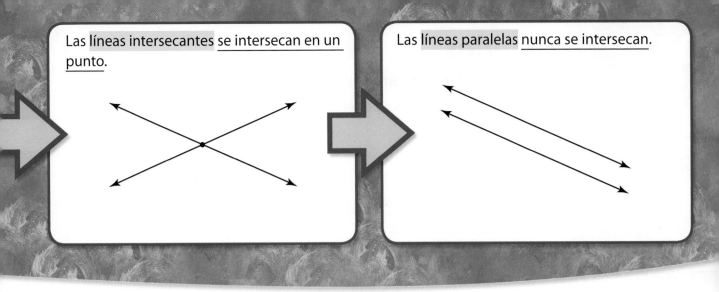

Las líneas intersecantes se intersecan en un punto.

Las líneas paralelas nunca se intersecan.

Para cada ejercicio, haz un dibujo y rotúlalo.

**12.** segmento de recta    **13.** recta    **14.** líneas paralelas    **15.** líneas intersecantes

 **TAKS** Resolución de problemas

En los Ejercicios **16** y **17,** usa el mapa de la derecha. Di si las dos calles que se indican en cada caso parecen líneas intersecantes o líneas paralelas.

**16.** Calle del Roble y Calle del Abedul

**17.** Calle del Abedul y Calle del Olmo

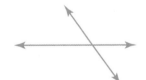

**18. Escribir para explicar** Rosa compró 3 paquetes de 6 tarjetas de beisbol cada uno. Luis compró 4 paquetes de 3 tarjetas de beisbol cada uno. ¿Quién compró más tarjetas de beisbol? Explica tu respuesta.

**19.** Observa las alas del aeroplano. ¿Qué término geométrico puedes usar para describirlas?

**20.** ¿Qué opción describe mejor el lugar donde estas dos líneas se intersecan?

**A** Recta    **C** Segmento de recta

**B** Punto    **D** Línea paralela

**TEKS 3.8:** Identificar, clasificar y describir figuras geométricas de dos y tres dimensiones basándose en sus atributos. Comparar figuras de dos dimensiones, de tres dimensiones o ambas según sus atributos usando vocabulario formal de la geometría.

# Ángulos

## ¿Cómo describes los ángulos?

Puedes describir un ángulo por el tamaño de su abertura.

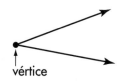

Una **semirrecta** es una parte de una recta con un solo extremo.

vértice

Un **ángulo** está formado por dos semirrectas con el mismo extremo. Ese extremo es el **vértice** del ángulo.

---

## Práctica guiada*

### ¿CÓMO hacerlo?

Escribe los nombres.

**1.**     **2.**

Di si el ángulo es recto, agudo u obtuso.

**3.**     **4.**

### ¿Lo ENTIENDES?

**5.** ¿Cómo puedes usar la esquina de una tarjeta para decidir si un ángulo es agudo, recto u obtuso?

**6.** Explica por qué estas dos semirrectas no forman un ángulo.

**7.** Describe algo de la clase que te recuerde los segmentos de recta perpendiculares.

---

## Práctica independiente

Di si el ángulo es recto, agudo u obtuso.

**8.**     **9.** 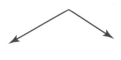    **10.**     **11.**

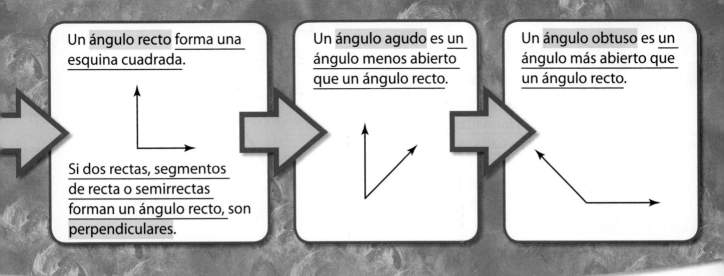

Un ángulo recto forma una esquina cuadrada.

Si dos rectas, segmentos de recta o semirrectas forman un ángulo recto, son perpendiculares.

Un ángulo agudo es un ángulo menos abierto que un ángulo recto.

Un ángulo obtuso es un ángulo más abierto que un ángulo recto.

En los Ejercicios **12** a **15,** traza y rotula un dibujo para cada uno.

**12.** Ángulo obtuso    **13.** Ángulo recto    **14.** Semirrecta    **15.** Ángulo agudo

En los Ejercicios **16** a **18,** di la hora que muestra cada reloj. Luego di qué tipo de ángulo forman las manecillas.

**16.**

**17.**

**18.**

**19. Escribir para explicar** ¿Son del mismo tamaño todos los ángulos obtusos? Haz un dibujo para explicar tu respuesta.

**20.** ¿Qué dibujo muestra un par de segmentos de recta perpendiculares?

**A**

**B**

**C**

**D**

**21. Razonamiento** ¿Estas líneas son paralelas o intersecantes? Explica tu respuesta.

 *Recuerda que una recta no tiene fin.*

**TEKS 3.8:** Identificar, clasificar y describir figuras geométricas de dos y tres dimensiones basándose en sus atributos. Comparar figuras de dos dimensiones, de tres dimensiones o ambas según sus atributos usando vocabulario formal de la geometría.

# Polígonos

## ¿Qué es un polígono?

Un polígono es una figura cerrada formada por segmentos de recta. Cada segmento de recta es un lado del polígono. El punto donde dos lados se encuentran es un vértice del polígono.

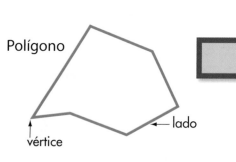

Polígono

← lado

vértice

---

## Práctica guiada*

### ¿CÓMO hacerlo?

Nombra el polígono.

1.

2.

¿Son polígonos estas figuras? Si alguna no lo es, explica por qué.

3.

4.

### ¿Lo ENTIENDES?

Dibuja un polígono de 3 lados. Usa el polígono en los Ejercicios **5** a **7**.

5. ¿Cuántos vértices tiene el polígono?

6. ¿Cuántos ángulos tiene?

7. ¿Cuál es el nombre del polígono?

8. Supón que un polígono tiene 10 lados. ¿Cuántos ángulos tiene?

9. Describe un objeto de la vida diaria que sea un modelo de polígono. ¿Cuál es el nombre del polígono?

---

## Práctica independiente

Nombra el polígono.

10.

11.

12.

13.

Glosario animado
www.pearsonsuccessnet.com

*Puedes encontrar otro ejemplo en el Grupo E, página 329.*

Los polígonos se nombran por el número de lados que tienen. Los lados forman un ángulo en cada vértice.

| Polígono | Número de lados | Número de vértices |
|---|---|---|
| Triángulo | 3 | 3 |
| Cuadrilátero | 4 | 4 |
| Pentágono | 5 | 5 |
| Hexágono | 6 | 6 |
| Octágono | 8 | 8 |

¿Son polígonos estas figuras? Si alguna no lo es, explica por qué.

**14.**

**15.**

**16.**

**17.**

En los Ejercicios **18** a **21,** nombra el polígono al que más se parece cada señal de tránsito.

**18.**

**19.**

**20.**

**21.**

**22. Razonamiento** ¿Qué polígono sigue en el patrón? Explica tu respuesta.

**23.** ¿Qué polígonos se usaron para diseñar esta casa?

**24.** ¿Qué polígono representa mejor la tapa de la caja?

**A** Cuadrilátero    **C** Pentágono

**B** Octágono    **D** Hexágono

## 14-6

**TEKS 3.8:** Identificar, clasificar y describir figuras geométricas de dos y tres dimensiones basándose en sus atributos. Comparar figuras de dos dimensiones, de tres dimensiones o ambas según sus atributos usando vocabulario formal de la geometría.

# Triángulos

## ¿Cómo describes los triángulos?

Los triángulos pueden describirse según sus lados.

| | | |
|---|---|---|
| **Triángulo equilátero** | **Triángulo isósceles** | **Triángulo escaleno** |
| Los tres lados tienen la misma longitud. | Al menos dos lados tienen la misma longitud. | Ningún lado tiene la misma longitud. |

---

## Práctica guiada*

### ¿CÓMO hacerlo?

Di si cada triángulo es equilátero, isósceles o escaleno.

**1.**

**2.**

Di si cada triángulo es rectángulo, acutángulo u obtusángulo.

**3.**

**4.**

### ¿Lo ENTIENDES?

**5.** ¿Cuántos ángulos agudos hay en un triángulo acutángulo?

**6.** ¿Cuántos ángulos obtusos hay en un triángulo obtusángulo?

**7.** ¿Puede un triángulo rectángulo ser también

    **a** un triángulo isósceles? Explícalo.

    **b** un triángulo equilátero? Explícalo.

**8.** ¿Puede un triángulo isósceles ser también un triángulo equilátero? Explícalo.

---

## Práctica independiente

En los Ejercicios **9** a **12,** di si el triángulo es equilátero, isósceles o escaleno. Si algún triángulo tiene dos nombres posibles, da el nombre que mejor lo describa.

**9.**     **10.**     **11.**     **12.**

  *Puedes encontrar otro ejemplo en el Grupo F, página 329.*

Los triángulos pueden describirse según sus ángulos.

**Triángulo rectángulo**

Uno de los ángulos
es un ángulo recto.

**Triángulo acutángulo**

Los tres ángulos son
ángulos agudos.

**Triángulo
obtusángulo**

Uno de los ángulos
es un ángulo obtuso.

En los Ejercicios **13** a **16**, di si el triángulo es rectángulo, acutángulo u obtusángulo.

**13.**    **14.**    **15.**    **16.**

🔺**TAKS** Resolución de problemas

En los Ejercicios **17** y **18**, usa el dibujo del triángulo musical de la derecha.

**17.** ¿A qué se parece más el triángulo musical: a un triángulo
equilátero, un triángulo isósceles o un triángulo escaleno?

**18. Razonamiento** La forma del triángulo musical no es un
triángulo geométrico. Explica por qué no.

**19.** Lee la oración de abajo. Escribe la
palabra que la haría verdadera.

Un triángulo obtusángulo tiene un
ángulo obtuso y dos ángulos __?__.

**20.** Haz un dibujo para mostrar cómo
dividirías un rectángulo en dos
triángulos rectángulos haciendo un
corte en forma recta.

**21.** ¿Qué par de triángulos es el que mejor describe el banderín?

    **A** Triángulo equilátero, triángulo acutángulo

    **B** Triángulo equilátero, triángulo rectángulo

    **C** Triángulo isósceles, triángulo acutángulo

    **D** Triángulo isósceles, triángulo obtusángulo

**22. Escribir para explicar** ¿Por qué es imposible que un triángulo
tenga dos ángulos rectos?

**TEKS 3.8:** Identificar, clasificar y describir figuras geométricas de dos y tres dimensiones basándose en sus atributos. Comparar figuras de dos dimensiones, de tres dimensiones o ambas según sus atributos usando vocabulario formal de la geometría.

# Cuadriláteros

## ¿Qué otros nombres tienen los cuadriláteros?

**Trapecio**

Sólo un par de lados paralelos

**Paralelogramo**

Dos pares de lados paralelos

Los lados opuestos tienen la misma longitud.
Los ángulos opuestos tienen el mismo tamaño.

## Práctica guiada*

### ¿CÓMO hacerlo?

En los Ejercicios **1** a **4**, escribe tantos nombres como sea posible para cada cuadrilátero.

**1.**

**2.**

**3.**

**4.**

### ¿Lo ENTIENDES?

**5.** Esta figura es un rectángulo, pero no es un cuadrado. ¿Por qué?

**6.** Dibuja un paralelogramo con los cuatro lados de la misma longitud. ¿Qué otro nombre tiene?

**7.** ¿Por qué un cuadrado es un paralelogramo?

## Práctica independiente

En los Ejercicios **8** a **12**, escribe tantos nombres como sea posible para cada cuadrilátero.

**8.**

**9.**

**10.**

**11.**

**12.**

Glosario animado
**www.pearsonsuccessnet.com**

*Puedes encontrar otro ejemplo en el Grupo G, página 329.*

# Algunos cuadriláteros tienen más de un nombre.

Rectángulo

__Cuatro ángulos rectos__

Un *rectángulo* es un tipo de *paralelogramo*.

Rombo

__Todos los lados tienen la misma longitud__

Un *rombo* es un tipo de *paralelogramo*.

Cuadrado

__Cuatro ángulos rectos y todos los lados de la misma longitud__

Un *cuadrado* es un tipo de *paralelogramo*. Es una combinación de *rectángulo* y *rombo*.

---

En los Ejercicios **13** a **16,** escribe el nombre que mejor describa el cuadrilátero. Haz un dibujo como ayuda.

**13.** Un rectángulo con todos los lados de la misma longitud

**14.** Un cuadrilátero con un solo par de lados paralelos

**15.** Un paralelogramo con cuatro ángulos rectos

**16.** Un rombo con cuatro ángulos rectos

## TAKS Resolución de problemas

**17.** La bicicleta que aparece en la foto fue diseñada con ruedas cuadradas en vez de redondas. ¿En qué se diferencia un cuadrado de un círculo?

**18. Razonamiento** Soy un tipo de cuadrilátero con los lados opuestos de la misma longitud. ¿Qué tipo de cuadrilátero podría ser? (*Pista:* Hay más de una respuesta correcta.)

**19. Escribir para explicar** ¿En qué se parecen un rectángulo y un rombo? ¿En qué se diferencian?

**20.** ¿Qué dibujo muestra más de $\frac{5}{8}$ del cuadrado sombreado?

A   B   C   D

**TEKS 3.16A:** Hacer generalizaciones de patrones o de conjuntos de ejemplos y contraejemplos.

# Hacer generalizaciones y comprobarlas

## ¿Qué es igual en todos estos polígonos?

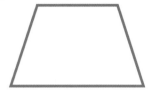

## Práctica guiada*

### ¿CÓMO hacerlo?

Haz una generalización para cada conjunto de polígonos y compruébala.

1.

2.

### ¿Lo ENTIENDES?

3. Observa los polígonos de arriba. Todos los lados del segundo y del tercer polígono **tienen** la misma longitud. Por tanto, ¿por qué es incorrecta la generalización del amigo?

4. Dibuja un conjunto de polígonos sobre el que puedas hacer una generalización. Incluye un dibujo.

## Práctica independiente

En los Ejercicios **5** a **7,** haz una generalización para cada conjunto de polígonos.

5.

6.

7.

**¿En aprietos? Intenta esto...**

- ¿Qué sé?
- ¿Qué se me pide que halle?
- ¿Qué diagrama puedo usar como ayuda para entender el problema?
- ¿Puedo usar la suma, la resta, la multiplicación o la división?
- ¿Es correcto todo mi trabajo?
- ¿Respondí la pregunta que correspondía?
- ¿Es razonable mi respuesta?

*Puedes encontrar otro ejemplo en el Grupo H, página 329.*

**Haz una generalización**

Tu amigo dice: —Pienso que todos los lados tienen la misma longitud.

Tú dices: —Pienso que todos tienen 4 lados.

**Comprueba la generalización**

Tu amigo dice: —¡Espera! El lado superior y la base de este polígono no tienen la misma longitud. ¡Mi generalización no es correcta!

no tienen la misma longitud

Tú dices: —El primer polígono tiene 4 lados. El segundo tiene 4 lados. Lo mismo pasa con el tercero. ¡Mi generalización es correcta!

**8.** El Sr. Redbird hace mesas de 3 patas y mesas de 4 patas. Las mesas que hizo este mes tienen 18 patas en total. ¿Cuántas mesas de cada tipo hizo?

**9.** Ana gana $4 por cada hora que cuida niños. La semana pasada cuidó niños por 2 horas, y esta semana, por 5 horas. ¿Cuánto ganó en total?

**10.** ¿En qué se parecen estos cuatro números?

18      24      16      40

**11.** Compara cada suma con sus sumandos en estas oraciones numéricas:

$34 + 65 = 99$

$8 + 87 = 95$

$435 + 0 = 435$

Haz una generalización sobre los sumandos y las sumas de números enteros.

**12. Escribir para explicar** ¿Es verdadera esta generalización? Si no lo es, haz un dibujo para demostrar por qué no lo es.

Si una figura está formada por segmentos de recta, es un polígono.

**13.** Ariel les dio a sus amigos estas pistas sobre un número secreto.

- El número tiene tres dígitos.

- El dígito de las centenas es menor que 3.

- El dígito de las decenas es el doble que el dígito de las unidades.

- El número es impar.

¿Cuáles son todos los números secretos posibles?

**14.** ¿Qué es igual en todos estos polígonos?

**A** Todos tienen un par de lados paralelos.

**B** Todos tienen dos ángulos rectos.

**C** Todos tienen un ángulo agudo.

**D** Todos tienen cuatro lados.

**1.** Evelyn puso sus muñecos de peluche en la caja que se ve abajo. ¿Qué sólido describe mejor la caja? (14-1)

**A** Cilindro

**B** Cubo

**C** Pirámide

**D** Cono

**2.** Los ángulos siguientes son ejemplos de ángulos agudos. (14-4)

¿En qué reloj las manecillas forman un ángulo agudo?

**F**

**G**

**H**

**J**

**3.** Keenan compró un yo-yó que venía en una caja de forma inusual. ¿Qué término describe mejor la forma de la parte de arriba de la caja? (14-5)

**A** Hexágono

**B** Pentágono

**C** Octágono

**D** Cuadrilátero

**4.** ¿Qué opción describe mejor los triángulos? (14-8)

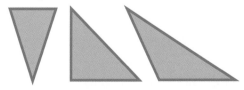

**F** Todos son triángulos acutángulos.

**G** Todos son triángulos isósceles.

**H** Todos son triángulos obtusángulos.

**J** Todos son triángulos escalenos.

**5.** ¿Qué figura es un polígono? (14-5)

**A**

**B**

**C**

**D**

**6.** Cuatro amigos hicieron figuras de cuadriláteros con plastilina. ¿Qué figura tiene un solo par de lados paralelos? (14-7)

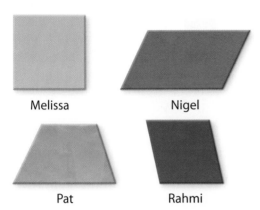

Melissa

Nigel

Pat

Rahmi

**F** la de Melissa    **H** la de Pat

**G** la de Nigel    **J** la de Rahmi

**7.** Abajo aparece la parte de un mapa de senderos para excursiones. ¿Qué dos senderos representan líneas paralelas? (14-3)

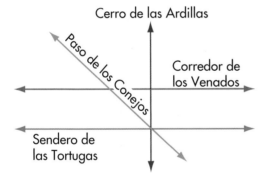

Cerro de las Ardillas

Paso de los Conejos

Corredor de los Venados

Sendero de las Tortugas

**A** Corredor de los Venados y Sendero de las Tortugas

**B** Corredor de los Venados y Cerro de las Ardillas

**C** Paso de los Conejos y Cerro de las Ardillas

**D** Paso de los Conejos y Corredor de los Venados

**8.** Los estudiantes corrieron desde la bandera hasta el árbol, luego hasta el cubo de la basura y por último nuevamente hasta la bandera. ¿Qué tipo de triángulo formaron al correr? (14-6)

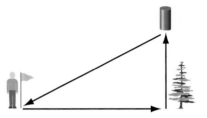

**F** Escaleno

**G** Isósceles

**H** Equilátero

**J** Acutángulo

**9.** Xavier compró este tapete para poner al lado de su cama. ¿Qué dos cuadriláteros forman el diseño del tapete? (14-7)

**A** Rombo y paralelogramo

**B** Rombo y trapecio

**C** Paralelogramo y trapecio

**D** Paralelogramo y hexágono

**10. Respuesta en plantilla** Claire hizo una almohada de adorno en forma de prisma rectangular. Si cose una borla en cada vértice, ¿cuántas borlas necesitará? (14-2)

**Grupo A,** páginas 306 a 309

Nombra este cuerpo geométrico.

Esta figura tiene superficies planas y un vértice en la punta.

La figura es una pirámide.

**Recuerda** que algunos cuerpos geométricos pueden rodar y otros no.

Nombra el cuerpo geométrico.

**1.**     **2.**

**Grupo B,** páginas 310 a 312

¿Cuántas caras, aristas y vértices tienen los siguientes cuerpos geométricos?

cara

vértice

arista

Un prisma rectangular tiene 6 caras, 12 aristas y 8 vértices.

**Recuerda** que un vértice es la unión de tres o más aristas.

Para los Ejercicios **1** y **2,** usa el cubo de abajo.

**1.** ¿Cuántas caras, aristas y vértices tiene este cubo?

**2.** Describe la forma de cada cara.

**Grupo C,** páginas 314 y 315

Escribe el nombre de las líneas siguientes.

Las líneas se intersecan en un punto. Son líneas intersecantes.

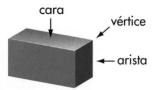

**Recuerda** que las rectas no tienen fin.

Escribe el nombre de cada recta.

**1.**     **2.** ●——————●

**Grupo D,** páginas 316 y 317

Describe los ángulos como recto, agudo u obtuso.

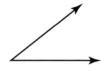

El ángulo es menor que un ángulo recto.

Es un ángulo agudo.

**Recuerda** que la abertura del ángulo recto forma una esquina recta.

Describe cada ángulo.

**1.**     **2.**

**Grupo E,** páginas 318 y 319

¿ La figura es un polígono? Si es un polígono, escribe el nombre. Si no lo es, explica por qué.

 La figura está cerrada y está formada por segmentos de recta. Es un polígono.

La figura tiene 5 lados. Es un pentágono.

**Recuerda** que un polígono está formado por segmentos de recta.

¿ La figura es un polígono? Si lo es, escribe el nombre. Si no lo es, explica por qué. **1.** ⬡ **2.** ◗

**Grupo F,** páginas 320 y 321

Di si el triángulo es equilátero, isósceles o escaleno. Luego di si el triángulo es rectángulo, acutángulo u obtusángulo.

 Ninguno de los lados tiene la misma longitud. El triángulo es un triángulo escaleno. Uno de los ángulos es un ángulo obtuso.

El triángulo es un triángulo obtusángulo.

**Recuerda** que ninguno de los lados del triángulo escaleno son congruentes entre sí.

Describe cada triángulo según sus lados y sus ángulos.

**1.**  **2.**

**Grupo G,** páginas 322 y 323

Nombra el siguiente cuadrilátero.

 Los lados opuestos son paralelos y tienen la misma longitud.

La figura es un paralelogramo.

**Recuerda** que todos los cuadriláteros tienen cuatro lados.

Escribe tantos nombres especiales como sea posible para cada cuadrilátero.

**1.** □ **2.**

**Grupo H,** páginas 324 y 325

Haz una generalización sobre el conjunto de polígonos y compruébala.

 Haz una generalización: Cada polígono tiene los lados de la misma longitud.

Comprueba la generalización: Los polígonos tienen los lados de la misma longitud.

**Recuerda** que una generalización debe poder aplicarse a todo el grupo.

Haz una generalización sobre este conjunto de polígonos y compruébala.

**1.**

## Números y operaciones

**1.** ¿Cuál de los siguientes grupos de números están escritos en orden, del menor al mayor?

**A** 1,797   1,979   1,977

**B** 1,977   1,797   1,979

**C** 1,797   1,977   1,979

**D** 1,979   1,977   1,797

**2.** Karen compró en la panadería 12 pastelitos del mismo tipo. Gastó $24. ¿Cuánto le costó cada pastelito?

**F** $36        **H** $4

**G** $6         **J** $2

**3.** ¿Qué oración numérica es verdadera?

**A** $\frac{1}{4} < \frac{1}{2}$        **C** $\frac{3}{4} = \frac{1}{2}$

**B** $\frac{1}{2} < \frac{1}{4}$        **D** $\frac{3}{4} < \frac{1}{2}$

**4.** ¿Qué fracción de esta figura está coloreada de azul?

**5.** Mike gastó $5 para ver una película y $2 en golosinas. Tenía $8 en su bolsillo cuando regresó a su casa. Trabaja en sentido inverso para hallar cuánto dinero tenía Mike antes de ir al cine.

**6. Escribir para explicar** La Sra. Coleman compró 3 cajas de lápices. ¿Qué necesitas saber para hallar cuántos lápices compró en total? Explica tu respuesta.

## Geometría y medición

**7.** Identifica la figura que se muestra abajo.

**F** Recta                    **H** Semirrecta

**G** Segmento de recta      **J** Ángulo

**8.** ¿Cuál de estos triángulos es un triángulo equilátero?

**9.** Observa las figuras de abajo.

¿Qué afirmación sobre estas figuras es verdadera?

**F** Todas son cuadrados.

**G** Todas son cuadriláteros.

**H** Todas son pentágonos.

**J** Todas tienen un ángulo recto.

**10. Escribir para explicar** ¿En qué se parecen las figuras A y B? ¿En qué se diferencian?

**A.**                    **B.**

**11. Escribir para explicar** Describe las posiciones de las agujas de un reloj cuando son las 10:30.

## Probabilidad y estadística

**12.** ¿Qué evento es menos probable que suceda que los otros?

   **A** Lloverá el próximo lunes.

   **B** La semana próxima tendrá 7 días.

   **C** El martes vendrá después del lunes.

   **D** Esta noche se pondrá el sol.

**13.** ¿En cuál de los siguiente colores es más probable que se detenga la flecha?

   **F** rojo       **H** amarillo

   **G** verde      **J** azul

En los Ejercicios **14** a **16,** usa la pictografía.

### Lavado de carros en la escuela

| Viernes | 🚗 🚗 |
|---|---|
| Sábado | 🚗 🚗 🚗 🚗 🚗 |

Clave: Cada 🚗 = 5 carros lavados washed

**14.** ¿Qué día se lavaron más carros?

**15.** ¿Cuántos carros se lavaron el viernes?

**16. Escribir para explicar** Thomas dice que el número total de carros lavados es 7. ¿Estás de acuerdo? Explica por qué o por qué no.

## Razonamiento algebraico

**17.** ¿Qué número falta en el patrón de abajo?

52, 56, 60, ▨, 68, 72

   **A** 62         **C** 73

   **B** 64         **D** 80

**18.** ¿Qué número hace verdadera esta oración numérica?

   ▨ $\times 5 = 0$

   **F** 0         **H** 5

   **G** 1         **J** 10

**19.** En la clase de arte, los estudiantes hicieron pinturas con impresiones de sus propias manos.

Si los estudiantes contaron de 5 en 5 el número total de dedos, ¿cuál de las siguientes listas muestra qué números han nombrado?

   **A** 5, 10, 12, 15, 20, 22

   **B** 3, 6, 9, 12, 15, 18

   **C** 5, 10, 15, 20, 25, 30

   **D** 2, 4, 6, 8, 10, 12

**20. Escribir para explicar** ¿Qué fracción está más cerca de cero, $\frac{1}{4}$ ó $\frac{3}{4}$? Explica tu respuesta.

# Congruencia y simetría

**1**

¿Son simétricos los copos de nieve?
Lo averiguarás en la Lección 15-3.

**2**

¿Son congruentes las ventanas
del Taj Mahal? Lo averiguarás
en la Lección 15-1.

**3**

¿Dónde está el eje de simetría en la foto de una montaña y de su reflejo? Lo averiguarás en la Lección 15-2.

**4**

¿Tienen eje de simetría frutas tales como la toronja o la naranja? Lo averiguarás en la Lección 15-3.

# Repasa lo que sabes

## Vocabulario

Escoge el mejor término del recuadro.

- diferencia
- recta
- estimar
- redondear

1. Cuando restas dos números, la respuesta se llama __?__.

2. Cuando vas a reemplazar un número por otro que indica aproximadamente cuántos a la decena más cercana, vas a __?__ el número.

3. Una __?__ es una línea derecha de puntos sin fin en ambas direcciones.

## Repetir patrones

Dibuja las próximas tres figuras para continuar cada patrón.

4. ○ ◯ △ △○ ◯ △

5. ☐ ▯ ☐○ ☐ ▯ ☐

## Operaciones de división

Halla los cocientes.

6. $24 \div 3$    7. $36 \div 9$    8. $16 \div 4$

9. $54 \div 6$    10. $81 \div 9$    11. $48 \div 8$

12. **Escribir para explicar** ¿Es un polígono la figura de abajo? Explica cómo puedes dibujar la figura para que sea un polígono.

**TEKS 3.9A:**
Identificar figuras
congruentes de dos
dimensiones.

# Figuras congruentes y movimiento

## ¿Qué son figuras congruentes?

Las figuras que tienen el mismo tamaño y la misma forma son figuras congruentes. Puedes mover una figura para hacer una nueva figura que sea congruente con ella. Cuando una figura se mueve hacia arriba, hacia abajo, hacia la derecha o hacia la izquierda, el movimiento se llama una traslación.

Traslación

---

**Otro ejemplo** ¿Cómo determinas si dos figuras son congruentes?

Para determinar si dos figuras son congruentes, calca una de las figuras y coloca la figura que calcaste encima de la otra figura.

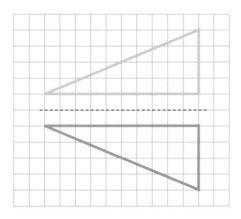

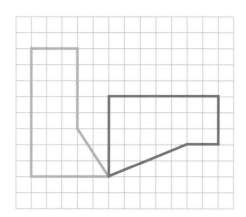

Sí, las figuras son congruentes.

No, las figuras no son congruentes.

## Explícalo

1. Observa los dos triángulos. ¿Cómo puedes mover un triángulo de modo que coincida exactamente con el otro?

2. Observa los dos pentágonos. ¿Cómo puedes mover un pentágono para mostrar que no coincide exactamente con el otro?

Cuando se levanta una figura y se la invierte, el movimiento es una **reflexión**.

Reflexión

Cuando se gira una figura alrededor de un punto, el movimiento es una **rotación**.

Rotación

## Práctica guiada*

### ¿CÓMO hacerlo?

Escribe *traslación, reflexión* o *rotación*.

**1.**  **2.**

¿Son congruentes las figuras? Escribe *sí* o *no*. Puedes calcarlas para determinarlo.

**3.**  **4.**

### ¿Lo ENTIENDES?

**5.** ¿Pueden ser congruentes un triángulo y un cuadrado? Explica tu respuesta.

**6.** ¿Son congruentes todos los triángulos? Explica tu respuesta.

**7.** ¿Son congruentes todos los cuadrados? Explica tu respuesta.

**8.** Calca este pentágono. Luego, muestra cómo se vería después de una reflexión a la derecha.

## Práctica independiente

En los Ejercicios **9** a **11,** escribe *traslación, reflexión* o *rotación*, para cada par de figuras congruentes.

**9.** **10.** **11.**

En los Ejercicios **12** a **14**, ¿son congruentes las figuras? Escribe *sí* o *no*.
Puedes calcarlas para determinarlo.

**12.**

**13.**

**14.**

**TAKS Resolución de problemas**

**15.** Manny dice que las ventanas del Taj
Mahal son congruentes porque todas
tienen la forma de la ventana que
aparece en la siguiente ilustración.
¿Estás de acuerdo? Explica.

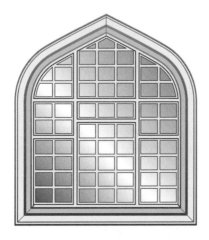

**16.** **Piensa en el proceso** Samantha ordenó
algunas monedas de 1¢ en el patrón
que se muestra abajo. ¿Qué operación
numérica muestra mejor cómo las
ordenó?

**A** $3 + 6$    **C** $3 \times 6$

**B** $3 + 9$    **D** $3 \times 9$

**17.** Dibuja un rectángulo. Luego, traza un segmento de recta que
divida el rectángulo en dos figuras congruentes. Describe las dos
figuras.

**18.** **Escribir para explicar** ¿Son congruentes todos los rectángulos?
Explica tu respuesta.

**19.** ¿Cuál de las figuras de abajo es congruente con la figura de la derecha?

**F**     **G**     **H**     **J**

## Movimientos

Usa **e tools**

### Figuras geométricas

Escribe *traslación, reflexión* o *rotación* para cada par de figuras.

**Paso 1**  Ve a la herramienta de Figuras geométricas. Haz clic en el pentágono y luego dos veces en el área de trabajo para crear dos pentágonos uno al lado del otro.

**Paso 2**  Haz clic en la herramienta de hacer girar y luego haz clic en el segundo pentágono hasta que se parezca al segundo pentágono que aparece arriba de esta página. Esto muestra que el segundo pentágono es el resultado de hacer girar el primero. Escribe *rotación*.

**Paso 3**  Haz dos copias del triángulo rectángulo en el área de trabajo. Haz clic en la herramienta de reflexión (invierte verticalmente) y luego en el segundo triángulo. Esto muestra que el segundo triángulo es una reflexión del primero. Escribe *reflexión*.

**Paso 4**  Haz dos copias del trapecio en el área de trabajo. Usa la herramienta de flecha para mover el segundo trapecio como se ve arriba. Esto muestra que el segundo trapecio es una traslación del primero. Escribe *traslación*. Usa la herramienta para limpiar para borrar el área de trabajo.

## Práctica

Escribe *traslación, reflexión* o *rotación* para cada par de figuras.

**1.**

**2.**

**3.**

Lección
## 15-2

**TEKS 3.9C:** Identificar ejes de simetría en figuras geométricas de dos dimensiones.

# Simetría axial

### ¿Qué son figuras simétricas?

Un eje de simetría es una recta por la cual se puede doblar una figura de modo que las dos partes coincidan exactamente.

Una figura simétrica tiene al menos un eje de simetría.

Una figura puede tener sólo un eje de simetría.

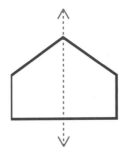

---

## Práctica guiada*

### ¿CÓMO hacerlo?

¿Es simétrica la figura? Escribe *sí* o *no*. Puedes calcarla para determinarlo.

1.

2.

3.

4.

### ¿Lo ENTIENDES?

5. Explica cómo puedes examinar una figura para determinar si tiene un eje de simetría.

6. ¿Es la línea punteada el eje de simetría de un rectángulo? Explica.

---

## Práctica independiente

¿Es simétrica la figura? Escribe *sí* o *no*. Puedes calcarla para determinarlo.

7.

8.

9.

10.

Una figura puede no tener ningún eje de simetría.

Una figura puede tener más de un eje de simetría.

Di si cada objeto es simétrico. Escribe *sí* o *no*.

**11.**

**12.**

**13.**

**14.**

**TAKS Resolución de problemas**

**15.** Traza este dibujo de la montaña con su reflexión. Luego dobla tu dibujo y traza el eje de simetría.

**16.** ¿Cuál de las figuras de abajo **NO** tiene al menos un eje de simetría?

A         C

B         D

**17. Escribir para explicar** Has aprendido que un cuadrado es un tipo de rectángulo. ¿Tienen todos los cuadrados y todos los rectángulos el mismo número de ejes de simetría? Explica tu respuesta.

**18.** Sue tiene algunas monedas de 5¢, de 10¢ y de 25¢ en el bolsillo.

- Tiene 3 monedas de 25¢.
- Tiene 2 monedas de 10¢ más que de 5¢.
- Tiene 15 monedas en total.

¿Cuál es el valor total de las monedas?

**TEKS 3.9B:** Formar figuras de dos dimensiones con ejes de simetría utilizando modelos concretos y tecnología.

# Dibujar figuras con ejes de simetría

## ¿Cómo puedes dibujar una figura con un eje de simetría?

Los artistas y otros trabajadores a veces tienen que dibujar figuras simétricas.

Para dibujar una figura simétrica, puedes seguir los siguientes pasos.

**Manos a la obra**
papel cuadriculado

**Paso 1**

Traza un segmento de recta como parte del eje de simetría.

---

## Práctica guiada*

### ¿CÓMO hacerlo?

Traza la figura en papel punteado o papel cuadriculado. Luego, complétala de modo que el segmento de recta en azul sea parte del eje de simetría.

1.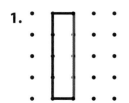

2.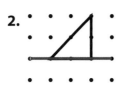

3.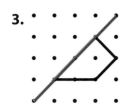

4.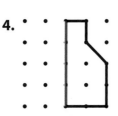

### ¿Lo ENTIENDES?

5. La figura de abajo muestra dos partes de una figura trazada en papel punteado.

Explica por qué el segmento de recta en azul no forma parte del eje de simetría.

6. ¿Cómo dibujarías una figura que tuviera dos ejes de simetría?

---

## Práctica independiente

Traza la figura. Luego complétala de modo que el segmento de recta en azul sea parte del eje de simetría. Puedes usar papel punteado o doblar y calcar.

7.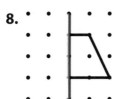

8.

9.

10.

*Puedes encontrar otro ejemplo en el Grupo C, página 347.

## Paso 2

Dibuja la primera parte de la figura de un lado del segmento de recta.

## Paso 3

Copia exactamente la primera parte del otro lado del segmento de recta.

## TAKS Resolución de problemas

**11. Estimación** Jeremy está leyendo un libro que tiene 121 páginas. Ayer leyó 19 páginas y hoy leyó 33 páginas. ¿Aproximadamente cuántas páginas más le quedan por leer?

**13. Escribir para explicar** Explica cómo puedes usar esta figura para formar un cuadrilátero simétrico. ¿Qué tipo de cuadrilátero será?

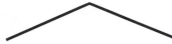

**14.** El dibujo muestra una rodaja de toronja y el esquema de una parte de las secciones de la toronja.

Calca el esquema en una hoja de papel. Complétalo de manera que la línea punteada sea un eje de simetría.

**12.** Un copo de nieve perfectamente formado tiene 6 lados y es simétrico.

Dibuja tu propio copo de nieve. Colorea los ejes de simetría de tu dibujo. ¿Cuántos ejes de simetría tiene?

**15.** El segmento de recta verde es parte de un eje de simetría. ¿Cuál de las figuras de abajo muestra la figura completa?

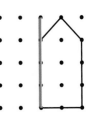

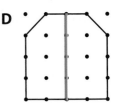

**TEKS 3.14D:** Utilizar herramientas tales como objetos reales, manipulativos y tecnología para resolver problemas.
**TEKS 3.9B:** Formar figuras de dos dimensiones con ejes de simetría utilizando modelos concretos y tecnología.

**Resolución de problemas**

# Usar objetos

Un tangram es un cuadrado formado por siete figuras más pequeñas.

Algunas o todas las figuras más pequeñas pueden usarse para formar otras figuras.

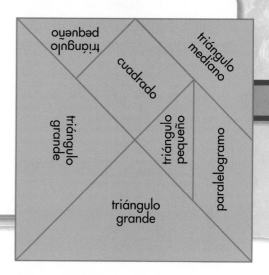

---

## Práctica guiada*

### ¿CÓMO hacerlo?

Usa el tangram para formar la figura. Dibuja la figura que formes.

1. Usa el paralelogramo y un triángulo pequeño. Forma una figura que tenga al menos un eje de simetría. Luego, forma una figura sin ningún eje de simetría.

### ¿Lo ENTIENDES?

Para los Ejercicios **2** y **3,** observa el problema de arriba.

2. ¿Dónde están los dos ejes de simetría del rectángulo?

3. **Escribe un problema** Escribe un problema que puedas resolver formando una figura con las piezas del tangram.

---

## Práctica independiente

4. Usa el paralelogramo y el triángulo mediano. Forma una figura que tenga al menos un eje de simetría. Luego, forma una figura sin ningún eje de simetría. Dibuja las figuras que formaste.

5. Usa el paralelogramo, un triángulo pequeño y el triángulo mediano. Forma una figura que tenga al menos un eje de simetría. Luego, forma una figura sin ningún eje de simetría. Dibuja las figuras que formaste.

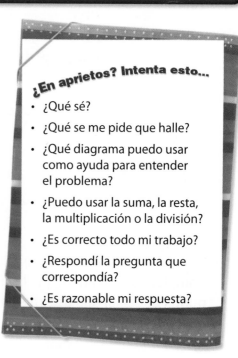

**¿En aprietos? Intenta esto...**

- ¿Qué sé?
- ¿Qué se me pide que halle?
- ¿Qué diagrama puedo usar como ayuda para entender el problema?
- ¿Puedo usar la suma, la resta, la multiplicación o la división?
- ¿Es correcto todo mi trabajo?
- ¿Respondí la pregunta que correspondía?
- ¿Es razonable mi respuesta?

*Puedes encontrar otro ejemplo en el Grupo D, página 347.

Forma dos figuras diferentes usando los dos triángulos pequeños y el triángulo mediano.

- Forma una figura que tenga al menos un eje de simetría.

- Forma la otra figura sin ningún eje de simetría.

Esta figura es un rectángulo. Tiene dos ejes de simetría.

Esta figura es un paralelogramo. No tiene ningún eje de simetría.

En los Ejercicios **6** a **8,** usa los dos triángulos pequeños y el paralelogramo para formar cada figura. Usa las tres piezas en todas las figuras. Luego, dibuja las figuras que formaste.

**6.** un rectángulo          **7.** un triángulo          **8.** un paralelogramo

En los Ejercicios **9** a **11,** usa los dos triángulos pequeños, el paralelogramo y el cuadrado. Usa las cuatro piezas en todas las figuras. Luego, dibuja las figuras que formaste.

**9.** un rectángulo          **10.** un paralelogramo          **11.** un hexágono

**12. Escribir para explicar** Muestra y explica cómo puedes formar un triángulo y dos tipos de cuadriláteros usando sólo dos triángulos pequeños.

**13.** Usa los cinco triángulos de un juego de figuras de tangram. Forma al menos tres figuras diferentes. Dibuja las figuras que formaste.

**14.** Timothy vendió algunos boletos para la obra de teatro de la escuela. Los boletos estaban numerados en orden. Los números empezaban en el 16 y terminaban en el 45. ¿Cuántos boletos vendió Timothy?

**15.** Jessica está en una fila de 10 personas. Hay dos veces el número de personas delante de ella que hay detrás. ¿Cuántas personas están delante de Jessica en la fila?

**16.** La madre de David llevó 24 envases de jugo de naranja y de uva para el picnic de la clase. Había dos veces más envases de jugo de naranja que de jugo de uva. ¿Cuántos envases había de cada tipo?

    **A** 12 de naranja, 6 de uva          **C** 16 de naranja, 8 de uva

    **B** 12 de uva, 6 de naranja          **D** 16 de uva, 8 de naranja

**1.** ¿Cuál de los números siguientes tiene una forma simétrica? (15-2)

**A** 2

**B** 5

**C** 0

**D** 7

**2.** ¿En cuál de las opciones se mueve un contorno del mapa de Texas para que coincida con el otro? (15-1)

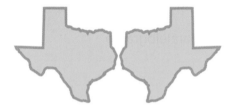

**F** Reflexión

**G** Simetría

**H** Traslación

**J** Rotación

**3.** Los siguientes son ejemplos de la figura del triángulo pequeño del tangram volteado en diferentes posiciones.

¿Cuál de las figuras siguientes **NO** se puede hacer uniendo dos de los triángulos? (15-4)

**A** Un cuadrado

**B** Un paralelogramo

**C** Un triángulo

**D** Un trapecio

**4.** Katherine diseñó una cometa.

¿Qué figura es congruente con el diseño de su cometa? (15-1)

**F**

**G**

**H**

**J**

**5.** ¿Cuál de las siguientes opciones muestra una rotación? (15-1)

**A**

**B**

**C**

**D**

**6.** En una excursión educativa, Nolan vio las siguientes cosas. ¿Cuál **NO** tiene un eje de simetría? (15-2)

F

G

H

J

**7.** ¿En cuál de las opciones se mueve una bandera de Texas para que coincida con la otra? (15-1)

A Traslación

B Rotación

C Congruente

D Reflexión

**8.** Danny dibujó la mitad izquierda del diseño de su patio de juego en papel punteado.

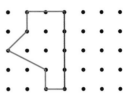

¿Cuál de las opciones corresponde a la mitad derecha de su diseño si la recta azul es el eje de simetría? (15-3)

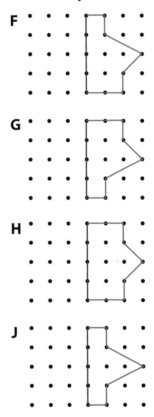

**9. Respuesta en plantilla** ¿Cuántas letras en la siguiente palabra tienen por lo menos un eje de simetría? (15-2)

**TEXAS**

**Grupo A,** páginas 334 a 336

Las figuras que tienen el mismo tamaño y la misma forma son figuras congruentes.

Puedes comprobar si las figuras son congruentes moviéndolas. Esta reflexión muestra que las dos figuras son congruentes.

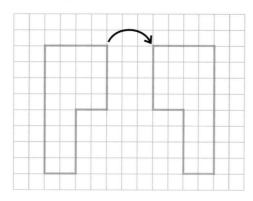

Reflexión

**Recuerda** que las figuras tienen que tener la misma forma y el mismo tamaño para ser congruentes.

¿Son congruentes las figuras? Escribe *sí* o *no*. Si la respuesta es *sí* escribe *traslación*, *rotación* o *reflexión* para cada una.

**1.**

**2.**

**Grupo B,** páginas 338 y 339

Una figura simétrica tiene por lo menos dos partes que coinciden exactamente.

Una figura puede tener más de 1 eje de simetría.

Esta figura tiene 5 ejes de simetría.

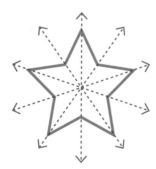

**Recuerda** que una figura simétrica tiene por lo menos 1 eje de simetría, mostrando dos partes que coinciden exactamente.

Indica si cada figura es simétrica. Escribe *sí* o *no*.

**1.**

**2.**

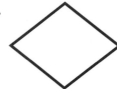

**Grupo C,** páginas 340 y 341

Para dibujar una figura simétrica, dibuja la primera parte de la figura de un lado de un segmento de recta.

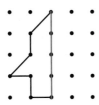

Copia exactamente la primera parte del otro lado del segmento de recta.

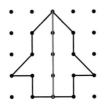

**Recuerda** que cada parte de la figura debe coincidir exactamente.

Copia la figura sobre papel punteado. Luego, complétala de manera que el segmento de recta rojo forme parte de un eje de simetría.

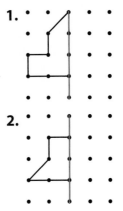

**Grupo D,** páginas 342 y 343

Usa los dos triángulos grandes de las figuras tangram. Haz una figura que tenga por lo menos un eje de simetría. Haz otra figura que no tenga eje de simetría.

Esta figura es un triángulo. Tiene un eje de simetría.

Esta figura es un polígono. No tiene eje de simetría.

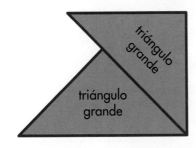

**Recuerda** que debes comprobar que tus nuevas figuras correspondan a las instrucciones dadas.

Usa los dos triángulos pequeños y el cuadrado. Haz la figura. Dibuja lo que hiciste.

**1.** Una figura con un eje de simetría

**2.** Un paralelogramo

**3.** Un trapecio

# Tema 16

# Estimación y medición de la longitud

**1** ¿Cuál es la longitud en metros y centímetros del puente peatonal de la Torre de Londres, en Inglaterra? Lo averiguarás en la Lección 16-5.

**2** ¿Qué longitud tienen los cuernos del ganado Texas Longhorn? Lo averiguarás en la Lección 16-3.

## Vocabulario

Escoge el mejor término del recuadro.

- estimar
- fracción
- factor
- multiplicar

1. Para calcular 3 × 4, debes __?__.

2. Para hallar un número aproximado, debes __?__.

3. Cuando un número entero se divide en partes iguales, cada una de las partes es una __?__ del entero.

## Fracciones y longitud

Averigua qué parte de la longitud de 1 tira muestra la otra tira. Escribe la fracción.

4.

5.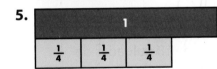

## Multiplicación

Halla los productos.

| | | |
|---|---|---|
| **6.** 3 × 12 | **7.** 6 × 10 | **8.** 5 × 3 |
| **9.** 2 × 100 | **10.** 4 × 36 | **11.** 6 × 12 |

12. **Escribir para explicar** Kim asistió a 3 lecciones de patinaje al mes durante 12 meses. ¿A cuántas lecciones asistió? Explica cómo una matriz te podría ayudar a resolver el problema. Luego, resuelve el problema.

**3**

Mark Twain es un escritor famoso. ¿Qué relación tiene el nombre de Mark Twain con una unidad de medida? Lo averiguarás en la Lección 16-1.

**4**

¿Cuál es la longitud del caballito de mar más pequeño del mundo? Lo averiguarás en la Lección 16-4.

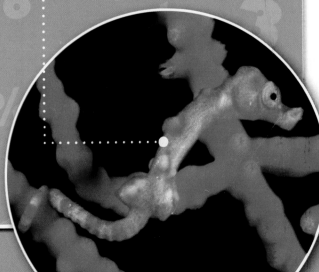

Lección

# 16-1

**TEKS 3.11A:** Utilizar instrumentos de medición lineal para estimar y medir longitudes utilizando unidades de medida estándares.

# Medición

### ¿Cómo describes la longitud de un objeto de distintas formas?

Mide la longitud de tu escritorio en longitudes de lápiz y en longitudes de crayón.

**Manos a la obra**
regla de pulgadas

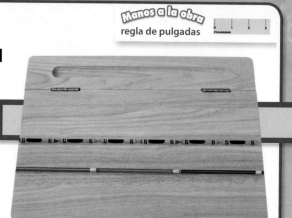

---

**Otro ejemplo** ¿Cómo usas pulgadas para medir?

Halla la longitud del escritorio en pulgadas.

Para medir con una regla, alinea el objeto con la marca de 0.

Tal vez tengas que mover la regla para continuar midiendo. De ser así, asegúrate de hacer una marca hasta donde llega la regla antes de moverla.

Al mover la regla sobre el escritorio, mostrará aproximadamente 6 pulgadas más.

$12 + 6 = 18$

Este escritorio mide 18 pulgadas de longitud a la pulgada más cercana.

## Explícalo

1. Haz un estimación de la longitud de uno de tus zapatos en pulgadas. Explica cómo hallaste la estimación.

2. Halla la longitud de un bolígrafo a la pulgada más cercana.

3. Explica por qué para medir la longitud es mejor usar una regla que un crayón.

**Halla la longitud.**

Se necesitan más crayones que lápices para cubrir la longitud del escritorio.

El escritorio mide 3 longitudes de lápiz y 6 longitudes de crayón.

**Compara las unidades.**

La longitud de un crayón es una unidad más pequeña que la longitud de un lápiz.

Cuanto más pequeña sea la unidad usada, mayor será la cantidad de unidades necesarias para igualar una longitud dada.

**Usa una unidad estándar.**

La gente utiliza unidades estándar para describir las medidas.

Una unidad estándar para medir la longitud es la pulgada (pulg.).

|—————————|
1 pulgada

## Práctica guiada*

### ¿CÓMO hacerlo?

Estima las longitudes. Luego, mide a la pulgada más cercana.

**1.**

**2.**

**3.**

### ¿Lo ENTIENDES?

**4.** En el ejemplo de arriba, ¿necesitas más lápices o más crayones para cubrir la longitud del escritorio?

**5.** Halla la longitud de tu escritorio en longitudes de clip. Primero, haz una estimación de la longitud de un clip.

**6.** ¿Cuál es la longitud de la vela a la pulgada más cercana?

## Práctica independiente

En los Ejercicios **7** a **10,** haz una estimación de las longitudes. Luego, mide a la pulgada más cercana.

**7.**

**8.**

**9.**

**10.**

*Puedes encontrar otro ejemplo en el Grupo A, página 370.

eTools, Glosario animado
www.pearsonsuccessnet.com
DIGITAL

Lección 16-1   **351**

En los Ejercicios **11** a **13,** haz una estimación de las longitudes. Luego, mide a la pulgada más cercana.

**11.**

**12.**

**13.**

**TAKS Resolución de problemas**

**14.** Un marcador es 4 veces más largo que un pedazo de tiza. El pedazo de tiza mide 2 pulgadas de longitud. ¿Cuánto mide el marcador?

marcador ├──┼──┼──┼──┤

tiza ├──┤

**15.** El papá de Kevin mide 72 pulgadas de altura. Mide 26 pulgadas más que Kevin. ¿Cuánto mide Kevin de altura?

| Papá de Kevin | 72 | |
|---|---|---|
| Kevin | ? | 26 |

**16. Sentido numérico** La mano de Jeff mide 3 clips grandes de longitud. La mano de Alan mide 8 clips pequeños de longitud. ¿Pueden sus manos tener el mismo tamaño? Explícalo. ¿Ayudaría poder usar unidades estándar?

**17. Escribir para explicar** Tienes un trozo de cuerda y una regla. ¿Cómo puedes determinar la longitud de esta curva?

**18. Razonamiento** El nombre del escritor Mark Twain proviene de la jerga de los trabajadores de barcos. "Mark twain" significaba en inglés "marca dos", es decir, 2 brazas. Dos brazas equivalen a 12 pies. ¿Qué unidad de medida es más larga, la braza o el pie?

**Álgebra** En los Ejercicios **19** a **24,** copia y completa las oraciones numéricas.

**19.** $35 + \square = 50 + 5$

**20.** $\square - 10 = 38 + 1$

**21.** $40 - \square = 30 + 1$

**22.** $\square + 22 = 30 - 2$

**23.** $50 - \square = 46 + 3$

**24.** $32 - \square = 20 + 4$

**25.** Sin usar una regla, dibuja una recta de aproximadamente 4 pulgadas de longitud. Luego, mídela a la pulgada más cercana.

**26.** Álex le dio de comer al perro de su amigo durante 4 días. Le dio 2 tazas de comida 2 veces al día. ¿Cuántas tazas de comida le dio?

**27.** Juan tiene 15 monedas de 1¢ y 3 monedas de 10¢. Olivia tiene la misma cantidad de dinero, pero sólo tiene monedas de 5¢. ¿Cuántas monedas de 5¢ tiene Olivia?

**28.** Alberto tenía 104 calcomanías de pavos reales. Colocó 68 de ellas en su viejo álbum de calcomanías y regaló 18. ¿Cuántas calcomanías de pavos reales le quedan a Alberto para colocar en su nuevo álbum?

**29. Sentido numérico** Supón que dos pizzas tienen el mismo tamaño. Una de las pizzas está cortada en octavos y la otra está cortada en décimos. ¿Qué pizza tiene las porciones más grandes?

**30. Razonamiento** Ken tiene 8 monedas de 25¢, 5 de 10¢, 5 de 5¢ y 5 de 1¢. Ésta es la cantidad total de dinero que tiene. Explica por qué el valor total de las monedas de Ken no puede ser $2.81. Luego, halla la cantidad correcta de dinero que tiene.

**31.** ¿Cuál de las siguientes calcomanías de lápices mide 2 pulgadas de altura? Usa una regla para medirlas.

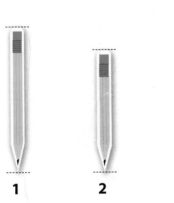

**1**   **2**   **3**   **4**

**A** Calcomanía 1      **C** Calcomanía 3

**B** Calcomanía 2      **D** Calcomanía 4

**32.** Ruth hizo 63 problemas de matemáticas adicionales en 7 días. Hizo el mismo número de problemas todos los días. ¿Qué oración numérica deberías usar para hallar el número de problemas que hizo cada día?

**F** $63 + 7 =$          **H** $63 \times 7 =$

**G** $63 - 7 =$          **J** $63 \div 7 =$

**TEKS 3.11A:** Utilizar instrumentos de medición lineal para estimar y medir longitudes utilizando unidades de medida estándares.

# Fracciones de pulgada

**Manos a la obra**
regla de pulgadas

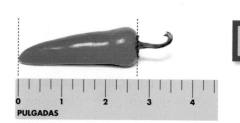

## ¿Cómo mides a una fracción de pulgada?

¿Cuál es la longitud del chile rojo de la ilustración a la $\frac{1}{2}$ pulgada más cercana y al $\frac{1}{4}$ de pulgada más cercano?

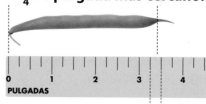

---

## Otros ejemplos

**La $\frac{1}{2}$ pulgada más cercana y el $\frac{1}{4}$ de pulgada más cercano pueden ser lo mismo.**

En la ilustración, la longitud de la habichuela verde se mide a la $\frac{1}{2}$ pulgada más cercana y al $\frac{1}{4}$ de pulgada más cercano.

**A la $\frac{1}{2}$ pulgada más cercana:**

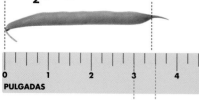

Las marcas en rojo son las marcas a la $\frac{1}{2}$ pulgada más cercana.

A la $\frac{1}{2}$ pulgada más cercana: $3\frac{1}{2}$ pulgadas

**Al $\frac{1}{4}$ de pulgada más cercano:**

Las marcas en azul son las marcas al $\frac{1}{4}$ de pulgada más cercano.

Al $\frac{1}{4}$ de pulgada más cercano: $3\frac{1}{2}$ pulgadas

---

## Práctica guiada*

### ¿CÓMO hacerlo?

Mide la longitud de los objetos a la $\frac{1}{2}$ pulgada más cercana y al $\frac{1}{4}$ de pulgada más cercano.

1.

2.

### ¿Lo ENTIENDES?

**3.** Al medir el chile rojo de arriba, ¿entre qué dos marcas de $\frac{1}{2}$ pulgada termina el chile?

**4.** ¿Qué medida se aproxima más a la longitud real del chile: $2\frac{1}{2}$ pulgadas o $2\frac{3}{4}$ pulgadas? Explícalo.

Glosario animado, eTools
**www.pearsonsuccessnet.com**

*Puedes encontrar otro ejemplo en el Grupo B, página 370.*

**Mide a la $\frac{1}{2}$ pulgada más cercana.**

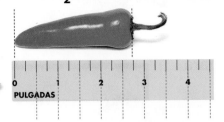

Todas las marcas en rojo son marcas de $\frac{1}{2}$ pulgada. Las marcas a la $\frac{1}{2}$ pulgada más cercana son las de $2\frac{1}{2}$ pulgadas y 3 pulgadas.

A la $\frac{1}{2}$ pulgada más cercana: $2\frac{1}{2}$ pulgadas

**Mide al $\frac{1}{4}$ de pulgada más cercano.**

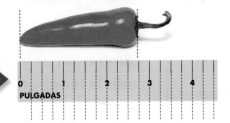

Todas las marcas en azul son marcas de $\frac{1}{4}$ de pulgada. Las marcas al $\frac{1}{4}$ de pulgada más cercano son las de $2\frac{1}{2}$ pulgadas y $2\frac{3}{4}$ pulgadas.

Al $\frac{1}{4}$ de pulgada más cercano: $2\frac{3}{4}$ pulgadas

## Práctica independiente

Mide la longitud de los objetos a la $\frac{1}{2}$ pulgada más cercana y al $\frac{1}{4}$ de pulgada más cercano.

**5.**

**6.**

**7.**

**8.**

**TAKS Resolución de problemas**

**9. Razonamiento** ¿Puede un pedazo de zanahoria medir 3 pulgadas de longitud a la pulgada más cercana, a la $\frac{1}{2}$ pulgada más cercana y al $\frac{1}{4}$ de pulgada más cercano? Explícalo.

**10.** Karina tiene 3 filas de plantas de tomate en su jardín. En cada fila hay 9 plantas. ¿Cuántas plantas de tomate hay en su jardín?

**11.** ¿Cuál es la longitud del espárrago a la $\frac{1}{2}$ pulgada más cercana? Usa una regla para medir.

**A** 5 pulgadas     **B** $5\frac{1}{2}$ pulgadas     **C** 6 pulgadas     **D** $6\frac{1}{2}$ pulgadas

Lección

# 16-3

TEKS 3.11A: Utilizar instrumentos de medición lineal para estimar y medir longitudes utilizando unidades de medida estándares.

# Usar pulgadas, pies, yardas y millas

## ¿Cómo estimas y escoges unidades para medir la longitud?

Joe va a escribir sobre los camiones de bomberos. ¿Qué unidades de longitud o de distancia podría usar?

---

**Otro ejemplo** ## ¿Cómo puedes convertir una unidad de longitud a otra unidad de longitud?

La tabla de la derecha muestra las relaciones que hay entre algunas unidades de longitud.

**Datos**

| Unidades usuales de longitud |
|---|
| 12 pulgadas = 1 pie (pie) |
| 3 pies = 1 yarda (yd) |
| 36 pulgadas = 1 yarda |
| 5,280 pies = 1 milla (m) |
| 1,760 yardas = 1 milla |

3 pies, 2 pulgadas = ▢ pulgadas

1 pie = 12 pulgadas

Multiplica y luego suma:
3 × 12 pulgadas = 36 pulgadas
36 pulgadas + 2 pulgadas = 38 pulgadas

3 pies, 2 pulgadas = 38 pulgadas

¿Cuántos pies hay en 4 yardas?

1 yarda = 3 pies

Multiplica:
4 × 3 pies = 12 pies

Hay 12 pies en 4 yardas.

### Explícalo

1. ¿Qué tabla podrías hacer para hallar cuántas pulgadas hay en 3 pies 2 pulgadas?

2. ¿Cuántas pulgadas hay en 2 pies 7 pulgadas?

Además de la pulgada, <u>otras unidades usuales de longitud</u> son el pie (pie), la yarda (yd) y la milla (m).

 Un pan mide aproximadamente un pie de longitud.

Un bate de beisbol mide aproximadamente una yarda de longitud.

La mayoría de las personas puede caminar una milla en 15 minutos.

La longitud de la escalera del camión de bomberos se mide mejor en pies.

La longitud de la manguera de incendios se mide mejor en yardas. El ancho de la manguera se mide mejor en pulgadas.

La distancia que recorre un camión de bomberos se mide mejor en millas.

## Práctica guiada*

### ¿CÓMO hacerlo?

¿Qué unidad es mejor usar? Escoge entre pulgadas, pies, yardas o millas.

1. La distancia entre dos ciudades

2. La longitud de tu clase

### ¿Lo ENTIENDES?

3. En el ejemplo de arriba, ¿por qué se mide el ancho de la manguera en pulgadas en lugar de pies?

4. ¿Qué unidad es mejor usar para medir la altura de un estante? ¿Por qué?

## Práctica independiente

En los Ejercicios **5** a **7,** determina qué unidad es mejor usar. Escoge entre pulgadas, pies, yardas o millas.

5. La longitud de un cepillo de dientes

6. La distancia recorrida en un viaje por carretera

7. La longitud de un patio de recreo

**Práctica al nivel** En los Ejercicios **8** a **11,** convierte las unidades.

8. Convierte 2 pies 9 pulgadas a pulgadas.
1 pie = 12 pulgadas
2 × 12 pulgadas = 24 pulgadas
24 pulgadas + ☐ pulgadas =
☐ pulgadas

9. Convierte 2 yardas 2 pies a pies.
1 yarda = 3 pies
2 × 3 pies = ☐ pies
☐ + 2 pies = ☐ pies

11. 4 pies, 5 pulgadas = ☐ pulgadas

10. ¿Cuántos pies hay en 6 yardas?

# Práctica independiente

En los Ejercicios **12** a **15,** escoge la mejor estimación.

**12.** La altura de un niño
4 pies o 9 pies

**13.** La distancia que recorres en un tren
70 yardas o 70 millas

**14.** La longitud de la matrícula de un carro
9 pulgadas o 9 yardas

**15.** El ancho de tu mano
3 pulgadas u 8 pulgadas

**TAKS Resolución de problemas**

**16.** El Sr. Berry puso la siguiente valla.
¿Cuántas pulgadas de longitud mide la valla?

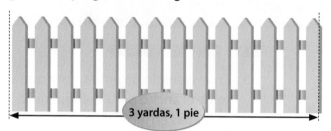

3 yardas, 1 pie

**17.** Angie necesita 8 pulgadas de cinta para cada uno de los 9 lazos que está haciendo. La cinta se vende en yardas. ¿Cuántas yardas de cinta debe comprar Angie?

**18. Escribir para explicar** El Parque Oeste mide 2,000 pies de longitud. El Parque Este mide 1 milla de longitud. ¿Cuál de los dos parques es más largo? Explica tu respuesta.

**19. Razonamiento** Escoge la mejor estimación. ¿La distancia entre las puntas de los cuernos de una vaca Texas Longhorn es de 5 pies o de 5 yardas? Explica tu respuesta.

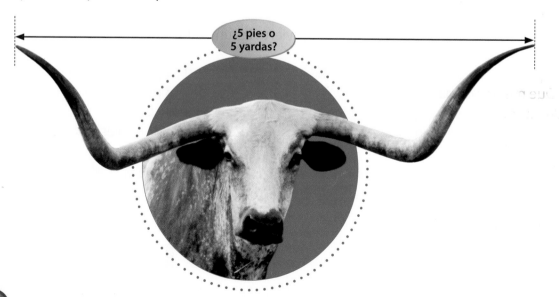

¿5 pies o 5 yardas?

20. **Escribir para explicar** A Judy se le rompió uno de los cordones de los zapatos. Midió el cordón que no estaba roto y halló que medía 2 pies de longitud. Fue a la tienda y compró un par de cordones de 27 pulgadas. ¿Qué diferencia hay entre la longitud de los cordones recién comprados y los viejos? Explica tu respuesta.

21. **Sentido numérico** ¿Qué usarías para medir la longitud de una cancha de futbol: yardas o pulgadas? Explica tu respuesta.

22. **Geometría** ¿Qué figura es un triángulo escaleno?

**A**

**B**    **C**

**D**

23. Observa el siguiente cartel. ¿Qué fracción de los recuadros del cartel muestran comida?

**F** $\frac{1}{15}$

**G** $\frac{7}{15}$

**H** $\frac{8}{15}$

**J** $\frac{3}{5}$

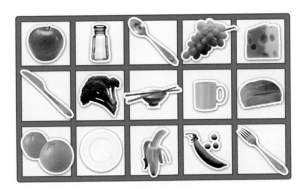

24. La tabla muestra las distancias de saltos en largo que alcanzaron Juanita, Tom y Margo. Escribe las distancias en orden de menor a mayor.

| Salto en largo | |
| --- | --- |
| **Estudiante** | **Distancia** |
| Juanita | 2 pies 4 pulg. |
| Tom | 23 pulg. |
| Margo | 2 pies |

25. ¿Qué medida describe mejor la longitud de un sofá?

   **A** 6 millas

   **B** 6 yardas

   **C** 6 pies

   **D** 6 pulgadas

26. ¿Qué medida describe mejor la altura de una mesa de cocina?

   **F** 1 pie

   **G** 3 pies

   **H** 6 pies

   **J** 12 pies

**TEKS 3.11A:** Utilizar instrumentos de medición lineal para estimar y medir longitudes utilizando unidades de medida estándares.

# Usar centímetros y decímetros

## ¿Cómo estimas y mides unidades métricas?

¿Cuál es la longitud del saltamontes al centímetro más cercano?

**Manos a la obra**
regla métrica

**1 2 3 4 5 6**
**CENTÍMETROS**

## Otros ejemplos

Otras unidades métricas de longitud son el decímetro (dm) y el milímetro (mm).

10 centímetros = 1 decímetro
10 cm = 1 dm

Esta llave inglesa mide 1 dm de longitud.

10 milímetros = 1 centímetro
10 mm = 1 cm

Una moneda de 10¢ mide 1 mm de grosor.

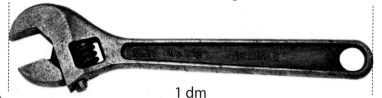

1 dm

1 mm

## Práctica guiada*

### ¿CÓMO hacerlo?

Haz una estimación de la longitud de los objetos en los Ejercicios **1** y **2.** Luego, mide al centímetro más cercano.

1.

2.

### ¿Lo ENTIENDES?

**3.** Un grillo mide 1 cm menos que el saltamontes de arriba. Dibuja un segmento de recta que tenga la misma longitud que el grillo.

**4.** ¿Cuál es la longitud de la concha de almeja al centímetro más cercano?

**DIGITAL**
Glosario animado, eTools
**www.pearsonsuccessnet.com**

*Puedes encontrar otro ejemplo en el Grupo D, página 371.*

El centímetro (cm) es una unidad métrica utilizada para medir la longitud.

Tu dedo mide aproximadamente 1 cm de ancho. Usa el ancho de tu dedo como ayuda.

1 cm

**Usa la regla en centímetros para medir.**

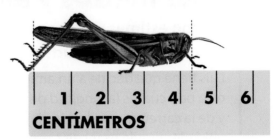

**1  2  3  4  5  6**

**CENTÍMETROS**

El saltamontes mide 4 cm de longitud al centímetro más cercano.

## Práctica independiente

Estima las longitudes en los Ejercicios **5** a **7.** Luego, mide al centímetro más cercano.

**5.**

**6.**

**7.**

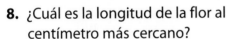
**TAKS** Resolución de problemas

**8.** ¿Cuál es la longitud de la flor al centímetro más cercano?

**9.** ¿Cuál es la longitud del caballito de mar más pequeño del mundo al centímetro más cercano?

**Álgebra**  En los Ejercicios **10** a **12**, copia y completa las oraciones numéricas.

**10.** $36 = 9 \times \boxed{\phantom{0}}$      **11.** $7 \times \boxed{\phantom{0}} = 56$      **12.** $60 = \boxed{\phantom{0}} \times 10$

**13.** ¿Cuál es la longitud del siguiente crayón? Usa una regla en centímetros para medir.

**A** 1 cm          **B** 4 cm          **C** 8 cm          **D** 1 dm

**TEKS 3.11A:** Utilizar instrumentos de medición lineal para estimar y medir longitudes utilizando unidades de medida estándares.

# Usar metros y kilómetros

**¿Cómo estimas y escoges unidades para medir la longitud?**

Luis tiene que decirle a un amigo de otro país cuál es la longitud de su camión y de la carretera por donde viaja. ¿Qué unidades puede usar Luis?

## Otro ejemplo ¿Cómo puedes convertir unidades?

**Unidades métricas de longitud**

1 metro (m) = 100 centímetros (cm)

1 kilómetro (km) = 1,000 metros (m)

2 metros, 7 centímetros = ☐ centímetros

### Una manera

Haz una tabla.

| Metros | 1 | 2 | 3 | 4 |
|---|---|---|---|---|
| Centímetros | 100 | 200 | 300 | 400 |

2 metros, 7 centímetros = 207 centímetros

### Otra manera

Multiplica. Luego, suma.

2 × 100 cm = 200 cm

200 cm + 7 cm = 207 cm

## Explícalo

1. ¿Qué tabla podrías hacer para hallar el número de centímetros en 6 metros 5 centímetros?

2. ¿Cuántos centímetros hay en 4 metros 17 centímetros?

Las unidades métricas utilizadas para medir longitudes más grandes son el metro (m) y el kilómetro (km).

El pomo de una puerta está a aproximadamente 1 metro del suelo.

La mayoría de las personas puede caminar un kilómetro en aproximadamente 10 minutos.

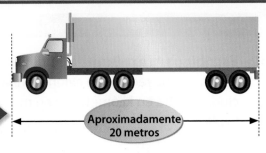

Aproximadamente 20 metros

La longitud de un camión se mide mejor en metros.

La distancia que recorre un camión por la carretera se mide mejor en kilómetros.

## Práctica guiada*

### ¿CÓMO hacerlo?

¿Qué unidad es mejor usar? Escoge entre metro o kilómetro.

**1.** La longitud de una clase

**2.** La longitud de una mesa de comedor

**3.** La distancia a través de tu estado

### ¿Lo ENTIENDES?

**4.** En el ejemplo de arriba, ¿por qué es el kilómetro la mejor unidad para medir la longitud de una carretera?

**5.** **Escribir para explicar** ¿Qué distancia es mayor, 850 metros o 1 kilómetro? ¿Cómo lo sabes?

## Práctica independiente

En los Ejercicios **6** y **7,** determina si es mejor usar el metro o el kilómetro.

**6.** La altura del asta de una bandera

**7.** La longitud de un camino para bicicletas

En los Ejercicios **8** y **9,** convierte las unidades. Copia y completa.

**8.** ¿Cuántos centímetros hay en 3 metros 8 centímetros?

**9.** 4 metros = ☐ centímetros

En los Ejercicios **10** y **11,** escoge la mejor estimación.

**10.** La altura de un adulto
2 kilómetros o 2 metros

**11.** La longitud de tu pie
20 centímetros o 20 metros

Glosario animado
**www.pearsonsuccessnet.com**

**12. Escribir para explicar** ¿Medirías la distancia que recorre un avión de una ciudad a otra en kilómetros o en metros? Explica.

**13. Sentido numérico** Un árbol mide 4 metros 10 centímetros de altura. Esta medida, ¿es mayor o menor que 500 centímetros? Explica.

**14.** Convierte las unidades. Copia y completa la tabla como ayuda.

| Metros | 1 | 2 | 3 | 4 |
|---|---|---|---|---|
| Centímetros | 100 | 200 | | |

3 metros 15 centímetros = ▨ centímetros
4 metros 63 centímetros = ▨ centímetros

En los Ejercicios **15** y **16,** usa la tabla de la derecha.

**15. Estimación** ¿Aproximadamente cuál será el precio total de dos postes de 48 pulgadas y dos postes de 36 pulgadas?

**Datos**

| Oferta de postes para vallas | |
|---|---|
| **Longitud** | **Precio** |
| 36 pulgadas | $8 |
| 40 pulgadas | $11 |
| 48 pulgadas | $19 |

**16.** ¿Cúanto mayor es el precio de un poste de 40 pulgadas que el de un poste de 36 pulgadas?

**17.** ¿Qué medida describe mejor la longitud de un carro?

  **A** 5 centímetros          **C** 5 metros

  **B** 5 kilómetros          **D** 5 milímetros

**18.** El puente peatonal de la Torre de Londres fue construido para que los trabajadores pudieran cruzar el río Támesis de Londres, aun cuando la parte principal del puente estuviera izada para dejar pasar los barcos. ¿Cuántos centímetros de longitud mide el puente peatonal?

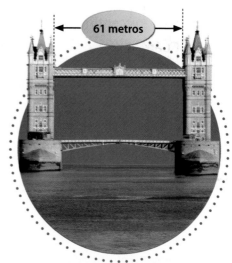

61 metros

## Convertir unidades

¿Cuántas pulgadas hay en 4 pies 8 pulgadas?

Hay 12 pulgadas en un pie. Para hallar cuántas pulgadas hay en 4 pies 8 pulgadas, multiplica $4 \times 12$ y luego suma 8.

**Una manera** Primero multiplica y luego suma.

Presiona: 4 ✕ 12 **ENTER =**          48 **+** 8 **ENTER =**

Pantalla: `48`          Pantalla: `56`

**Otra manera** Multiplica y suma en el mismo paso.

Presiona: 4 ✕ 12 **+** 8 **ENTER =**

Pantalla: `56`

4 pies 8 pulgadas = 56 pulgadas

¿Cuántos centímetros hay en 2 metros 45 centímetros?

Hay 100 centímetros en un metro. Para calcular cuántos centímetros hay en 2 metros 45 centímetros, multiplica $2 \times 100$ y luego suma 45.

Presiona: 2 ✕ 100 **+** 45 **ENTER =**

Pantalla: `245`

2 metros 45 centímetros = 245 centímetros

## Práctica

1. ¿Cuántas pulgadas hay en 3 pies 9 pulgadas?

2. ¿Cuántos centímetros hay en 2 metros 74 centímetros?

3. ¿Cuántas pulgadas hay en 7 yardas 16 pulgadas?

4. ¿Cuántos pies hay en 4 yardas 2 pies?

5. ¿Cuántos metros hay en 5 kilómetros 25 metros?

**TEKS 3.14C:** Seleccionar o desarrollar un plan o una estrategia de resolución de problemas apropiado en el que haga un dibujo, busque un patrón, adivine y compruebe sistemáticamente, haga una dramatización, elabore una tabla, resuelva un problema más sencillo o trabaje desde el final hasta el principio para resolver un problema. También **TEKS 3.16**

### Resolución de problemas

# Hacer una tabla y Buscar un patrón

Livia está entrenándose para una caminata de 25 km. Ha registrado la distancia que camina a diario. Si continúa el patrón, ¿qué distancia caminará Livia el Día 4? ¿Qué distancia recorrerá el Día 5?

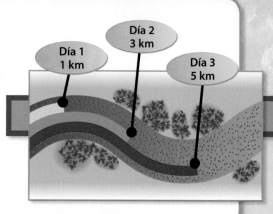

Día 1 — 1 km
Día 2 — 3 km
Día 3 — 5 km

---

## Práctica guiada*

### ¿CÓMO hacerlo?

Copia y completa la tabla. Escribe para explicar el patrón. Resuelve.

**1.** Nat tiene un asta de 1 metro de longitud. Lo corta en pedazos de 20 centímetros de longitud. ¿De qué longitud es el asta después de 3 cortes? ¿Y después de 4 cortes?

| Cortes | 0 | 1 | 2 | 3 | 4 |
|---|---|---|---|---|---|
| Longitud (cm) | 100 | 80 | 60 | ⬜ | ⬜ |

### ¿Lo ENTIENDES?

**2.** En el ejemplo de arriba, ¿cómo te ayudó la tabla a explicar el patrón?

**3.** **Escribe un problema** Escribe un problema que puedas resolver escribiendo la explicación de un patrón.

---

## Práctica independiente

En los Ejercicios **4** a **7,** copia y completa la tabla. Escribe para explicar el patrón. Resuelve.

**4.** Norma está colocando unas baldosas en fila. Cada baldosa es un cuadrado cuyos lados tienen una longitud de 4 centímetros. ¿Cuál es la longitud de 4 baldosas juntas? ¿Y de 5 baldosas?

| Número de baldosas | 1 | 2 | 3 | 4 | 5 |
|---|---|---|---|---|---|
| Longitud total (cm) | 4 | 8 | 12 | ⬜ | ⬜ |

### ¿En aprietos? Intenta esto...

- ¿Qué sé?
- ¿Qué se me pide que halle?
- ¿Qué diagrama puedo usar como ayuda para entender el problema?
- ¿Puedo usar la suma, la resta, la multiplicación o la división?
- ¿Es correcto todo mi trabajo?
- ¿Respondí la pregunta que correspondía?
- ¿Es razonable mi respuesta?

*Puedes encontrar otro ejemplo en el Grupo E, página 371.*

Puedes hacer una tabla para mostrar lo que sabes. Luego, busca el patrón.

| Día | 1 | 2 | 3 | 4 | 5 |
|---|---|---|---|---|---|
| Distancia caminada (km) | 1 | 3 | 5 | ▦ | ▦ |

Explica el patrón.

Cada día, Livia aumentó en 2 km la distancia que caminaba.

Usa el patrón para completar la tabla y resolver el problema.

Día 3: 5 km
Día 4: 5 km + 2 km = 7 km
Día 5: 7 km + 2 km = 9 km

| Día | 1 | 2 | 3 | 4 | 5 |
|---|---|---|---|---|---|
| Distancia caminada (km) | 1 | 3 | 5 | 7 | 9 |

Livia caminará 7 km el Día 4 y 9 km el Día 5.

**5.** Talia corta una hoja de papel que mide 24 centímetros de longitud. Corta la hoja en pedazos de 3 centímetros de longitud. ¿Cuál es la longitud de la hoja después de que Talia hace 3 cortes? ¿Y después de 4 cortes?

| Número de cortes | 0 | 1 | 2 | 3 | 4 |
|---|---|---|---|---|---|
| Longitud que queda (cm) | 24 | 21 | 18 | ▦ | ▦ |

**6.** El Sr. Lum va a colocar barras metálicas en fila para una valla. Cada barra mide 2 metros de longitud. ¿Cuál es la longitud de 5 barras juntas? ¿Y de 6 barras?

| Número de barras | 1 | 2 | 3 | 4 | 5 | 6 |
|---|---|---|---|---|---|---|
| Longitud total (m) | 2 | 4 | 6 | 8 | ▦ | ▦ |

**7.** Evan hace marcos de fotos de madera. Necesita 60 cm de madera para cada marco. ¿Cuál es la longitud total de madera que necesitará para hacer 4 marcos? ¿Y 5 marcos?

| Número de marcos | 1 | 2 | 3 | 4 | 5 |
|---|---|---|---|---|---|
| Longitud total (cm) | 60 | 120 | 180 | ▦ | ▦ |

**8.** Nick gana dinero haciendo tareas de la casa. ¿Cuánto ganará si limpia ventanas, lava los platos y lava la ropa?

| Tarea | Precio |
|---|---|
| Limpiar el patio | $8 |
| Lavar la ropa | $5 |
| Pasar la aspiradora | $3 |
| Lavar los platos | $2 |
| Limpiar las ventanas | $7 |

**9.** Ray pintó 12 ventanas por la mañana. Al final del día había pintado las 26 ventanas de la casa. ¿Cuál de las siguientes respuestas muestra una manera de hallar cuántas ventanas pintó por la tarde?

**A** 26 + 12    **B** 26 − 12    **C** 26 × 12    **D** 26 ÷ 12

**1.** ¿Cuál es la longitud de la hoja a la $\frac{1}{2}$ pulgada más cercana? (16-2)

**A** $3\frac{1}{2}$ pulgadas

**B** 3 pulgadas

**C** $2\frac{1}{2}$ pulgadas

**D** 2 pulgadas

**2.** ¿Cuál de las siguientes opciones mide aproximadamente 2 metros? (16-5)

**F** La longitud de una abeja

**G** La distancia desde tu casa a la escuela

**H** La altura de una casa

**J** La altura de una puerta del salón de clases

**3.** ¿Cuál es la longitud del corazón de la manzana al centímetro más cercano? (16-4)

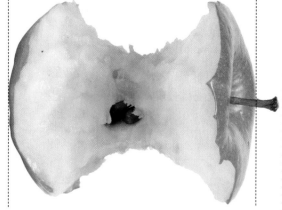

**A** 3 centímetros

**B** 6 centímetros

**C** 7 centímetros

**D** 8 centímetros

**4.** ¿Cuál es la mejor unidad para medir la longitud del río Mississippi? (16-3)

**F** Millas

**G** Yardas

**H** Pies

**J** Pulgadas

**5.** El pez dorado de Juana mide 2 pulgadas de longitud. ¿Cuál de los peces siguientes podría ser el pez dorado de Juana? (16-1)

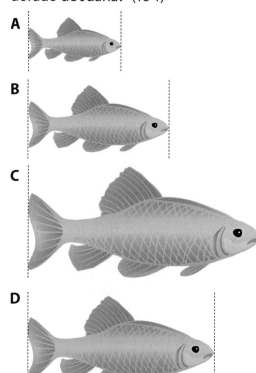

**6.** ¿Cuál de las siguientes opciones describe mejor la longitud de un autobús escolar grande? (16-3)

**F** 12 pulgadas

**G** 12 pies

**H** 12 yardas

**J** 12 millas

**7.** ¿Cuál de las siguientes opciones describe mejor la longitud de un crayón nuevo? (16-4)

   **A** 7 milímetros

   **B** 7 centímetros

   **C** 7 decímetros

   **D** 7 pies

**8.** ¿Cuál es la longitud del destornillador a la $\frac{1}{2}$ pulgada más cercana? (16-2)

   **F** $1\frac{1}{4}$ pulgadas

   **G** $1\frac{1}{2}$ pulgadas

   **H** $1\frac{3}{4}$ pulgadas

   **J** 2 pulgadas

**9.** Pat compró un sándwich que medía 36 pulgadas de longitud. Cortó pedazos de 4 pulgadas de longitud. ¿Qué longitud tenía el sándwich después de que Pat cortara 5 pedazos? (16-6)

| Pedazos cortados | 0 | 1 | 2 | 3 | 4 | 5 |
|---|---|---|---|---|---|---|
| Pulgadas que quedaron | 36 | 32 | 28 | 24 | ▨ | ▨ |

   **A** 20 pulgadas

   **B** 18 pulgadas

   **C** 16 pulgadas

   **D** 12 pulgadas

**10.** ¿Qué unidad sería mejor usar para medir la distancia entre Nueva York y Chicago? (16-5)

   **F** centímetros

   **G** kilómetros

   **H** metros

   **J** milímetros

**11.** ¿Cuál es la mejor estimación de la longitud de una almendra? (16-1)

   **A** 1 pulgada

   **B** 2 pulgadas

   **C** 3 pulgadas

   **D** 4 pulgadas

**12.** ¿Qué insecto podría medir unos 5 centímetros de longitud? (16-4)

   **F** Mariquita

   **G** Pulga

   **H** Hormiga

   **J** Libélula

**13. Respuesta en plantilla**
¿Aproximadamente cuánto mide el pasillo de una escuela: 3 pies o 30 pies de longitud? (16-3)

**14. Respuesta en plantilla** ¿Qué número falta en la siguiente tabla? (16-4)

| Número de semanas | 1 | 2 | 3 | 4 | 5 | 6 |
|---|---|---|---|---|---|---|
| Número de días | 7 | 14 | 21 | 28 | 35 | ▨ |

**Grupo A,** páginas 350 a 353

Puedes usar unidades distintas para medir la longitud.

La cuchara mide aproximadamente 2 longitudes de marcador y aproximadamente 11 pulgadas de longitud a la pulgada más cercana.

**Recuerda** que debes alinear el objeto con la marca de 0 en la regla.

Usa una regla de pulgadas para medir las longitudes de los objetos a la pulgada más cercana.

1.

2.

**Grupo B,** páginas 354 y 355

Usa la ilustración para medir la cinta a la $\frac{1}{2}$ pulgada más cercana.

Busca las dos marcas de $\frac{1}{2}$ pulgada más cercanas.

A la $\frac{1}{2}$ pulgada más cercana ⟶ $3\frac{1}{2}$ pulgadas

Usa la ilustración para medir al $\frac{1}{4}$ de pulgada más cercano, busca las dos marcas de $\frac{1}{4}$ de pulgada más cercanas.

Al $\frac{1}{4}$ de pulgada más cercano ⟶ $3\frac{3}{4}$ pulgadas

**Recuerda** que la $\frac{1}{2}$ pulgada más cercana y el $\frac{1}{4}$ de pulgada más cercano pueden ser la misma cantidad.

Mide la longitud de los objetos a la $\frac{1}{2}$ pulgada más cercana y al $\frac{1}{4}$ de pulgada más cercano.

1.

2.

**Grupo C,** páginas 356 a 359

Convierte la unidad.

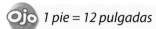 *1 pie = 12 pulgadas*

2 pies 6 pulgadas = ☐ pulgadas

Multiplica: $2 \times 12$ pulgadas = 24 pulgadas
Luego suma: 24 pulgadas + 6 pulgadas = 30 pulgadas

2 pies, 6 pulgadas = 30 pulgadas

**Recuerda** que 1 yarda equivale a 3 pies. Convierte las unidades.

1. 4 pies 3 pulgadas = ☐ pulgadas

2. 6 pies 4 pulgadas = ☐ pulgadas

3. 5 yardas 2 pies = ☐ pies

**Grupo D,** páginas 360 a 364

Estima la longitud de la cuenta en centímetros. Luego, mide al centímetro más cercano.

Puedes usar el ancho de tu dedo, que mide aproximadamente 1 centímetro, para hacer una estimación.

Estimación: aproximadamente 3 centímetros de longitud

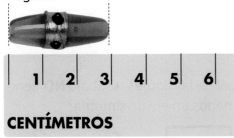

La cuenta mide 3 centímetros de longitud al centímetro más cercano.

**Recuerda** que debes alinear el objeto con la marca de 0 en la regla.

Estima la longitud. Luego, mide al centímetro más cercano.

**1.**

Escoge la mejor estimación.

**2.** La longitud de un camión
10 metros o 10 kilómetros

**3.** La altura de una casa
4 centímetros o 4 metros

Convierte las unidades.

**4.** 5 metros = ▢ centímetros

**5.** ¿Cuántos centímetros hay en 4 metros 3 centímetros?

**Grupo E,** páginas 366 y 367

Rita hace lazos con cinta. ¿Cuál es la longitud total de cinta que necesita para hacer 4 lazos? ¿Y 5 lazos?

Haz una tabla y busca un patrón.

Explica el patrón.
Resuelve el problema.

| Número de lazos | 1 | 2 | 3 | 4 | 5 |
|---|---|---|---|---|---|
| Longitud total de cinta | 30 cm | 60 cm | 90 cm | 120 cm | 150 cm |

Rita necesita 30 cm de cinta para cada uno de los lazos.

Rita necesita 120 cm para 4 lazos y 150 cm para 5 lazos.

**Recuerda** que debes comprobar tus respuestas. Asegúrate de que todos los números concuerdan con el patrón.

Copia y completa la tabla.
Escribe para explicar el patrón.
Resuelve el problema.

Ned se entrena para una carrera de bicicletas de 40 km. Si continúa con este patrón, ¿qué distancia recorrerá el Día 4? ¿Y el Día 5?

| Día | 1 | 2 | 3 | 4 | 5 |
|---|---|---|---|---|---|
| Distancia recorrida por Ned | 1 km | 4 km | 7 km | ▢ | ▢ |

## Números y operaciones

**1.** ¿Qué número significa lo mismo que 70,000 + 3,000 + 10 + 7?

   **A** 7,317

   **B** 17,317

   **C** 70,317

   **D** 73,017

**2.** ¿Qué fracción de los platos **NO** tiene pastelitos?

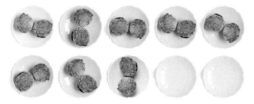

   **F** $\frac{2}{10}$          **H** $\frac{8}{10}$

   **G** $\frac{2}{8}$           **J** $\frac{8}{2}$

**3.** Elly compró 2 libros de boletos con 8 boletos en cada uno. Elly y 3 amigas usaron 4 boletos. ¿Cuántos boletos le quedan a Elly?

   **A** 19

   **B** 12

   **C** 10

   **D** 4

**4.** Keith tiene 42 estampillas. Quiere colocar en una hoja 6 estampillas por fila. ¿Cuántas filas puede hacer?

**5.** **Escribir para explicar** ¿Cómo puedes usar las operaciones de multiplicación que conoces para hallar una operación que desconoces? Para explicarlo, usa 6 X 9 como la operación que desconoces.

## Geometría y medición

**6.** Observa la figura de abajo. ¿Cuál de las opciones es congruente con ella?

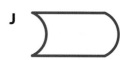

**F**             **H**

**G**             **J**

**7.** ¿Cuál de las figuras de abajo **NO** tiene al menos un eje de simetría?

**A**             **C**

**B**             **D**

**8.** ¿Qué segmento de recta de abajo mide 1 pulgada de longitud? Usa una regla para medir.

**F** _____

**G** _____

**H** _____

**J** _____

**9.** Estima la longitud del gancho a la pulgada más cercana. Usa una regla para medir.

**10.** **Escribir para explicar** Explica cómo podrías usar una regla para medir la longitud de una cuerda.

## Probabilidad y estadística

## Álgebra

**11.** En una caja hay 16 pajillas. 5 son azules, 4 verdes, 3 rosadas y 4 rojas. Si Irma toma una pajilla de la caja sin mirar, ¿qué color es menos probable que saque?

**A** Azul          **C** Rosado

**B** Verde          **D** Rojo

Usa la siguiente gráfica de barras para los Ejercicios **12** y **13**.

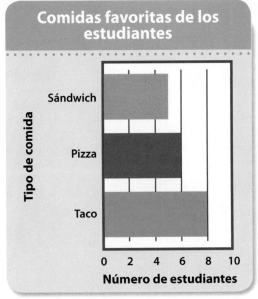

**Comidas favoritas de los estudiantes**

**12.** ¿Cuántos estudiantes votaron en total?

**F** 11      **G** 13      **H** 14      **J** 19

**13.** ¿Cuántos estudiantes más votaron a favor de los tacos que de los sándwiches?

**A** 3          **C** 6

**B** 5          **D** 8

**14. Escribir para explicar** La temperatura de hoy es 56 °F. ¿Qué es más probable que suceda hoy: que llueva o que nieve? Explica tu respuesta.

**15.** Si el patrón de escalera continúa, ¿cuántos bloques habrá en la siguiente escalera?

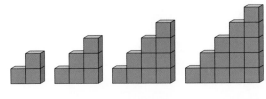

**F** 16                    **H** 20

**G** 19                    **J** 21

**16.** ¿Qué número falta en el patrón?

18, 27, 36, 45, ▨

**A** 46                    **C** 54

**B** 50                    **D** 56

**17.** Eva hace sombreros con el mismo número de lazos en cada uno.

| Número de sombreros | 3 | 4 | 5 | 6 | 7 |
|---|---|---|---|---|---|
| Número de lazos | 18 | 24 | 30 | ▨ | 42 |

¿Cuántos lazos necesita Eva para 6 sombreros?

**F** 36                    **H** 18

**G** 32                    **J** 6

**18.** Las arañas tienen 8 patas. Haz una tabla para mostrar el número de patas en 1, 2, 3, 4, 5 y 6 arañas.

**19. Escribir para explicar** ¿Qué oración numérica completa esta familia de operaciones? Explica cómo hallaste la respuesta.

$4 \times 6 = 24, 6 \times 4 = 24, 24 \div 4 = 6$

# Tema 17

# Perímetro y área

**1** ¿Cuánto tendrás que caminar para dar una vuelta alrededor de este laberinto en Williamsburg, Virginia? Lo averiguarás en la Lección 17-1.

**2** ¿Cuál es el perímetro de la base de la Casa de Vidrio? Lo averiguarás en la Lección 17-2.

**3** ¿Cuál es la longitud de cada lado de este tablero de ajedrez diminuto? Lo averiguarás en la Lección 17-4.

**4** ¿Cuál es el área del parque estatal más pequeño de Texas? Lo averiguarás en la Lección 17-3.

# Repasa lo que sabes

## Vocabulario

Escoge el mejor término del recuadro.

> • equilátero • cuadrilátero
> • polígono • trapecio

1. Un __?__ tiene 5 lados.

2. Un triángulo con los tres lados de la misma longitud se llama triángulo __?__.

3. Un rectángulo es un __?__ especial con 4 ángulos rectos.

## Multiplicación

Halla los productos.

4. $3 \times 8$     5. $6 \times 4$     6. $5 \times 7$

7. $2 \times 9$     8. $7 \times 3$     9. $4 \times 8$

10. $7 \times 5$     11. $4 \times 4$     12. $9 \times 8$

## Geometría

Escribe el nombre que mejor describe cada figura.

13. Un cuadrilátero con un solo par de lados paralelos

14. Un cuadrilátero con cuatro ángulos rectos y todos los lados de la misma longitud

15. Un triángulo sin lados de la misma longitud

## Matrices

16. **Escribir para explicar** Explica cómo puedes dibujar una matriz para mostrar $3 \times 6$. Dibuja la matriz.

Lección
**17-1**

**TEKS 3.11B:** Utilizar
unidades estándares para
encontrar el perímetro de
una figura.

# Perímetro

### ¿Cómo hallas el perímetro?

Gus quiere hacer un corral para su perro y
rodearlo con una cerca. Dibujó dos corrales
distintos. ¿Cuál es el perímetro del corral en
cada dibujo?

La distancia alrededor de una figura es su
perímetro.

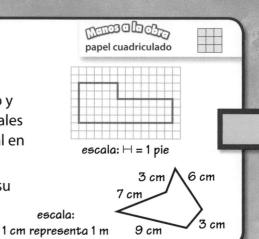

escala: ⊢ = 1 pie

escala:
1 cm representa 1 m

3 cm / 6 cm
7 cm
9 cm   3 cm

---

## Práctica guiada*

### ¿CÓMO hacerlo?

En los Ejercicios **1** y **2,** halla el perímetro.

**1.**
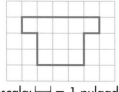
escala: ⊢ = 1 pulgada

**2.**
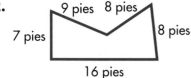
9 pies   8 pies
7 pies            8 pies
16 pies

### ¿Lo ENTIENDES?

**3.** En el ejemplo de arriba, ¿cómo sabes
qué unidad usó Gus para el primer
corral?

**4.** ¿Cuál es el perímetro del jardín que
aparece en el siguiente diagrama?

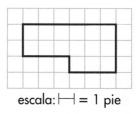

escala: ⊢ = 1 pie

---

## Práctica independiente

En los Ejercicios **5** a **7,** halla el perímetro de cada polígono.

**5.**
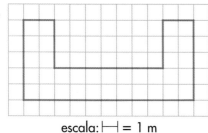
escala: ⊢ = 1 m

**6.**
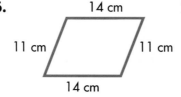
14 cm
11 cm            11 cm
14 cm

**7.**
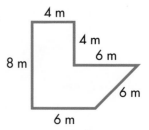
4 m
4 m
6 m
8 m
6 m
6 m

En los Ejercicios **8** a **10,** dibuja una figura con el perímetro dado. Usa papel cuadriculado.

**8.** 14 unidades     **9.** 8 unidades     **10.** 20 unidades

eTools, Glosario animado
www.pearsonsuccessnet.com

Puedes hallar el perímetro contando los segmentos de unidades.

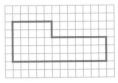

escala: ⊢ = 1 pie

El perímetro de este corral es 34 pies.

Suma las longitudes de los lados para hallar el perímetro.

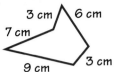

3 cm    6 cm
7 cm
9 cm    3 cm

$$3 + 9 + 7 + 3 + 6 = 28$$

El perímetro de este corral es 28 metros.

---

**TAKS Resolución de problemas**

**11.** El Sr. Karis necesita hallar el perímetro del parque para construir una cerca. ¿Cuál es el perímetro del parque?

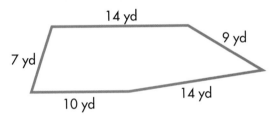

14 yd
9 yd
7 yd
10 yd
14 yd

**12.** Mike necesita hallar el perímetro de la piscina para saber cuántos azulejos colocar alrededor del borde. ¿Cuál es el perímetro de la piscina?

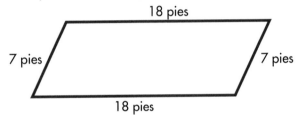

18 pies
7 pies        7 pies
18 pies

**13.** La distancia alrededor de este laberinto de Williamsburg, Virginia, es la misma que el perímetro de un rectángulo. El dibujo muestra las longitudes de los lados del rectángulo. ¿Cuál es el perímetro del laberinto?

**14.** Jani tiene el siguiente imán.

¿Cuál es el perímetro del imán de Jani a la pulgada más cercana? Usa una regla para medir.

**A** 2 pulgadas       **B** 4 pulgadas

**C** 5 pulgadas       **D** 6 pulgadas

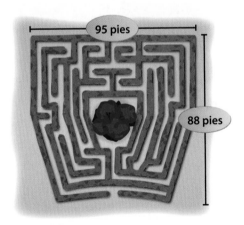

95 pies

88 pies

**15. Escribir para explicar** Roberto tiene un imán que mide el doble de la longitud y el doble del ancho del imán de Jani en el Ejercicio 14. Halla el perímetro del imán de Roberto. Explica tu trabajo.

# Perímetros de figuras comunes

**TEKS 3.11B:** Utilizar unidades estándares para encontrar el perímetro de una figura.

## ¿Cómo hallas el perímetro de figuras comunes?

El Sr. Coe necesita hallar el perímetro de dos diseños de piscinas. Una piscina tiene forma de rectángulo. La otra piscina tiene forma de cuadrado. ¿Cuál es el perímetro de cada piscina?

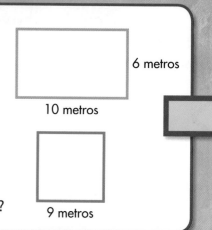
6 metros
10 metros

9 metros

---

## Práctica guiada*

### ¿CÓMO hacerlo?

En los Ejercicios **1** y **2**, halla el perímetro.

**1.** Rectángulo

8 pies
4 pies

**2.** Cuadrado

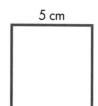
5 cm

### ¿Lo ENTIENDES?

**3.** Explica cómo hallar las longitudes que faltan en los ejemplos de arriba.

**4.** Darla dibujó un triángulo equilátero. Cada lado medía 9 pulgadas de longitud. ¿Cuál era el perímetro del triángulo?

---

## Práctica independiente

En los Ejercicios **5** y **6**, usa una regla de pulgadas para medir la longitud de los lados del polígono. Halla el perímetro.

**5.** Cuadrado

**6.** Rectángulo

En los Ejercicios **7** y **8**, halla el perímetro de cada polígono.

**7.** Rectángulo

15 m
3 m

**8.** Triángulo equilátero

4 yd

*Puedes encontrar otro ejemplo en el Grupo A, página 388.*

Halla el perímetro de la piscina que tiene forma de rectángulo.

**Recuerda:** Los lados opuestos de un rectángulo tienen la misma longitud.

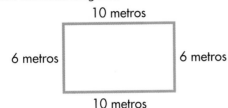

10 metros

6 metros         6 metros

10 metros

$10 + 6 + 10 + 6 = 32$

El perímetro de esta piscina es 32 metros.

Halla el perímetro de la piscina que tiene forma de cuadrado.

**Recuerda:** Los cuatro lados de un cuadrado tienen la misma longitud.

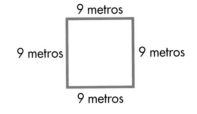

9 metros

9 metros         9 metros

9 metros

$9 + 9 + 9 + 9 = 36$

El perímetro de esta piscina es 36 metros.

## TAKS Resolución de problemas

**9. Escribir para explicar** Cora usa cinta para hacer lazos de tres tamaños distintos. ¿Cuánta cinta más necesita para hacer 2 lazos grandes que para hacer 2 lazos pequeños? Explica cómo hallaste tu respuesta.

| Tamaño del lazo | Longitud de la cinta |
|---|---|
| Pequeño | 27 pulgadas |
| Mediano | 36 pulgadas |
| Grande | 49 pulgadas |

**10.** La base de la Casa de Vidrio de Philip Johnson en New Canaan, Connecticut, es un rectángulo. ¿Cuál es el perímetro de la base de la Casa de Vidrio?

La base de la Casa de Vidrio mide 56 pies de longitud y 32 pies de ancho.

32 pies      56 pies

**11.** ¿Cuál es el perímetro del retazo de tela que aparece abajo?

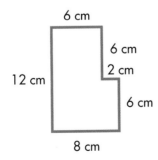

6 cm

6 cm

2 cm

12 cm

6 cm

8 cm

**A** 96 cm     **C** 38 cm

**B** 40 cm     **D** 32 cm

**12.** El cuarto de Ami es de forma cuadrada. ¿Cuál es el perímetro del cuarto?

Cuarto de Ami    13 pies

Lección

17-3

TEKS 3.11C: Utilizar modelos concretos y pictóricos de unidades cuadradas para determinar el área de superficies de dos dimensiones.

# Área

**Manos a la obra**
fichas cuadradas

## ¿Cómo hallas el área?

Raj necesita saber cuántas baldosas debe comprar para cubrir un piso. ¿Cuál es el área del piso?

El área es el número de unidades cuadradas necesarias para cubrir la región interior de una figura. Una unidad cuadrada es un cuadrado cuyos lados miden 1 unidad de longitud.

☐ = 1 unidad cuadrada

5 pies

7 pies

☐ = 1 pie cuadrado

---

## Práctica guiada*

### ¿CÓMO hacerlo?

En los Ejercicios **1** y **2,** halla el área de cada figura. Usa fichas cuadradas o dibuja en papel cuadriculado como ayuda.

**1.**

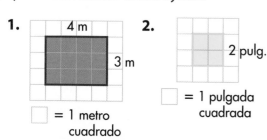

4 m

3 m

☐ = 1 metro cuadrado

**2.**

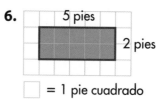

2 pulg.

☐ = 1 pulgada cuadrada

### ¿Lo ENTIENDES?

**3.** Usa el ejemplo de arriba. Explica la diferencia entre calcular el área y calcular el perímetro de una figura.

**4.** La tapa del joyero de Mella es un rectángulo de 3 pulgadas de ancho. El área mide 15 pulgadas cuadradas. Usa fichas cuadradas papel cuadriculado para representar la tapa.

---

## Práctica independiente

En los Ejercicios **5** a **10,** halla el área de cada figura. Usa fichas cuadradas o haz un dibujo en apel cuadriculado.

**5.**

8 cm

3 cm

☐ = 1 centímetro cuadrado

**6.**

5 pies

2 pies

☐ = 1 pie cuadrado

**7.**

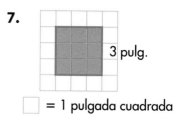

3 pulg.

☐ = 1 pulgada cuadrada

**8.**

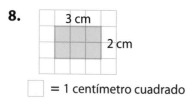

3 cm

2 cm

☐ = 1 centímetro cuadrado

**9.**

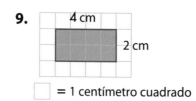

4 cm

2 cm

☐ = 1 centímetro cuadrado

**10.**

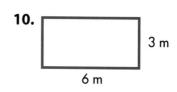

3 m

6 m

**DIGITAL**

Glosario animado, eTools
**www.pearsonsuccessnet.com**

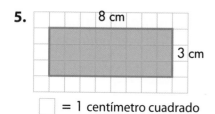

Cuenta las unidades cuadradas.

Hay 35 unidades cuadradas dentro de la figura.

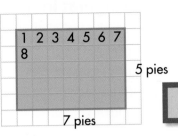

5 pies

7 pies

Las longitudes se dan en pies. El área del piso mide 35 pies cuadrados.

Cuando hallas el área de un rectángulo o de un cuadrado, puedes pensar en los cuadrados del papel cuadriculado como una matriz.

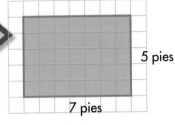

Hay 5 filas con 7 cuadrados en cada fila.

5 pies

$5 \times 7 = 35$

7 pies

El área del piso mide 35 pies cuadrados.

## ⭐TAKS Resolución de problemas

**11.** El sitio histórico estatal Acton es el parque estatal más pequeño de Texas. ¿Cuál es el área del sitio histórico estatal Acton?

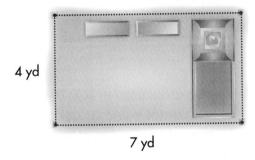

4 yd

7 yd

**12.** Usa papel cuadriculado. Dibuja dos figuras diferentes; cada una debe tener un área de 24 unidades cuadradas. Halla el perímetro de cada figura.

**13. Escribir para explicar** Tamiya cortó un trozo de cuerda de 12 pulgadas en 3 partes iguales. También cortó un trozo de cinta de 24 pulgadas en 8 partes iguales. ¿Qué es más largo, el trozo de cuerda o el trozo de cinta? Explica tu respuesta.

**14.** ¿Cuál es el área del dibujo que Abe hizo con fichas cuadradas?

  **A** 20 pulgadas cuadradas

  **B** 21 pulgadas cuadradas

  **C** 24 pulgadas cuadradas

  **D** 30 pulgadas cuadradas

☐ = 1 pulgada cuadrada

TEKS 3.11C: Utilizar modelos concretos y pictóricos de unidades cuadradas para determinar el área de superficies de dos dimensiones.

# Estimar y medir el área

## ¿Cómo hallas y estimas el área de figuras irregulares?

**Figura 1**

Halla el área de la Figura 1 en unidades cuadradas.

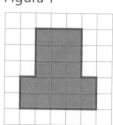

**Figura 2**

Estima el área de la Figura 2 en unidades cuadradas.

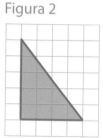

---

## Práctica guiada*

### ¿CÓMO hacerlo?

**1.** Halla el área en unidades cuadradas.

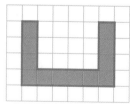

**2.** Estima el área en unidades cuadradas.

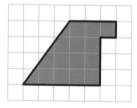

### ¿Lo ENTIENDES?

**3.** ¿Es siempre posible juntar los cuadrados parciales para formar cuadrados enteros? ¿Por qué o por qué no?

**4.** Kev necesita hallar el área del piso para saber cuántas baldosas debe comprar para cubrirlo. ¿Cuál es el área del piso?

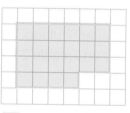

☐ = 1 pie cuadrado

---

## Práctica independiente

En los Ejercicios **5** a **7,** halla el área en unidades cuadradas.

**5.**
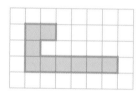

**6.**
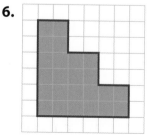

**7.**
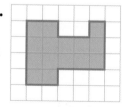

*Puedes encontrar otro ejemplo en el Grupo C, página 389.*

Para hallar el área de la Figura 1, cuenta los cuadrados.

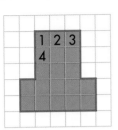

Hay 19 unidades cuadradas dentro de la Figura 1.

El área de la Figura 1 mide 19 unidades cuadradas.

Para estimar el área de la Figura 2, cuenta primero los cuadrados enteros.

Hay 7 cuadrados enteros.

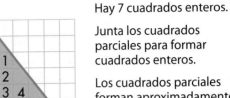

Junta los cuadrados parciales para formar cuadrados enteros.

Los cuadrados parciales forman aproximadamente 3 cuadrados enteros.

$7 + 3 = 10$

El área de la Figura 2 mide aproximadamente 10 unidades cuadradas.

En los Ejercicios **8** a **10**, haz una estimación de cada área en unidades cuadradas.

**8.**
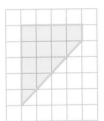

**9.**
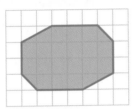

**10.**
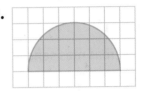

**TAKS** Resolución de problemas

**11.** Chen va a usar fichas cuadradas para hacer un dibujo. Necesita estimar el área del dibujo para comprar suficientes fichas. Estima el área del dibujo de Chen.

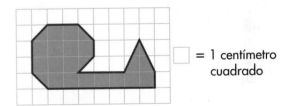
= 1 centímetro cuadrado

**12.** Suni puso azulejos en una pared. ¿Cuál es el área de la parte de la pared que tiene azulejos azules?

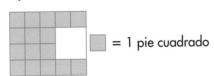
= 1 pie cuadrado

**A** 4 pies cuadrados    **C** 16 pies cuadrados

**B** 12 pies cuadrados   **D** 20 pies cuadrados

**13. Escribir para explicar** Joe dice que el área de este tablero de ajedrez mide entre 1 y 2 pulgadas cuadradas. ¿Estás de acuerdo? Explícalo.

Cada lado de este tablero de ajedrez mide $1\frac{1}{4}$ pulgadas de longitud.

escala: ☐ = 1 pulgada cuadrada

**14. ¿Es razonable?** Bobby estimó que la suma de $138 y $241 era aproximadamente $480. ¿Es razonable su estimación? Explícalo.

**TEKS 3.14C:** Seleccionar o desarrollar un plan o una estrategia de resolución de problemas apropiado en el que haga un dibujo, busque un patrón, adivine y compruebe sistemáticamente, haga una dramatización, elabore una tabla, resuelva un problema más sencillo o trabaje desde el final hasta el principio para resolver un problema.

Resolución de problemas

# Resolver un problema más sencillo

Janet quiere pintar la puerta de su cuarto. La parte sombreada del dibujo muestra la parte de la puerta que necesita pintura.

¿Cuál es el área de la parte de la puerta que necesita pintura?

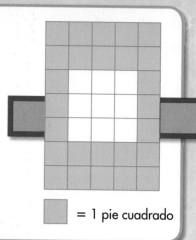

= 1 pie cuadrado

## Práctica guiada*

### ¿CÓMO hacerlo?

Resuelve. Usa problemas más sencillos.

1. Lil pegó cuentas cuadradas en la parte sombreada del marco. ¿Cuál es el área de la parte que decoró?

= 1 pulgada cuadrada

### ¿Lo ENTIENDES?

2. ¿Qué problemas más sencillos usaste para resolver el Ejercicio 1?

3. **Escribe un problema** Escribe un problema de la vida diaria que puedas resolver resolviendo problemas más sencillos. Puedes hacer un dibujo como ayuda.

## Práctica independiente

4. Resuelve. Usa problemas más sencillos.

Reg desea colocar azulejos en una pared. La parte sombreada de la figura representa la parte que necesita azulejos. ¿Cuál es el área de la parte sombreada?

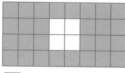

= 1 pie cuadrado

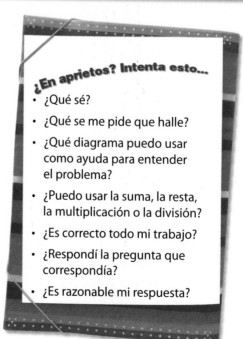

**¿En aprietos? Intenta esto...**

- ¿Qué sé?
- ¿Qué se me pide que halle?
- ¿Qué diagrama puedo usar como ayuda para entender el problema?
- ¿Puedo usar la suma, la resta, la multiplicación o la división?
- ¿Es correcto todo mi trabajo?
- ¿Respondí la pregunta que correspondía?
- ¿Es razonable mi respuesta?

*Puedes encontrar otro ejemplo en el Grupo D, página 389.

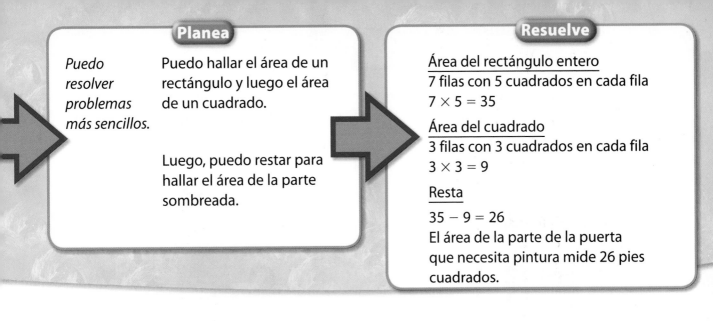

*Puedo resolver problemas más sencillos.*

Puedo hallar el área de un rectángulo y luego el área de un cuadrado.

Luego, puedo restar para hallar el área de la parte sombreada.

Área del rectángulo entero

7 filas con 5 cuadrados en cada fila

$7 \times 5 = 35$

Área del cuadrado

3 filas con 3 cuadrados en cada fila

$3 \times 3 = 9$

Resta

$35 - 9 = 26$

El área de la parte de la puerta que necesita pintura mide 26 pies cuadrados.

**5.** Jim quiere poner baldosas en el piso. La parte sombreada de la figura representa la parte del piso que necesita baldosas. ¿Cuál es el área de la parte sombreada?

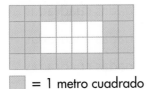

⬜ = 1 metro cuadrado

**6.** Daniel quiere pintar el fondo de una piscina. La parte sombreada de la figura representa la parte del piso que necesita pintura. ¿Cuál es el área de la parte sombreada?

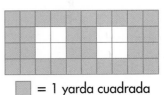

⬜ = 1 yarda cuadrada

**7.** Macy hizo dos dibujos. ¿Cuánto más grande es el área de la figura amarilla que el área de la figura verde?

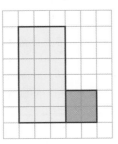

⬜ = 1 pulgada cuadrada

**8.** El Sr. Eli cultiva verduras en diferentes huertos de su granja. ¿Cuál es el área total de sus huertos de maíz y frijoles?

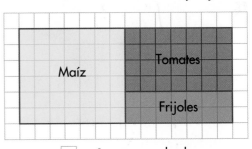

⬜ = 1 metro cuadrado

**9.** Eva hizo estas figuras con palillos de dientes. Si continúa el patrón, ¿cuántos palillos usará en total para la 4.ª figura? ¿Para la 5.ª figura?

1.ª figura

2.ª figura

3.ª figura

**1.** Abajo se muestra un dibujo del jardín de rosas del parque. ¿Cuál es el perímetro del jardín de rosas? (17-1)

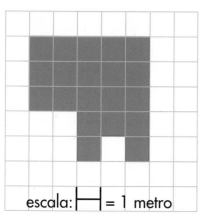

escala: ⊢⊣ = 1 metro

**A** 26 metros

**B** 24 metros

**C** 22 metros

**D** 20 metros

**2.** El patio del jardín de Marta tiene la forma de un cuadrado. ¿Cuál es el perímetro del patio? (17-2)

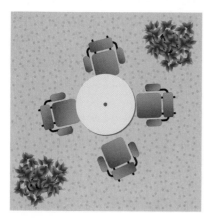

12 pies

**F** 144 pies

**G** 48 pies

**H** 36 pies

**J** 24 pies

**3.** ¿Cuál es la mejor estimación del área de la siguiente figura? (17-4)

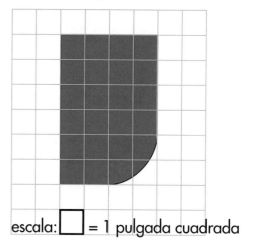

escala: □ = 1 pulgada cuadrada

**A** 12 pulgadas cuadradas

**B** 14 pulgadas cuadradas

**C** 16 pulgadas cuadradas

**D** 23 pulgadas cuadradas

**4.** Cecil ganó este parche decorativo durante la Semana del Arte de la escuela. Usa una regla para medir en centímetros el perímetro del parche. (17-2)

¿Cuál es el perímetro del parche al centímetro más cercano?

**F** 13 centímetros

**G** 17 centímetros

**H** 20 centímetros

**J** 21 centímetros

**5.** La Sra. Gómez hizo una colcha para la muñeca de su hija. ¿Cuál es el área de la colcha de la muñeca? (17-3)

☐ = 1 pulgada cuadrada

**A** 50 pulgadas cuadradas

**B** 45 pulgadas cuadradas

**C** 40 pulgadas cuadradas

**D** 30 pulgadas cuadradas

**6.** Janie quiere hacer un borde que vaya alrededor de las dos mesas que puso juntas. Las mesas se muestran abajo. ¿Cuál es el perímetro de las mesas? (17-1)

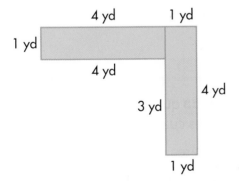

**F** 18 yardas

**G** 15 yardas

**H** 14 yardas

**J** 12 yardas

**7.** ¿Cuál es el área de la siguiente bandita? (17-3)

**A** 16 centímetros cuadrados

**B** 10 centímetros cuadrados

**C** 5 centímetros cuadrados

**D** 4 centímetros cuadrados

**8.** Abajo se muestra el diagrama de un pueblo. Cada uno de los cuadrados mide 1 milla cuadrada. ¿Cuál es el área del pueblo? (17-4)

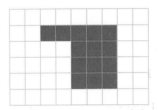

☐ = 1 milla cuadrada

**F** 18 millas cuadradas

**G** 17 millas cuadradas

**H** 15 millas cuadradas

**J** 14 millas cuadradas

**9. Respuesta en plantilla** Abajo se muestra un patio con una piscina. ¿Cuántas yardas cuadradas hay de azulejos verdes alrededor de la piscina? (17-5)

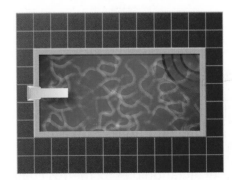

**Grupo A,** páginas 376 a 379

¿Cuál es el perímetro de la siguiente figura?

Suma las longitudes de los lados para calcular el perímetro.

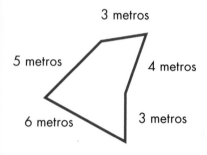

3 + 4 + 3 + 6 + 5 = 21 metros

El perímetro de la figura es 21 metros.

**Recuerda** por qué lado empezaste a contar para saber dónde detenerte.

Halla el perímetro.

**1.**
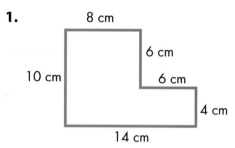

**2.**
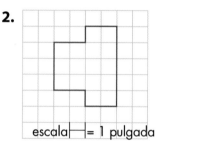

escala ⊢ = 1 pulgada

**3.**
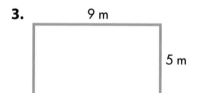

**Grupo B,** páginas 380 y 381

¿Cuál es el área del rectángulo?

Piensa en una matriz cuando se trate de un rectángulo o cuadrado.

☐ = 1 metro cuadrado

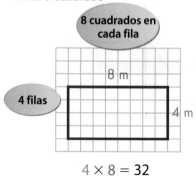

4 × 8 = 32

El área del rectángulo es 32 metros cuadrados.

**Recuerda** que debes dar el área en unidades cuadradas.

Halla el área de las figuras.

**1.**
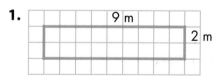

**2.**
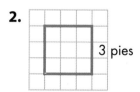

**Grupo C,** páginas 382 y 383

Haz una estimación del área de la figura irregular.

Cuenta los cuadrados enteros.

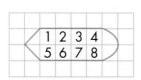

Junta los cuadrados parciales para formar cuadrados enteros.

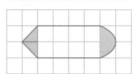

Hay 8 cuadrados enteros.

Los cuadrados parciales forman aproximadamente 2 cuadrados enteros.

$$8 + 2 = 10$$

El área de la figura es aproximadamente 10 unidades cuadradas.

**Recuerda** que debes dar el área en unidades cuadradas.

1. Halla el área de esta figura.

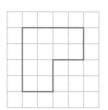

2. Haz una estimación del área de esta figura.

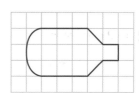

**Grupo D,** páginas 384 y 385

¿Cuál es el área de la parte sombreada del rectángulo?

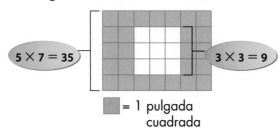

= 1 pulgada cuadrada

Usa problemas más sencillos.
Calcula el área del rectángulo entero.
Calcula el área del cuadrado.
Resta: $35 - 9 = 26$

El área de la parte sombreada del rectángulo es 26 pulgadas cuadradas.

**Recuerda** que debes comprobar tu solución. Asegúrate de que la solución coincida con la información que se da en el problema.

1. Resuelve. Usa problemas más sencillos.

   Walt quiere colocar azulejos en una pared. La parte sombreada de la figura es la parte donde quiere colocar los azulejos. ¿Cuál es el área de la parte sombreada?

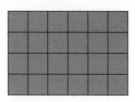

= 1 pie cuadrado

# Volumen, capacidad, peso y masa

**1**

Esta ave, llamada ganga, almacena agua en sus esponjosas plumas y la transporta muchas millas para sus polluelos. ¿Qué cantidad aproximada de agua puede transportar una ganga en sus plumas? Lo averiguarás en la Lección 18-4.

**2**

A este tipo de sombrero se le llama a veces sombrero de 10 galones. ¿De verdad puede contener 10 galones? Lo averiguarás en la Lección 18-2.

# Repasa lo que sabes

**3**

¿Sabes cuántos granos de arena hay en 1 gramo? Lo averiguarás en la Lección 18-5.

**4**

Owen, un hipopótamo bebé, y Mzee, una tortuga gigante, se conocieron después de ocurrir un tsunami. ¿Cuánto más pesaba Mzee que Owen cuando se conocieron? Lo averiguarás en la Lección 18-3.

## Vocabulario

Escoge el mejor término del recuadro.

- cubos
- pies
- libras
- cuartos de galón

1. El peso lo puedes medir en __?__.

2. El líquido lo puedes medir en __?__.

3. La longitud la puedes medir en __?__.

## Comparar medidas

Escoge la cantidad mayor.

4. 3 pulgadas o 3 pies

5. 20 cuartos o 2 cuartos

6. 6 libras o 60 libras

## Sumar

Halla las sumas.

7. $2 + 6 + 4$

8. $10 + 10 + 5$

9. $3 + 7 + 3$

10. $15 + 15 + 15$

## Matrices

**Escribir para explicar** En los Ejercicios **11** y **12**, usa la matriz. Escribe una respuesta para cada pregunta.

11. ¿Cómo puedes hallar el número de puntos en la matriz?

12. Supón que en cada fila hay 6 puntos. ¿Cómo podrías calcular el número de puntos en la matriz?

**TEKS 3.11F:** Utilizar modelos concretos que aproximan unidades cúbicas para determinar el volumen de un recipiente dado u otra figura geométrica de tres dimensiones.

# Volumen

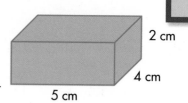
## ¿Cómo mides el espacio dentro de un cuerpo geométrico?

¿Cuál es el volumen de la caja?

El volumen de una figura es el número de unidades cúbicas que se necesitan para llenarla.

Una unidad cúbica es un cubo cuyas aristas miden 1 unidad de longitud.

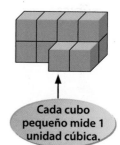

2 cm
4 cm
5 cm

---

**Otro ejemplo** ¿Cómo mides el volumen de otros tipos de figuras?

¿Cómo puedes hallar el volumen de esta figura?

Cuenta todos los cubos.

La figura tiene dos filas de cubos.
En la fila de atrás hay 8 cubos.
En la fila de adelante hay otros 2 cubos.
8 cubos + 2 cubos = 10 cubos.

Por tanto, el volumen es 10 unidades cúbicas.

Cada cubo pequeño mide 1 unidad cúbica.

### Explícalo

1. Describe cómo se puede hallar el volumen de la siguiente figura.

En los Ejercicios **2** y **3**, usa las figuras de la derecha.

2. ¿En qué se parecen las dos figuras? ¿En qué se diferencian?

3. Halla el volumen de las dos figuras.

## Paso 1

Haz un modelo de la caja con cubos.

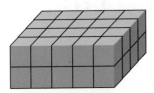

La caja se mide en centímetros.

El volumen será en centímetros cúbicos.

## Paso 2

Cuenta todos los cubos de 1 capa.

En cada capa hay 20 cubos.
Hay 2 capas.
20 cubos + 20 cubos = 40 cubos.

Como hay 40 cubos, el volumen es 40 centímetros cúbicos.

---

# Práctica guiada*

## ¿CÓMO hacerlo?

Halla el volumen de las figuras en unidades cúbicas.

**1.**

**2.**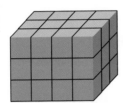

**3.**

**4.**

## ¿Lo ENTIENDES?

**5.** ¿Cómo sabes que el volumen de la caja de arriba es 40 centímetros cúbicos y no 40 metros cúbicos?

**6.** Pedro tiene una caja que mide 4 pulgadas de longitud, 4 pulgadas de ancho y 2 pulgadas de alto. Abajo se muestra un modelo de la caja. ¿Cuál es el volumen de la caja?

**Ojo** *Cada cubo mide una pulgada cúbica.*

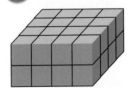

---

# Práctica independiente

En los Ejercicios **7** a **9**, halla el volumen de las figuras en unidades cúbicas.

**7.**

**8.**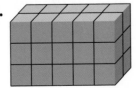

**9.**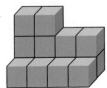

---

*Puedes encontrar otro ejemplo en el Grupo A, página 408.*

# Práctica independiente

En los Ejercicios **10** a **12**, halla el volumen de las figuras en unidades cúbicas.

**10.**

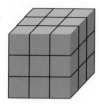

**11.**

**12.**

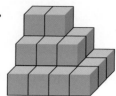

---

**TAKS** Resolución de problemas

---

**13. Estimación** Usa los cubos de la derecha para hacer una estimación del volumen del prisma rectangular.

**14.** Derek hizo un prisma rectangular con 4 capas de cubos. En cada capa colocó 5 cubos. ¿Cuál es el volumen del prisma rectangular?

**15.** Dibuja o describe dos cuerpos geométricos distintos, cada uno de ellos con un volumen de 16 unidades cúbicas.

**16. Razonamiento** Un prisma rectangular tiene 3 cubos en cada una de sus 7 capas. Otro prisma rectangular tiene 7 cubos en cada una de sus 3 capas. ¿Qué prisma tiene el mayor volumen?

**17.** Dana tiene un joyero parecido al modelo de la derecha. ¿Cuál es el volumen del joyero?

**A** 25 pulgadas cúbicas

**B** 34 pulgadas cúbicas

**C** 39 pulgadas cúbicas

**D** 45 pulgadas cúbicas

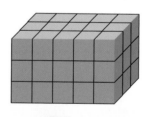

Cada ⬛ = pulgada cúbica.

**18. Escribir para explicar** Carmen utilizó cubos para construir una figura. Dice que el volumen de la figura es de 15 pulgadas cuadradas. ¿Tiene razón? Explica por qué o por qué no.

**19.** Tessa bebe 9 vasos de agua al día. ¿Cuántos vasos de agua bebe Tessa en una semana?

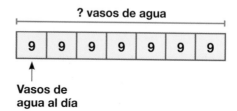

? vasos de agua

| 9 | 9 | 9 | 9 | 9 | 9 | 9 |

↑
Vasos de agua al día

## Perímetro y área

Usa **e tools**

### Dibujos geométricos

Dibuja un polígono con un área de 8 unidades cuadradas.
Halla el perímetro.

**Paso 1** 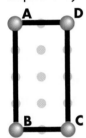 Ve a Dibujos geométricos de eTools. Selecciona el área de trabajo de *geoboards*. Luego, haz clic en la herramienta de dibujar polígonos. Haz clic en un punto del área de trabajo. Arrastra el ratón hasta un segundo punto 4 unidades hacia abajo y vuelve a hacer clic. Arrastra el ratón hasta un punto 2 unidades a la derecha y haz clic. Arrastra el ratón 4 unidades hacia arriba y haz clic de nuevo. Por último, arrastra el ratón 2 unidades a la izquierda y haz clic sobre el punto A.

**Paso 2** Haz clic sobre el icono de la herramienta para medir el área y luego sobre el rectángulo que acabas de dibujar. El área aparecerá en la esquina inferior derecha, bajo Medidas. Asegúrate de que diga 8.00 unidades cuadradas. El área mide 8 unidades cuadradas.

**Paso 3** Haz clic sobre el icono de la herramienta para medir perímetros y luego sobre el rectángulo que acabas de dibujar. El perímetro aparecerá en la esquina inferior derecha, bajo Medidas. Asegúrate de que diga 12.00 unidades. El perímetro mide 12 unidades.

## Práctica

1. Dibuja otros dos polígonos con un área de 8 unidades cuadradas. Halla el perímetro de cada uno.

2. Usa la herramienta de limpiar para despejar el área de trabajo. Dibuja dos polígonos con un área de 9 unidades cuadradas. Halla el perímetro de cada uno.

TEKS 3.11E: Identificar modelos concretos que aproximan unidades estándares de capacidad y utilizarlos para medir capacidad.

# Unidades usuales de capacidad

### ¿Qué unidades usuales describen la capacidad de un recipiente?

La capacidad de un recipiente es el volumen del recipiente medido en unidades líquidas. ¿Cuál es la capacidad del balde?

pinta (pt)

taza (t)

cuarto de galón (cto.)

galón (gal.)

## Práctica guiada*

### ¿CÓMO hacerlo?

En los Ejercicios **1** y **2**, escoge la mejor estimación.

**1.**

1 t o 1 cto.

**2.**

3 pt o 3 gal.

### ¿Lo ENTIENDES?

**3. Sentido numérico** ¿Por qué tiene sentido medir el balde de arriba en galones en vez de tazas?

**4.** Halla un recipiente que, en tu opinión, tiene una capacidad de 1 galón y otro que tiene aproximadamente una capacidad de 1 taza. Luego, usa recipientes de medir para saber si estimaste bien la capacidad.

## Práctica independiente

En los Ejercicios **5** a **12,** escoge la mejor estimación.

**5.**

1 pt o 1 gal.

**6.**

1 t o 1 pt

**7.**

1 t o 1 pt

**8.**

2 pt o 2 cto.

**9.** fregadero

22 t o 22 cto.

**10.** vaso de agua

1 t o 1 cto.

**11.** biberón

1 cto. o 1 t

**12.** tetera

3 cto. o 3 t

DIGITAL

Glosario animado
**www.pearsonsuccessnet.com**

*Puedes encontrar otro ejemplo en el Grupo B, página 408.

Las tazas, las pintas, los cuartos de galón y los galones son unidades usuales de capacidad.

Escoge la unidad adecuada y haz una estimación.

La taza, la pinta y el cuarto son demasiado pequeños. Por tanto, usa los galones.

Parece que el balde tendrá una capacidad de más de 1 galón.

**Datos**

**Unidades de capacidad**

1 pinta = 2 tazas

1 cuarto = 2 pintas

1 galón = 4 cuartos

Mide la capacidad del balde.

Cuenta las veces que puedas llenar el recipiente de un galón y vaciarlo en el balde.

El balde tiene aproximadamente la capacidad de 2 galones.

En los Ejercicios **13** a **16,** escoge la mejor unidad para medir la capacidad de cada recipiente.

**13.** taza de té

pt o t

**14.** piscina

pt o gal.

**15.** botella de agua

pt o gal.

**16.** jarra de jugo

t o cto.

**TAKS** Resolución de problemas

**17. Escribir para explicar** ¿Pueden tener la misma capacidad recipientes de formas distintas? ¿Por qué o por qué no?

**18.** Observa el sombrero de vaquero de la derecha. ¡Se le llama un sombrero de 10 galones!

¡Este sombrero de 10 galones tiene una capacidad de aproximadamente 3 cuartos!

**a** ¿De verdad tiene 10 galones de capacidad este sombrero? ¿Cómo lo sabes?

**b** ¿Tiene 1 galón de capacidad este sombrero? ¿Cómo lo sabes?

**19.** ¿Qué medida describe mejor la capacidad de una bañera?

**A** 50 tazas

**B** 50 cuartos

**C** 50 galones

**D** 50 pintas

**20.** ¿Cuál de los objetos tiene una capacidad de aproximadamente 1 pinta?

**F** lata de sopa

**G** ponchera

**H** tanque de gasolina

**J** piscina

**21.** Jeanne preparó 5 jarras de limonada para su puesto. En cada jarra había para servir a 12 clientes. Si a Jeanne le queda 1 jarra de limonada, ¿a cuántos clientes sirvió Jeanne?

**TEKS 3.11D:** Identificar modelos concretos que aproximan unidades estándares de peso/masa y utilizarlos para medir peso/masa.

# Unidades de peso

## ¿Qué unidades usuales describen cuánto pesa algo?

El peso de un objeto es la medida de cuánto pesa un objeto. ¿Cuál es el peso de esta manzana?

1 onza (oz)  1 libra (lb)  más o menos 1 tonelada (t)

---

## Práctica guiada*

### ¿CÓMO hacerlo?

En los Ejercicios **1** y **2**, escoge la mejor estimación.

**1.**

1 oz o 1 lb

**2.**

6 oz o 6 lb

### ¿Lo ENTIENDES?

**3. Sentido numérico** Si compras una bolsa de seis manzanas, ¿qué unidad usarás para saber su peso? Explica.

**4.** Halla un objeto que, en tu opinión, pesa aproximadamente 1 libra y otro que pesa aproximadamente 1 onza. Luego, pesa los objetos para saber si hiciste bien las estimaciones.

---

## Práctica independiente

En los Ejercicios **5** a **12**, escoge la mejor estimación.

**5.**

10 oz o 10 lb

**6.**

300 lb o 300 t

**7.**

200 lb o 2 t

**8.**

2 oz o 2 lb

**9.** galleta

1 oz o 1 lb

**10.** televisor

30 oz o 30 lb

**11.** gorra de beisbol

5 oz o 5 lb

**12.** elefante

30 lb o 3 t

*Puedes encontrar otro ejemplo en el Grupo C, página 408.

## Paso 1

Las onzas, las libras y las toneladas son unidades de peso.

Escoge una unidad y haz una estimación.

**Unidades de peso**
................................
16 onzas = 1 libra

2,000 libras = 1 tonelada

Las unidades de libra y tonelada son demasiado grandes. Por tanto, usa las onzas.

La manzana pesa menos que 1 libra pero más que 1 onza.

## Paso 2

Pesa la manzana.

Tres pilas de pesas de 1 onza hacen equilibrio con la manzana.

La manzana pesa aproximadamente 9 onzas.

---

En los Ejercicios **13** a **16**, escoge la mejor unidad para medir el peso de los objetos.

**13.** escritorio de estudiante

lb o t

**14.** limón

oz o lb

**15.** bicicleta

oz o lb

**16.** camión

oz o t

---

**TAKS Resolución de problemas**

**17.** ¿Cuánto pesa la naranja?

Cada pila tiene tres pesas de 1 onza.

**18.** ¿Cuándo usarías este tipo de balanza en vez de una balanza de platillos?

**19. Sentido numérico** ¿Qué pesa más, una libra de piedras o una libra de plumas? Explica tu razonamiento.

**20. Escribir para explicar** ¿Pesan siempre menos los objetos pequeños que los objetos grandes? Usa ejemplos para explicar tu razonamiento.

**21.** Cuando Owen y Mzee se encontraron por primera vez, Owen pesaba 600 libras. Mzee pesaba 661 libras. ¿Cuánto más pesaba Mzee que Owen cuando se conocieron?

Mzee 661 libras

Owen 600 libras

**22.** ¿Qué animal pesa aproximadamente 1 tonelada?

**A** ardilla

**C** lobo

**B** jirafa

**D** mono

**TEKS 3.11E:** Identificar modelos concretos que aproximan unidades estándares de capacidad y utilizarlos para medir capacidad.

# Unidades métricas de capacidad

## ¿Qué unidades métricas describen lo que puede contener un recipiente?

El mililitro y el litro son dos unidades métricas de capacidad. ¿Cuál es la capacidad de este balde?

Un mililitro equivale aproximadamente a 20 gotas de este cuentagotas.

**Mililitro (mL)**

Esta botella de agua contiene aproximadamente 1 litro.

**Litro (L)**

---

## Práctica guiada*

### ¿CÓMO hacerlo?

Escoge la mejor estimación para cada objeto.

**1.**

250 mL o 2 L

**2.**

5 mL o 1 L

### ¿Lo ENTIENDES?

**3. Escribir para explicar** Supón que la capacidad del balde de arriba se da en mililitros. ¿Será este número mayor o menor que el número de litros? Explica.

**4.** Halla un recipiente que, en tu opinión, contiene más de un litro y otro que contiene menos de un litro. Luego, usa un recipiente de un litro para comprobar tus predicciones.

---

## Práctica independiente

En los Ejercicios **5** a **12,** escoge la mejor estimación para los objetos.

**5.**

40 mL o 40 L

**6.**

15 mL o 1 L

**7.**

14 mL o 14 L

**8.**

250 mL o 250 L

**9.** taza de té

15 L o 150 mL

**10.** bañera

115 mL o 115 L

**11.** tapa de botella

3 mL o 3 L

**12.** tetera

1 L o 10 L

Glosario animado
www.pearsonsuccessnet.com

*Puedes encontrar otro ejemplo en el Grupo D, página 409.*

## Paso 1

Escoge la unidad adecuada y haz una estimación.

> **Datos**
>
> **Unidades de capacidad**
> ..............................
> 1,000 mililitros = 1 litro

El mililitro es demasiado pequeño. Por tanto, usa litros.

El balde puede contener varios litros.

## Paso 2

Mide la capacidad.

Cuenta las veces que puedes llenar un recipiente de un litro y vacíalo en el balde.

El balde puede contener aproximadamente 8 litros.

---

En los Ejercicios **13** a **16,** escoge la unidad que usarías para medir la capacidad de los objetos.

**13.** lata de sopa

mL o L

**14.** jarra de agua

mL o L

**15.** piscina

mL o L

**16.** biberón

mL o L

**TAKS** Resolución de problemas

**Estimación** En los Ejercicios **17** a **20,** ¿la capacidad de los recipientes es mayor que un litro o menor que un litro?

**17.** olla grande

**18.** vaso de jugo

**19.** lavadora

**20.** taza

**21. Razonamiento** ¿En qué hielera cabe más hielo? Explica tu razonamiento.

Hielera B
Volumen:
350 centímetros cúbicos

Hielera A
Volumen:
250 centímetros cúbicos

**22.** ¿Qué medida describe mejor la capacidad de una lata de pintura?

**A** 4 mL   **C** 40 L

**B** 4 L    **D** 40 mL

Una ganga puede almacenar suficiente agua como para llenar una pequeña botella de perfume.

**23. Sentido numérico** Las gangas pueden almacenar agua en sus esponjosas plumas y transportarla muchas millas hasta sus polluelos. Las gangas transportan, ¿20 mililitros de agua o 2 litros de agua?

**TEKS 3.11D:** Identificar modelos concretos que aproximan unidades estándares de peso/masa y utilizarlos para medir peso/masa.

# Unidades de masa

## ¿Qué unidades métricas describen la masa?

La masa es una medida de la cantidad de materia que tiene un objeto. Los gramos y los kilogramos son dos unidades métricas de masa. ¿Cuál es la masa de esta manzana?

1 kilogramo (kg)

1 gramo (g)

---

## Práctica guiada*

### ¿CÓMO hacerlo?

Escoge la mejor estimación.

**1.**

5 g o 5 kg

**2.**

40 g o 4 kg

### ¿Lo ENTIENDES?

**3. Escribir para explicar** En la balanza de platillos de arriba hay 10 pesas. ¿Por qué la masa de la manzana no es de 10 gramos?

**4.** Halla un objeto cuya masa sea de más de un kilogramo y otro cuya masa sea de menos de un kilogramo. Luego, usa una balanza de platillos para ver si has acertado.

---

## Práctica independiente

En los Ejercicios **5** a **12,** escoge la mejor estimación.

**5.**

100 g o 10 kg

**6.**

15 g o 15 kg

**7.**

4 g o 400 g

**8.**

400 g o 4 kg

**9.** bicicleta

2 kg o 12 kg

**10.** pluma

1 g o 1 kg

**11.** caballo

5 kg o 550 kg

**12.** moneda de 1 centavo

3 g o 300 g

eTools, Glosario animado
**www.pearsonsuccessnet.com**

*Puedes encontrar otro ejemplo en el Grupo E, página 409.*

## Paso 1

Escoge una unidad y haz una estimación.

**Unidades de masa**
.................................................
1,000 gramos = 1 kilogramo

La unidad de kilogramo es demasiado grande. Utiliza los gramos.

La masa de la manzana es menor que 1 kilogramo pero mayor que 1 gramo.

## Paso 2

Mide la masa de la manzana.

Dos pesas de 100 gramos, seis pesas de 10 gramos y dos pesas de 1 gramo hacen equilibrio con la manzana.

La manzana tiene una masa de 262 gramos.

---

**TAKS Resolución de problemas**

En los Ejercicios **13** a **17**, escoge el mejor instrumento para medir los objetos.

**13.** la capacidad de un vaso

**14.** la temperatura del agua

**15.** la longitud de una caja

**16.** el peso de una pera

**17.** la duración del tiempo que duermes

**18.** ¿Cuál es la masa de la naranja?

Dos pesas de 100 gramos, cuatro pesas de 10 gramos y dos pesas de 1 gramo hacen equilibrio con la naranja.

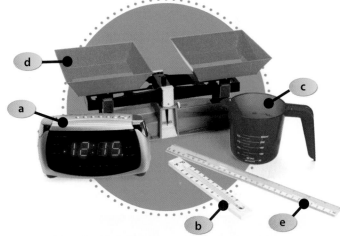

**19.** Corrige los errores de la lista de compras.

**Lista de compras**

2 L de manzanas
3 kg de leche
5 cm de harina

**20.** En una bolsa hay 500 gramos de arena. ¿Aproximadamente cuántos granos de arena hay en la bolsa?

En 1 gramo de arena hay aproximadamente 1,000 granos.

**21.** ¿Qué medida describe mejor la masa de un conejo?

**A** 2 gramos

**B** 2 kilogramos

**C** 2 litros

**D** 2 metros

**TEKS 3.14C:** Seleccionar o desarrollar un plan o una estrategia de resolución de problemas apropiado en el que haga un dibujo, busque un patrón, adivine y compruebe sistemáticamente, haga una dramatización, elabore una tabla, resuelva un problema más sencillo o trabaje desde el final hasta el principio para resolver un problema. También, **TEKS 3.14D.**

Manos a la obra
cubos

# Representarlo y Razonar

## Puedes utilizar las distintas vistas de una figura para descubrir su forma.

Janet construyó esta figura con cubos. Luego, coloreó las caras que podía ver.

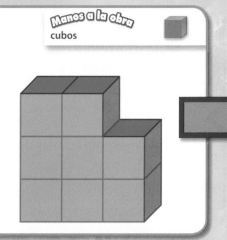

## Práctica guiada*

### ¿CÓMO hacerlo?

1. Utiliza cubos para construir la figura que se muestra en estos dibujos.

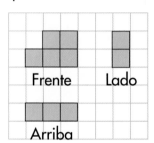

Frente    Lado

Arriba

### ¿Lo ENTIENDES?

2. **Escribir para explicar** Un dibujo que mostrara la parte derecha de la figura de Janet, ¿sería el mismo que un dibujo que mostrara la parte izquierda?

3. Añade un cubo y colócalo en la figura de Janet donde quieras. Luego, haz un dibujo para mostrar cómo cambiarían las vistas de la figura.

## Práctica independiente

Usa papel cuadriculado. Dibuja las vistas de la parte de frente, de lado y de arriba de las figuras.

4.

5.

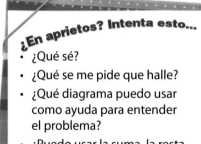

¿En aprietos? Intenta esto...

- ¿Qué sé?
- ¿Qué se me pide que halle?
- ¿Qué diagrama puedo usar como ayuda para entender el problema?
- ¿Puedo usar la suma, la resta, la multiplicación o la división?
- ¿Es correcto todo mi trabajo?
- ¿Respondí la pregunta que correspondía?
- ¿Respondí la pregunta que correspondía?
- ¿Es razonable mi respuesta?

Aquí están las 3 vistas distintas de la figura que Janet construyó.

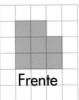

Frente

Lado

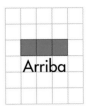

Arriba

**Vista de frente**    **Vista del lado izquierdo**    **Vista de arriba**

Usa los dibujos como ayuda para construir la misma figura.
Necesitarás 8 cubos.

**6.** Usa cubos para construir la figura que se muestra en estos dibujos.

Frente

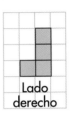

Lado
derecho

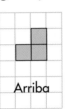

Arriba

En los Ejercicios **7** y **8,** usa la figura de abajo.

**7.** Usa papel cuadriculado. Dibuja las vistas de frente, de lado y de arriba de la figura.

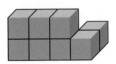

**8.** ¿Cuál es el volumen de la figura?

**9.** ¿Qué dibujo muestra la vista de frente de esta figura?

**A** 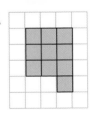    **B**     **C**     **D**

**1.** Abajo se muestra el modelo de una caja que contenía un juguete. ¿Cuál es el volumen de la caja? (18-1)

**A** 15 unidades cúbicas

**B** 16 unidades cúbicas

**C** 20 unidades cúbicas

**D** 24 unidades cúbicas

**2.** ¿Cuál es la mejor estimación del peso de un bisonte americano adulto, también llamado búfalo americano? (18-3)

**F** 1 tonelada

**G** 1 libra

**H** 10 libras

**J** 10 onzas

**3.** ¿Cuál de estas unidades mediría mejor la capacidad de una piscina? (18-2)

**A** Tazas

**B** Galones

**C** Pintas

**D** Cuartos

**4.** ¿En qué unidad se mide mejor el peso de una pera? (18-3)

**F** Toneladas

**G** Libras

**H** Onzas

**J** Tazas

**5.** ¿Cuál de las siguientes opciones medirías en mililitros? (18-4)

**A** Capacidad de una bañera

**B** Capacidad de un acuario

**C** Capacidad de una cafetera

**D** Capacidad de un cuentagotas

**6.** ¿Cuál de las siguientes opciones pesa aproximadamente 1 libra? (18-3)

**F**
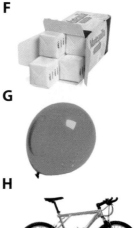

**G**

**H**

**J**

**7.** ¿Cuál de las siguientes opciones describe mejor la capacidad de un globo de agua? (18-2)

**A** 2 cuartos

**B** 2 tazas

**C** 20 tazas

**D** 20 pintas

**8.** ¿Cuál de las siguientes opciones describe mejor la masa de una naranja? (18-5)

   **F** 20 kilogramos

   **G** 200 kilogramos

   **H** 20 gramos

   **J** 200 gramos

**9.** ¿Cuál de las siguientes opciones describe mejor la capacidad de una botella de almíbar? (18-4)

   **A** 709 pintas

   **B** 709 litros

   **C** 709 tazas

   **D** 709 mililitros

**10.** ¿Qué unidad describiría mejor la masa de un ratón? (18-5)

   **F** Litros

   **G** Kilogramos

   **H** Gramos

   **J** Mililitros

**11.** ¿Qué unidad medirá mejor el peso del animal más pesado? (18-3)

   **A** Pulgadas

   **B** Toneladas

   **C** Libras

   **D** Onzas

**12.** ¿Qué dibujo muestra la vista de frente de esta figura? (18-6)

   **F**

   **G**

   **H**

   **J**

**13.** ¿Qué recipiente se mediría mejor en tazas? (18-2)

   **A** Depósito de gasolina

   **B** Fregadero

   **C** Tazón de sopa

   **D** Balde

**14.** ¿Cuál es el volumen de esta figura? (18-1)

   **F** 24 unidades cúbicas

   **G** 18 unidades cúbicas

   **H** 14 unidades cúbicas

   **J** 8 unidades cúbicas

**15. Respuesta en plantilla** ¿Cuál es el volumen en unidades cúbicas de la figura siguiente? (18-1)

**Grupo A,** páginas 392 a 394

¿Cuál es el volumen de la figura?

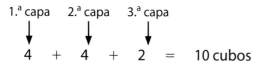
← Cada cubo pequeño mide 1 unidad cúbica.

Cuenta los cubos de cada capa. Luego, suma.

1.ª capa    2.ª capa    3.ª capa

4    +    4    +    2    =    10 cubos

Por tanto, el volumen es 10 unidades cúbicas.

**Recuerda** que debes contar todos los cubos, incluso los que no puedes ver.

Halla el volumen de las figuras. Escribe las respuestas en unidades cúbicas.

**1.**       **2.**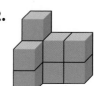

**Grupo B,** páginas 396 y 397

¿Cuál es la capacidad de esta tetera?

Escoge una unidad adecuada y haz una estimación.

El galón y el cuarto son demasiado grandes. La tetera puede contener más de 1 pinta pero menos que 2 pintas.

Si utilizas las tazas para hacer la estimación, la tetera puede contener aproximadamente 3 tazas.

**Recuerda** que debes usar tazas, pintas, cuartos y galones como ayuda para hacer la estimación.

**1.**       **2.**

1 t o 1 cto.        30 pt o 30 gal.

**Grupo C,** páginas 398 y 399

¿Cuál es el peso de una pelota de tenis?

Escoge una unidad y haz una estimación.

Una pelota de tenis no pesa tanto como una tonelada ni como una libra. Por tanto, la estimación se debe hacer en onzas.

La pelota de tenis pesa aproximadamente 4 cubitos de queso, o sea unas 4 onzas.

**Recuerda** que debes usar onzas, libras y toneladas como ayuda para hacer la estimación.

Escoge la mejor estimación.

**1.**       8 oz u 8 lb

**2.**       20 lb o 20 t

**Grupo D,** páginas 400 y 401

¿Cuál es la capacidad de esta jarra?

Escoge una unidad adecuada y haz una estimación.

El mililitro es demasiado pequeño; por tanto, la estimación se debe hacer en litros.

La jarra puede contener unos 2 litros.

**Recuerda** que se puede usar más de una unidad para medir la capacidad de un recipiente.

Escoge la mejor estimación.

**1.**          **2.**

150 mL o 150 L          5 mL o 5 L

**Grupo E,** páginas 402 y 403

¿Cuál es la masa de esta barra de jabón?

Escoge una unidad adecuada y haz una estimación.

El kilogramo es demasiado grande; por tanto, la estimación se debe hacer en gramos.

La barra de jabón tiene aproximadamente la misma masa que 100 uvas, o sea unos 100 gramos.

**Recuerda** que puedes usar los ejemplos de un gramo y un kilogramo como ayuda para hacer la estimación.

Escoge la mejor estimación.

**1.**          **2.**

15 g o 15 kg          2 g o 2 kg

**Grupo F,** páginas 404 y 405

Lester construyó esta figura con cubos. ¿De qué manera puedes dibujar las vistas de frente, de lado y de arriba de la figura?

| Dibuja la parte de frente de la figura de cara a ti. | Luego, gira la figura y dibújala de lado. | Luego, dibuja la figura desde arriba. |

**Vista de frente**          **Vista de lado**          **Vista de arriba**

**Recuerda** que debes comprobar tu solución.

Usa papel cuadriculado. Dibuja las vistas de frente, de lado y de arriba de las figuras.

**1.**          **2.**

## Números y operaciones

**1.** ¿Qué número está entre 4,977 y 6,927?

| 4,977 | | 6,927 |
|---|---|---|

**A** 6,928     **C** 4,968

**B** 6,899     **D** 4,892

**2.** Susana tiene 2 cubos rojos y 3 cubos azules. ¿Qué fracción de los cubos son azules?

**F** un tercio     **H** tres quintos

**G** dos quintos     **J** tres medios

**3.** Trish come 5 tazas de cereal a la semana. ¿Qué oración numérica muestra cuántas semanas tardará Trish en comer 15 tazas de cereal?

**A** $15 \div 5 = 3$     **C** $15 + 5 = 20$

**B** $15 \times 5 = 75$     **D** $15 - 5 = 10$

**4.** Escribe una oración numérica que pertenezca a la misma familia de operaciones que $42 \div 6 = 7$.

**5.** Sally colocó los cubos de tres cajas sobre 7 mesas, quedando 36 cubos en cada mesa. ¿Cuál es el número total de cubos que Sally colocó sobre las mesas?

**6. Escribir para explicar** El Sr. Lum viajó en carro 178 millas el lunes y 249 millas el martes. Explica cómo debes reagrupar para hallar la distancia total que recorrió.

## Geometría y medición

**7.** Todos los lados de esta figura tienen la misma longitud. ¿Cuál es el perímetro de la figura?

6 pulgadas

**F** 12 pulg.     **H** 48 pulg.

**G** 36 pulg.     **J** 54 pulg.

**8.** Beatriz va a cubrir parte de una pared con azulejos cuadrados como los de abajo.

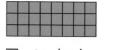

☐ = 1 pulgada cuadrada

¿Qué área cubren los azulejos?

**A** 8 pulgadas cuadradas

**B** 18 pulgadas cuadradas

**C** 21 pulgadas cuadradas

**D** 24 pulgadas cuadradas

**9.** Escribe una medida en unidades del sistema usual que pueda equivaler a la capacidad de una jarra de agua.

**10. Escribir para explicar** Explica cómo puedes usar cubos para medir el volumen de esta figura.

2 pulgadas

1 pulgada cúbica

6 pulgadas     2 pulgadas

## Probabilidad y estadística

**11.** Álex tiene una bolsa que contiene 3 tarjetas azules, 2 verdes, 5 rojas y 2 amarillas. Si toma una tarjeta de la bolsa sin mirar, ¿qué color es más probable que saque?

**F** Azul      **H** Roja

**G** Verde      **J** Amarilla

**12.** Evan dibujó 13 marcas de conteo para mostrar el número de carros que pasaron por su casa en 15 minutos. ¿Cuál de las opciones muestra sus marcas de conteo?

**A** ⫴⫴⫴⦀

**B** ⫴⫴⫴⫴⦀

**C** ⫴⫴⫴⫴⦀⦀

**D** ⫴⫴⫴⫴⫴⦀⦀

**13.** Meg hizo la gráfica que sigue. ¿Cuántas personas votaron a favor del jugo de uva?

**Jugo favorito**

| Manzana | 🥤🥤🥤 |
| Uva | 🥤🥤🥤🥤🥤🥤🥤 |
| Naranja | 🥤🥤 |

Cada 🥤 = 2 votos.

**F** 60      **H** 11

**G** 12      **J** 6

**14. Escribir para explicar** Escribe sobre un evento que es seguro que ocurra hoy. Explica por qué escogiste este evento.

## Razonamiento algebraico

**15.** ¿Qué número falta en el patrón?

| 91 | 84 | 77 | 70 | |

**A** 74      **C** 64

**B** 67      **D** 63

**16.** ¿Qué número falta en el patrón?

7, 13, 19, ▨, 31

**F** 20      **H** 25

**G** 23      **J** 30

**17.** La tabla muestra el número de sombreros que Dina hizo cada día.

| Día | 1 | 2 | 3 | 4 |
|---|---|---|---|---|
| Número de sombreros | 2 | 5 | 8 | 11 |

Si se continúa el patrón, ¿cuántos sombreros hará el sexto día?

**A** 17      **C** 14

**B** 16      **D** 13

**18.** Copia y completa. Escribe $<$, $>$ o $=$.

$4 \times 34 \bigcirc 4 \times 39$

**19.** Copia y completa la oración numérica.

$9 \times (2 \times 4) = \blacksquare \times 8$

**20. Escribir para explicar** Sara y su hermana Vera quieren ahorrar $24 cada una. Sara ahorrará $4 por semana. Vera ahorrará $3 por semana. ¿A quién le tomará más semanas ahorrar $24? Explica.

# La hora y la temperatura

**1**

¿Cuál es la temperatura durante todo el año en las Cavernas de Sonora, en Texas? Lo averiguarás en la Lección 19-3.

**2**

¿Cuánto tiempo después de haber atrapado a su presa se cierran las hojas de la venus atrapamoscas? Lo averiguarás en la Lección 19-4.

**3**

¿Cuánto tiempo tarda el telescopio espacial Hubble en orbitar la Tierra? Lo averiguarás en la Lección 19-2.

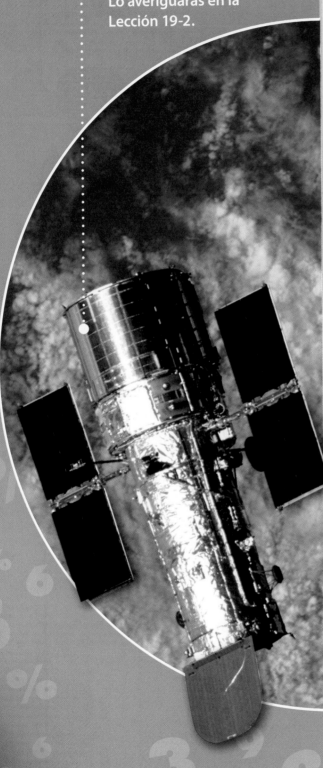

# Repasa lo que sabes

## Vocabulario

Escoge el mejor término del recuadro.

- hora
- minuto
- en punto
- termómetro

**1.** Luz miró la hora y vio que eran las nueve __?__.

**2.** A Nina le lleva aproximadamente un __?__ atarse los zapatos.

**3.** Corey va a mirar el __?__ para decirle a un amigo que vive en otro estado qué temperatura hace.

## La hora

Escribe la hora.

**4.**

**5.**

## La temperatura

Mira la temperatura y escribe si hace frío o calor.

**6.**

**7.**

**8. Escribir para explicar** Dibuja una esfera del reloj con la manecilla de la hora en el 8 y el minutero en el 12. Escribe qué hora es. Explica cómo se lee la hora en un reloj.

Lección

# 19-1

**TEKS 3.12B:** Decir y
escribir la hora en relojes
análogos y digitales.

# La media hora
# y el cuarto de hora

## ¿Cómo dices la hora a la media hora
## o al cuarto de hora más cercanos?

Los relojes marcan la hora de llegada y de
salida del autobús de la escuela todos los
días.

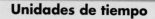

| Unidades de tiempo | |
| --- | --- |
| 1 día | = 24 horas |
| 1 hora | = 60 minutos |
| 1 media hora | = 30 minutos |
| 1 cuarto de hora | = 15 minutos |
| 1 minuto | = 60 segundos |

Llegada del autobús — 8:30

Salida del autobús — 2:45

---

**Otro ejemplo** ¿Cómo sabes si la hora es A.M. o P.M.?

Las horas del día entre la medianoche y el mediodía son A.M.
Las horas entre el mediodía y la medianoche son P.M.

¿Qué será más probable: que el
autobús llegue a la escuela a las
8:30 A.M. o a las 8:30 P.M.?

¿Qué será más probable: que el
autobús salga de la escuela a las
2:45 A.M. o a las 2:45 P.M?

8:30 P.M. es en la noche.
Probablemente el autobús no
llegue a la escuela de noche.
8:30 A.M. es en la mañana.

2:45 A.M. es en el medio de la noche.
No es probable que el autobús
salga de la escuela a esa hora.
2:45 P.M. es en la tarde.

Es más probable que el autobús
llegue a la escuela a las 8:30 A.M.

Es más probable que el autobús
salga de la escuela a las 2:45 P.M.

## Explícalo

1. ¿Por qué es importante decir A.M. o P.M. cuando dices
la hora?

2. ¿Qué será más probable: que salgas para la escuela a
las 8:15 A.M. o a las 8:15 P.M.?

3. ¿Qué será más probable: que almuerces a las 12:30 A.M. o a
las 12:30 P.M.?

Di la hora a la que el autobús llega a la escuela.

Escribe 8:30 de otras dos maneras.

Cuando el minutero señala el 6, puedes decir que es "media hora" después de la hora en punto.

El autobús llega a la escuela *a las ocho y media* o *a las ocho y 30 minutos*.

Di la hora a la que el autobús sale de la escuela.

Escribe 2:45 de otras dos maneras.

Cuando el minutero señala el 9, puedes decir que es "un cuarto" o "15 minutos" para la hora.

El autobús sale de la escuela a las *dos y cuarenta y cinco* o *a 15 minutos para las tres* o *a un cuarto para* las tres.

## Práctica guiada*

### ¿CÓMO hacerlo?

En los Ejercicios **1** y **2**, escribe de dos maneras distintas la hora que marca cada reloj.

**1.**

**2.**

### ¿Lo ENTIENDES?

**3.** En el ejemplo de arriba, ¿por qué crees que se usa la palabra "cuarto" cuando el minutero señala el 9?

**4.** El reloj marca la hora a la que empieza la clase de patinaje de Etta. ¿A qué hora empieza la clase? Di la hora de tres maneras distintas.

## Práctica independiente

En los Ejercicios **5** a **7,** escribe de dos maneras la hora que marca cada reloj.

**5.**

**6.**

**7.**

*Puedes encontrar otro ejemplo en el Grupo A, página 426.

## Práctica independiente

En los Ejercicios **8** a **10**, escribe de dos maneras la hora que marca cada reloj.

**8.**

**9.**

**10.**

**TAKS Resolución de problemas**

**11.** Los siguientes relojes marcan las horas en que el Carrusel del caballo volador de Rhode Island abre y cierra todos los días. ¿A qué horas abre y cierra el carrusel?

Abre    Cierra

**12.** **Escribir para explicar**  El Sr. Boyd les dio a sus estudiantes una prueba de matemáticas a las 10:45. Explica por qué es más probable que esa hora sea A.M. que P.M.

En los Ejercicios **13** a **16**, usa la tabla de la derecha.

**13.** **Estimación**  ¿Quién obtuvo un puntaje en los bolos de aproximadamente 20 puntos menos que Betina?

**14.** ¿Quién obtuvo un puntaje de 15 puntos más que Carlos?

**15.** Escribe los nombres de los amigos, empezando por el que obtuvo el mayor puntaje y terminando por el que obtuvo el menor.

| Puntajes en los bolos | |
| Nombre | Puntaje |
| --- | --- |
| Carlos | 63 |
| Betina | 78 |
| Rusty | 59 |
| Pang | 82 |

**16.** **Álgebra**  Escribe una oración numérica que compare el total de los puntajes de Carlos y Betina con el total de los puntajes de Rusty y Pang.

**17.** Ronaldo entrega el periódico en la casa de la familia Hong todos los días entre las 7:00 A.M. y las 8:00 A.M. ¿Qué reloj muestra la hora entre las 7:00 A.M. y las 8:00 A.M.?

**A**    **B**    **C**    **D**

## Hacia el mundo digital

### Decir la hora

Usa **e tools**

### La hora

Escribe de dos maneras la hora que muestran los relojes.

**Paso 1** Ve a la Hora de eTools. Mueve el minutero del reloj hasta que muestre la misma hora que el primer reloj de arriba. El reloj digital muestra las 6:45, por tanto ésa es la hora del primer reloj. También puedes escribir la hora como un cuarto para las siete.

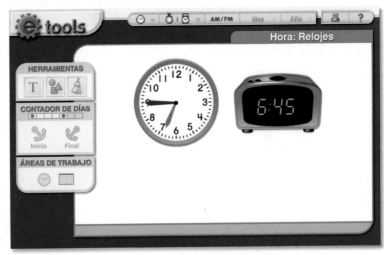

**Paso 2** Mueve el minutero hasta que muestre la hora del segundo reloj de arriba. El reloj digital muestra la 1:15, por tanto ésa es la hora del segundo reloj. También puedes escribir la hora como la una y cuarto.

## Práctica

Escribe de dos maneras las horas que muestran los relojes.

1.

2.

3.

4.

5.

6.

# La hora al minuto más cercano

## ¿Cómo dices la hora al minuto más cercano?

TEKS 3.12B: Decir y escribir la hora en relojes análogos y digitales.

El reloj muestra la hora de llegada de un tren a la estación de Pinewood. ¿A qué hora debe llegar el tren? Da la hora en forma digital y de otras dos maneras.

---

## Práctica guiada*

### ¿CÓMO hacerlo?

En los Ejercicios **1** y **2**, escribe de dos maneras la hora que marca cada reloj.

**1.**

**2.**

### ¿Lo ENTIENDES?

**3. Razonamiento** En el ejemplo de arriba, ¿por qué las 12 y 42 minutos es lo mismo que la 1 menos 18 minutos? Explica tu respuesta.

**4.** El reloj de abajo muestra la hora a la que aterrizó un avión. Escribe la hora de dos maneras.

---

## Práctica independiente

En los Ejercicios **5** a **7**, escribe de dos maneras la hora que marca cada reloj.

**5.**

**6.**

**7.**

*Puedes encontrar otro ejemplo en el Grupo B, página 426.

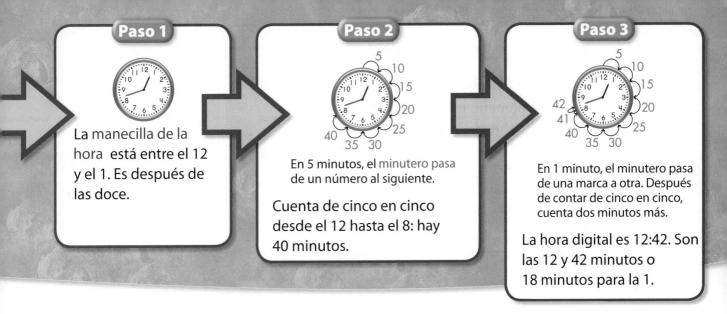

La manecilla de la hora está entre el 12 y el 1. Es después de las doce.

En 5 minutos, el minutero pasa de un número al siguiente.

Cuenta de cinco en cinco desde el 12 hasta el 8: hay 40 minutos.

En 1 minuto, el minutero pasa de una marca a otra. Después de contar de cinco en cinco, cuenta dos minutos más.

La hora digital es 12:42. Son las 12 y 42 minutos o 18 minutos para la 1.

---

**TAKS Resolución de problemas**

**8.** La familia de Toya fue a ver una película. El reloj muestra la hora a la que terminó la película. Escribe la hora digital.

**9.** El telescopio espacial Hubble ha estado en órbita durante 1 hora. En 37 minutos más completará una órbita alrededor de la Tierra. ¿Cuántos minutos tarda el telescopio espacial Hubble en completar 1 órbita?

**10. Geometría** Enzo hizo un dibujo de una figura que va a pintar. Haz una estimación del área de la figura.

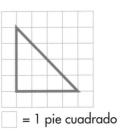

**11. Escribir para explicar** ¿Qué figura tiene un área mayor: un cuadrado de 4 pies de longitud de cada lado o la figura que dibujó Enzo? Explica cómo hallaste la respuesta.

☐ = 1 pie cuadrado

**12.** Ross pasea a su perro entre las 3:15 P.M. y las 4:00 P.M. ¿Qué reloj muestra la hora entre las 3:15 P.M. y las 4:00 P.M.?

**A**   **B**   **C** 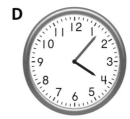  **D**

Lección

19-3

**TEKS 3.12A:** Utilizar un termómetro para medir la temperatura.

# Temperatura

## ¿Cómo se mide la temperatura?

Un termómetro mide la temperatura en grados Fahrenheit (°F) o grados Celsius (°C). Farehenheit y Celsius son dos escalas diferentes que se usan para medir la temperatura. En español usamos "grados centígrados" para referirnos a los grados Celsius.

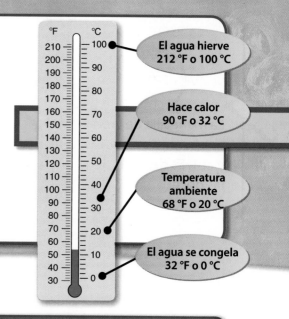

El agua hierve
212 °F o 100 °C

Hace calor
90 °F o 32 °C

Temperatura ambiente
68 °F o 20 °C

El agua se congela
32 °F o 0 °C

## Práctica guiada*

### ¿CÓMO hacerlo?

En los Ejercicios **1** y **2,** escribe las temperaturas en °F y en °C.

**1.**

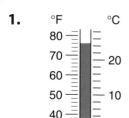

**2.**

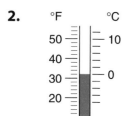

### ¿Lo ENTIENDES?

**3.** Observa el termómetro de arriba. ¿Irías a nadar al aire libre si la temperatura fuera de 28 °C? Explica tu respuesta.

**4. Escribir para explicar** ¿Qué temperatura es mejor para ir a andar en bicicleta por el parque: 15 °F o 50 °F? Explica tu respuesta.

**5.** Mateo tiene que ponerse un abrigo para salir hoy. El termómetro de la derecha muestra la temperatura. ¿Cuál es la temperatura en grados Fahrenheit?

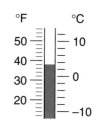

## Práctica independiente

En los Ejercicios **6** a **8,** escribe las temperaturas en °F y en °C.

**6.**

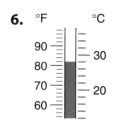

**7.**

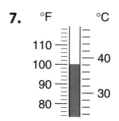

**8.**

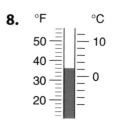

Glosario animado
**www.pearsonsuccessnet.com**

*Puedes encontrar otro ejemplo en el Grupo C, página 427.*

Rita se pondrá una chaqueta para salir hoy. ¿Qué temperatura hace afuera, según el termómetro?

Cada marca en la escala representa 2 grados. La columna roja llega hasta 54 grados en la escala Fahrenheit y hasta 12 en la escala Celsius.

La temperatura es de 54 °F, o 12 °C.

David se va a poner una camiseta hoy para salir. ¿Qué temperatura hace afuera, según el termómetro?

La parte de arriba de la columna roja marca 88 en la escala Fahrenheit y 31 en la escala Celsius.

La temperatura está a 88 °F o 31 °C.

---

**TAKS Resolución de problemas**

**9.** La temperatura en las Cavernas de Cascada es siempre la misma. El termómetro muestra esa temperatura. ¿Cuál es la temperatura en grados Fahrenheit?

**10. Álgebra** La temperatura en las Cavernas Carlsbad en Nuevo México es de 56 °F todo el año. Copia y completa la oración numérica para comparar la temperatura en las Cavernas Carlsbad con la temperatura en las Cavernas de Cascada.

56 ◯ ▢

**11. ¿Es razonable?** Roy dice que una bufanda y un gorro juntos cuestan aproximadamente lo mismo que 2 mantas. ¿Es razonable su estimación? Explica por qué.

**12. Álgebra** ¿Qué compró Jorge en la tienda si (3 x $19) + $23 representa el costo total de su compra?

**Ofertas de invierno**

| Manta | $19 |
| Gorro | $12 |
| Bufanda | $18 |
| Pala | $23 |

**13.** La temperatura en las Cavernas de Sonora es de aproximadamente 70 °F. ¿Qué termómetro muestra esa temperatura?

**A**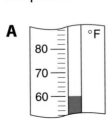

**B**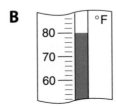

**C**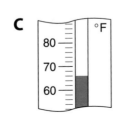

**D**

TEKS 3.14C: Seleccionar o desarrollar un plan o una estrategia de resolución de problemas apropiado en el que haga un dibujo, busque un patrón, adivine y compruebe sistemáticamente, haga una dramatización, elabore una tabla, resuelva un problema más sencillo o trabaje desde el final hasta el principio para resolver un problema.

**Resolución de problemas**

# Empezar por el final

La familia de Eric quiere llegar al cine a las 2:30 P.M. Tarda 30 minutos para hacer el recorrido desde su casa al cine, 15 minutos para prepararse y 30 minutos para almorzar. ¿A qué hora la familia debe empezar a almorzar para llegar a tiempo al cine?

**Hora de llegada al cine**

## Práctica guiada*

### ¿CÓMO hacerlo?

Resuelve el problema haciendo un dibujo y empezando por el final.

1. La clase de natación empieza a las 10:15 A.M. Abby tarda 15 minutos para llegar a la piscina. En el camino, necesita 15 minutos para hacer una compra. Tarda 30 minutos para prepararse para salir. ¿A qué hora debe Abby empezar a prepararse?

### ¿Lo ENTIENDES?

2. En el ejemplo de arriba, ¿por qué las flechas se mueven hacia la izquierda en el segundo diagrama de "Planea y resuelve"?

3. **Escribe un problema** Escribe un problema que puedas resolver empezando por el final.

## Práctica independiente

En los Ejercicios **4** y **5,** resuelve el problema haciendo un dibujo y empezando por el final.

4. Una noche, Emilio miró el termómetro y vio que la temperatura era de 56 °C. La temperatura era 9 °F más baja que la temperatura de la tarde. La temperatura de la tarde era 7 °F más alta que la temperatura de la mañana. ¿Cuál era la temperatura en la mañana?

5. Jana tiene que ir al dentista a las 4:30 P.M. Tarda 20 minutos para caminar hasta el consultorio, 20 minutos para prepararse y 30 minutos para limpiar su cuarto. ¿A qué hora debe empezar a limpiar su cuarto?

**¿En aprietos? Intenta esto...**

- ¿Qué sé?
- ¿Qué se me pide que halle?
- ¿Qué diagrama puedo usar como ayuda para entender el problema?
- ¿Puedo usar la suma, la resta, la multiplicación o la división?
- ¿Es correcto todo mi trabajo?
- ¿Respondí la pregunta que correspondía?
- ¿Es razonable mi respuesta?

*Puedes encontrar otro ejemplo en el Grupo D, página 427.

*¿Qué sé?*     llegada a las 2:30 P.M., 30 minutos de trayecto, 15 minutos para prepararse, 30 minutos para almorzar.

*¿Qué se me pide que halle?*     La hora a la que la familia debe empezar a almorzar.

Haz un dibujo para mostrar cada cambio.

Empieza por el final.

La familia de Eric debe empezar a almorzar a la 1:15 P.M.

---

**6.** Kent miró el termómetro esta noche. La temperatura era de 65 °F. Esta temperatura era 15 °F más baja que la temperatura de la tarde. La temperatura de la tarde era 14 °F más alta que la temperatura de la mañana. ¿Cuál era la temperatura en la mañana?

**7.** Corina miró el termómetro a las 7:00 P.M. La temperatura era de 16 °C. Esta temperatura era 9 °C más baja que la temperatura a las 2:00 P.M. La temperatura a las 2:00 P.M. era 10 °C más alta que la temperatura a las 8:00 A.M. ¿Cuál era la temperatura a las 8:00 A.M.?

**8.** Wan-li dibujó estos polígonos. ¿En qué se parecen los tres polígonos?

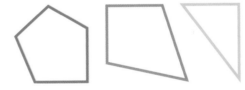

**9.** Las clases empiezan a las 8:15 A.M. Shane tarda 15 minutos para llegar a la escuela, 20 minutos para comer, 15 minutos para sacar a pasear al perro y 15 minutos para prepararse para salir. ¿A qué hora debe levantarse?

**10.** Un científico anotó en la tabla los datos que se muestran. ¿Aproximadamente cuánto tarda una venus atrapamoscas en cerrarse después de que un insecto o araña se posa en ella?

    **A** menos de 1 segundo

    **B** más de 1 segundo

    **C** más de 1 minuto

    **D** más de 2 minutos

| Hora a la que una presa se posa en la hoja | Hora a la que se cierra la venus atrapamoscas |
|---|---|
| 2:07 | $\frac{1}{2}$ segundo después de las 2:07 |
| 2:49 | $\frac{3}{4}$ segundo después de las 2:49 |
| 2:53 | $\frac{1}{2}$ segundo después de las 2:53 |

*Datos*

1. El siguiente reloj muestra la hora a la que Levi llegó al consultorio del médico. ¿A qué hora llegó? (19-2)

A 3:42

B 3:37

C 3:35

D 2:37

2. ¿De qué manera puedes escribir la hora que muestra el reloj? (19-1)

F Un cuarto para la 1

G La 1 y 15

H 2 y cuarto

J Un cuarto para las 2

3. Avi llegó a la escuela a las 8:05 A.M. Estuvo 15 minutos en el autobús, esperó 10 minutos en la parada y tardó 40 minutos en arreglarse después de levantarse. ¿A qué hora se levantó Avi? (19-4)

A 9:10 A.M.

B 7:05 A.M.

C 7:00 A.M.

D 6:55 A.M.

4. La temperatura exterior el día del cumpleaños de Mikal era de 54 °F. ¿Qué termómetro muestra esa temperatura? (19-3)

F
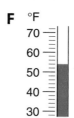

G
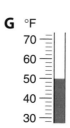

H
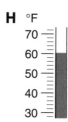

J
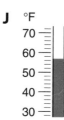

5. ¿Cuál de las siguientes opciones representa una hora en que José está durmiendo por la noche? (19-1)

A 3:15 P.M.

B 11:45 P.M.

C 10:45 A.M.

D 12:30 P.M.

**6.** ¿Qué temperatura se muestra en °F? (19-3)

°F

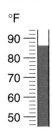

**F** 88°F

**G** 86°F

**H** 84°F

**J** 83°F

**7.** La obra de teatro del Grado 3 comenzó a la hora que muestra el reloj.

¿A qué hora comenzó la obra de teatro? (19-1)

**A** 3:40

**B** 6:15

**C** 6:35

**D** 7:15

**8.** Olivia salió de su casa a las 6:30 para ir al cine. ¿De qué otra manera se puede escribir 6:30? (19-1)

**F** un cuarto para las 6

**G** 6 y cuarto

**H** 6 y media

**J** un cuarto para las 7

**9.** Rachel se prepara para ir a dormir entre las 8:45 P.M. y las 9:30 P.M. ¿Qué reloj muestra la hora entre las 8:45 P.M. y las 9:30 P.M.? (19-2)

**A**

**B**
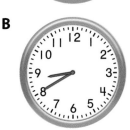

**C**

**D**

**10. Respuesta en plantilla**
La temperatura a las 3:00 P.M. era de 93 °F. Era 8° más alta que la temperatura al mediodía. La temperatura al mediodía era 13° más alta que la temperatura a las 9:00 A.M. ¿Cuál era la temperatura en °F a las 9:00 A.M.? (19-4)

**Grupo A,** páginas 414 y 416

Los relojes marcan la hora en que empieza una película. ¿A qué hora empieza la película? Escribe la hora de 3 maneras como mínimo.

Cuando el minutero marca el 9, puedes decir: "15 minutos para" la hora. También puedes decir: "un cuarto para" la hora.

**4:45**

La película empieza a las <u>cuatro y cuarenta y cinco</u> o a <u>15 minutos para las cinco</u> o a <u>un cuarto para las cinco.</u>

**Recuerda** que para decir la hora debes buscar adónde señala la manecilla de la hora y adónde señala el minutero.

Escribe de dos maneras la hora que muestra cada reloj.

**1.**
**6:45**

**2.**

**Grupo B,** páginas 418 y 419

¿Qué hora es al minuto más cercano?

La manecilla de la hora está entre el 10 y el 11. La hora es después de las 10:00.

Cuenta de 5 en 5 del 12 al 5. 5, 10, 15, 20, 25 minutos.

Después de contar de 5 en 5, cuenta las marcas de 1 en 1. 5, 10, 15, 20, 25, 26, 27 minutos.

La hora digital es 10:27.
Son las 10 y 27 minutos o 33 minutos para las 11.

**Recuerda** que para los minutos, debes contar los números en el reloj de 5 en 5 y luego contar las marcas de 1 en 1.

Escribe de dos maneras las horas de los relojes.

**1.**

**2.**

**Grupo C,** páginas 420 y 421

Rona lleva una camisa ligera para salir hoy. El termómetro muestra la temperatura que hace afuera. ¿Cuál es la temperatura?

Cada raya en la escala representa 2 grados.

Cuenta de 2 en 2 desde la marca de 70 hacia arriba hasta donde termina la columna roja. 70, 72, 74, 76, 78 Luego sigue contando de 1 en 1. 79

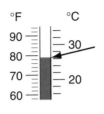

Para la escala en grados centígrados, cuenta de 2 en 2 desde 20. 20, 22, 24, 26

La temperatura es de 79 °F y también de 26 °C.

**Recuerda** que cada línea en la escala en estos termómetros representa 2 grados.

Escribe cada temperatura en °F y en °C.

**1.**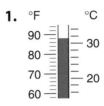

**2.**

**Grupo D,** páginas 422 y 423

Jay necesita llegar a su práctica de futbol a las 10:00 A.M. Tarda 30 minutos para caminar hasta la cancha. Tarda 10 minutos para pasear a su perro y 10 minutos para prepararse. ¿A qué hora debe empezar a prepararse Jay?

Haz un dibujo para mostrar cada acción.

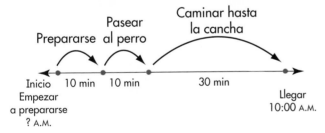

Empieza por el final restando los minutos necesarios para cada acción.

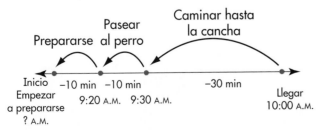

Jay debe comenzar a prepararse a las 9:10 A.M.

**Recuerda** que debes comprobar tu solución, trabajando hacia delante.

Resuelve cada problema haciendo un dibujo y empezando por el final.

**1.** Aldo tiene que encontrarse con Luis a la 1:00 P.M. Tarda 10 minutos en caminar hasta la casa de Luis, 10 minutos en prepararse y 20 minutos en almorzar. ¿A qué hora debe empezar a almorzar?

**2.** La clase de patinaje de Lisa es a las 5:30 P.M. Ella tarda 15 minutos en caminar hasta la pista de patinaje, 15 minutos en prepararse y 30 minutos en hacer la tarea. ¿A qué hora debe empezar a hacer la tarea?

# Datos, gráficas y probabilidad

**1**

¿A qué velocidad puede volar un halcón peregrino? Lo averiguarás en la Lección 20-4.

**2**

¿Tiene el estadio Kyle Field más asientos que otros estadios universitarios de futbol americano en Texas? Lo averiguarás en la Lección 20-2.

**GRILL**

**3**

Si pones cada una de las letras de este cartel en una bolsa y sacas una sin mirar, ¿cuál es la letra que tienes más probabilidad de sacar? Lo averiguarás en la Lección 20-5.

**4**

¿Cuántas medallas de oro, plata y bronce ganaron los atletas de Estados Unidos en los Juegos Olímpicos de Invierno de 2006? Lo averiguarás en la Lección 20-1.

## Repasa lo que sabes

### Vocabulario

Escoge el mejor término del recuadro.

- datos
- menos probable
- más probable
- conteo

1. Se puede usar una gráfica para comparar __?__ .

2. Elisa está en la biblioteca. Es __?__ que mire un libro y no que almuerce.

3. Son las 4 A.M. Es __?__ que estés jugando al futbol que durmiendo.

### Ordenar números

Ordena de menor a mayor.

4. 56, 47, 93, 39, 10

5. 20, 43, 23, 19, 22

6. 24, 14, 54, 34, 4

7. 65, 33, 56, 87, 34

### Contar salteado

Halla los dos números siguientes de cada patrón. Escribe la regla del patrón.

8. 5, 10, 15, 20, ▢, ▢

9. 2, 4, 6, 8, ▢, ▢

10. 10, 20, 30, 40, ▢, ▢

11. 4, 8, 12, 16, ▢, ▢

### Comparar

12. **Escribir para explicar** Explica cómo se usa el valor de posición para comparar 326 y 345.

**TEKS 3.13A:** Reunir, organizar, anotar y presentar datos en pictografías y gráficas de barras, en donde cada dibujo o elemento pueda representar más de un dato.

# Organizar datos

### ¿Cómo puedes reunir y organizar datos?

En una encuesta se preguntó a los estudiantes: ¿Cuál es el deporte que prefieres practicar después de clases?

La información que reúnes se llama datos. Al hacer una encuesta, reúnes datos haciendo la misma pregunta a muchas personas.

**Deporte preferido después de la escuela**

| Datos | | |
|---|---|---|
| Natación | Natación | Futbol |
| Softbol | Futbol | Natación |
| Softbol | Softbol | Softbol |
| Futbol | Natación | Softbol |
| Softbol | Futbol | Softbol |
| Futbol | Softbol | Futbol |

---

## Práctica guiada*

### ¿CÓMO hacerlo?

En los Ejercicios **1** y **2,** usa los datos de la encuesta que aparecen abajo.

**Color preferido**

| Datos | | | |
|---|---|---|---|
| Azul | Rojo | Azul | Azul |
| Rojo | Amarillo | Rojo | Verde |
| Azul | Rojo | Rojo | Rojo |
| Rojo | Rojo | Rojo | Azul |

1. Haz una tabla de conteo para los datos.

2. ¿Cuántos estudiantes más eligieron el rojo que el azul como su color preferido?

### ¿Lo ENTIENDES?

En los Ejercicios **3** a **5,** usa la tabla de conteo que aparece arriba.

3. ¿Qué muestra la tabla?

4. ¿Cuántos estudiantes en total respondieron la encuesta?

5. Después, otros seis estudiantes respondieron la encuesta. Éstas son sus respuestas.

| | | |
|---|---|---|
| Softbol | Futbol | Softbol |
| Natación | Softbol | Futbol |

Haz una nueva tabla de conteo que incluya sus respuestas.

---

## Práctica independiente

En los Ejercicios **6** a **9,** usa los datos de la encuesta que están a la derecha.

6. Haz una tabla de conteo para los datos.

7. ¿Cuántas personas respondieron la encuesta?

8. ¿Qué mascotas fueron las preferidas del mismo número de personas?

9. ¿Qué mascota fue la más escogida?

**Tipo preferido de mascota**

| Datos | | | |
|---|---|---|---|
| Gato | Gato | Perro | Hámster |
| Pez | Pájaro | Perro | Perro |
| Perro | Pájaro | Hámster | Pájaro |
| Perro | Gato | Pájaro | Pez |
| Gato | Perro | Perro | Gato |
| Pájaro | Gato | Perro | Perro |

DIGITAL

Glosario animado
www.pearsonsuccessnet.com

## Paso 1

Una tabla de conteo es una de las formas de registrar datos. Una marca de conteo es una marca usada para registrar los datos en una tabla de conteo.

Ponle un título a la tabla de conteo. Rotula las columnas.

Deporte preferido después de la escuela

| Deporte | Conteo | Número |
|---|---|---|

## Paso 2

Haz una marca de conteo por cada respuesta recibida.

Deporte preferido después de la escuela

| Deporte | Conteo | Número |
|---|---|---|
| Futbol | ЖІ | |
| Softbol | ЖІІІ | |
| Natación | ІІІІ | |

## Paso 3

Cuenta las marcas de conteo. Anota la cantidad.

Deporte preferido después de la escuela

| Deporte | Conteo | Número |
|---|---|---|
| Futbol | ЖІ | 6 |
| Softbol | ЖІІІ | 8 |
| Natación | ІІІІ | 4 |

## TAKS Resolución de problemas

En los Ejercicios **10** y **11,** usa la tabla de conteo de la derecha.

**10.** Copia y completa la tabla.

**11.** Ordena los deportes del más preferido al menos preferido.

**Deporte preferido para mirar**

| Deporte | Conteo | Número |
|---|---|---|
| Futbol americano | ЖІ ЖІ І | |
| Beisbol | ЖІ ЖІ ЖІ ІІ | |
| Hockey | | 8 |
| Básquetbol | | 15 |

**12. Sentido numérico** ¿Qué número está representado por ЖІ ЖІ ЖІ ЖІ ЖІ ?

**13.** Haz una tabla de conteo para mostrar cuántas veces las letras a, e, i, o y u se usan en este ejercicio.

**14. Escribir para explicar** ¿Cómo harías una tabla de conteo para mostrar qué tipo de pizza prefieren tus compañeros?

**15. Razonamiento** Dennis es 2 pulgadas más alto que Mica y una pulgada más bajo que Rosa. ¿Es Rosa más baja o más alta que Mica? ¿Cuánto más alta o más baja?

**16.** En los Juegos Olímpicos de Invierno de 2006, Estados Unidos ganó 9 medallas de oro, 9 medallas de plata y 7 medallas de bronce. ¿Qué tabla de conteo muestra esos resultados?

A

**Medallas de Estados Unidos**

| Medallas | Conteo |
|---|---|
| Oro | ЖІ ІІІ |
| Plata | ЖІ ІІІ |
| Bronce | ЖІ І |

B

**Medallas de Estados Unidos**

| Medallas | Conteo |
|---|---|
| Oro | ЖІ ІІІІ |
| Plata | ЖІ ІІІІ |
| Bronce | ЖІ ІІ |

C

**Medallas de Estados Unidos**

| Medallas | Conteo |
|---|---|
| Oro | ЖІ ЖІ І |
| Plata | ЖІ ЖІ І |
| Bronce | ЖІ ІІІ |

D

**Medallas de Estados Unidos**

| Medallas | Conteo |
|---|---|
| Oro | ЖІ ЖІ ІІ |
| Plata | ЖІ ЖІ ІІ |
| Bronce | ЖІ ЖІ |

Lección

20-2

TEKS 3.13B: Interpretar
información de
pictografías y gráficas
de barras.

# Leer pictografías y gráficas de barras

## ¿Cómo puedes leer gráficas?

Una pictografía usa dibujos o símbolos para mostrar los datos.

> La clave explica lo que representa cada dibujo.

**Número de equipos de hockey en cada liga**

| | |
|---|---|
| Salto Este | X X X / |
| Salto Norte | X X / |
| Salto Sur | X X |
| Salto Oeste | X X X X X / |

Cada X = 2 equipos. Cada / = 1 equipo.

---

**Otro ejemplo**  ¿Cómo puedes leer una gráfica de barras?

Una gráfica de barras usa barras para comparar información. Esta gráfica de barras muestra el número de goles marcados por los diferentes jugadores de un equipo de hockey.

La escala muestra las unidades usadas.

En esta gráfica, cada dos líneas de la cuadrícula están rotuladas: 0, 2, 4 , y así sucesivamente. Pero cada línea representa una unidad. Por ejemplo, la línea que se encuentra entre 4 y 6 representa 5 goles.

Escala

¿Cuántos goles marcó Cindi?

Halla el nombre de Cindi. Usa la escala para hallar qué altura alcanza la barra. Cindi marcó 7 goles.

¿Quién marcó el menor número de goles? ¿Qué barra es la más baja?

La barra correspondiente a Jack es la más baja. Jack marcó el menor número de goles.

### Explícalo

1. Explica cómo hallar cuántos goles más marcó Alex que Cindi.

2. ¿Quién marcó 8 goles?

3. ¿Cuántos goles marcaron Alex y Reggie en total?

¿Cuántos equipos hay en la liga de Salto Este? Usa la clave.

Cada ╳ representa 2 equipos.

Cada ╱ representa 1 equipo.

Hay 3 ╳ y 1 ╱.

$2 + 2 + 2 + 1 = 7$

Hay 7 equipos en la liga Salto Este.

¿Cuántos equipos más tiene la liga de Salto Este que la liga de Salto Sur?

Compara las dos filas.

Liga de Salto Este

╳ ╳ ╳ ╱
3 equipos más

╳ ╳

Liga de Salto Sur

La liga de Salto Este tiene 3 equipos más que la liga de Salto Sur.

## Práctica guiada*

### ¿CÓMO hacerlo?

1. ¿Qué liga de hockey de la pictografía de arriba tiene 5 equipos?

2. ¿Qué liga tiene más equipos? ¿Cuántos equipos hay en esa liga?

### ¿Lo ENTIENDES?

En los Ejercicios 3 y 4, usa la pictografía que aparece arriba.

3. Explica cómo hallar la liga que tiene menos equipos.

4. ¿Cuántos equipos hay en total en las ligas Salto Norte y Salto Oeste?

## Práctica independiente

En los Ejercicios 5 a 7, usa la pictografía de la derecha.

5. ¿En qué área las luces están prendidas más horas durante la semana?

6. ¿En qué área del Centro deportivo Tri-Town las luces están prendidas 50 horas a la semana?

7. En una semana, ¿cuántas horas más están prendidas las luces en la sala de ejercicios que en la piscina?

**Centro deportivo Tri-Town**
**Número de horas en que las luces están prendidas por semana**

| Sala de ejercicios | 💡💡💡💡💡💡💡🔆 |
| Casillero | 💡💡💡💡💡💡💡💡💡 |
| Piscina | 💡💡💡💡🔆 |
| Cancha de tenis | 💡💡💡💡💡💡 |

Cada 💡 = 10 horas. Cada 🔆 = 5 horas.

*Puedes encontrar otro ejemplo en el Grupo B, página 448.

En los Ejercicios **8** a **12**, usa la gráfica de barras que aparece a la derecha.

**8.** ¿A qué velocidad puede correr una liebre?

**9.** ¿Qué animal corre a mayor velocidad?

**10.** ¿Qué animal corre a una velocidad máxima de 50 millas por hora?

**11.** ¿En cuánto supera la velocidad máxima del coyote a la del oso pardo?

**12.** ¿Qué animales tienen la misma velocidad máxima?

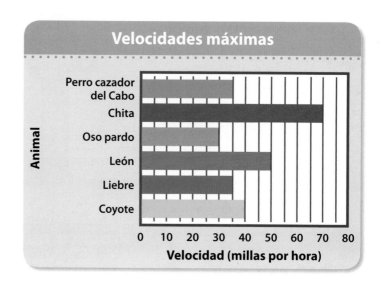

Velocidades máximas

En los Ejercicios **13** a **15**, usa la pictografía.

**13.** ¿Cuántos asientos hay en el Rice Stadium?

**14.** **Estimación** ¿Cuáles son los dos estadios que tienen aproximadamente la misma cantidad de asientos?

**15.** **Escribir para explicar** María dice que el estadio Floyd Casey tiene aproximadamente 5,000 asientos. ¿Tiene razón? Explica.

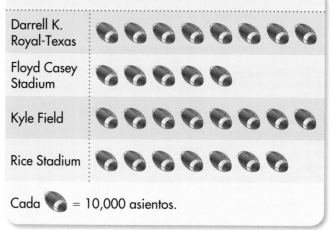

Asientos redondeados a 10,000 en los estadios universitarios de futbol americano

En los Ejercicios **16** y **17**, usa la gráfica de barras.

**16.** ¿Cuántas pelotas de futbol más que de básquetbol hay en el armario del gimnasio?

    **A** 8          **C** 4

    **B** 5          **D** 3

**17.** ¿Cuántas pelotas hay en total en el armario del gimnasio?

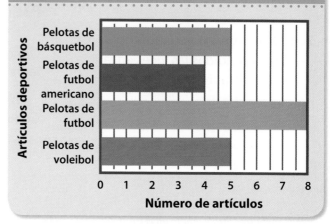

Artículos deportivos en el armario del gimnasio

# Resolución de problemas variados

El gobierno del lugar donde vives brinda diferentes servicios con el dinero de los impuestos que paga la gente. La gráfica de barras de la derecha muestra cuánto dinero reciben los distintos departamentos de Park Town. Usa la gráfica para responder las preguntas.

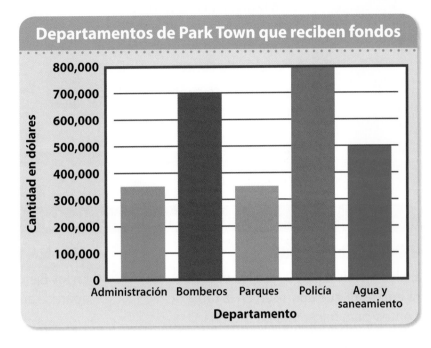

**Departamentos de Park Town que reciben fondos**

1. ¿Qué servicio de Park Town recibe la mayor cantidad de fondos?

2. ¿Cuáles son los dos departamentos que reciben la misma cantidad?

3. Aproximadamente, ¿cuánto dinero recibirán en total los departamentos de Parques y Agua y saneamiento?

4. ¿Cuánto dinero más recibe el Departamento de Policía que el Departamento de Bomberos?

5. Usa la tabla, que muestra cómo se usa el dinero del Departamento de Policía.

**Datos**

| Departamento de Policía | |
|---|---|
| **Gastos** | **Cantidad** |
| Carros | $42,000 |
| Computadoras | $14,000 |
| Equipos para la policía | $88,000 |
| Salarios | $643,000 |
| Gastos de la estación | $13,000 |

¿Qué gastos son menores que $50,000?

6. **Enfoque de la estrategia** Resolver. Usa la estrategia "Escribe una oración numérica".

Los diputados debatieron el presupuesto del estado. Cada diputado tiene un voto. Hubo 86 votos para aprobar el presupuesto y 34 votos en contra. ¿Cuántos diputados votaron en total?

**TEKS 3.13A:** Reunir, organizar, anotar y presentar datos en pictografías y gráficas de barras, en donde cada dibujo o elemento pueda representar más de un dato.

# Hacer pictografías

## ¿Cómo puedes hacer una pictografía?

Sam registró el número de cada tipo de bicicletas que vendió su tienda durante un mes. Preparó una tabla de conteo.

Usa la tabla de conteo para hacer una pictografía.

**Datos**

| Tipo de bicicleta | Conteo | Número |
|---|---|---|
| De varón | 卌 卌 | 10 |
| De mujer | 卌 卌 卌 卌 | 20 |
| De entrenamiento | 卌 卌 卌 | 15 |
| Triciclo | 卌 卌 | 10 |

---

## Práctica guiada*

### ¿CÓMO hacerlo?

En los Ejercicios **1** y **2**, usa los datos de la encuesta que aparecen en la tabla de conteo para hacer una pictografía.

**Datos**

| ¿Cuál es tu almuerzo escolar preferido? | | |
|---|---|---|
| **Almuerzo** | **Conteo** | **Número** |
| Taco | ‖ | 2 |
| Pizza | 卌 ‖‖ | 8 |
| Ensalada | ‖‖ | 3 |
| Sándwich | 卌 ‖ | 6 |

1. ¿Cuál es el título? ¿Cuál es el símbolo para la clave? ¿Cuántos votos representa cada símbolo?

2. Prepara una lista con las opciones de almuerzo. Dibuja los símbolos para completar la gráfica.

### ¿Lo ENTIENDES?

En los Ejercicios **3** a **5**, usa la pictografía que aparece arriba.

3. Explica los símbolos usados para el número de bicicletas de entrenamiento que se vendieron.

4. ¿Cuántos símbolos se usarán para las bicicletas de entrenamiento si la clave es ▲ = 5 bicicletas?

5. Suponiendo que también se vendieron 25 bicicletas de montaña, dibuja los símbolos para representar las bicicletas de montaña.

---

## Práctica independiente

**Datos**

| Goles por equipo de goleadores | | |
|---|---|---|
| **Nombre del equipo** | **Conteo** | **Cantidad** |
| Cachorros | 卌 卌 | 10 |
| Halcones | 卌 卌 卌 卌 | 20 |
| Leones | 卌 卌 卌 卌 卌 卌 | 30 |
| Correcaminos | 卌 卌 卌 | 15 |

En los Ejercicios **6** y **7**, usa la tabla.

6. Haz una pictografía para mostrar los datos.

7. Explica cómo decidiste la cantidad de símbolos que hay que dibujar para mostrar los goles de los Correcaminos.

*Puedes encontrar otro ejemplo en el Grupo B, página 448.

Escribe un título para la pictografía.

El título es "Tipos de bicicletas vendidas".

Escoge un símbolo para la clave. Decide qué representa el símbolo y el medio símbolo.

Cada △ significa 10 bicicletas.

Cada ◿ significa 5 bicicletas.

Prepara la gráfica y la lista de los tipos de bicicletas. Decide cuántos símbolos necesitas para cada número vendido. Dibuja los símbolos.

| Tipo de bicicletas vendidas | |
| --- | --- |
| De varón | △ |
| De mujer | △ △ |
| De entrenamiento | △ ◿ |
| Triciclo | △ |

Cada △ = 10 bicicletas.
Cada ◿ = 5 bicicletas.

Ed preparó una tabla de conteo con los elementos que recogió de las plantas de su jardín.

**8.** Haz una pictografía para mostrar los datos de la tabla de Ed. Incluye un título y escoge la clave.

**9.** ¿Cuántos jalapeños y cuántos pimientos recogió Ed en total?

**Datos**

| Verduras del jardín | | |
| --- | --- | --- |
| Tipo | Conteo | Número de elementos |
| Jalapeño | \|\|\|\| | 4 |
| Pimiento | \|\| | 2 |
| Tomate | ⊬\|\| | 5 |

**10. Geometría** La huerta de Ed es de forma cuadrada. Cada lado tiene 9 pies de largo. ¿Cuál es el área del jardín de Ed?

En los Ejercicios **11** y **12,** supongamos que vas a hacer una pictografía para mostrar los datos de la librería de Simón.

**11.** Escoge un símbolo que represente 5 libros vendidos. Dibuja la fila de los libros de ficción vendidos.

**12. Razonamiento** ¿Por qué el 5 es un buen número para usar en la clave?

**Datos**

| Librería de Simón | |
| --- | --- |
| Tipo de libro | Cantidad vendida |
| Ficción | 25 |
| No ficción | 40 |
| Poesía | 20 |
| Diccionario | 15 |

| Plantas vendidas en el vivero | |
| --- | --- |
| Abril | 🌱🌱🌱🌱🌱 |
| Mayo | 🌱🌱🌱🌱🌱🌱 |
| Junio | |

Cada 🌱 = 5 plantas

**13.** Marisol está haciendo una pictografía para mostrar la venta de plantas. Se vendieron 35 plantas en junio. ¿Cuántos símbolos debería dibujar Marisol en junio?

**A** 5    **B** 7    **C** 11    **D** 35

Lección

# 20-4

TEKS 3.13A: Reunir,
organizar, anotar y
presentar datos en
pictografías y gráficas
de barras, en donde cada
dibujo o elemento pueda
representar más de
un dato.

# Hacer gráficas de barras

**Manos a la obra**
papel cuadriculado

## ¿Cómo puedes hacer una gráfica de barras?

Greg hizo una tabla para mostrar la
cantidad de dinero ahorrada por mes.

Usa los datos de la tabla para hacer una
gráfica de barras en papel cuadriculado.
Una gráfica de barras facilita la
comparación de los datos.

| Mes | Cantidad ahorrada |
|---|---|
| Enero | $25 |
| Febrero | $50 |
| Marzo | $65 |
| Abril | $40 |

---

## Práctica guiada*

### ¿CÓMO hacerlo?

Usa la tabla para hacer una gráfica de barras.

| Clase | Conteo | Número de personas que se inscribieron |
|---|---|---|
| Ajedrez | ⵘⵘⵘⵘ I | 6 |
| Guitarra | ⵘⵘⵘⵘ ⵘⵘⵘⵘ | 10 |
| Pintura | ⵘⵘⵘⵘ II | 7 |
| Redacción | ⵘⵘⵘⵘ IIII | 9 |

1. Escribe un título. Escoge la escala. ¿Qué
   representa cada línea de la cuadrícula?

2. Haz la gráfica con la escala, cada clase y
   los rótulos. Dibuja cada barra.

### ¿Lo ENTIENDES?

En los Ejercicios **3** a **5,** usa la gráfica de
barras que aparece arriba.

3. En la gráfica de barras de arriba, explica
   por qué la barra de enero termina entre
   20 y 30.

4. ¿En qué mes Greg ahorró más dinero?

5. Supón que Greg ahorró $35 en mayo.
   ¿Entre qué líneas de la cuadrícula
   termina la barra de mayo?

---

## Práctica independiente

En los Ejercicios **6** y **7,** usa la tabla.

| Tienda preferida de ropa | | |
|---|---|---|
| **Tienda** | **Conteo** | **Número de votos** |
| El Mercado | ⵘⵘⵘⵘ ⵘⵘⵘⵘ ⵘⵘⵘⵘ | 15 |
| Caliropa | ⵘⵘⵘⵘ ⵘⵘⵘⵘ ⵘⵘⵘⵘ ⵘⵘⵘⵘ ⵘⵘⵘⵘ ⵘⵘⵘⵘ | 30 |
| Super Moda | ⵘⵘⵘⵘ ⵘⵘⵘⵘ ⵘⵘⵘⵘ ⵘⵘⵘⵘ | 20 |
| Lo último | ⵘⵘⵘⵘ | 5 |

6. Haz una gráfica de barras para mostrar
   los datos.

7. Explica cómo usar la gráfica de barras
   para hallar qué tienda obtuvo el mayor
   número de votos.

DIGITAL
eTools
**www.pearsonsuccessnet.com**

Escribe un título.

El título de esta gráfica de barras es "Cantidad que Greg ahorró por mes".

Escoge la escala. Decide cuántas unidades representa cada línea de la cuadrícula.

Cada línea de la cuadrícula representa $10.

Haz la gráfica con la escala, los meses indicados en la tabla y los rótulos. Dibuja una barra para cada mes.

**Cantidad que Greg ahorró por mes**

---

**TAKS Resolución de problemas**

En los Ejercicios **8** y **9,** usa la tabla de la derecha.

**8.** Haz una gráfica de barras. Escribe un título. Escoge una escala. Dibuja las barras que corresponda.

**9. Sentido numérico** ¿Qué dos tipos de películas tuvieron la menor cantidad de votos?

**¿Qué tipo de películas prefieres?**

| Tipo de película | Aventuras | Dibujos animados | Comedia | Ciencia ficción |
|---|---|---|---|---|
| Cantidad de votos | 16 | 8 | 10 | 7 |

**10. Enfoque en la estrategia** Resuelve. Usa la estrategia "Hacer un dibujo".

Cada entrada cuesta $8. ¿Cuál es el costo total de las entradas para una familia de 6 personas?

En los Ejercicios **11** y **12,** supongamos que haces una gráfica de barras para mostrar los datos de la tabla.

**11. Escribir para explicar** ¿Qué escala escogerías? Explica.

**12.** ¿Cuál sería la barra más larga?

**Velocidad de las aves**

| Tipo de ave | Velocidad de vuelo (millas por hora) |
|---|---|
| Fragata | 95 |
| Halcón peregrino | 180 |
| Vencejo | 105 |

**13.** Luz hizo esta gráfica para mostrar cuántos amigos usaron cada uno de los colores de zapatos. ¿Qué información necesita Luz para completar la gráfica?

**A** ¿Cuántos amigos usaron zapatos negros?

**B** El color de los zapatos de la barra más larga

**C** El color de los zapatos de exactamente 8 amigos

**D** El color de los zapatos de exactamente 7 amigos

**Zapatos de los amigos**

Lección

20-5

TEKS 3.13C: Utilizar datos para describir eventos como más probable que, menos probable que o igual de probable que.

# ¿Cuál es la probabilidad?

## ¿Sucederá un evento?

Un evento es probable si existen probabilidades de que suceda. Es poco probable si existen probabilidades de que no suceda. Un evento es seguro si existe certeza de que suceda. Es imposible si nunca sucederá.

Piensa en eventos de un bosque tropical.

Evento seguro: ver plantas verdes

Evento imposible: ver un oso polar

Evento probable: ver pájaros de colores

Evento poco probable: ver tierra seca

---

## Otro ejemplo

### ¿Cómo puedes comparar probabilidades?

Los resultados que tienen la misma probabilidad de suceder son igualmente probables.

A veces, comparas dos resultados.
El resultado que tiene más probabilidades de suceder es más probable.
El resultado que tiene menos probabilidades de suceder es menos probable.

La tabla de conteo muestra los resultados luego de hacer girar 48 veces la rueda de arriba.

¿Qué resultado es más probable que el azul?

La parte roja de la rueda es más grande que la azul. Además, la tabla de conteo muestra más resultados rojos que azules. Por tanto, el rojo es más probable que el azul.

**Resultados de la rueda**

| Resultado | Conteo | Número |
|-----------|--------|--------|
| Rojo | ЖЖЖЖ IIII | 19 |
| Amarillo | ЖЖЖ III | 13 |
| Verde | ЖЖ | 5 |
| Azul | ЖЖЖ I | 11 |

¿Qué resultado es menos probable que el azul?

La parte verde de la rueda es más pequeña que la azul. Además, la tabla de conteo muestra menos resultados verdes que azules. Por tanto, el verde es menos probable que el azul.

¿Qué resultados son igualmente probables?

Las partes amarillas y azules de la rueda tienen el mismo tamaño. Además, los resultados del amarillo y del azul son casi iguales. Por tanto, el amarillo y el azul son igualmente probables.

La consecuencia posible de un <u>juego o experimento</u> se denomina resultado.

¿Cuáles son los resultados al hacer girar la flecha de esta rueda?

Cuando haces girar la flecha, los resultados pueden ser azul, rojo, amarillo, verde o línea.

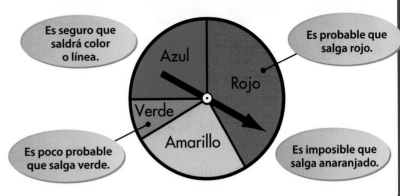

Es seguro que saldrá color o línea.

Es probable que salga rojo.

Es poco probable que salga verde.

Es imposible que salga anaranjado.

## Otro ejemplo

Mira la rueda de la derecha. ¿Qué tabla de conteo muestra los resultados más probables luego de hacer girar la flecha 25 veces?

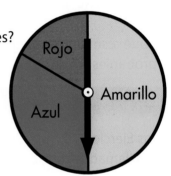

**A**
Datos

| Color | Resultados de los giros |
|-------|-------------------------|
| Rojo | 𝍤 𝍠𝍠𝍠𝍠 |
| Azul | 𝍤 𝍠𝍠𝍠 |
| Amarillo | 𝍤 𝍠𝍠𝍠 |

**C**
Datos

| Color | Resultados de los giros |
|-------|-------------------------|
| Rojo | 𝍤 𝍠𝍠𝍠 |
| Azul | 𝍤 |
| Amarillo | 𝍤 𝍤 𝍠𝍠 |

**B**
Datos

| Color | Resultados de los giros |
|-------|-------------------------|
| Rojo | 𝍤 |
| Azul | 𝍤 𝍠𝍠𝍠𝍠 |
| Amarillo | 𝍤 𝍤 𝍠 |

**D**
Datos

| Color | Resultados de los giros |
|-------|-------------------------|
| Rojo | 𝍤 |
| Azul | 𝍤 𝍤 𝍠𝍠 |
| Amarillo | 𝍤 𝍠𝍠𝍠 |

El rojo ocupa la porción más pequeña de la rueda, por tanto, el rojo debe tener el menor número de marcas de conteo. Por tanto, **A** y **C** no son una buena opción.

Mira las opciones **B** y **D.** La parte amarilla de la rueda es mayor que la parte azul, por tanto el amarillo debería tener más marcas de conteo que el azul. Por tanto, **D** no es una buena opción.

La opción **B** muestra los resultados más probables luego que la flecha gire 25 veces.

## Explícalo

1. Supón que una tabla de conteo muestra los resultados de unos giros. ¿Cómo puedes decir si una parte de la rueda es mucho más grande que la otra?

## Práctica guiada*

### ¿CÓMO hacerlo?

Describe cada evento como *probable, poco probable, imposible* o *seguro.*

**1.** El día de mañana tendrá 24 horas.

**2.** Una serpiente va a caminar como una persona.

Hay 6 fichas blancas, 12 fichas negras, 2 fichas rojas y 6 fichas azules en una bolsa. Sacas una ficha de la bolsa sin mirar.

**3.** ¿Qué resultado es más probable que sacar una ficha azul?

**4.** ¿Qué resultados son igualmente probables?

### ¿Lo ENTIENDES?

**5.** ¿Cuál es la diferencia entre un evento seguro y un evento probable?

En los Ejercicios **6** a **8,** usa la rueda que aparece en la parte superior de la página 441.

**6.** ¿Qué resultado es menos probable que el amarillo?

**7.** ¿El violeta es más probable o menos probable que el azul?

**8.** ¿Qué resultado es más probable que el amarillo?

## Práctica independiente

Para los Ejercicios **9** a **12,** describe cada evento acerca de una estudiante de Grado 3 llamada Anna, como *probable, poco probable, imposible* o *seguro.*

**9.** Anna necesitará alimentos para crecer.

**10.** Anna crecerá hasta tener una estatura de 100 pies.

**11.** Anna viajará a la Luna.

**12.** Anna verá la televisión esta noche.

Para los Ejercicios **13** a **17,** usa la rueda de la derecha.

**13.** ¿Qué resultado es menos probable que el amarillo?

**14.** Qué resultados son igualmente probables?

**15.** ¿Qué resultado es el más probable?

**16.** Nombra los resultados seguros.

**17.** Nombra un resultado imposible.

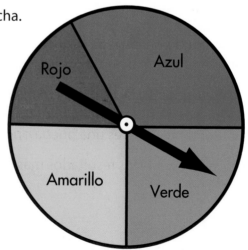

Glosario animado
**www.pearsonsuccessnet.com**

*Puedes encontrar otro ejemplo en el Grupo D, página 449.*

**18.** Supongamos que las letras de la palabra *GRILL* se ponen en una bolsa. Sacas una letra de la bolsa sin mirar. ¿Qué resultado es más probable que salga?

**19. Escribir para explicar** Al mirar una rueda con flecha giratoria ¿cómo puedes decir que un resultado es más probable que otro?

**20.** Hay 4 cajas medianas dentro de una caja grande. Dentro de cada caja mediana, hay tres cajas pequeñas. ¿Cuántas cajas hay en total?

**21.** Mira la rueda de la derecha. ¿Qué tabla de conteo muestra los resultados más probables después de que la flecha ha girado 30 veces?

**A**

| Color | Resultados de los giros |
|-------|------------------------|
| Rojo | ⊞⊞ IIII |
| Azul | ⊞⊞ II |
| Verde | ⊞⊞ ⊞⊞ IIII |

**C**

| Color | Resultados de los giros |
|-------|------------------------|
| Rojo | ⊞⊞ |
| Azul | ⊞⊞ ⊞⊞ |
| Verde | ⊞⊞ ⊞⊞ ⊞⊞ |

**B**

| Color | Resultados de los giros |
|-------|------------------------|
| Rojo | ⊞⊞ ⊞⊞ |
| Azul | ⊞⊞ ⊞⊞ |
| Verde | ⊞⊞ ⊞⊞ |

**D**

| Color | Resultados de los giros |
|-------|------------------------|
| Rojo | ⊞⊞ II |
| Azul | ⊞⊞ ⊞⊞ ⊞⊞ |
| Verde | ⊞⊞ III |

En los Ejercicios **22** y **23,** usa la tabla que muestra el número de clips de cada color que hay en una caja. Supongamos que Mary saca de la caja un clip sin mirar.

**22.** ¿Qué colores Mary tiene igual probabilidad de sacar?

**F** Verde y rojo    **H** Verde y azul

**G** Rojo y azul    **J** Rojo y amarillo

**23.** ¿Cuál de los cuatro colores es el que Mary tiene menos probabilidades de escoger?

| Colores de los clips | |
|--------|-----------------|
| Color | Número en la caja |
| Verde | 27 |
| Rojo | 38 |
| Amarillo | 21 |
| Azul | 27 |

**Resolución de problemas**

# Usar tablas y gráficas para sacar conclusiones

**TEKS 3.14C:** Seleccionar o desarrollar un plan o una estrategia de resolución de problemas apropiado, en el que haga un dibujo, busque un patrón, adivine y compruebe sistemáticamente, haga una dramatización, elabore una tabla, resuelva un problema más sencillo o trabaje desde el final hasta el principio para resolver un problema.

La tabla de conteo muestra datos sobre los pasatiempos favoritos de dos clases de Grado 3. Compara los pasatiempos de las dos clases.

**Datos**

| Pasatiempos favoritos | | | | |
|---|---|---|---|---|
| | Clase A | | Clase B | |
| **Pasatiempo** | **Conteo** | **Número** | **Conteo** | **Número** |
| Construir modelos | ||| | 3 | ⊪ | 5 |
| Dibujar | ⊪ ⊪ || | 12 | ⊪|| | 7 |
| Coleccionar piedras | |||| | 4 | |||| | 4 |
| Leer | ⊪| | 6 | ⊪ |||| | 9 |

## Práctica guiada*

### ¿CÓMO hacerlo?

**Datos**

| Millas del club de ciclistas | | | | |
|---|---|---|---|---|
| **Miembro** | Victor | Rosita | Gary | Hal |
| **Número de millas** | 20 | 35 | 30 | 20 |

**1.** ¿Qué miembro del club recorrió exactamente 10 millas más que Hal?

**2.** ¿Quién recorrió exactamente la misma distancia que Hal?

### ¿Lo ENTIENDES?

**3.** ¿Cómo te pueden ayudar las barras de una gráfica para comparar datos?

**4.** ¿Cuál es el pasatiempo preferido de la Clase A? ¿Y de la Clase B?

**5. Escribir un problema** Usa la tabla de conteo o la gráfica de arriba o la tabla de la izquierda para escribir un problema de comparación. Luego resuelve el problema.

## Práctica independiente

En los Ejercicios **6** y **7**, usa la pictografía.

| Gran venta de camisetas | | |
|---|---|---|
| | **Tienda A** | **Tienda B** |
| **Azul** | 👕👕🦰 | 👕 |
| **Roja** | 👕👕 | 👕👕🦰 |
| **Verde** | 🦰 | 🦰 |

Cada 👕 = 10 camisetas. Cada 🦰 = 5 camisetas.

**6.** ¿Qué color se vendió más en cada tienda? ¿Qué color se vendió igual?

**7.** ¿Dónde se vendió con más frecuencia el azul?

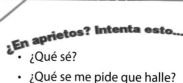

**¿En aprietos? Intenta esto...**

- ¿Qué sé?
- ¿Qué se me pide que halle?
- ¿Qué diagrama puedo usar como ayuda para entender el problema?
- ¿Puedo usar la suma, la resta, la multiplicación o la división?
- ¿Es correcto todo mi trabajo?
- ¿Respondí la pregunta que correspondía?
- ¿Es razonable mi respuesta?

*Puedes encontrar otro ejemplo en el Grupo C, página 449.*

Haz una gráfica de barras para cada clase.

**Pasatiempos preferidos de la Clase A**

**Pasatiempos preferidos de la Clase B**

Ahora lee las gráficas y haz las comparaciones.

- En la Clase B hay más estudiantes que prefieren construir modelos que en la Clase A.
- En las dos clases el mismo número de estudiantes prefiere coleccionar piedras.

En los Ejercicios **8** a **10,** usa la gráfica de barras de la derecha.

8. ¿Cuántas personas en total votaron por su tipo preferido de ejercicio?

9. ¿Cuántas personas más votaron por la gimnasia que por el atletismo?

10. **Escribe un problema** Escribe y resuelve un problema verbal diferente de los Ejercicios 8 y 9.

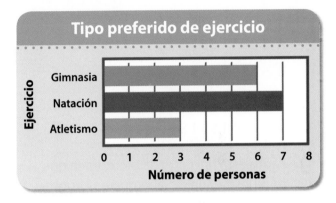

**Tipo preferido de ejercicio**

En los Ejercicios **11** a **13,** usa la tabla de conteo.

11. Haz una gráfica para mostrar los datos. Escoge una pictografía o una gráfica de barras.

12. ¿Quién leyó exactamente 10 libros más que Sandra?

**Libros leídos por los miembros del Club de Lectores**

| Miembro | Número de libros leídos |
|---|---|
| Daryl | 卌 卌 卌 III |
| Alice | 卌 卌 卌 I |
| Sandra | 卌 III |
| Helmer | 卌 卌 IIII |

13. Escribe el nombre de los miembros, ordenados desde el que lee más libros hasta el que lee menos libros.

15. **Escribir para explicar** ¿Qué tipo de comparación puedes hacer cuando miras una gráfica de barras o una pictografía?

14. **Enfoque en la estrategia** Resuelve. Usa la estrategia "Hacer una tabla". En el mercado de frutas y verduras, Matt regala 2 manzanas por cada 6 manzanas que compras. Si compras 24 manzanas, ¿cuántas manzanas gratis recibirás?

**1.** Trudy respondió una encuesta e hizo la tabla de conteo de abajo. ¿Cuál es la serie de datos que muestra la tabla de conteo? (20-1)

| Datos | Primera inicial | |
|---|---|---|
| | **Inicial** | **Conteo** |
| | J | II |
| | S | III |
| | T | IIII |

**A** T S J T T S J

**B** S T T J S J T S

**C** B S J T T J T S

**D** T S J T T S J T S

**2.** Pedro está haciendo la pictografía que se muestra abajo. Sabe que en Uruguay hay 50 personas por milla cuadrada.

| Personas por milla cuadrada | |
|---|---|
| Chad | 👤👤 |
| Estados Unidos | 👤👤👤👤👤👤👤 |
| Uruguay | |

Cada 👤 = 10 personas

¿Cuántos símbolos debería dibujar Pedro para Uruguay? (20-3)

**F** 5

**G** 10

**H** 25

**J** 50

Usa la tabla de conteo de abajo para los Ejercicios **3** a **5**. Supón que tienes que hacer una gráfica de barras para mostrar los siguientes datos.

| Datos | Planeta favorito | |
|---|---|---|
| | **Planeta** | **Conteo** |
| | Marte | ЖIII |
| | Saturno | ЖI |
| | Venus | ЖIIII |
| | Júpiter | IIII |

**3.** ¿Cuántas barras tendrás que dibujar en la gráfica? (12-4)

**A** 3

**B** 4

**C** 2

**D** 5

**4.** ¿Qué planeta de la gráfica tendrá la barra más alta? (12-4)

**F** Marte

**G** Saturno

**H** Venus

**J** Júpiter

**5.** Supón que cada marca de conteo representa 1 voto en una papeleta de votación. Si sacas 1 papeleta sin mirar, ¿qué planeta es menos probable que salga? (12-5)

**A** Júpiter

**B** Venus

**C** Saturno

**D** Marte

**6.** ¿Qué enunciado sobre los datos de las gráficas es verdadero? (20-6)

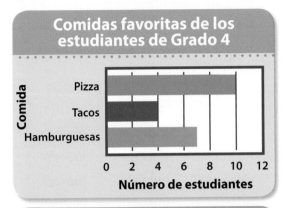

Comidas favoritas de los estudiantes de Grado 4

Comidas favoritas de los estudiantes de Grado 5

**F** La pizza es la favorita en los dos grados.

**G** Al mismo número de estudiantes de ambos grados le gustan los tacos.

**H** Les gustan las hamburguesas a más estudiantes de Grado 4 que de Grado 5.

**J** La pizza le gusta a un mayor número de estudiantes de Grado 4 que de Grado 5.

**7.** En el estanque de una feria hay 15 peces rojos, 9 peces azules, 10 peces amarillos y 5 peces anaranjados. Si Tammy engancha un pez sin mirar, ¿qué color es más probable que saque? (20-5)

**A** Azul

**B** Anaranjado

**C** Rojo

**D** Amarillo

**8.** Todos los miembros de la clase de la Sra. Lin votaron en una papeleta a favor de la ciudad que más les gustaría visitar. Al final hubo 6 votos para Orlando, 8 para Dallas, 6 para Nueva York y 4 para Chicago. Si la Sra. Lin saca una papeleta sin mirar, ¿cuáles son las dos ciudades que tienen la misma probabilidad de salir? (20-5)

**F** Dallas y Chicago

**G** Orlando y Nueva York

**H** Dallas y Nueva York

**J** Orlando y Dallas

La Srta. Ortiz les pidió a sus estudiantes que respondieran a una encuesta sobre su parque nacional favorito. Los resultados se muestran en la siguiente pictografía. Usa la pictografía para los Ejercicios **9** y **10**.

Parques nacionales favoritos

Cada 🌲 = 2 estudiantes.

**9. Respuesta en plantilla** ¿Cuántos estudiantes eligieron Yellowstone como parque favorito? (20-2)

**10. Respuesta en plantilla** ¿Cuántos estudiantes en total respondieron la encuesta? (20-2)

**Grupo A**, páginas 430 y 431

¿Cuál es la estación favorita de estos estudiantes?

## Estación favorita

| | | | |
|---|---|---|---|
| verano | primavera | otoño | verano |
| primavera | verano | invierno | otoño |
| verano | primavera | invierno | verano |

Haz una tabla de conteo.

Escoge un título y un nombre para las columnas.

**Datos**

### Estación favorita

| Estación | Conteo | Número |
|---|---|---|
| otoño | ‖ | 2 |
| primavera | ‖‖ | 3 |
| verano | 卌 | 5 |
| invierno | ‖ | 2 |

Haz una marca de conteo para cada respuesta que dieron los estudiantes.

Cuenta las marcas de conteo y anota el número. El verano obtuvo la mayor cantidad de votos.

**Recuerda** que debes comprobar tu trabajo. Asegúrate de que tus marcas de conteo concuerdan con los datos.

Para los Ejercicios **1** y **2,** usa los datos de la encuesta.

## Día escolar favorito

| | | |
|---|---|---|
| viernes | martes | viernes |
| miércoles | viernes | jueves |
| viernes | lunes | jueves |
| miércoles | jueves | viernes |

1. Haz una tabla de conteo para los datos.

2. ¿Cuántos estudiantes más escogieron el viernes en lugar del lunes como su día favorito?

**Grupo B**, páginas 432 a 434, 436 y 437

¿Cómo puedes hacer una pictografía?

**Datos**

| Nombre del equipo | Número de goles |
|---|---|
| Ases | 10 |
| Pumas | 15 |
| Tigres | 5 |

Estudia los números en los datos. Escoge una clave.

Cada ◇ representa 10 goles. Cada ◁ representa 5 goles.

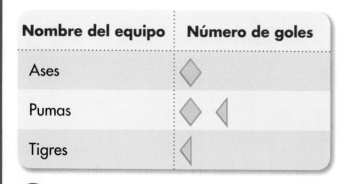

| Nombre del equipo | Número de goles |
|---|---|
| Ases | ◇ |
| Pumas | ◇ ◁ |
| Tigres | ◁ |

**Recuerda** que si un símbolo representa más de 1 artículo, la mitad del símbolo representa la mitad de artículos.

Usa la tabla de abajo.

**Datos**

### ¿Qué color te gusta más?

| Color | Número de votos |
|---|---|
| azul | 20 |
| verde | 10 |
| rojo | 15 |
| amarillo | 5 |

1. Escoge la clave y haz una pictografía para mostrar los datos.

**Grupo C**, páginas 438 y 439, 444 y 445

¿Cómo puedes hacer una gráfica de barras para ayudarte a sacar conclusiones?

| Mes | Cantidad ahorrada |
|---|---|
| Enero | $20 |
| Febrero | $35 |
| Marzo | $30 |
| Abril | $15 |

Usa los datos para escoger una escala.

Escoge 10 para la escala. Los números con un 5 en la posición de las unidades estarán en la mitad entre 2 líneas de la cuadrícula.

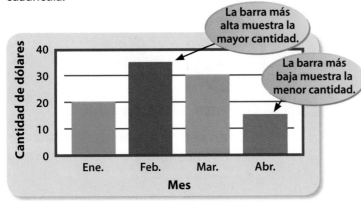

La barra más alta muestra la mayor cantidad.

La barra más baja muestra la menor cantidad.

**Recuerda** que puedes sacar conclusiones comparando la longitud de las barras.

Usa la tabla de abajo.

| Monedas de 1¢ ahorradas | | |
|---|---|---|
| Día | Conteo | Número |
| Lunes | 卌 卌 卌 卌 卌 | 25 |
| Martes | 卌 卌 卌 卌 | 20 |
| Miércoles | 卌 卌 卌 | 15 |
| Jueves | 卌 卌 | 10 |

1. Escoge una escala y haz una gráfica de barras para mostrar los datos.

2. Explica de qué manera la gráfica de barras muestra el día en que se ahorró el menor número de monedas de 1¢.

3. Supón que la barra para el viernes es tan larga como la barra para el martes. ¿Qué conclusión puedes sacar sobre cuántas monedas de 1¢ se ahorraron el viernes?

**Grupo D**, páginas 440 a 443

Si haces girar esta flecha giratoria, ¿cuál es el resultado probable? ¿el poco probable? ¿el imposible? ¿el seguro?

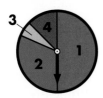

Es <u>probable</u> que saques un 1.

Es <u>poco probable</u> que saques un 3.

Es <u>imposible</u> que saques un 5.

Es <u>seguro</u> que sacarás un número o una línea.

**Recuerda** que estás decidiendo lo que probablemente ocurrirá.

Usa esta flecha giratoria para los Ejercicios **1** y **2**.

1. ¿Qué resultado es probable?

2. Qué resultado es poco probable?

## Números y operaciones

**1.** ¿Cuál es la forma en palabras de 260,417?

  **A** Doscientos sesenta mil seiscientos cuarenta y siete

  **B** Veintiséis mil cuatrocientos diecisiete

  **C** Doscientos sesenta mil cuatrocientos setenta

  **D** Doscientos sesenta mil cuatrocientos diecisiete

**2.** A las 12:00, llegaron 115 personas a la feria. A la 1:00, llegaron 207 personas más. A las 2:00, llegaron 138 personas más. ¿Qué opción describe cuántas personas llegaron de 12:00 a 2:00?

  **F** $115 + 207 =$ ▢

  **G** $115 + 138 =$ ▢

  **H** $115 + 207 + 138 =$ ▢

  **J** $115 + 200 + 138 =$ ▢

**3.** De las 316 cartas que envió Jack, 95 iban a Midtown y 173 iban a Riverton. El resto iba a otro estado. ¿Qué oración numérica muestra una forma de hallar el número de cartas que iba a otro estado?

  **A** $316 - 95 - 173 =$ ▢

  **B** $95 \times 173 - 316 =$ ▢

  **C** $95 \times 173 \div 316 =$ ▢

  **D** $316 + 95 \div 173 =$ ▢

**4. Escribir para explicar** Wilma ha cortado 2 naranjas en 8 pedazos cada una. Ella y 3 amigos comen 7 pedazos. Explica cómo hallar cuántos pedazos quedan.

## Geometría y medición

**5.** ¿Cuántas caras tiene un cubo?

  **F** 4      **G** 6      **H** 8      **J** 12

**6.** Carla leyó el termómetro que estaba al exterior de la ventana. ¿Cuál era la temperatura?

  **A** 54°F      **C** 51°F

  **B** 52°F      **D** 50°F

**7.** María escribió un informe en una tarde. Los relojes muestran la hora a la que comenzó y la hora a la que terminó.

**Comenzó**      **Terminó**

¿Cuánto tiempo en total pasó María haciendo el informe?

  **F** 1 hora

  **G** 1 hora 30 minutos

  **H** 2 horas

  **J** 2 horas 30 minutos

**8.** ¿Cuál es el área de la parte sombreada de la figura?

▨ =1 pie cuadrado

**9. Escribir para explicar** Explica por qué 1 galón no es una buena estimación para la capacidad de un envase de jugo. ¿Aproximadamente cuál es la capacidad de un envase?

## Probabilidad y estadística

Para los Ejercicios **10** y **11,** usa la siguiente gráfica de barras de Eduardo.

**10.** ¿Qué debe hacer Eduardo para terminar la gráfica?

   **A** Dibujar una barra para andar en bicicleta

   **B** Dibujar una barra para nadar

   **C** Rotular la barra que muestra 15

   **D** Escribir números en la escala

**11.** ¿Qué actividad tuvo más votos?

   **F** Andar en bicicleta

   **G** Saltar cuerda

   **H** Hacer deportes

   **J** Nadar

**12.** Ana está haciendo una pictografía titulada "Visitantes a la exposición de arte". Sabe que en la Semana 3 hubo 50 visitantes. ¿Cuántos símbolos deberá dibujar para la Semana 3 si cada símbolo representa 10 visitantes?

**13. Escribir para explicar** Dibuja una rueda con flecha giratoria que concuerde con los siguientes resultados: azul ⊪; rojo ⊪ ⊪ ⊪. Explica cómo decidiste qué parte debía ser más grande.

## Razonamiento algebraico

**14.** Carmen está contando las esquinas de los triángulos en grupos de 3. ¿Qué lista contiene los números que puede haber obtenido?

   **A** 3, 6, 18, 29     **C** 6, 9, 12, 15

   **B** 3, 12, 24, 35   **D** 12, 18, 21, 26

**15.** La tabla muestra cuántas sillas hay por cada número de mesas.

| Número de mesas | 1 | 2 | 3 | 4 |
|---|---|---|---|---|
| Número de sillas | 4 | 8 | 12 | 16 |

¿Qué opción describe el patrón?

   **F** Multiplica el número de mesas por 4

   **G** Multiplica el número de mesas por 2

   **H** Suma 4 al número de mesas

   **J** Suma 3 al número de mesas

**16.** Copia y completa. Escribe $<, >,$ o $=$.
$27 \times 3 \bigcirc 21 \div 3$

**17.** Copia y completa. Escribe el número que haga verdadera la oración numérica.
$12 \times 7 = \blacksquare \times 12$

**18. Escribir para explicar** Ned y Luis gastaron la misma cantidad. Ned compró dos corbatas por $3 cada una. Luego compró un gorro. Luis compró un gorro por $6 y dos corbatas por $3 cada una. ¿Cuánto costó el gorro de Ned? Explica.

Un paso **adelante** hacia el **Grado** 4

**TEKS 4.1B:** Utilizar el valor de posición para leer, escribir, comparar y ordenar decimales usando los décimos y centésimos, incluyendo el dinero, con objetos concretos y modelos pictóricos.

# Valor de posición decimal

**¿Cuáles son algunas maneras de representar los decimales?**

Una ardilla puede pesar 1.64 libras. Hay maneras diferentes de representar 1.64.

1.64 libras

## Práctica guiada

### ¿CÓMO hacerlo?

En los Ejercicios **1** y **2,** escribe la forma desarrollada de cada número.

**1.** 4.52

**2.** 2.39

En los Ejercicios **3** y **4,** dibuja y sombrea una cuadrícula para cada número. Luego, escribe cada número en palabras.

**3.** 2.07

**4.** 1.63

### ¿Lo ENTIENDES?

**5.** En el Ejercicio 1, ¿qué dígito está en el lugar de las décimas? ¿Y en el lugar de las centésimas?

**6.** Hacia el final de un partido de básquetbol, quedan 5.81 segundos en el reloj. ¿Cómo diría este número el árbitro?

 *Cuando leas un número o lo escribas en palabras, reemplaza el punto decimal por la palabra "y".*

## Práctica independiente

En los Ejercicios **7** a **9,** escribe el decimal para cada parte sombreada.

**7.**

**8.**

**9.**

En los Ejercicios **10** a **12,** escribe el número en forma estándar.

**10.** ocho y veintinueve centésimas

**11.** $9 + 0.4 + 0.08$

**12.** $3 + 0.01$

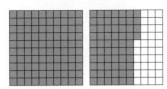

Usa un modelo decimal.

Usa un modelo de valor de posición.

unidades · décimas · centésimas

| 1 | . | 6 | 4 |

**Forma desarrollada:** 1 + 0.6 + 0.04
**Forma estándar:**       1.64
**En palabras:**          una y sesenta y cuatro centésimas

**Forma desarrollada:** 1 + 0.6 + 0.04
**Forma estándar:**       1.64
**En palabras:**          una y sesenta y cuatro centésimas

En los Ejercicios **13** a **17,** escribe los números en palabras y da el valor del dígito en rojo de cada uno.

**13.** 3.21     **14.** 7.58     **15.** 41.89     **16.** 8.03     **17.** 17.45

En los Ejercicios **18** a **22,** escribe cada número en forma desarrollada.

**18.** 6.74     **19.** 17.99     **20.** 4.05     **21.** 0.23     **22.** 45.1

**TAKS Resolución de problemas**

**23. Razonamiento** Escribe un número que tenga un 3 en el lugar de las decenas y un 7 en el lugar de las centésimas.

**24.** La señora Frank tiene 6 galones de combustible en su carro. El tanque de combustible de su carro tiene una capacidad de 15 galones. Para llenar el tanque, ¿necesitará la señora Frank más o menos de 10 galones?

**25.** Luz escribió esta cantidad: tres dólares y cuatro centavos.

   **a** ¿Cuál es la forma decimal en palabras de esta cantidad?

   **b** ¿Cuál es el número decimal?

**26. Sentido numérico** Escribe tres números entre 6.1 y 6.2.

 *Usa las cuadrículas de centésimas o dinero como ayuda.*

**27. Escribir para explicar** Con el siguiente modelo decimal, explica por qué 0.07 es menor que 0.1.

**28.** ¿Cuál es el valor del 8 en 29.83?

   **A** Ocho centésimas

   **B** Ocho décimas

   **C** Ochenta y tres centésimas

   **D** Ocho

moneda de 1¢
de 1982
0.11 oz

moneda de 1¢
de 2006
0.09 oz

**TEKS 4.1B** Utilzar el
valor de posición para
leer, escribir, comparar
y ordenar decimales
usando los décimos y
centésimos, incluyendo
el dinero, con objetos
concretos y modelos
pictóricos.

# Comparar y ordenar números decimales

## ¿Cómo comparas números decimales?

Una moneda de 1¢ hecha en 1982 pesa aproximadamente 0.11 onzas. Una moneda de 1¢ hecha en 2006 pesa aproximadamente 0.09 onzas. ¿Qué moneda de 1¢ pesa más, una de 1982 o una de 2006?

---

**Otro ejemplo** ¿Cómo ordenas números decimales?

Patrick tiene en el bolsillo una moneda de 1¢ de 1982, una moneda de 1¢ de 2006 y una moneda de 10¢. Ordena las monedas por su peso de menor a mayor.

Moneda de 10¢
0.1 oz

Primero compara el lugar de las décimas.

0.11

0.09

0.10

El número menor es 0.09 porque tiene 0 en el lugar de las décimas.

Compara los números restantes. Primero compara las décimas. Los dos números decimales tienen un 1 en el lugar de las décimas.

0.10

0.11

Compara los lugares de las centésimas.

0.10

0.11

1 > 0; por tanto, el decimal mayor es 0.11.

El orden de menor a mayor es 0.09, 0.10, 0.11.

### Explícalo

**1.** Ordena los números anteriores de mayor a menor.

**2.** ¿Qué lugar utilizaste para comparar 0.10 y 0.11?

<table>
<tr><td>

## Una manera

Usa cuadrículas de centésimos.

11 centésimos    >    9 centésimos

0.11   >   0.09

</td><td>

## Otra manera

Usa el valor de posición.

Empieza por la izquierda. Busca la primera posición donde los dígitos son diferentes.

0.11    0.09

1 décima > 0 décimas

0.11 > 0.09

Una moneda de 1¢ hecha en 1982 pesa más que una moneda de 1¢ hecha en 2006.

</td></tr>
</table>

# Práctica guiada

## ¿CÓMO hacerlo?

En los Ejercicios **1** y **2**, escribe >, < o = en cada ◯. Usa las cuadrículas como ayuda.

**1.** 0.3 ◯ 0.23      **2.** 0.96 ◯ 1.02

En los Ejercicios **3** y **4**, ordena los números de menor a mayor.

**3.** 0.91, 0.85, 0.9      **4.** 2.1, 2.11, 2.01

## ¿Lo ENTIENDES?

**5.** María le dijo a Patrick que su moneda de 25¢ pesa menos que una moneda de 5¢ porque 0.2 tiene menos dígitos que 0.18. ¿Cómo puede Patrick mostrarle a María que 0.2 es más grande que 0.18?

Moneda de 25¢ 0.2 oz      Moneda de 5¢ 0.18 oz

# Práctica independiente

En los Ejercicios **6** a **9**, compara. Escribe >, < o = en cada ◯.
Usa las cuadrículas como ayuda.

**6.** 0.07 ◯ 0.7      **7.** 0.42 ◯ 0.37      **8.** 6.01 ◯ 5.99      **9.** 4.1 ◯ 4.10

En los Ejercicios **10** a **12**, ordena los números de menor a mayor.

**10.** 5.3, 5.32, 5.23      **11.** 0.13, 0.14, 0.32      **12.** 0.84, 3.64, 1.74

**13. Sentido numérico** Una bolsa de 250 monedas de 5¢ pesa 2.75 libras. Una bolsa de 100 monedas de 50¢ pesa 2.5 libras. ¿Qué bolsa pesa más?

**14. Escribir para explicar** Evan dijo que los números 8.57, 8.56, 7.23 y 7.32 estaban en orden de mayor a menor. ¿Está en lo cierto?

**Un paso adelante**

**Lección**

**3**

**TEKS 4.4A:** Dar ejemplos de factores y productos utilizando matrices y modelos de área.

# Descomponer matrices

**Manos a la obra**
bloques de valor de posición

## ¿Cómo usas las matrices para hallar productos?

Una muestra de botellas de champú tiene 4 filas. Cada fila puede contener 23 botellas. Cada botella de champú se vende por $6. ¿Cuántas botellas de champú puede contener la muestra?

**Escoge una operación** Multiplica para hallar el total de una matriz.

4 filas

---

## Práctica guiada

### ¿CÓMO hacerlo?

En los Ejercicios **1** a **6,** usa bloques de valor de posición para representar una matriz. Halla los productos parciales y el producto.

**1.** $3 \times 21 = $ ▢

**2.** $2 \times 13 = $ ▢

**3.** $6 \times 25 = $ ▢

**4.** $4 \times 22 = $ ▢

**5.** $2 \times 29 = $ ▢

**6.** $3 \times 17 = $ ▢

### ¿Lo ENTIENDES?

**7.** En el ejemplo anterior, ¿cuáles son las dos oraciones numéricas que dan los productos parciales?

**8.** En el ejemplo anterior, ¿cuánto pagarías para comprar una fila de estas botellas de champú?

---

## Práctica independiente

**Práctica al nivel** En los Ejercicios **9** a **21,** usa bloques de valor de posición o haz un dibujo para mostrar cada matriz. Halla los productos parciales y el producto.

 *Puedes trazar rectas para mostrar las decenas y X para mostrar las unidades. Este dibujo muestra 2 × 28.*

_____ _____ x x x x x x x x
_____ _____ x x x x x x x x

**9.** $2 \times 24 = $ ▢    Halla los productos parciales: $2 \times 20 = $ ▢    $2 \times 4 = $ ▢
Suma los productos parciales para hallar el producto: $2 \times 24 = $ ▢

**10.** $2 \times 33 = $ ▢

**11.** $4 \times 27 = $ ▢

**12.** $5 \times 23 = $ ▢

**13.** $5 \times 19 = $ ▢

**14.** $7 \times 17 = $ ▢

**15.** $3 \times 26 = $ ▢

**16.** $5 \times 25 = $ ▢

**17.** $3 \times 22 = $ ▢

**18.** $3 \times 14 = $ ▢

**19.** $2 \times 28 = $ ▢

**20.** $4 \times 23 = $ ▢

**21.** $6 \times 19 = $ ▢

DIGITAL eTools, Glosario animado
**www.pearsonsuccessnet.com**

Forma una matriz de $4 \times 23$.
Descomponla en decenas y en unidades.
Halla cuántas hay en cada parte.

$$4 \times 20 = 80 \qquad 4 \times 3 = 12$$

Suma cada parte para obtener el producto.

$$4 \times 20 = 80 \qquad\qquad 4 \times 3 = 12$$
$$80 + 12 = 92$$

**80** y **12** se llaman productos parciales porque son partes del producto.

La muestra puede tener 92 botellas.

---

⭐**TAKS** Resolución de problemas

**22. Álgebra** Busca patrones en la tabla. Copia y completa.

| x |   | 2 | 3 | 4 |   | 6 |
|---|---|---|---|---|---|---|
| y | 20 | 40 | ? | 80 | 100 |   |

**23. Geometría** ¿Cuántas baldosas de 1 pie por 1 pie se necesitan para cubrir un piso rectangular que mide 7 baldosas de un lado y 25 baldosas del otro lado?

◉jo *Haz una matriz.*

**24.** Los puntajes de gimnasia de Paul de los primeros tres certámenes aparecen en la siguiente tabla. Necesita un total de 32 puntos para calificar para el encuentro estatal.

**a** Si su puntaje total fue de 33 puntos, ¿cuál fue su puntaje en la rutina del "caballo"?

**b** El tiempo total (en segundos) de su rutina en las "barras" fue 13 veces los puntos que ganó. ¿Cuál fue su tiempo total en esa rutina?

| Puntaje de gimnasia de Paul ||
|---|---|
| Salto | 8 |
| Barras | 8 |
| Pista | 7 |
| Caballo | |
| Total | |

**25.** Cada cabina de la rueda del *London Eye* puede llevar hasta 25 pasajeros. ¿Cuántos pasajeros pueden llevar 6 cabinas?

**A** 150 pasajeros

**B** 175 pasajeros

**C** 200 pasajeros

**D** 225 pasajeros

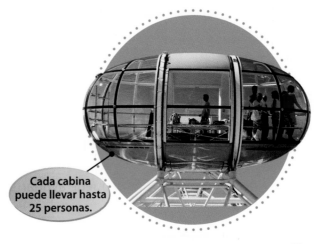

Cada cabina puede llevar hasta 25 personas.

**TEKS 4.4A:** Dar ejemplos de factores y productos utilizando matrices y modelos de área.

# Usar un algoritmo desarrollado

## ¿Cómo escribes una multiplicación?

Una tienda encargó 2 cajas de videojuegos. ¿Cuántos juegos encargó la tienda?

**Escoge una operación** Multiplica para unir grupos iguales.

Cada caja contiene 16 videojuegos.

**Otro ejemplo** ¿Cómo escribes una multiplicación cuando el producto tiene tres dígitos?

Gene jugó con su videojuego nuevo 23 veces cada día durante 5 días. ¿Cuántas veces jugó con el videojuego en 5 días?

**A** 18

**B** 28

**C** 115

**D** 145

**Escoge una operación** Puesto que se han unido 5 grupos iguales de 23, multiplicarás. Halla $5 \times 23$.

**Lo que muestras**

**Lo que escribes**

$$\begin{array}{r} 23 \\ \times\ \ 5 \\ \hline 15 \\ +\ 100 \\ \hline 115 \end{array}$$

Gene jugó con su videojuego 115 veces en 5 días. La opción correcta es la **C**.

**Explícalo**

1. Explica cómo se hallaron los productos parciales, 15 y 100, en el trabajo de arriba.

2. **¿Es razonable?** ¿Cómo puede ayudarte una estimación a eliminar las opciones anteriores?

Forma una matriz que muestre 2 × 16.

$$2 \times 10 = 20 \qquad 2 \times 6 = 12$$

$$20 + 12 = \mathbf{32}$$

## Lo que escribes

Ésta es una manera de escribir una multiplicación.

$$
\begin{array}{r}
16 \\
\times \quad 2 \\
\hline
12 \quad \leftarrow \text{Productos} \\
+ \quad 20 \quad \leftarrow \text{parciales} \\
\hline
32
\end{array}
$$

La tienda encargó 32 videojuegos.

---

# Práctica guiada

## ¿CÓMO hacerlo?

En los Ejercicios **1** y **2,** usa bloques de valor de posición o haz dibujos para representar cada matriz. Copia el cálculo y complétalo.

**1.** $2 \times 32 = $ ⬜

$$
\begin{array}{r}
32 \\
\times \quad 2 \\
\hline
\phantom{00} \\
+ \phantom{00} \\
\hline
\end{array}
$$

**2.** $3 \times 16 = $ ⬜

$$
\begin{array}{r}
16 \\
\times \quad 3 \\
\hline
\phantom{00} \\
+ \phantom{00} \\
\hline
\end{array}
$$

## ¿Lo ENTIENDES?

Usa la matriz y el cálculo del Ejercicio 3.

$$
\begin{array}{r}
14 \\
\times \quad 3 \\
\hline
12 \\
+ \quad 30 \\
\hline
42
\end{array}
$$

**3.** ¿Qué cálculo se usó para obtener el producto parcial 12? ¿Y 30? ¿Cuál es el producto de $3 \times 14$?

---

# Práctica independiente

**Práctica al nivel** En los Ejercicios **4** a **8,** copia el cálculo y complétalo. Haz un dibujo como ayuda.

**4.**
$$
\begin{array}{r}
24 \\
\times \quad 5 \\
\hline
\phantom{00} \\
+ \phantom{000} \\
\hline
\end{array}
$$

**5.**
$$
\begin{array}{r}
18 \\
\times \quad 4 \\
\hline
\phantom{00} \\
+ \phantom{00} \\
\hline
\end{array}
$$

**6.**
$$
\begin{array}{r}
17 \\
\times \quad 2 \\
\hline
\phantom{00} \\
+ \phantom{00} \\
\hline
\end{array}
$$

**7.**
$$
\begin{array}{r}
21 \\
\times \quad 6 \\
\hline
\phantom{00} \\
+ \phantom{000} \\
\hline
\end{array}
$$

**8.**
$$
\begin{array}{r}
28 \\
\times \quad 3 \\
\hline
\phantom{00} \\
+ \phantom{00} \\
\hline
\end{array}
$$

**9.** Las mesas grandes tienen 8 sillas y las mesas pequeñas tienen 4 sillas. ¿Cuántos estudiantes caben en 4 mesas grandes y en 6 mesas pequeñas si se ocupa cada asiento?

**10.** La longitud del lado de un cuadrado mide 12 pulgadas. ¿Cuál es el perímetro del cuadrado?

eTools
www.pearsonsuccessnet.com

**TEKS 4.4D:** Utilizar la multiplicación para resolver problemas (no más de dos dígitos multiplicados por dos dígitos y sin tecnología).

# Multiplicar números de 2 dígitos por números de 1 dígito

## ¿Cuál es la manera común de anotar la multiplicación?

¿Cuántas camisetas con la leyenda *y lo que quieres decir es…* hay en 3 cajas?

**Escoge una operación** Multiplica para unir grupos iguales.

| Leyenda de la camiseta | Número de camisetas por caja |
|---|---|
| CONFÍA EN MÍ | 30 camisetas |
| y lo que quieres decir es... | 26 camisetas |
| Es que soy la princesa | 24 camisetas |
| porque yo lo digo | 12 camisetas |

**Otro ejemplo** ¿Funciona con productos grandes la manera común de anotar una multiplicación?

La señora Stockton encargó 8 cajas de camisetas con la leyenda *Es que soy la princesa*. ¿Cuántas camisetas encargó?

**Escoge una operación** Puesto que estás uniendo 8 grupos de 24, multiplicarás. Halla $8 \times 24$.

**Paso 1** Multiplica las unidades. Reagrupa si es necesario.

$$\begin{array}{r} 3 \\ 24 \\ \times\ \ 8 \\ \hline 2 \end{array}$$

$8 \times 4 = 32$ unidades
*Reagrupa las 32 unidades en 3 decenas y 2 unidades*

**Paso 2** Multiplica las decenas. Suma las decenas adicionales.

$$\begin{array}{r} 3 \\ 24 \\ \times\ \ 8 \\ \hline 192 \end{array}$$

$8 \times 2$ decenas $= 16$ decenas
*16 decenas + 3 decenas = 19 decenas o 1 centena y 9 decenas*

La señora Stockton encargó 192 camisetas.

## Explícalo

1. **¿Es razonable?** ¿Cómo puedes decidir con una estimación que 192 es una respuesta razonable?

2. En el ejemplo de arriba, ¿$8 \times 2$ u $8 \times 20$? Explica.

Recuerda, una manera de multiplicar es hallar productos parciales.

$$\begin{array}{r} 26 \\ \times\quad 3 \\ \hline 18 \\ +\quad 60 \\ \hline 78 \end{array}$$ ← Productos parciales

A la derecha se muestra un modo abreviado para el método de los productos parciales.

Multiplica las unidades. Reagrupa si es necesario.

$$\begin{array}{r} ^1 \\ 26 \\ \times\quad 3 \\ \hline 8 \end{array}$$

Multiplica las decenas. Suma las decenas adicionales.

$$\begin{array}{r} ^1 \\ 26 \\ \times\quad 3 \\ \hline 78 \end{array}$$

Hay 78 camisetas en 3 cajas.

## Práctica guiada

### ¿CÓMO hacerlo?

Halla los productos. Estima para comprobar que son razonables.

**1.** $\begin{array}{r} 17 \\ \times\ 5 \\ \hline \end{array}$

**2.** $\begin{array}{r} 24 \\ \times\ 3 \\ \hline \end{array}$

**3.** $7 \times 34$

**4.** $4 \times 45$

### ¿Lo ENTIENDES?

**5.** Explica cómo estimarías la respuesta en el Ejercicio 3.

**6.** Carrie compró 8 cajas de camisetas con la leyenda *Porque yo lo digo*. ¿Cuántas camisetas compró Carrie?

## Práctica independiente

Halla los productos. Estima para comprobar que son razonables.

**7.** $\begin{array}{r} 13 \\ \times\ 6 \\ \hline \end{array}$

**8.** $\begin{array}{r} 16 \\ \times\ 7 \\ \hline \end{array}$

**9.** $\begin{array}{r} 74 \\ \times\ 5 \\ \hline \end{array}$

**10.** $\begin{array}{r} 39 \\ \times\ 8 \\ \hline \end{array}$

**11.** $4 \times 21$

**12.** $3 \times 52$

**13.** $2 \times 69$

**14.** $9 \times 42$

En los Ejercicios **15** y **16,** usa la tabla de la derecha.

**15.** En promedio, ¿cuánto crecerán las uñas durante un año?

**F** 60 mm    **H** 40 mm

**G** 50 mm    **J** 5 mm

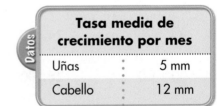

| Tasa media de crecimiento por mes | |
| --- | --- |
| Uñas | 5 mm |
| Cabello | 12 mm |

**16.** ¿Cuánto más que las uñas crecerá el cabello en un año?

**TEKS 4.6B:** Utilizar patrones para multiplicar por 10 y por 100.

# Usar el cálculo mental para multiplicar números de 2 dígitos

### ¿Cómo puedes multiplicar por múltiplos de 10 y de 100?

¿Cuántos adultos menores de 65 años visitan el parque de diversiones Sunny Day en 10 días? ¿Cuántos niños visitan el parque en 100 días? ¿Cuántos adultos de 65 años y más visitan el parque en 200 días?

Promedio de visitantes al día

Adultos menores de 65 años: **400**

Adultos de 65 años y más: **50**

Niños: **800**

---

## Práctica guiada

### ¿CÓMO hacerlo?

En los Ejercicios **1** a **8**, usa operaciones básicas y patrones para hallar el producto.

1. $60 \times 100$
2. $10 \times 1,000$
3. $100 \times 25$
4. $60 \times 400$
5. $40 \times 40$
6. $20 \times 100$
7. $200 \times 50$
8. $50 \times 600$

### ¿Lo ENTIENDES?

9. Cuando multiplicas $60 \times 500$, ¿cuántos ceros hay en el producto?

10. Cuando hace frío, van menos personas al parque de diversiones Sunny Day. Noviembre tiene 30 días. Si el parque vendiera 300 entradas cada día de noviembre, ¿cuántas venderían para todo el mes?

---

## Práctica independiente

En los Ejercicios **11** a **34**, usa cálculo mental para multiplicar.

11. $20 \times 10$
12. $100 \times 30$
13. $60 \times 10$
14. $70 \times 40$

15. $30 \times 1,000$
16. $80 \times 900$
17. $20 \times 20$
18. $30 \times 500$

19. $90 \times 40$
20. $20 \times 50$
21. $400 \times 40$
22. $10 \times 90$

23. $70 \times 80$
24. $30 \times 800$
25. $80 \times 500$
26. $300 \times 70$

27. $500 \times 60$
28. $90 \times 300$
29. $40 \times 25$
30. $30 \times 200$

31. $400 \times 10$
32. $800 \times 20$
33. $500 \times 40$
34. $90 \times 600$

## Adultos menores de 65 años en 10 días

Para multiplicar $400 \times 10$, usa un patrón.

$$4 \times 10 = 40$$
$$40 \times 10 = 400$$
$$400 \times 10 = 4,000$$

4,000 adultos menores de 65 años visitan el parque en 10 días.

## Niños en 100 días

El número de ceros del producto es el número total de ceros de ambos factores.

$$800 \times 100 = 80,000$$

∨    ∨    ∨∨
2 ceros   2 ceros   4 ceros

80,000 niños visitan el parque en 100 días.

## Adultos de 65 años y más en 200 días

Si el producto de una operación básica termina en cero, incluye ese cero en la cuenta.

$$5 \times 2 = 10$$
$$50 \times 200 = 10,000$$

10,000 adultos de 65 años y más visitan el parque en 200 días.

---

### TAKS Resolución de problemas

En los Ejercicios **35** y **36**, usa la tabla que está a la derecha.

**35.** ¿Cuál es la distancia total recorrida en un triatlón?

**36.** Susan ha terminado 10 triatlones. ¿Qué distancia corrió en las carreras?

| Partes de una competencia de triatlón olímpica | |
| --- | --- |
| Natación | 1,500 metros |
| Carrera | 10,000 metros |
| Ciclismo | 40,000 metros |

**37. Escribir para explicar** Explica por qué el producto de 50 y 600 tiene cuatro ceros, cuando 50 tiene un cero y 600 tiene dos ceros.

**38.** Lindsey tenía 4 monedas y dos billetes de un dólar para comprar un refrigerio en la escuela. Pagó $1.30 por su refrigerio. Le quedó exactamente un dólar. ¿Cómo pagó Lindsey por su refrigerio?

**39.** Por cada 30 minutos de transmisión televisiva, aproximadamente 8 de esos minutos son para comerciales. Si se transmiten 60 minutos de televisión, ¿cuántos minutos de comerciales se pasarán?

   **A** 8 minutos      **C** 38 minutos

   **B** 16 minutos     **D** 60 minutos

**40.** El meteorólogo dijo que el año pasado la ciudad registró un total de 89 días lluviosos. ¿Cuántos días **NO** llovió? Indicación: Un año tiene 365 días.

## Un paso adelante
Lección
# 7

**TEKS 4.5B:** Utilizar estrategias que incluyen el redondeo y los números compatibles para estimar soluciones a problemas de multiplicación y división.

# Estimar productos

## ¿Cuáles son algunas de las formas de estimar?

En 1991 la NASA lanzó el Satélite de Investigación de la Atmósfera Superior (UARS, por su sigla en inglés). El satélite orbita la Tierra aproximadamente 105 veces por semana. Hay 52 semanas en un año.

¿Aproximadamente cuántas órbitas describe en un año?

Orbita la Tierra aproximadamente 105 veces por semana.

---

## Práctica guiada

### ¿CÓMO hacerlo?

En los Ejercicios **1** y **2**, usa el redondeo para estimar los productos.

**1.** $196 \times 43$      **2.** $177 \times 14$

En los Ejercicios **3** y **4**, usa números compatibles para estimar los productos.

**3.** $390 \times 26$      **4.** $15 \times 23$

### ¿Lo ENTIENDES?

**5. Escribir para explicar** En el ejemplo de arriba, ¿por qué las estimaciones no son iguales?

**6.** ¿Aproximadamente cuántas veces el UARS orbita la Tierra en 4 semanas?

---

## Práctica independiente

En los Ejercicios **7** a **30**, usa el redondeo o números compatibles para estimar los productos.

 *Puedes redondear uno, o ambos números para hacerlos compatibles.*

**7.** $33 \times 81$      **8.** $63 \times 85$      **9.** $32 \times 47$      **10.** $62 \times 59$

**11.** $41 \times 704$      **12.** $51 \times 19$      **13.** $26 \times 43$      **14.** $62 \times 204$

**15.** $63 \times 20$      **16.** $19 \times 73$      **17.** $12 \times 91$      **18.** $21 \times 29$

**19.** $69 \times 52$      **20.** $27 \times 42$      **21.** $347 \times 19$      **22.** $6 \times 109$

**23.** $604 \times 42$      **24.** $83 \times 52$      **25.** $69 \times 69$      **26.** $98 \times 38$

**27.** $216 \times 19$      **28.** $77 \times 18$      **29.** $55 \times 68$      **30.** $6 \times 85$

## Una manera

Usa el **redondeo** para estimar el número de órbitas por año.

**52 × 105**

↓ Redondea 105 a 100.

**52 × 100 = 5,200**

El UARS orbita la Tierra aproximadamente 5,200 veces por año.

## Otra manera

Usa **números compatibles** para estimar el número de órbitas por año.

Los números compatibles son fáciles de multiplicar.

**52 × 105**

↓ ↓ Cambia 52 por 55.

Cambia 105 por 110.

**55 × 100 = 5,500**

El UARS orbita la Tierra aproximadamente 5,500 veces por año.

---

### TAKS Resolución de problemas

**31.** El año pasado, la conductora de un camión de carga hizo 43 viajes. Si su viaje medio fue de 975 millas, ¿aproximadamente cuánta distancia recorrió en total?

**32.** En una misión, un astronauta estadounidense pasó más de 236 horas en el espacio. ¿Aproximadamente cuántos minutos pasó en el espacio?

**Ojo** *Hay 60 minutos en 1 hora.*

**33.** Estima para decidir cuál tiene un producto más grande, 48 × 32 ó 42 × 42. Explícalo.

**34.** La nave *Mars Orbiter* da una vuelta alrededor del planeta Marte cada 25 horas. ¿Aproximadamente cuántas horas tarda en describir 115 órbitas?

**35.** Usa el diagrama de abajo. En 1858, dos barcos conectaron por primera vez un cable de telégrafo a través del océano Atlántico. Un barco tendió 1,010 millas de cable. El otro barco tendió 1,016 millas de cable. Estima la longitud total del cable usado.

**36.** *Piensa en el proceso* En un partido de beisbol profesional se usan aproximadamente 57 pelotas. ¿Cuál es la mejor forma de estimar cuántas pelotas se usan en una temporada de 162 partidos?

**A** 6 × 100      **C** 60 × 1,000

**B** 60 × 160     **D** 100 × 200

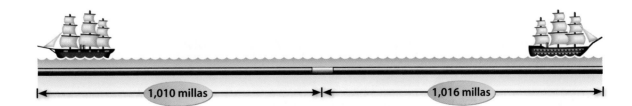

|← 1,010 millas →|← 1,016 millas →|

# Un paso adelante
## Lección
## 8

TEKS 4.4A: Dar ejemplos de factores y productos utilizando matrices y modelos de área.

# Matrices y un algoritmo desarrollado

Manos a la obra
papel cuadriculado

## ¿Cómo puedes multiplicar con una matriz?

Hay 13 perritos con cabeza movible en cada fila de un puesto de la feria. Hay 24 filas. ¿Cuántos perritos hay?

**Escoge una operación**
Multiplica para unir grupos iguales.

13 perritos por fila

---

**Otro ejemplo**    ¿De qué otra manera se pueden mostrar los productos parciales?

Hay 37 filas con 26 asientos alrededor de la pista de la exposición canina. ¿Cuántos asientos hay?

**Haz una estimación** $40 \times 25 = 1,000$

**Paso 1**    Dibuja una tabla. Separa cada factor en decenas y unidades. $(30 + 7) \times (20 + 6)$

|     | 30 | 7 |
|-----|-----|-----|
| 20  |     |     |
| 6   |     |     |

**Paso 2**    Multiplica para hallar los productos parciales.

|     | 30 | 7 |
|-----|-----|-----|
| 20  | 600 | 140 |
| 6   | 180 | 42 |

**Paso 3**    Suma los productos parciales para hallar el total.

$$
\begin{array}{r}
42 \\
180 \\
140 \\
+ \ 600 \\
\hline
962
\end{array}
$$

$26 \times 37 = 962$
Hay 962 asientos en la pista de la exposición canina.

## Explícalo

1. ¿En qué se parecen descomponer el problema $37 \times 26$ y resolver cuatro problemas sencillos?

2. **¿Es razonable?**  Explica por qué la respuesta 962 es razonable.

Halla 24 × 13.

Dibuja una matriz para 24 × 13.

Suma cada parte de la matriz para hallar el producto.

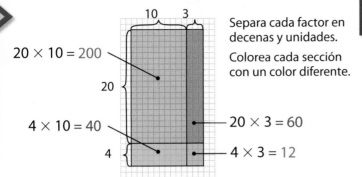

20 × 10 = 200

Separa cada factor en decenas y unidades.

Colorea cada sección con un color diferente.

4 × 10 = 40

20 × 3 = 60

4 × 3 = 12

Halla el número de cuadrados de cada rectángulo.

12
40
60
+ 200
————
312
⎫
⎬ productos
⎭ parciales

En el puesto hay 312 perritos con cabeza movible.

## Práctica guiada

### ¿CÓMO hacerlo?

En los Ejercicios **1** y **2**, copia y completa el cálculo hallando los productos parciales.

**1.** 26 × 17

|      | 20 | 6 |
|------|----|---|
| 10   |    |   |
| 7    |    |   |

**2.**    14
     × 18

### ¿Lo ENTIENDES?

**3.** En el ejemplo de arriba, ¿qué cuatro multiplicaciones más sencillas se usaron para hallar 24 × 13?

**4.** En la exposición canina, están reservadas las 2 primeras filas. ¿Cuántas personas se pueden sentar en las 35 filas restantes?

## Práctica independiente

En los Ejercicios **5** a **12**, copia y halla los productos parciales. Luego halla el total.

**5.** 35 × 18

|      | 30 | 5 |
|------|----|---|
| 10   |    |   |
| 8    |    |   |

**6.** 23 × 12

|      | 20 | 3 |
|------|----|---|
| 10   |    |   |
| 2    |    |   |

**7.** 48 × 21

|      | 40 | 8 |
|------|----|---|
| 20   |    |   |
| 1    |    |   |

**8.**    17
     × 11

**9.**    22
     × 31

**10.**    34
      × 12

**11.**    25
      × 14

**12.**    42
      × 13

**13. Escribir para explicar** ¿Por qué el producto de 16 × 43 es igual a la suma de 10 × 43 y 6 × 43?

**14.** El mástil de la alcaldía de la ciudad de Luis tiene 30 pies de altura. ¿Cuántas pulgadas de altura tiene el mástil?

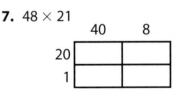

eTools
www.pearsonsuccessnet.com
DIGITAL

Un paso
adelante
Lección

9

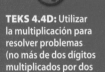

**TEKS 4.4D:** Utilizar la multiplicación para resolver problemas (no más de dos dígitos multiplicados por dos dígitos y sin tecnología).

# Multiplicar números de 2 dígitos y múltiplos de 10

28 rocas por equipo

## ¿Cómo puedes hallar el producto?

El señor Jeffrey compra 20 equipos para identificación de rocas para sus clases de ciencia. Si cada equipo tiene 28 rocas, ¿cuántas rocas hay en total?

### Escoge una operación

Multiplica para hallar el número de rocas.

## Práctica guiada

### ¿CÓMO hacerlo?

En los Ejercicios **1** a **6**, multiplica para hallar cada producto.

1.
$$\begin{array}{r} 16 \\ \times\ 20 \\ \hline 0 \end{array}$$

2.
$$\begin{array}{r} 21 \\ \times\ 30 \\ \hline 0 \end{array}$$

3. $35 \times 30$

4. $41 \times 20$

5. $27 \times 50$

6. $72 \times 40$

### ¿Lo ENTIENDES?

7. **Escribir para explicar** En el ejemplo anterior, ¿por qué hay un cero en el lugar de las unidades cuando multiplicas por 20?

8. ¿Qué problema de multiplicación más simple puedes resolver para hallar $38 \times 70$?

9. Todos los años, la escuela del señor Jeffrey pide 100 equipos de rocas. ¿Cuántas rocas hay en todos los equipos?

## Práctica independiente

**Práctica al nivel** En los Ejercicios **10** a **26**, multiplica para hallar cada producto.

10.
$$\begin{array}{r} 23 \\ \times\ 10 \\ \hline 0 \end{array}$$

11.
$$\begin{array}{r} 14 \\ \times\ 30 \\ \hline 0 \end{array}$$

12.
$$\begin{array}{r} 33 \\ \times\ 50 \\ \hline 0 \end{array}$$

13.
$$\begin{array}{r} 71 \\ \times\ 20 \\ \hline 0 \end{array}$$

14.
$$\begin{array}{r} 62 \\ \times\ 40 \\ \hline 0 \end{array}$$

15. $19 \times 10$

16. $20 \times 52$

17. $31 \times 30$

18. $40 \times 18$

19. $24 \times 80$

20. $23 \times 50$

21. $40 \times 72$

22. $85 \times 30$

23. $78 \times 40$

24. $21 \times 60$

25. $14 \times 50$

26. $70 \times 23$

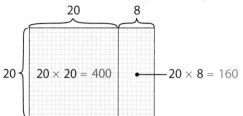

## Una manera

Halla 20 × 28.

Descompón 28 en decenas y unidades:
28 = 20 + 8.

Usa una cuadrícula para hallar los productos parciales.

20 { 20 × 20 = 400 •——— 20 × 8 = 160

Suma los productos parciales para hallar el total. 400 + 160 = 560

## Otra manera

Halla 20 × 28.

Multiplica 28 × 2 decenas.

```
  1
 28
× 20
────
560
```

Anota un 0 en el lugar de las unidades de la respuesta. Esto muestra cuántas decenas hay en la respuesta.

Hay 560 rocas en total.

### TAKS Resolución de problemas

**27. Sentido numérico** La clase de Ian crió ranas a partir de renacuajos. La clase tiene 31 estudiantes, y cada uno crió 8 renacuajos. Todos los renacuajos, excepto 6, llegaron a ser ranas. Escribe una oración numérica para mostrar cuántas ranas tiene la clase.

**28.** ¿Cuántos equipos de fósiles con 10 muestras cada uno tienen el mismo número de fósiles que 30 equipos con 8 muestras cada uno?

A   18 equipos de fósiles

B   24 equipos de fósiles

C   80 equipos de fósiles

D   240 equipos de fósiles

**29.** Una vuelta en el ferrocarril de cremallera del pico Pikes dura 75 minutos. Si la velocidad promedio del tren es de 100 pies por minuto, ¿qué longitud tiene el recorrido del ferrocarril del pico Pikes?

**30.** En los Estados Unidos, los estudiantes pasan 900 horas al año en la escuela. ¿Cuántas horas pasaría en la escuela un estudiante durante 6 años?

**31.** Una montaña rusa da 20 vueltas en una hora y alcanza velocidades de 70 millas por hora. Si en cada vuelta hay 8 filas de 4 personas, ¿cuántas personas dan vueltas cada hora?

A   32 personas

B   90 personas

C   640 personas

D   2,240 personas

8 filas de 4 personas

Un paso
adelante
Lección

**10**

TEKS 4.4E: Utilizar la
división para resolver
problemas (divisores de
no más de un dígito y
dividendos de tres dígitos
sin tecnología).

# Cálculo mental

## ¿Cómo usas patrones para dividir mentalmente?

El señor Díaz pidió una provisión de 320 crayones pastel. Necesita dividirlos equitativamente entre cuatro clases de arte. ¿Cuántos crayones pastel recibe cada clase?

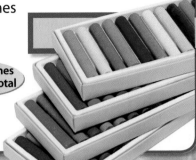

320 crayones pastel en total

### Escoge una operación

La división se usa para formar grupos iguales.

---

## Práctica guiada

### ¿CÓMO hacerlo?

En los Ejercicios **1** y **2,** usa patrones para hallar cada cociente.

**1.** $42 \div 7 = $ ▢

$420 \div 7 = $ ▢

$4,200 \div 7 = $ ▢

$42,000 \div 7 = $ ▢

**2.** $64 \div 8 = $ ▢

$640 \div 8 = $ ▢

$6,400 \div 8 = $ ▢

$64,000 \div 8 = $ ▢

### ¿Lo ENTIENDES?

**3.** ¿En qué se parecen dividir 320 por 4 y dividir 32 por 4?

**4.** José pide 240 carpetas y las divide por igual entre las 4 clases. ¿Cuántas carpetas recibirá cada clase? ¿Qué operación básica usaste?

---

## Práctica independiente

**Práctica al nivel** En los Ejercicios **5** a **8,** usa patrones para hallar cada cociente.

**5.** $27 \div 9 = $ ▢

$270 \div 9 = $ ▢

$2,700 \div 9 = $ ▢

$27,000 \div 9 = $ ▢

**6.** $10 \div 2 = $ ▢

$100 \div 2 = $ ▢

$1,000 \div 2 = $ ▢

$10,000 \div 2 = $ ▢

**7.** $35 \div 5 = $ ▢

$350 \div 5 = $ ▢

$3,500 \div 5 = $ ▢

$35,000 \div 5 = $ ▢

**8.** $24 \div 8 = $ ▢

$240 \div 8 = $ ▢

$2,400 \div 8 = $ ▢

$24,000 \div 8 = $ ▢

En los Ejercicios **9** a **23,** usa el cálculo mental para dividir.

**9.** $400 \div 5$

**10.** $360 \div 4$

**11.** $360 \div 9$

**12.** $160 \div 4$

**13.** $140 \div 2$

**14.** $900 \div 3$

**15.** $560 \div 8$

**16.** $360 \div 6$

**17.** $150 \div 3$

**18.** $210 \div 7$

**19.** $480 \div 8$

**20.** $500 \div 5$

**21.** $280 \div 7$

**22.** $630 \div 9$

**23.** $540 \div 6$

Halla 320 ÷ 4.

**320 crayones pastel**

| ? | ? | ? | ? |
|---|---|---|---|

↑
**crayones pastel para cada clase**

La operación básica es 32 ÷ 4 = 8.

32 decenas ÷ 4 = 8 decenas u 80.
320 ÷ 4 = 80

Cada clase recibirá 80 crayones pastel.

El señor Díaz quiere dividir
400 borradores entre 8 clases.
¿Cuántos borradores recibirá cada clase?
Halla 400 ÷ 8.

La operación básica es 40 ÷ 8.

40 decenas ÷ 8 = 5 decenas o 50.
400 ÷ 8 = 50

Cada clase recibirá 50 borradores.

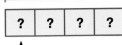

**TAKS Resolución de problemas**

**24. Sentido numérico** Matt usó una operación básica para resolver 480 ÷ 6. ¿Qué operación básica usó Matt?

**25.** Un año tiene 52 semanas. ¿A cuántos años equivalen 520 semanas?

**26.** En la North American Solar Challenge, los equipos usan para una carrera hasta 1,000 celdas solares para diseñar y construir carros propulsados por energía solar. Si hay 720 celdas solares en filas de 9, ¿cuántas celdas solares hay en cada fila?

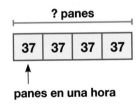

9 filas de celdas solares

**27.** Una panadería produjo 37 panes en una hora. ¿Cuántos panes se produjeron en 4 horas?

**? panes**

| 37 | 37 | 37 | 37 |
|----|----|----|----|

↑
**panes en una hora**

**28.** El viernes por la noche, 350 personas asistieron a una obra de teatro. El número de asientos se ordenó en 7 filas iguales. ¿Cuántas personas había en cada fila? ¿Cómo lo sabes?

**350 personas**

| ? | ? | ? | ? | ? | ? | ? |
|---|---|---|---|---|---|---|

↑
**personas en cada fila**

**29.** Cada fila de asientos de un estadio tiene 45 sillas. Si las 2 primeras filas están ocupadas, ¿cuántas personas hay en esas 2 filas?

**A** 47 personas    **C** 90 personas

**B** 80 personas    **D** 810 personas

**30. Escribir para explicar** Si sabes que 30 ÷ 6 = 5, ¿cómo te ayuda esa operación a hallar 300 ÷ 6?

**TEKS 4.5B:** Utilizar estrategias que incluyen el redondeo y los números compatibles para estimar soluciones a problemas de multiplicación y división.

# Estimar cocientes

## ¿Cuándo y cómo estimas cocientes para resolver problemas?

Max quiere hacer 9 pelotas de ligas. Compró un frasco de 700 ligas. ¿Aproximadamente cuántas ligas puede usar para cada pelota?

700 ligas

---

## Práctica guiada

### ¿CÓMO hacerlo?

En los Ejercicios **1** a **6,** estima los cocientes. Usa el redondeo o números compatibles.

**1.** 51 ÷ 5

**2.** 235 ÷ 8

**3.** 485 ÷ 6

**4.** 192 ÷ 5

**5.** 662 ÷ 8

**6.** 89 ÷ 3

### ¿Lo ENTIENDES?

**7. Escribir para explicar** En el Ejercicio 4, ¿a qué número debes ajustar 192? ¿Por qué?

**8. ¿Es razonable?** Max decide usar las 700 ligas para hacer 8 pelotas. ¿Es razonable decir que cada pelota llevará aproximadamente 90 ligas?

---

## Práctica independiente

**Práctica al nivel** En los Ejercicios **9** a **28,** estima el cociente.

 *Primero, redondea a la decena más cercana. Luego, intenta con múltiplos de diez que estén cerca del número redondeado.*

**9.** 530 ÷ 9   **10.** 620 ÷ 7   **11.** 159 ÷ 5   **12.** 232 ÷ 6   **13.** 119 ÷ 3

**14.** 403 ÷ 8   **15.** 652 ÷ 6   **16.** 599 ÷ 9   **17.** 400 ÷ 6   **18.** 326 ÷ 4

**19.** 637 ÷ 6   **20.** 197 ÷ 2   **21.** 747 ÷ 8   **22.** 256 ÷ 9   **23.** 283 ÷ 4

**24.** 552 ÷ 7   **25.** 438 ÷ 5   **26.** 173 ÷ 4   **27.** 625 ÷ 3   **28.** 821 ÷ 3

## Una manera

Usa números compatibles.

¿Qué número cercano a 700 se divide fácilmente por 9?

Intenta con múltiplos de diez cercanos a 700.

710 no se puede dividir fácilmente por 9.

720 son 72 decenas y se puede dividir por 9.

$720 \div 9 = 80$

Una buena estimación es 80 ligas para cada pelota.

## Otra manera

Usa la multiplicación.

¿Nueve veces qué número es aproximadamente 700?

$9 \times 8 = 72$;
por tanto, $9 \times 80 = 720$.

$700 \div 9$ es aproximadamente 80.

## TAKS Resolución de problemas

Usa el cuadro de la derecha para los Ejercicios **29** y **30**.

**29.** Lia vendió sus tazas en 6 semanas. ¿Aproximadamente cuántas vendió cada semana?

**30.** Bob vendió sus tazas en 7 semanas. ¿Aproximadamente cuántas vendió cada semana?

**Tazas vendidas para recaudar fondos**

Cada taza = 50 tazas.

Lia

Bob

**31. Sentido numérico** A Marcos le piden que dé dos estimaciones diferentes de $600 \div 8$. Nombra dos números que sean compatibles con 8 y que Jeff podría usar para reemplazar 600.

**32. Escribir para explicar** Copia el círculo y llénalo con $>$ o $<$. Sin dividir, explica cómo sabes qué cociente es mayor.

$930 \div 4 \bigcirc 762 \div 4$

**33.** La *Estación Espacial Internacional* tarda 644 minutos en orbitar la Tierra 7 veces. ¿Aproximadamente cuánto tiempo tarda cada órbita?

A   80 minutos

B   90 minutos

C   95 minutos

D   100 minutos

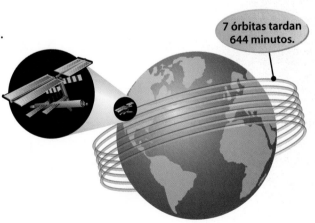

7 órbitas tardan 644 minutos.

**TEKS 4.4E:** Utilizar la división para resolver problemas (divisores de no más de un dígito y dividendos de tres dígitos sin tecnología).

# Dividir con residuos

## ¿Qué pasa cuando sobra algo?

María tiene 20 plantas de pimentones para situar en 3 filas. Tiene que plantar el mismo número en cada fila. ¿Cuántas plantas irán en cada fila? ¿Cuántas sobran?

3 filas de plantas

---

## Práctica guiada

### ¿CÓMO hacerlo?

En los Ejercicios **1** a **4**, usa fichas o haz dibujos. Di cuántos objetos hay en cada grupo y cuántos sobran.

**1.** 36 bolígrafos
5 grupos

**2.** 48 carros
7 cajas

**3.** 23 canicas
4 bolsas

**4.** 40 pelotas
6 papeleras

### ¿Lo ENTIENDES?

**5. Escribir para explicar** Cuando divides un número por 6, ¿qué residuos pueden quedar?

**6.** Tia va a plantar 15 plantas en su jardín. Quiere plantarlas en grupos iguales de 4. ¿Cuántos grupos de 4 puede formar? ¿Cuántas plantas le sobrarán?

---

## Práctica independiente

**Práctica al nivel** En los Ejercicios **7** a **14**, copia y luego completa los cálculos. Usa fichas o dibujos para ayudarte.

 El residuo debe ser siempre menor que el divisor.

**7.**  R
8)33

**8.**  R
3)17

**9.**  R
6)51

**10.**  R
5)48

**11.**  R
6)26

**12.**  R
7)67

**13.**  R
9)77

**14.**  R
4)30

DIGITAL
eTools, Glosario animado
**www.pearsonsuccessnet.com**

476

Divide 20 fichas entre 3 filas.

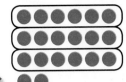

$3 \times 6 = 18$ fichas

La parte que sobra después de dividir se llama residuo.

Hay 2 fichas sobrantes. No hay suficientes para poner en otra fila; por tanto, el residuo es 2.

Comprueba tu respuesta.

$$\begin{array}{r} 6 \text{ R2} \\ 3\overline{)20} \\ -18 \\ \hline 2 \end{array}$$

Divide: 20 en 3 grupos de 6

Multiplica: $3 \times 6 = 18$

Resta: $20 - 18 = 2$

Compara: $2 < 3$

$3 \times 6 = 18$, y $18 + 2 = 20$

María puede colocar 6 plantas en cada fila. Le sobrarán 2 plantas.

En los Ejercicios **15** a **29,** divide. Puedes usar fichas o dibujos como ayuda.

**15.** $3\overline{)17}$  **16.** $7\overline{)41}$  **17.** $9\overline{)82}$  **18.** $8\overline{)62}$  **19.** $7\overline{)37}$

**20.** $6\overline{)45}$  **21.** $4\overline{)22}$  **22.** $6\overline{)28}$  **23.** $4\overline{)33}$  **24.** $8\overline{)75}$

**25.** $9\overline{)59}$  **26.** $6\overline{)34}$  **27.** $7\overline{)50}$  **28.** $5\overline{)23}$  **29.** $8\overline{)63}$

**TAKS Resolución de problemas**

**30. Álgebra** Si $38 \div 8 = n$ R6, ¿cuál es el valor de $n$?

**31.** ¿Cuántas piezas de rompecabezas sobran si 9 amigos se reparten en partes iguales 100 piezas?

**32.** Escribe una división con un cociente de 6 y un residuo de 2.

**33. Sentido numérico** Cuando divides un número por 6, ¿puede ser 8 el residuo?

**34. ¿Es razonable?** La maestra de Carlos tomó 27 fotos durante la excursión de su clase. Quiere ordenarlas en la pared, en 4 filas iguales. Carlos dijo que si lo hace así, le sobrarán 7 fotos. ¿Es esto razonable?

**35. Razonamiento** Carly está pensando en un número entre 269 y 281. Es un número par, pero el dígito que está en el lugar de las decenas es impar. ¿Cuál es el número?

**36.** Piensa en el proceso Chase ayudó a la señora Martin a embalar 58 libros en 7 cajas. Cada caja contenía 9 libros. ¿Qué expresión se usa generalmente para hallar cuántos libros le sobraron?

**A** $58 - 9$  **C** $58 - 7$

**B** $58 \div 9$  **D** $58 \div 7$

**37.** En el concierto escolar había 560 personas sentadas en 8 filas. Si no quedaron asientos vacíos, ¿cuántas personas había en cada fila?

**F** 553 personas  **H** 70 personas

**G** 480 personas  **J** 60 personas

Un paso
adelante
Lección
**13**

**TEKS 4.2C:** Comparar
y ordenar fracciones
utilizando objetos
concretos y modelos
pictóricos.

# Comparar y ordenar fracciones usando modelos

## ¿Cómo usas las tiras de fracciones para comparar y ordenar fracciones?

La tabla muestra la cantidad de tiempo que tres estudiantes pasan practicando guitarra cada día. ¿Quién pasó más tiempo practicando, Jack o Lynn? ¿Quién pasó menos tiempo practicando, Chase o Jack?

| Práctica de guitarra | |
| --- | --- |
| Jack | $\frac{3}{4}$ de hora |
| Chase | $\frac{2}{3}$ de hora |
| Lynn | $\frac{1}{4}$ de hora |

**Otro ejemplo** ¿Cómo usas tiras de fracciones para ordenar fracciones?

Usa la tabla de arriba. ¿Cuál de las siguientes opciones representa la cantidad de tiempo que los estudiantes practicaron, en orden de menor a mayor?

**A** $\frac{3}{4}$ h, $\frac{2}{3}$ h, $\frac{1}{4}$ h

**B** $\frac{2}{3}$ h, $\frac{3}{4}$ h, $\frac{1}{4}$ h

**C** $\frac{1}{4}$ h, $\frac{3}{4}$ h, $\frac{2}{3}$ h

**D** $\frac{1}{4}$ h, $\frac{2}{3}$ h, $\frac{3}{4}$ h

Para ordenar las fracciones, puedes usar tiras de fracciones.

$\frac{1}{4} < \frac{2}{3} < \frac{3}{4}$

Por tanto, el orden de los tiempos de práctica de menor a mayor es $\frac{1}{4}$ h, $\frac{2}{3}$ h, $\frac{3}{4}$ h.

La opción correcta es la **D**.

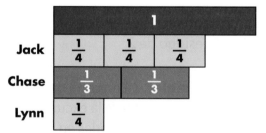

**Explícalo**

1. Observa las tiras de fracciones para $\frac{3}{4}$, $\frac{2}{3}$ y $\frac{1}{4}$. ¿Cuál de las fracciones es mayor que $\frac{1}{2}$? Explica cómo hallaste la respuesta.

2. Observa las tiras de fracciones para $\frac{1}{4}$, $\frac{5}{6}$ y $\frac{5}{12}$. ¿Cuál de las fracciones es menor que $\frac{1}{2}$? Explica cómo hallaste la respuesta.

eTools
**www.pearsonsuccessnet.com**

DIGITAL

¿Quién practicó más, Jack o Lynn?

Compara $\frac{3}{4}$ y $\frac{1}{4}$.

Para comparar, puedes usar tiras de fracciones.

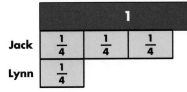

$\frac{3}{4} > \frac{1}{4}$

Jack pasó más tiempo practicando que Lynn.

¿Quién practicó menos, Chase o Jack?

Compara $\frac{2}{3}$ y $\frac{3}{4}$.

Para comparar, puedes usar tiras de fracciones.

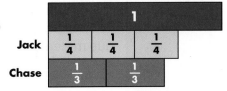

$\frac{2}{3} < \frac{3}{4}$

Chase pasó menos tiempo practicando que Jack.

## Práctica guiada

### ¿CÓMO hacerlo?

En el Ejercicio 1, escribe los números de menor a mayor. Usa tiras de fracciones o dibujos como ayuda.

1. $\frac{1}{3}, \frac{3}{4}, \frac{1}{6}$

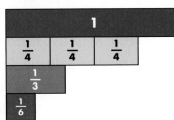

### ¿Lo ENTIENDES?

2. ¿Quién practicó más, Chase o Lynn?

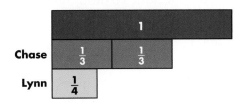

## Práctica independiente

En los Ejercicios 3 a 5, ordena los números de menor a mayor.
Usa tiras de fracciones o dibujos como ayuda.

3. $\frac{5}{8}, \frac{3}{4}, \frac{1}{2}$

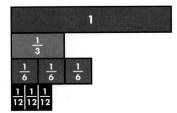

4. $\frac{1}{3}, \frac{3}{12}, \frac{3}{6}$

5. $\frac{3}{4}, \frac{3}{8}, \frac{1}{2}$

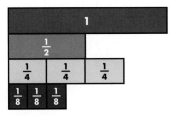

6. Tres estudiantes practicaron piano durante $\frac{5}{12}$ de hora, $\frac{1}{3}$ de hora y $\frac{3}{8}$ de hora. Escribe estas cantidades de tiempo en orden de menor a mayor.

7. **Razonamiento** ¿Cómo sabes que $\frac{3}{8}$ es mayor que $\frac{3}{10}$?

**TEKS 4.2C:** Comparar y ordenar fracciones utilizando objetos concretos y modelos pictóricos.

# Comparar fracciones

## ¿Cómo comparas fracciones?

El padre de Isabella está construyendo un dinosaurio a escala con pedazos sobrantes de madera que miden $\frac{1}{4}$ de pulgada y $\frac{5}{8}$ de pulgada.

¿Cuáles son más largos, los pedazos de $\frac{1}{4}$ de pulgada o los pedazos de $\frac{5}{8}$ ?

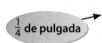

$\frac{1}{4}$ de pulgada

---

## Práctica guiada

### ¿CÓMO hacerlo?

Compara. Escribe >, < o = en cada $\bigcirc$. Usa tiras de fracciones o dibujos como ayuda.

**1.** $\frac{4}{8} \bigcirc \frac{1}{2}$      **2.** $\frac{5}{6} \bigcirc \frac{2}{3}$

**3.** $\frac{3}{5} \bigcirc \frac{1}{5}$      **4.** $\frac{1}{2} \bigcirc \frac{4}{5}$

### ¿Lo ENTIENDES?

**5.** Mary dice que $\frac{1}{8}$ es mayor que $\frac{1}{4}$ porque 8 es mayor que 4. ¿Tiene razón? Explica tu respuesta.

**6.** El señor Mast usó trozos de madera que medían $\frac{2}{5}$ de pie, $\frac{1}{3}$ de pie y $\frac{3}{8}$ de pie para construir una casa para aves. Compara estas longitudes.

---

## Práctica independiente

En los Ejercicios **7** a **38**, compara y luego escribe >, < o = en cada $\bigcirc$. Usa tiras de fracciones o fracciones de referencia como ayuda.

**7.** $\frac{2}{6} \bigcirc \frac{3}{6}$    **8.** $\frac{3}{10} \bigcirc \frac{7}{8}$    **9.** $\frac{6}{12} \bigcirc \frac{1}{2}$    **10.** $\frac{7}{8} \bigcirc \frac{3}{4}$

**11.** $\frac{1}{3} \bigcirc \frac{2}{8}$    **12.** $\frac{5}{6} \bigcirc \frac{7}{8}$    **13.** $\frac{7}{12} \bigcirc \frac{3}{4}$    **14.** $\frac{2}{3} \bigcirc \frac{5}{12}$

**15.** $\frac{3}{8} \bigcirc \frac{2}{3}$    **16.** $\frac{3}{4} \bigcirc \frac{1}{8}$    **17.** $\frac{2}{3} \bigcirc \frac{1}{4}$    **18.** $\frac{1}{12} \bigcirc \frac{1}{10}$

**19.** $\frac{1}{5} \bigcirc \frac{2}{10}$    **20.** $\frac{7}{12} \bigcirc \frac{6}{12}$    **21.** $\frac{5}{12} \bigcirc \frac{4}{5}$    **22.** $\frac{2}{6} \bigcirc \frac{3}{12}$

**23.** $\frac{8}{10} \bigcirc \frac{3}{4}$    **24.** $\frac{4}{8} \bigcirc \frac{11}{12}$    **25.** $\frac{5}{6} \bigcirc \frac{10}{12}$    **26.** $\frac{7}{8} \bigcirc \frac{1}{6}$

eTools
www.pearsonsuccessnet.com

DIGITAL

Usa fracciones de referencia.

Compara $\frac{1}{4}$ y $\frac{5}{8}$.

Para comparar ambas fracciones con $\frac{1}{2}$, puedes usar tiras de fracciones.

$\frac{1}{4} < \frac{1}{2}$,

$\frac{5}{8} > \frac{1}{2}$,

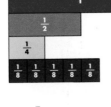

Por tanto,
$\frac{1}{4} < \frac{5}{8}$

Los pedazos de $\frac{5}{8}$ de pulgada son más largos.

Compara $\frac{1}{4}$ y $\frac{3}{4}$.

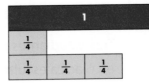

Cuando las dos fracciones tienen el mismo denominador, comparas los numeradores.

$$3 > 1$$

Por tanto, $\frac{3}{4} > \frac{1}{4}$.

27. $\frac{2}{8}$ ◯ $\frac{5}{8}$

28. $\frac{2}{4}$ ◯ $\frac{4}{8}$

29. $\frac{9}{12}$ ◯ $\frac{1}{2}$

30. $\frac{1}{3}$ ◯ $\frac{4}{9}$

31. $\frac{6}{8}$ ◯ $\frac{8}{10}$

32. $\frac{3}{5}$ ◯ $\frac{3}{6}$

33. $\frac{2}{12}$ ◯ $\frac{2}{10}$

34. $\frac{5}{6}$ ◯ $\frac{4}{5}$

35. $\frac{3}{3}$ ◯ $\frac{1}{1}$

36. $\frac{3}{4}$ ◯ $\frac{9}{12}$

37. $\frac{7}{8}$ ◯ $\frac{3}{5}$

38. $\frac{1}{4}$ ◯ $\frac{2}{8}$

## TAKS Resolución de problemas

39. **Sentido numérico** Janet hizo el dibujo que está a la derecha para demostrar que $\frac{3}{8}$ es mayor que $\frac{3}{4}$. ¿Cuál fue el error de Janet?

40. **Escribir para explicar** ¿Por qué puedes comparar dos fracciones con el mismo denominador comparando sólo los numeradores?

41. ¿A qué conclusión puedes llegar respecto de $\frac{3}{4}$ y $\frac{12}{16}$ si sabes que $\frac{3}{4} = \frac{6}{8}$ y que $\frac{6}{8} = \frac{12}{16}$?

42. **Razonamiento** ¿Cuál es más largo, $\frac{1}{2}$ pie o $\frac{1}{2}$ yarda? Explícalo.

43. Si $34 \times 20 = 680$ entonces $34 \times 200 = $ ▢

44. Ted está planeando una cena. Tiene 5 mesas en las que se pueden sentar 6 invitados en cada una, y otra mesa en la que se pueden sentar los 3 invitados restantes. ¿Cuántas personas van a ir a la cena de Ted?

45. Un melón se dividió en 10 tajadas iguales. Juan comió tres tajadas. Bob y Sandy comieron las tajadas restantes. ¿Qué fracción del melón comieron Bob y Sandy?

A $\frac{1}{5}$   B $\frac{3}{10}$   C $\frac{7}{10}$   D $\frac{13}{10}$

Un paso
adelante
Lección

**15**

TEKS 4.2C: Comparar
y ordenar fracciones
utilizando objetos
concretos y modelos
pictóricos.

# Ordenar fracciones

## ¿Cómo ordenas las fracciones?

Manos a la obra
tiras de fracciones

$\frac{1}{8}$

Tres estudiantes hicieron esculturas para un proyecto escolar. La escultura de Jeff tiene una altura de $\frac{9}{12}$ de pie; la de Scott, $\frac{1}{3}$ de pie y la de Kristen, $\frac{3}{6}$ de pie. Haz una lista de las alturas de las esculturas en orden de menor a mayor.

$\frac{9}{12}$ de pie de altura

## Práctica guiada

### ¿CÓMO hacerlo?

En los Ejercicios **1** a **6**, ordena las fracciones de menor a mayor. Usa tiras de fracciones o dibujos como ayuda.

**1.** $\frac{5}{8}, \frac{1}{4}, \frac{3}{8}$

**2.** $\frac{5}{6}, \frac{1}{3}, \frac{1}{6}$

**3.** $\frac{1}{2}, \frac{7}{8}, \frac{3}{4}$

**4.** $\frac{2}{3}, \frac{3}{12}, \frac{3}{4}$

**5.** $\frac{7}{9}, \frac{2}{3}, \frac{4}{9}$

**6.** $\frac{2}{3}, \frac{5}{6}, \frac{5}{12}$

### ¿Lo ENTIENDES?

**7.** ¿Qué denominador usarías para hallar fracciones equivalentes cuando comparas $\frac{2}{3}, \frac{2}{4}$ y $\frac{2}{12}$?

**8.** Otros tres estudiantes hicieron esculturas que tienen estas alturas: $\frac{2}{3}$ de pie, $\frac{5}{6}$ de pie, y $\frac{2}{12}$ de pie. Escribe estas alturas en orden de menor a mayor.

## Práctica independiente

En los Ejercicios **9** a **20**, halla fracciones equivalentes que tengan un denominador común y ordénalas de menor a mayor. Usa dibujos o tiras de fracciones como ayuda.

**9.** $\frac{1}{3}, \frac{1}{5}, \frac{1}{2}$

**10.** $\frac{2}{5}, \frac{2}{8}, \frac{2}{12}$

**11.** $\frac{5}{12}, \frac{2}{3}, \frac{1}{4}$

**12.** $\frac{2}{3}, \frac{5}{6}, \frac{7}{12}$

**13.** $\frac{5}{6}, \frac{3}{4}, \frac{8}{12}$

**14.** $\frac{1}{2}, \frac{3}{5}, \frac{2}{10}$

**15.** $\frac{3}{5}, \frac{4}{10}, \frac{1}{2}$

**16.** $\frac{8}{12}, \frac{1}{2}, \frac{3}{4}$

**17.** $\frac{2}{4}, \frac{3}{12}, \frac{2}{3}$

**18.** $\frac{6}{8}, \frac{1}{2}, \frac{3}{8}$

**19.** $\frac{10}{12}, \frac{1}{2}, \frac{3}{4}$

**20.** $\frac{2}{5}, \frac{3}{10}, \frac{3}{5}$

eTools
**www.pearsonsuccessnet.com**

Halla fracciones equivalentes que tengan un denominador común.

$$\frac{3}{6} = \frac{6}{12}$$

$$\frac{1}{3} = \frac{4}{12}$$

Compara los numeradores.

$$\frac{4}{12} < \frac{6}{12} < \frac{9}{12}$$

Ordena las fracciones de menor a mayor.

Por tanto, $\frac{1}{3} < \frac{3}{6} < \frac{9}{12}$.

Las alturas de las esculturas en orden de menor a mayor son $\frac{1}{3}$ de pie, $\frac{3}{6}$ de pie y $\frac{9}{12}$ de pie.

## TAKS Resolución de problemas

**21. Escribir para explicar** La escultura de Sandy es más alta que la de Jason. La escultura de Becca es más alta que la de Sandy. Si la escultura de Sandy mide $\frac{2}{3}$ de pie, ¿cuál sería la altura de las esculturas de Jason y de Becca?

**22. Estimación** La fracción $\frac{3}{4}$ es $\frac{1}{4}$ menor que 1 entero. Sin hallar fracciones equivalentes, ordena las fracciones $\frac{7}{8}$, $\frac{3}{4}$, y $\frac{5}{6}$ de menor a mayor.

**23.** La tabla muestra el número de páginas que leyeron cuatro estudiantes. ¿Cuál de las opciones tiene el número de páginas en orden de mayor a menor?

A   96, 64, 69, 25    C   64, 25, 69, 96

B   25, 64, 69, 96    D   96, 69, 64, 25

| Datos | Estudiantes | Número de páginas |
|---|---|---|
| | Francine | 25 |
| | Ty | 69 |
| | Greg | 96 |
| | Vicki | 64 |

**24. Álgebra** Halla los números que faltan en el patrón de abajo.

▢, 24, 32, ▢, ▢, 56, ▢

**25.** Cathy le pidió a Julie que nombrara 3 fracciones entre 0 y 1. Julie dijo $\frac{5}{12}$, $\frac{1}{4}$ y $\frac{2}{6}$. Ordena las fracciones de Julie de menor a mayor.

**26.** Annika tenía 6 pares de collares. Sydney tenía 2 veces esa cantidad. ¿Cuántos collares tenía Sydney?

**27.** Cada estudiante de Grado 3 tuvo que leer el mismo libro. James leyó $\frac{3}{4}$ del libro y Tony leyó $\frac{3}{5}$ del libro. ¿Quién leyó más?

Un paso
adelante
Lección

**16**

**TEKS 4.9B:** Utilizar
traslaciones, reflexiones
y rotaciones para verificar
que dos figuras sean
congruentes.

# Figuras congruentes

## ¿Cuándo son congruentes las figuras?

Las figuras que tienen el mismo tamaño
y la misma forma son congruentes.

Usa papel de calcar y traslaciones, reflexiones y rotaciones
para probar si dos figuras son congruentes.

Congruente

No congruente

---

## Práctica guiada

### ¿CÓMO hacerlo?

En los Ejercicios **1** a **4,** menciona si las
figuras de cada par son congruentes.

1.

2.

3.

4.

### ¿Lo ENTIENDES?

5. Si una de las figuras que están más
   arriba rota $\frac{1}{4}$ de giro, ¿las dos figuras
   seguirán siendo congruentes?

6. **Escribir para explicar** Un círculo y
   un cuadrado, ¿pueden alguna vez ser
   congruentes?¿por qué o por qué no?

---

## Práctica independiente

En los Ejercicios **7** a **15,** menciona si las figuras de cada par son congruentes.

7.

8.

9.

10.

11.

12.

13.

14.

15.

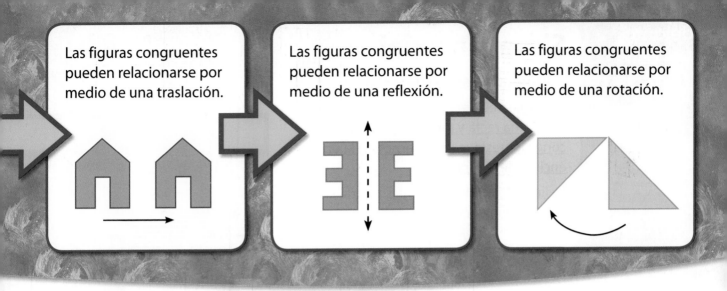

Las figuras congruentes pueden relacionarse por medio de una traslación.

Las figuras congruentes pueden relacionarse por medio de una reflexión.

Las figuras congruentes pueden relacionarse por medio de una rotación.

**TAKS Resolución de problemas**

En los Ejercicios **16** y **17,** describe todo lo que es igual y todo lo que es diferente de cada par de figuras. Luego di si las figuras son congruentes.

**16.**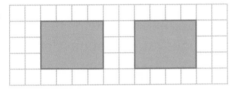

**17.**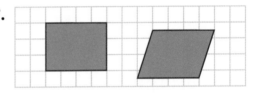

**18.** Dibuja un segmento de recta para unir los vértices opuestos de un rectángulo. ¿Qué polígonos has creado? ¿Son congruentes estos polígonos?

**19.** En un paseo en autobús, Kelsey contó 24 taxis y 12 autobuses. ¿Cuántos autobuses y taxis contó en total?

| ? taxis y autobuses en total | |
|---|---|
| 24 | 12 |

**20. Razonamiento** Usa el diagrama que está a continuación. Eliza escribió un mensaje en papel y lo sostuvo frente al espejo. ¿Qué dice el mensaje?

ИÒIXƎⅬꟻƎЯ AИU ꙄƎ ATꙄÈ

**21.** Terrence viaja 25 minutos todos los días para llegar al trabajo, pero le toma 40 minutos volver a casa. ¿Cuánto tiempo le toma el viaje de ida y vuelta en horas y minutos?

**22.** ¿Cuántos días hay en 26 semanas?

   **A** 33 días      **C** 182 días

   **B** 142 días     **D** 365 días

# Un paso adelante
## Lección
# 17

**TEKS 4.9C:** Utilizar reflexiones para verificar que una figura tenga simetría.

# Simetría axial

**Manos a la obra**
papel cuadriculado

## ¿Qué es una simetría axial?

Una figura es simétrica si puede doblarse sobre una recta y formar dos mitades congruentes que se superponen la una encima de la otra.

La línea de doblez se llama simetría axial. Este camión tiene un eje de simetría.

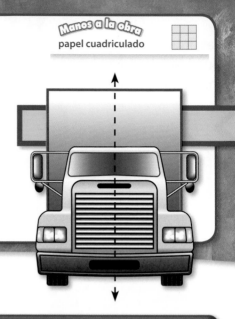

---

## Práctica guiada

### ¿CÓMO hacerlo?

En los Ejercicios **1** y **2**, menciona si cada recta es un eje de simetría.

**1.**     **2.**

En los Ejercicios **3** y **4**, menciona cuántos ejes de simetría tiene cada figura.

**3.**     **4.**

### ¿Lo ENTIENDES?

**5.** ¿Es posible que una figura **NO** tenga un eje de simetría?

**6.** ¿Cuántos ejes de simetría tiene la figura que está a continuación?

**7. Escribir para explicar** ¿Cuántos ejes de simetría tiene una rueda de bicicleta?

---

## Práctica independiente

En los Ejercicios **8** a **11,** menciona si cada recta es un eje de simetría.

**8.** 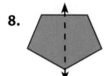    **9.** 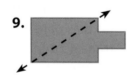    **10.**     **11.**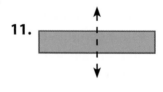

En los Ejercicios **12** a **15,** menciona cuántos ejes de simetría tiene cada figura.

**12.**     **13.**     **14.**     **15.**

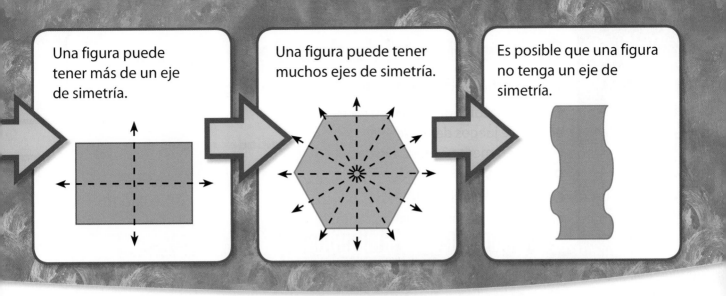

Una figura puede tener más de un eje de simetría.

Una figura puede tener muchos ejes de simetría.

Es posible que una figura no tenga un eje de simetría.

En los Ejercicios **16** a **23,** calca cada figura y, si puedes, dibuja ejes de simetría.

**16.**

**17.**

**18.**

**19.**

**20.**

**21.**

**22.**

**23.**

**24.** ¿Cuántos ejes de simetría tiene la letra H mayúscula?

**25.** ¿Cuántos ejes de simetría tiene la letra J mayúscula?

**26.** **Razonamiento** María dibujó una figura y dijo que tenía un número infinito de ejes de simetría. ¿Qué figura dibujó?

**27.** Dibuja un cuadrilátero que no tenga un eje de simetría.

**28.** El Álamo es un símbolo clave de la independencia de Texas. Usa la ilustración que está a la derecha para describir dónde está el eje de simetría.

**29.** Dibuja un triángulo que tenga, al menos, un eje de simetría.

**30.** ¿Cuántos ejes de simetría tiene un cuadrado?

    **A** Ninguno     **C** 4 ejes

    **B** 2 ejes     **D** 6 ejes

eTools, Glosario animado
www.pearsonsuccessnet.com

Un paso
adelante
Lección

18

**TEKS 4.11B:** Realizar
conversiones sencillas
entre diferentes unidades
de longitud, entre
diferentes unidades
de capacidad y entre
diferentes unidades de
peso en el sistema de
medida inglés (usual).

# Convertir unidades de longitud

## ¿Cómo conviertes unidades usuales de longitud?

Cheryl va a comprar un banco para
el área de juegos de la escuela.
Hay exactamente 7 pies de espacio
para el banco. ¿Qué banco cabrá?

Convierte la longitud de ambos bancos
en pies para hallar qué banco cabrá.

| Unidades usuales de longitud |
|---|
| 1 pie = 12 pulgadas |
| 1 yarda = 36 pulgadas |
| 1 yarda = 3 pies |
| 1 milla = 5,280 pies |
| 1 milla = 1,760 yardas |

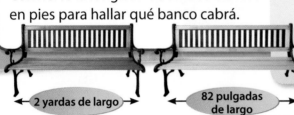

2 yardas de largo

82 pulgadas
de largo

## Práctica guiada

### ¿CÓMO hacerlo?

En los Ejercicios **1** a **8**, halla los números que
faltan.

1. 3 yd = ▢ pies

2. 2 m = ▢ pies

3. 36 pies = ▢ yd

4. 72 pulg. = ▢ yd

5. 2 m = ▢ yd

6. 6 yd = ▢ pulg.

7. 60 pulg. = ▢ pies

8. 9 pies = ▢ yd

### ¿Lo ENTIENDES?

9. Para convertir pies en yardas,
   ¿multiplicas o divides?

10. Para convertir pies en pulgadas,
    ¿multiplicas o divides?

11. **Escribir para explicar** El consejo
    estudiantil halla otro banco que
    mide 86 pulgadas. ¿Cabrá este banco?

## Práctica independiente

**Práctica al nivel** En los Ejercicios **12** a **27**, halla los números que faltan.

12. 12 pies = ▢ yd

    12 ÷ 3 = ▢ yd

13. 48 pulg. = ▢ pies

    48 ÷ 12 = ▢ pies

14. 36 pulg. = ▢ pies

    36 ÷ 36 = ▢ pies

15. 3 m = ▢ pies

    3 × 5,280 = ▢ pies

16. 10 pies = ▢ pulg.

    10 × 12 = ▢ pulg.

17. 6 yd = ▢ pies

    6 × 3 = ▢ pies

18. 24 pulg. = ▢ pies

    24 ÷ 12 = ▢ pies

19. 3 m = ▢ yd

    3 × 1,760 = ▢ yd

20. 33 pies = ▢ yd

21. 90 yd = ▢ pies

22. 36 pulg. = ▢ pies

23. 18 yd = ▢ pies

24. 1 m = ▢ yd

25. 72 pulg. = ▢ pies

26. 12 pulg. = ▢ pies

27. 10,560 pies = ▢ m

Para convertir unidades más pequeñas en unidades más grandes, divide.

82 pulgadas = ▨ pies

12 pulgadas = 1 pie. Por tanto, divide 82 pulgadas por 12.

$$\begin{array}{r} 6 \text{ R}10 \\ 12\overline{)82} \\ -72 \\ \hline 10 \end{array}$$

82 pulgadas = 6 pies 10 pulgadas

Dado que es menor que 7 pies, este banco cabrá.

Para convertir unidades más grandes en unidades más pequeñas, multiplica.

2 yarda = ▨ pies

1 yarda = 3 pies. Por tanto, multiplica 2 yardas por 3.

$$2 \times 3 = 6$$

2 yardas = 6 pies

Dado que 6 pies es menor que 7 pies, este banco también cabrá.

## TAKS Resolución de problemas

28. Una limusina súper larga mide 20 pies de longitud. Una camioneta de carga mide 228 pulgadas de longitud. ¿Cuál es más larga?

29. **Geometría** Si un lado de un cuadrado mide 6 pulgadas de longitud, ¿cuál es el área del cuadrado?

30. **¿Es razonable?** Una revista informa que la altura de una jirafa es de 180 pulgadas o 15 yardas. ¿Qué error se cometió?

31. Un maratón mide aproximadamente 26 millas de longitud. ¿A cuántas yardas equivale?

    **A** 4,576 yd        **C** 45,760 yd

    **B** 13,728 yd        **D** 137,280 yd

32. Las plumas de la cola más largas que las de cualquier otra ave son las del faisán argos real. Las plumas miden 5 pies 7 pulgadas de longitud. ¿Cuántas pulgadas de longitud miden estas plumas?

Usa la información y la tabla de la derecha para resolver los Ejercicios **33** a **35**.

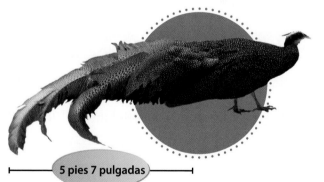

5 pies 7 pulgadas

33. ¿Entrarán 3 jaulas de guacamayos una junto a la otra en la pajarera si ésta mide 10 pies de ancho?

34. ¿Entrarán 5 jaulas de periquitos una junto a la otra en la pajarera si ésta mide 3 yardas de ancho?

| Tipo de ave | Ancho de la jaula |
|---|---|
| Jilguero | 18 pulgadas |
| Periquito | 24 pulgadas |
| Guacamayo | 36 pulgadas |

Datos

35. Supón que 4 jaulas de guacamayos entran una junto a una otra en una pajarera. ¿Entrarán 8 jaulas de jilguero en este mismo espacio?

Un paso
adelante
Lección

**19**

**TEKS 4.11B:** Realizar conversiones sencillas entre diferentes unidades de longitud, entre diferentes unidades de capacidad y entre diferentes unidades de peso en el sistema de medida inglés (usual).

# Convertir unidades de capacidad

## ¿Cómo conviertes unidades usuales de capacidad?

Alicia tiene 7 botellas de agua de una pinta. ¿Cuántos cuartos de galón de agua tiene Alicia?

¿Cuántas tazas puede llenar?

7 botellas de una pinta

1 taza

| | |
|---|---|
| 1 cucharada (cda.) = | 3 cucharaditas (cdta.) |
| 1 onza líquida (oz líq.) = | 2 cucharadas |
| 1 taza = 8 onzas líquidas | |
| 1 pinta = 2 tazas | |
| 1 cuarto de galón = | 2 pintas |
| 1 galón = 4 cuartos | de galón |

---

## Práctica guiada

### ¿CÓMO hacerlo?

En los Ejercicios **1** a **8,** halla los números que faltan.

**1.** 12 cto. = ▢ gal

**2.** 2 t = ▢ oz líq.

**3.** 7 gal. = ▢ cto.

**4.** 5 pt = ▢ t

**5.** 32 oz líq. = ▢ t

**6.** 4 cda. = ▢ cdta.

**7.** 16 cto. = ▢ gal.

**8.** 4 pt = ▢ cto.

### ¿Lo ENTIENDES?

**9.** Para convertir onzas líquidas en tazas, ¿multiplicas o divides?

**10. Escribir para explicar** En el segundo ejemplo de arriba, ¿por qué multiplicas?

**11.** Tom tiene 2 cuartos de galón de agua. ¿A cuántas pintas equivale?

---

## Práctica independiente

**Práctica al nivel** En los Ejercicios **12** a **27,** halla los números que faltan.

**12.** 6 pt = ▢ t
$6 \times 2 =$ ▢ t

**13.** 5 gal. = ▢ cto.
$5 \times 4 =$ ▢ cto.

**14.** 32 oz líq. = ▢ t
$32 \div 8 =$ ▢ t

**15.** 9 cdta. = ▢ cda.
$9 \div 3 =$ ▢ cda.

**16.** 24 cto. = ▢ gal.
$24 \div 4 =$ ▢ gal.

**17.** 12 pt = ▢ cto.
$12 \div 2 =$ ▢ cto.

**18.** 12 t = ▢ oz líq.
$12 \times 8 =$ ▢ oz líq.

**19.** 30 cto. = ▢ pt
$30 \times 2 =$ ▢ pt

**20.** 18 cto. = ▢ pt

**21.** 80 oz líq. = ▢ t

**22.** 16 pt = ▢ cto.

**23.** 15 t = ▢ oz líq.

**24.** 8 cda. = ▢ cdta.

**25.** 20 t = ▢ pt

**26.** 20 gal = ▢ cto.

**27.** 48 oz líq. = ▢ t

Para convertir unidades más pequeñas en unidades más grandes, divide.

7 pintas = ▨ cuartos de galón

2 pintas = 1 cuarto de galón. Por tanto, divide 7 pintas por 2.

$$\begin{array}{r} 3 \text{ R1} \\ 2\overline{)7} \\ -\underline{6} \\ 1 \end{array}$$

Alicia tiene 3 cuartos de galón y 1 pinta de agua.

Para convertir unidades más grandes en unidades más pequeñas, multiplica.

7 pintas = ▨ tazas

1 pinta = 2 tazas. Por tanto, multiplica 7 pintas por 2.

| pt | pt | pt | pt | pt | pt | pt |
|----|----|----|----|----|----|----|

| t | t | t | t | t | t | t | t | t | t | t | t | t | t |
|---|---|---|---|---|---|---|---|---|---|---|---|---|---|

$7 \times 2 = 14$ tazas

Alicia puede llenar 14 tazas.

## ★ TAKS Resolución de problemas

**28.** Craig está preparando una sopa que necesita 8 tazas de agua. ¿Puede mezclar la sopa en una olla de 1 cuarto de galón? Explícalo.

| cto. | | cto. | |
|------|------|------|------|

| pt | pt | pt | pt |
|----|----|----|----|

| t | t | t | t | t | t | t | t |
|---|---|---|---|---|---|---|---|

**30. Geometría** ¿Cuál es el perímetro de un rectángulo que mide 6 pulgadas de largo y 2 pulgadas de ancho?

6 pulgadas

2 pulgadas

**31. Sentido numérico** Sin usar un calendario, halla cuál es la fecha tres semanas después del 5 de mayo.

**33. Escribir para explicar** ¿Qué unidad de medida usarías para medir la longitud de un lápiz?

**29.** Todos los días, más de 17,000,000 de galones de agua fluyen en la Fontana di Trevi. ¿A cuántos cuartos de galón equivale?

**A** 68 cto.

**B** 6,800 cto.

**C** 68,000 cto.

**D** 68,000,000 cto.

17 millones de galones por día

**32. Escribir para explicar** Una receta necesita 3 cuartos de galón de leche. ¿A cuántas pintas equivale?

**34.** Clint sirvió 11 tazas de ponche. Lisa sirvió 5 pintas de ponche. Ryan sirvió 3 cuartos de galón de ponche. ¿Quién sirvió la mayor cantidad de ponche?

**Un paso adelante**

**Lección**

**20**

**TEKS 4.11B:** Realizar conversiones sencillas entre diferentes unidades de longitud, entre diferentes unidades de capacidad y entre diferentes unidades de peso en el sistema de medida inglés (usual).

# Convertir unidades de peso

## ¿Cómo conviertes unidades de peso?

Una compañía frutera envía 30,000 libras de duraznos a todo el país. Cada caja del envío pesa 20 libras.

¿Cuántas toneladas de duraznos se están enviando? ¿Cuántas onzas de duraznos hay en cada caja?

1 libra (lb) = 16 onzas (oz)

1 tonelada (T) = 2,000 libras

30,000 libras de duraznos en total

caja de duraznos = 20 libras

---

## Práctica guiada

### ¿CÓMO hacerlo?

En los Ejercicios **1** a **8**, halla los números que faltan.

**1.** $2\,t = \phantom{00}\ \text{lb}$

**2.** $64\,oz = \phantom{00}\ \text{lb}$

**3.** $48\,oz = \phantom{00}\ \text{lb}$

**4.** $16{,}000\,\text{lb} = \phantom{00}\ t$

**5.** $1{,}000\,\text{lb} = \phantom{00}\ oz$

**6.** $7\,\text{lb} = \phantom{00}\ oz$

**7.** $6{,}000\,\text{lb} = \phantom{00}\ t$

**8.** $16\,oz = \phantom{00}\ \text{lb}$

### ¿Lo ENTIENDES?

**9.** Para convertir libras en onzas, ¿multiplicas o divides?

**10. Escribir para explicar** En el primer ejemplo de arriba, ¿por qué divides?

**11.** El durazno promedio pesa 8 onzas. Si una caja pequeña contiene 20 duraznos, ¿aproximadamente cuántas libras de duraznos hay en una caja pequeña?

---

## Práctica independiente

**Práctica al nivel** En los Ejercicios **12** a **27**, halla los números que faltan.

**12.** $15\,\text{lb} = \phantom{00}\ t$
$15 \times 2{,}000 = \phantom{00}\ t$

**13.** $5\,\text{lb} = \phantom{00}\ oz$
$5 \times 16 = \phantom{00}\ oz$

**14.** $64\,oz = \phantom{00}\ \text{lb}$
$64 \div 16 = \phantom{00}\ \text{lb}$

**15.** $22{,}000\,\text{lb} = \phantom{00}\ t$
$22{,}000 \div 2{,}000 = \phantom{00}\ t$

**16.** $20\,\text{lb} = \phantom{00}\ oz$
$20 \times 16 = \phantom{00}\ t$

**17.** $6\,\text{lb} = \phantom{00}\ oz$
$6 \times 16 = \phantom{00}\ oz$

**18.** $32\,oz = \phantom{00}\ \text{lb}$
$32 \div 16 = \phantom{00}\ \text{lb}$

**19.** $24\,t = \phantom{00}\ \text{lb}$
$24 \times 2{,}000 = \phantom{00}\ \text{lb}$

**20.** $6\,t = \phantom{00}\ \text{lb}$

**21.** $160\,oz = \phantom{00}\ \text{lb}$

**22.** $16\,oz = \phantom{00}\ \text{lb}$

**23.** $10{,}000\,\text{lb} = \phantom{00}\ t$

**24.** $3\,\text{lb} = \phantom{00}\ oz$

**25.** $1\,t = \phantom{00}\ \text{lb}$

**26.** $11\,\text{lb} = \phantom{00}\ oz$

**27.** $60{,}000\,\text{lb} = \phantom{00}\ t$

Para convertir unidades más pequeñas en unidades más grandes, divide.

30,000 libras = ◻ toneladas

2,000 libras = 1 tonelada
Divide 30,000 libras por 2,000.

**Piénsalo.** $30 \div 2 = 15$
Por tanto, $30,000 \div 2,000 = 15$.

El envío pesa 15 toneladas.

Para convertir unidades más grandes en unidades más pequeñas, multiplica.

20 libras = ◻ onzas

1 libra = 16 onzas
Multiplica 20 libras por 16.

$20 \times 16 = 320$ onzas

En cada caja hay 320 onzas de duraznos.

## TAKS Resolución de problemas

**28.** Supón que hay 50 pingüinos en una colonia y que cada uno se come 12 libras de krill y 18 libras de calamar por día. ¿Cuánto alimento se come la colonia por día?

**29.** La señora Hanley usa una bola de bolos que pesa 12 libras. ¿Cuántas onzas pesa la bola de bolos?

   **A**  120 oz       **C**  172 oz

   **B**  144 oz       **D**  192 oz

Usa la tabla de la derecha para resolver los Ejercicios **30** a **32**.

El peso de los objetos en otros planetas y en la Luna es diferente del peso en la Tierra.

**30.** ¿Cuál es el peso aproximado en onzas de un alumno de Grado 3 en la Luna?

**31.** ¿Cuál es el peso aproximado en onzas de un alumno de Grado 3 en Venus?

### Peso aproximado de un alumno de Grado 3

| Tierra | Júpiter | Venus | Luna |
|--------|---------|-------|------|
| 85 lb | 215 lb | 77 lb | 14 lb |

**32. Escribir para explicar** ¿Dónde pesaría más un adulto, en la Tierra o en Venus? Explica tu razonamiento.

**33.** Mateo compró 3 libras de manzanas y 2 libras de peras para hacer una ensalada de frutas. ¿Cuántas onzas compró de cada fruta?

**34.** Este avión cisterna combate los incendios usando agua de los lagos. Vuelve a llenar sus tanques rozando la superficie del lago. Si el avión puede recoger 4,000 libras de agua, ¿cuántas toneladas de agua puede llevar?

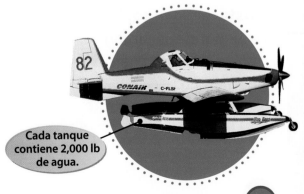

Cada tanque contiene 2,000 lb de agua.

# Glosario

## A

**A.M.** Hora entre la medianoche y el mediodía.

**ángulo** Figura formada por dos semirrectas que tienen el mismo extremo.

**ángulo agudo** Ángulo que mide menos que un ángulo recto.

**ángulo obtuso** Ángulo que mide más que un ángulo recto.

**ángulo recto** Ángulo que forma una esquina cuadrada.

**año** Unidad de tiempo equivalente a 365 días o 52 semanas o 12 meses.

**área** Cantidad de unidades cuadradas que se necesitan para cubrir una zona o región.

**arista** Segmento de recta donde se juntan dos caras de un cuerpo geométrico.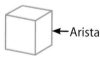
Arista

## C

**capacidad** Volumen de un recipiente medido en unidades líquidas.

**cara** Superficie plana de un cuerpo geométrico que no rueda.
Cara

**centésimo** Una de las 100 partes iguales de un entero.

**centímetros (cm)** Unidad métrica de longitud.

**cilindro** Cuerpo geométrico con dos círculos congruentes como base.

**clave** Explicación de lo que representan los símbolos de una pictografía.

**cociente** La respuesta a un problema de división.

**comparar** Determinar si un número es mayor o menor que otro.

**cono** Cuerpo geométrico con un círculo como base y una superficie curva que se encuentra en un punto.

**cuadrado** Cuadrilátero con cuatro ángulos rectos y con todos los lados de igual longitud.

**cuadrilátero** Polígono con 4 lados.

**cuarto** Una de las 4 partes iguales de un entero.

**cuarto de galón (cto.)** Unidad usual de capacidad. 1 cuarto equivale a 2 pintas.

**cuarto de hora** Unidad de tiempo equivalente a 15 minutos.

**cubo** Cuerpo geométrico con seis caras que son cuadrados congruentes.

**cuerpo geométrico** Figura que tiene longitud, ancho y altura.

**datos** Información recopilada.

**decimal** Número con uno o más dígitos a la derecha del punto decimal.

**decímetro (dm)** Unidad métrica de longitud. 1 decímetro equivale a 10 centímetros.

**décimo** Una de las 10 partes iguales de un entero.

**denominador** El número que aparece debajo de la barra de fracción, equivalente al número total de partes iguales.

**desigualdad** Oración numérica que utiliza < (menor que) o > (mayor que).

**diferencia** La respuesta al restar dos números.

**dígitos** Los símbolos 0, 1, 2, 3, 4, 5, 6, 7, 8 y 9 que se utilizan para escribir números.

**dividendo** El número que se va a dividir.
*Ejemplo:* $63 \div 9 = 7$

↑
Dividendo

**divisible** Que se puede dividir por otro número sin dejar residuo.
*Ejemplo:* 10 es divisible por 2.

**división** Operación que nos dice cuántos grupos iguales hay o cuántos objetos hay en cada grupo.

**divisor** El número por el que se divide otro número.
*Ejemplo:* $63 \div 9 = 7$
↑
Divisor

**doble** Un número dos veces.

**eje de simetría** Eje sobre el que se puede doblar una figura obteniendo dos partes exactamente iguales.

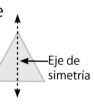
Eje de simetría

**encuesta** Recopilación de información haciendo la misma pregunta a varias personas y registrando sus respuestas.

**escala** Los números que muestran las unidades utilizadas en una gráfica.

**esfera** Cuerpo geométrico con forma de pelota.

**esquina** Lugar de un cuerpo geométrico donde se unen 3 o más aristas.

**estimar** Dar un número o una respuesta aproximados.

**evento imposible** Evento que no ocurrirá nunca.

**evento poco probable** Evento que probablemente no ocurrirá.

**evento posible** Evento que puede o no ocurrir.

**evento probable** Evento que probablemente ocurrirá.

**evento seguro** Evento que es seguro que ocurra.

**expresión numérica** Expresión que contiene números y al menos una operación.

**factores** Números que se multiplican juntos para dar un producto.
*Ejemplo:* $7 \times 3 = 21$
↑          ↑
Factor    Factor

**familia de operaciones** Grupo de operaciones relacionadas que utilizan los mismos números.

**figura simétrica** Una figura que tiene por lo menos un eje de simetría.

**figuras congruentes** Figuras que tienen la misma forma y tamaño.

**forma desarrollada** Número escrito como la suma de los valores de sus dígitos.
*Ejemplo:* 2,476 = 2,000 + 400 + 70 + 6

**forma estándar** Manera de escribir un número en el que sólo se muestran sus dígitos.
*Ejemplo:* 3,845

**fracción** Símbolo como $\frac{2}{8}$, $\frac{5}{1}$ ó $\frac{5}{5}$, usado para nombrar la parte de un entero, la parte de un conjunto o la ubicación en una recta numérica.

**fracción unitaria** Fracción con 1 en su numerador.
*Ejemplo:* $\frac{1}{2}$

**fracciones equivalentes** Fracciones que nombran la misma parte de un entero, de un conjunto o la ubicación en una recta numérica.

**galón (gal.)** Unidad usual de capacidad. 1 galón equivale a 4 cuartos.

**grado Celsius (°C)** Unidad métrica de temperatura.

**grado Fahrenheit (°F)** Unidad usual de temperatura.

**gráfica de barras** Gráfica que utiliza barras para mostrar datos.

**gramo (g)** Unidad métrica de masa que indica la cantidad de materia que tiene un objeto.

**hexágono** Polígono con 6 lados.

**hora** Unidad de tiempo equivalente a 60 minutos.

**kilogramo (kg)** Unidad métrica de masa que indica la cantidad de materia que tiene un objeto. 1 kilogramo equivale a 1,000 gramos.

**kilómetro (km)** Unidad métrica de longitud. 1 kilómetro equivale a 1,000 metros.

**lado** Segmento de recta que forma parte de un polígono.

**libra (lb)** Unidad usual de peso. 1 libra equivale a 16 onzas.

**líneas intersecantes** Rectas que se cruzan en un punto.

**líneas paralelas** Rectas que nunca se cruzan.

**líneas perpendiculares** Dos rectas que se cruzan formando ángulos rectos.

**litro (L)** Unidad métrica de capacidad. 1 litro equivale a 1,000 mililitros.

**marca de conteo** Marca utilizada para registrar datos en una tabla de conteo.
*Ejemplo:* 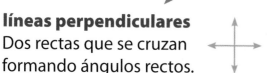 = 5

**matriz** Manera de mostrar objetos en filas y columnas.

**media hora** Unidad de tiempo equivalente a 30 minutos.

**mes** Una de las doce partes en las que se divide un año.

**metro (m)** Unidad métrica de longitud. 1 metro equivale a 100 centímetros.

**mililitro (mL)** Unidad métrica de capacidad. 1,000 mililitros equivalen a 1 litro.

**milímetro (mm)** Unidad métrica de longitud. 1,000 milímetros equivalen a 1 metro.

**milla (m)** Unidad usual de longitud. 1 milla equivale a 5,280 pies.

**minuto** Unidad de tiempo equivalente a 60 segundos.

**multiplicación** Operación que da el número total de grupos que hay cuando juntas grupos iguales.

**múltiplo** El producto de un número y cualquier otro número entero.
*Ejemplo:* 0, 4, 8 y 16 son múltiplos de 4.

**numerador** El número que aparece encima de la barra de una fracción.

**número en palabras** Número escrito en palabras.
*Ejemplo:* 9,325 = nueve mil trescientos veinticinco

**número impar** Número entero que tiene el 1, 3, 5, 7 ó 9 en el lugar de las unidades. Número que no es divisible por 2.

**número mixto** Número que tiene una parte que es un número entero y otra parte que es una fracción.
*Ejemplo:* $2\frac{3}{4}$

**número par** Número entero que tiene el 0, 2, 4, 6 u 8 en el lugar de las unidades. Número que es múltiplo de 2.

**números compatibles** Números que son fáciles de sumar, restar, multiplicar o dividir mentalmente.

**octágono** Polígono con 8 lados.

**onza (oz)** Unidad usual de peso.

**ordenar** Colocar números de menor a mayor o de mayor a menor.

**P.M.** Tiempo entre el mediodía y la medianoche.

**paralelogramo** Cuadrilátero en el que los lados opuestos son paralelos.

**patrón que se repite** Patrón formado con figuras o números que forman una parte que se repite.

**pentágono** Polígono con 5 lados.

**perímetro** La distancia alrededor de una figura.

**período** Grupo de tres dígitos en un número, separado por una coma.

**pictografía** Gráfica que utiliza dibujos o símbolos para mostrar datos.

**pie (pie)** Unidad usual de longitud. 1 pie equivale a 12 pulgadas.

**pinta (pt)** Unidad usual de capacidad. 1 pinta equivale a 2 tazas.

**pirámide** Cuerpo geométrico cuya base es un polígono y cuyas caras son triángulos con un punto común.

**polígono** Figura cerrada formada por segmentos de recta.

**prisma rectangular** Cuerpo geométrico cuyas caras son rectángulos.

**probabilidad** La posibilidad de que ocurra un evento.

**producto** La respuesta a un problema de multiplicación.

**producto parcial** Una parte de un producto.

**propiedad asociativa (o de agrupación) de la multiplicación** La agrupación de factores se puede cambiar sin que se altere el producto.

**propiedad asociativa (o de agrupación) de la suma** La agrupación de sumandos se puede cambiar sin que se altere la suma.

**propiedad conmutativa (o de orden) de la multiplicación** Los números se pueden multiplicar en cualquier orden sin que se altere el producto.

**propiedad conmutativa (o de orden) de la suma** Los números se pueden sumar en cualquier orden sin que se altere la suma.

**propiedad de identidad (o del cero) de la suma** La suma de cualquier número y cero es ese mismo número.

**propiedad de identidad (o del uno) de la multiplicación** El producto de cualquier número y 1 es ese mismo número.

**propiedad del cero en la multiplicación** El producto de cualquier número y cero es cero.

**pulgada (pulg.)** Unidad usual de longitud.

**punto** Posición exacta generalmente marcada con un punto.

**punto decimal** Punto utilizado para separar los dólares de los centavos y las unidades de los décimos en un número.

**quinto** Una de las 5 partes iguales de un entero.

**reagrupar** Nombrar un número entero de diferente manera. *Ejemplo:* 28 = 1 decena 18 unidades

**recta** Trayectoria rectilínea de puntos que es infinita en ambas direcciones.

**recta numérica** Recta que muestra números en orden usando una escala.
*Ejemplo:*

**rectángulo** Cuadrilátero con cuatro ángulos rectos.

**redondear** Reemplazar un número por otro para indicar una cantidad aproximada a la decena o a la centena o al millar, etc., más cercanos.
*Ejemplo:* 42 redondeado a la decena más cercana es 40.

**reflexión** Cambio de la posición de una figura después de voltearla.
*Ejemplo:*

A     B
La figura A es reflejada para formar la figura B.

**residuo** Número que queda después de dividir.
*Ejemplo:* 31 ÷ 7 = 4R3
↑
Residuo

**resultado** Efecto posible de un juego o experimento.

**resultado menos probable** Efecto que tiene menos probabilidad de suceder.

**resultados igualmente probables** Efectos que tienen la misma posibilidad de ocurrir.

**rombo** Cuadrilátero de lados opuestos paralelos y con todos los lados de igual longitud.

**rotación** Cambio en la posición de una figura que gira alrededor de un punto.
*Ejemplo:*

**S**

**segmento de recta** Parte de una recta que tiene dos extremos.

**segundo** Unidad de tiempo. 60 segundos equivalen a 1 minuto.

**semana** Unidad de tiempo equivalente a 7 días.

**semirrecta** Parte de una recta que tiene un extremo y que continúa infinitamente en la otra dirección.

**sexto** Una de las 6 partes de un entero.

**símbolo de dólar ($)** Símbolo utilizado para indicar dinero.

**simetría** Una figura tiene simetría si se puede doblar a lo largo de una recta obteniendo dos partes exactamente iguales.

**suma o total** Resultado que se obtiene al sumar dos o más números llamados sumandos.
*Ejemplo:* $7 + 9 = 16$
$\uparrow$
Suma

**sumandos** Números que deben sumarse para obtener una suma o total.
*Ejemplo:* $2 + 7 = 9$
$\uparrow \quad \uparrow$
Sumando   Sumando

**tabla de conteo** Tabla donde se registran datos.

**taza (t)** Unidad usual de capacidad.

**tercio** Una de las 3 partes iguales de un entero.

**termómetro** Instrumento utilizado para medir la temperatura.

**tiempo transcurrido** Cantidad total de tiempo que pasa desde el inicio hasta el fin de un evento.

**trapecio** Cuadrilátero con un único par de lados paralelos.

**traslación** Cambio en la posición de una figura que se desplaza hacia arriba, abajo o de lado.
*Ejemplo:*

**triángulo** Polígono con tres lados.

**triángulo acutángulo** Triángulo con tres ángulos agudos.

**triángulo equilátero** Triángulo cuyos lados tienen la misma longitud.

**triángulo escaleno** Triángulo cuyos lados tienen diferentes longitudes.

**triángulo isósceles** Triángulo con al menos dos lados de igual longitud.

**triángulo obtusángulo** Triángulo con un ángulo obtuso.

**triángulo rectángulo** Triángulo con un ángulo recto.

**unidad cuadrada** Cuadrado cuyos lados miden 1 unidad de longitud. Unidad utilizada para medir el área.

**unidad cúbica** Cubo cuyas aristas miden 1 unidad de longitud. Unidad utilizada para medir el volumen.

**valor de posición** El valor que se da al lugar de un dígito en un número. *Ejemplo:* En 3,946, el valor de posición del dígito 9 es el de las *centenas*.

**vértice** Punto donde se unen dos semirrectas para formar un ángulo. Punto donde se unen los lados de un polígono. Punto de un cuerpo geométrico que no rueda donde se unen 3 o más aristas. La parte puntiaguda de un cono.

**volumen** Número de unidades cúbicas que se necesitan para llenar un cuerpo geométrico.

**yarda (yd)** Unidad usual de longitud. 1 yarda equivale a 3 pies o a 36 pulgadas.

# Índice

**Resultados posibles,** 441

**Rombo,** 323

**Rotación,** 335, 337

**Segmento de recta,** 314–315, 318

**Semirrecta,** 316–317

**Sentido numérico**
álgebra, 9, 12, 39, 217
área, 419
cálculo mental, 32–34, 78–79
comparar, 10, 11, 12, 15, 216, 228
contar salteado, 290–291
datos, 431
decimales, 455
diagramas, 106, 196
dinero, 17
división, 208, 209, 210, 212, 213, 214, 215, 218, 219, 220, 224, 226, 477
estimación, 36–38, 40–42, 54, 60, 62, 80–82, 475
familias de operaciones, 72
fracciones, 243, 292, 295, 309, 353, 481
matrices, 120
mediciones y medidas, 352–353, 358–359, 364, 396, 398, 399, 401, 457
multiplicación, 120, 122, 123, 124, 125, 139, 142, 147, 148, 159, 164, 170, 212, 213, 228
números que faltan, 77
operaciones, 77
operaciones básicas, 473
oraciones numéricas, 77, 471
ordenar, 289, 291
patrones, 254–255
reagrupamiento, 56
redondear, 38, 41, 42, 83, 439
resta, 70–82, 79, 125
suma, 26–41, 31, 33, 41, 42, 55, 58, 61, 122, 124, 125, 164, 491
tiempo, 422–423

valor de posición, 7, 8, 11, 12, 20–21, 37, 38, 267

**Sextos,** 238–239

**Signos**
escoger signos de operaciones, 117, 143, 145, 149
usar, 126–128

**Símbolo de dólar,** 17

**Símbolos**
escoger símbolos de relación ($> < =$). *Ver* Comparar.
usar, 126–128

**Símbolos de relación, escoger.** *Ver* Comparar.

**Simetría,** 338–339, 340–341, 342–343

**Simétrico**
dibujar figuras con ejes de simetría, 340–341
figuras y simetría axial, 338–339
usar objetos para hacer figuras con ejes de simetría, 342–343

**Suma**
agrupar sumandos, 29, 32–34
decenas, usar, 32–34
dinero, 44–45, 150–151
números de dos dígitos, 29, 30–31, 32–34, 54–55, 62–63
números de tres dígitos, 40–42, 56–58, 60–61, 62–63
oraciones numéricas, 29, 77
propiedades
Asociativa, 29
Conmutativa, 29
Identidad, 29
reagrupar, 56–58, 59, 60–61
relacionada con la resta, 72
representar, 28–29, 30–31, 54–55, 56–58, 60–61, 62–63
significado de, 28–29
tabla de 100, 30–31
tres o más números, 62–63

**Suma repetida.** *Ver* Multiplicación, como suma repetida.

**Sumandos,** 28–29

**Sumandos que faltan,** 72, 77

**Sumar,** 28–42, 54–63

**Sumas, estimar,** 40–42, 54, 60, 62

**Tabla de conteo,** 430–431, 440–443

**Tablas**
ampliar, 266–267
hacer, 254–255, 272–275
pares de números, 254–255, 266–267
reglas, escribir, 268–270
tabla de conteo, 430–431, 440–443
usar para sacar conclusiones, 444–445

**TAKS: Preparación para los exámenes.** *Ver* Evaluación.

**Tangram,** 342–343

**Taza,** 396–397

**Temperatura**
estimar/medir, 420–421
grados Celsius, 420–421
grados Fahrenheit, 420–421

**Temperatura Celsius,** 420–421

**Temperatura Fahrenheit,** 420–421

**Tercios,** 238–239

**Termómetro,** 420–421

**Tiempo**
A.M., 414
años, 271
cuarto de hora, 414–416
hora, 414–416, 417, 418–419
media hora, 414–416
minuto, 414–416, 417, 418–419
P.M., 414
relojes analógicos, 414–416, 417, 418–419
relojes digitales, 414–416, 417, 418–419
transcurrido, 422–423

**Tiempo transcurrido,** 422–423

Scott Foresman·Addison Wesley

enVisionMATH™
en español
Texas

Scott Foresman · Addison Wesley

enVisionMATH™
en español
Texas